FANETTE

De la même auteure

ROMANS

Fanette, tome 5, *Les ombres du passé*, Libre Expression, 2012.

Fanette, tome 4, *L'encre et le sang*, Libre Expression, 2011.

Fanette, tome 3, *Le secret d'Amanda*, Libre Expression, 2010.

Fanette, tome 2, *La vengeance du Lumber Lord*, Libre Expression, 2009.

Fanette, tome 1, *À la conquête de la haute-ville*, Libre Expression, 2008.

Le Fort *intérieur*, Libre Expression, 2006; collection « 10/10 », 2012.

THÉÂTRE

La Nuit des p'tits couteaux, Leméac, 1987.

Suzanne Aubry

FANETTE

TOME 6

Du côté
des dames

Roman

Libre Expression

Une société de Québecor Média

Catalogage avant publication de Bibliothèque et Archives nationales du Québec et
Bibliothèque et Archives Canada

Aubry, Suzanne

    Fanette : roman
    L'ouvrage complet comprendra 7 v.
    Sommaire : t. 6. Du côté des dames.

    ISBN 978-2-7648-0370-7 (v. 6)

    I. Titre. II. Titre : Du côté des dames.

PS8551.U267F36 2007   C843'.54   C2007-942350-7
PS9551.U267F36 2007

Direction littéraire : Monique H. Messier
Révision linguistique : Marie Pigeon Labrecque
Correction d'épreuves : Julie Lalancette
Couverture et grille graphique intérieure : Chantal Boyer
Mise en pages : Hamid Aittouares
Photo de l'auteure : Sarah Scott
Illustration de la couverture : Jean-Luc Trudel
Illustration de la page 296 : John Henry Walker (1831-1899), gravure sur bois,
    © Musée McCord, Montréal

Bien qu'inspiré par certains faits et personnages historiques, cet ouvrage est une œuvre
de fiction et le fruit de l'imagination de l'auteure.

Remerciements
Nous reconnaissons l'aide financière du gouvernement du Canada par l'entremise du
Fonds du livre du Canada pour nos activités d'édition.
Nous remercions le Conseil des Arts du Canada et la Société de développement des
entreprises culturelles du Québec (SODEC) du soutien accordé à notre programme de
publication.
Gouvernement du Québec – Programme de crédit d'impôt pour l'édition de livres –
gestion SODEC.

Les Éditions Libre Expression
Groupe Librex inc.
Une société de Québecor Média
La Tourelle
1055, boul. René-Lévesque Est
Bureau 300
Montréal (Québec) H2L 4S5
Tél. : 514 849-5259
Téléc. : 514 849-1388
www.edlibreexpression.com

Dépôt légal – Bibliothèque et Archives nationales du Québec et Bibliothèque et Archives
Canada, 2013

ISBN 978-2-7648-0370-7

Distribution au Canada
Messageries ADP
2315, rue de la Province
Longueuil (Québec) J4G 1G4
Tél. : 450 640-1234
Sans frais : 1 800 771-3022
www.messageries-adp.com

Diffusion hors Canada
Interforum
Immeuble Paryseine
3, allée de la Seine
F-94854 Ivry-sur-Seine Cedex
Tél. : 33 (0)1 49 59 10 10
www.interforum.fr

À Françoise Mhun, pour sa précieuse amitié.
À ma tante Claire, un soleil dans ma vie.

"We are the Fenian Brotherhood, skilled in the arts of war,
And we're going to fight for Ireland, the land we adore,
Many battles we have won, along with the boys in blue,
And we'll go and capture Canada,
for we've nothing else to do."

Chanson d'un soldat Fenian

« À présent que le bon Dieu me juge ;
moi, je pardonne à ceux qui me méconnaissent. »

George Sand, *La Petite Fadette*

Dans le tome précédent…

Fanette a décidé de vivre à Montréal avec sa fille et est devenue la secrétaire de sa tante Madeleine, une femme excentrique mais attachante, qui signe un feuilleton dans le journal *L'Époque* sous un pseudonyme masculin. Lors du procès d'une jeune femme accusée d'avoir empoisonné son mari, Fanette fait la connaissance d'un jeune avocat, Julien Vanier. Ce dernier avait défendu sa sœur Amanda quelques années auparavant. Fanette n'est pas insensible au charme du jeune homme…

De son côté, Amanda file le parfait bonheur dans le village huron de la Jeune Lorette avec son mari Noël Picard. Toutefois, son fils, Ian, tourmenté par ses origines, souhaite en savoir plus sur son père. Amanda lui a toujours fait croire que celui-ci était mort dans le naufrage d'un navire, ne voulant à aucun prix lui révéler que son vrai père était Jacques Cloutier, l'homme qui l'a violée et qui a été pendu pour le meurtre d'un agriculteur de l'île d'Orléans.

Entre-temps, Sean s'est engagé dans la confrérie des Fenians, un groupe révolutionnaire irlandais qui cherche à libérer l'Irlande du joug britannique. Il n'a cependant pas abandonné sa quête pour retrouver ses sœurs, Amanda et Fanette.

Première partie

Un témoin dangereux

I

Montréal, avril 1864

Fanette resta debout devant la porte cochère, glacée de terreur. Les menaces d'Auguste Lenoir résonnaient encore dans sa tête. *J'ai un conseil à vous donner, mademoiselle. Ne vous mêlez plus de l'affaire Durand. Ne vous mêlez plus de mes affaires, tout court, sinon votre charmante petite fille pourrait en pâtir.* Elle avait toujours su que cet homme était dangereux, mais c'était maintenant, dans cette rue déserte et brumeuse, à deux pas de la sinistre prison du Pied-du-Courant, qu'elle en prenait toute la mesure. *Il connaît l'existence de Marie-Rosalie*, ne cessait-elle de se répéter. Elle revoyait la scène au marché Bonsecours, lorsqu'elle avait cherché la fillette, qui avait abandonné sa main pour s'aventurer dans les rues adjacentes. Quel soulagement elle avait éprouvé quand elle l'avait enfin aperçue, debout devant un quai du port ! Un homme l'accompagnait, mais il s'était éloigné rapidement au moment où elle avait couru dans leur direction. Marie-Rosalie lui avait souri, lui montrant un cornet de dragées.

— Maman, regarde comme elles sont jolies !

— Qui te les a offertes ? avait demandé Fanette, inquiète.

— Le monsieur. Il était très gentil.

Fanette s'était tournée vers la silhouette noire, mais celle-ci était trop distante pour qu'elle puisse la reconnaître. Maintenant, elle savait. Auguste Lenoir. *Vous êtes la mère d'une gentille petite fille. Je l'ai croisée au marché Bonsecours et lui ai offert des dragées. Très mignonne, bien élevée, comme sa mère, tiens.*

15

La jeune femme se rendit compte qu'il pleuvait de plus belle. Transie de froid et de peur, elle serra les pans de son manteau contre elle et se dirigea vers sa voiture, qu'elle avait garée à proximité de la prison. *Votre fille m'a dit que vous habitiez chez votre tante, rue Saint-Denis.* Lenoir connaissait donc son adresse et même son nom, Fanette Grandmont. Il avait menacé de s'en prendre à l'être qui lui était le plus précieux si elle continuait à se mêler de l'affaire Durand. Elle n'arrivait pas à comprendre la raison pour laquelle il s'intéressait tant à ce procès. Que cherchait-il à savoir, au juste ? Elle s'efforça de réfléchir, malgré son angoisse. L'intérêt de Lenoir avait sans doute un lien avec le mari de l'accusée, Lionel Durand. L'hiver précédent, Fanette avait accepté de venir en aide à sa belle-mère, qui était victime de chantage de la part de Lenoir. Elle avait effectué une fouille dans le bureau de l'agent de renseignement et y avait trouvé, entre autres documents, une facture indiquant que Lionel Durand devait à Lenoir la somme de cent cinquante dollars. Le mari de l'accusée l'avait peut-être engagé pour faire une enquête sur sa femme… L'évocation de la prisonnière la ramena aux aveux que celle-ci venait de lui faire, dans sa geôle sinistre :

— C'est au sujet de l'arsenic, lui avait-elle confié, les mains sagement croisées sur ses genoux, les yeux baissés. Vous êtes une bonne personne. Je veux que vous sachiez la vérité.

Il lui fallait à tout prix parler à Julien Vanier très tôt, le lendemain. La suite du procès pourrait en dépendre. *Julien…* Quelques heures à peine s'étaient écoulées depuis qu'ils s'étaient embrassés, à l'abri d'une porte cochère, sous une averse torrentielle. « Quoi qu'il arrive, sachez que vous m'avez rendu plus heureux que je ne l'avais jamais été dans toute ma vie », lui avait-il murmuré à l'oreille. La douceur de ce moment, bercé par le martèlement de la pluie, balaya toutes ses frayeurs. *Oh Julien, comme je t'aime…* C'était la première fois qu'elle prononçait ces mots, « Je t'aime », en pensant au jeune avocat ; la première fois qu'elle voyait poindre dans sa vie la possibilité d'un amour, qui lui avait semblé si inaccessible après sa rupture avec Alistair.

Un bruit de pas la fit tressaillir. *Mon Dieu, c'est Auguste Lenoir…* *Il revient…* La peur lui comprima la poitrine. Une ombre noire apparut dans la brume. Un casque luisait dans le halo d'une lanterne. *Un policier.* Il leva sa lampe vers elle et l'examina.

— Tout va bien, madame ?

La voix du gendarme semblait amortie par le brouillard.

— Oui, je vous remercie.

— Vous ne devriez pas rester dans les parages. C'est pas un quartier pour une demoiselle comme vous, surtout avec un crachin pareil. Si vous voulez, je peux vous escorter jusqu'à votre domicile.

— Ce n'est pas nécessaire. Ma voiture est à deux pas.

Elle s'éloigna, marchant avec prudence, car on n'y voyait goutte. Par chance, quelques réverbères avaient été allumés ici et là, bien qu'il ne fût que quatre heures de l'après-midi. Elle aperçut avec un soulagement indicible son Phaéton. Elle s'empara des guides, les mains tremblantes, et fit route vers la rue Saint-Denis.

⁓

La maison était silencieuse. En s'avançant dans le hall, Fanette vit de la lumière provenant du salon, où le lit de sa tante avait été installé depuis son terrible accident de voiture. Emma était à son chevet. La vue de sa mère rasséréna la jeune femme. Emma avait fait le voyage de Québec à Montréal aussitôt qu'elle avait appris la mauvaise nouvelle, et elle était bien décidée à veiller sur sa sœur jusqu'à ce que celle-ci soit complètement remise. La fidèle chienne George dormait au pied du lit.

— Comment va-t-elle ? s'enquit Fanette.

— Elle souffre encore beaucoup. Je lui ai donné un peu de laudanum pour atténuer la douleur, comme l'a recommandé le docteur Brissette.

Fanette contempla le visage émacié de sa tante, les cernes mauves sous ses yeux clos, sa pauvre main droite entourée d'un bandage, sa jambe emprisonnée dans une sorte d'étau pour qu'elle reste immobile. Un sentiment de pitié l'étreignit. Madeleine n'était plus en état d'écrire et avait confié à sa nièce le soin de rédiger à sa place les chroniques judiciaires sur le procès d'Aimée Durand, sous le pseudonyme de Jacques Gallant. Jusqu'à présent, Fanette avait réussi à s'acquitter de sa tâche et pondu un premier papier qui avait reçu l'approbation du redoutable rédacteur en chef de *L'Époque*, Prosper Laflèche. Mais après sa rencontre terrifiante avec Auguste Lenoir, parviendrait-elle à trouver la concentration nécessaire pour en écrire un deuxième ? La pendule sonna la demie. Il était déjà quatre heures trente. Il ne lui restait qu'une petite heure pour faire sa chronique.

— Tu es bien pâle, remarqua Emma.

— Ce n'est rien. Un début de migraine.

Fanette, sentant le regard inquiet de sa mère s'attarder sur elle, s'efforça de la rassurer.

— Ne vous faites pas de mauvais sang. Tout va bien.

Elle se hâta de monter à l'étage. En entrant dans la chambre qu'elle partageait avec sa fille, elle constata que cette dernière faisait sa sieste. Ses longs cils ombraient ses joues satinées. Fanette caressa ses cheveux blonds et bouclés. *Marie-Rosalie, ma petite chérie...* Les menaces de Lenoir semblaient chimériques dans l'atmosphère paisible et rassurante de la pièce, ponctuée par le tic-tac régulier de l'horloge, tels ces cauchemars, si réels lorsqu'on y est plongé, mais qui se dissipent au réveil.

Elle alla vers son secrétaire, qu'un paravent séparait du lit de l'enfant, puis monta la mèche de la lampe et se mit au travail, tâchant de se remémorer les détails du procès de l'« empoisonneuse », comme on l'avait surnommée, qui s'était poursuivi le matin même. Le témoignage de monsieur Sansregret, un apothicaire, n'avait rien fait pour aider la cause de l'accusée. Fanette avait soigneusement noté l'interrogatoire :

« — Le 12 novembre 1863, avez-vous vendu vingt grammes d'arsenic à l'accusée ici présente ? avait demandé l'avocat de la Couronne.

« — Oui. Je lui ai vendu vingt grammes, c'est-à-dire l'équivalent de six dragmes.

« — Êtes-vous bien certain que votre cliente était l'accusée, Aimée Durand ?

« — J'en suis absolument certain, avait répondu le témoin avec conviction. Ce n'est pas tous les jours qu'une femme achète une quantité aussi importante d'arsenic. La majorité de mes acheteurs sont des médecins. »

La suite de l'interrogatoire avait été encore plus accablante pour la prisonnière :

« — Quelle raison l'accusée a-t-elle invoquée pour se procurer ce poison ?

« — Elle m'a dit qu'elle en avait besoin pour se débarrasser d'une colonie de rats qui avait envahi la cave de son logement.

« — L'accusée a bien dit "la cave de son logement" ? Ce sont ses mots exacts ?

« — J'ai une excellente mémoire. C'est bien ce qu'elle a dit. »

L'avocat de la Couronne s'était alors adressé au jury :

« — Comme c'est curieux. L'accusée habite au troisième étage d'un immeuble de location et n'a pas accès à un sous-sol. »

Les rires et les quolibets de l'assistance avaient fusé à ces mots, comme si les spectateurs condamnaient déjà Aimée Durand et souhaitaient la voir se balancer au bout d'une corde. Le fait que l'accusée se fût procuré de l'arsenic en mentant sur l'usage qu'elle voulait en faire n'était pas une preuve directe de culpabilité, mais cela s'ajoutait aux soupçons qui pesaient contre elle. L'urgence de parler à Julien des confidences de la prisonnière assaillit Fanette à nouveau. *Demain, je le verrai*, se redit-elle tout en continuant à écrire.

Malgré son parti pris pour l'avocat et sa cliente, Fanette se fit un devoir de rapporter les faits avec le plus d'exactitude possible, sans omettre de détails, même les plus incriminants pour l'accusée. Il était plus de cinq heures trente lorsqu'elle termina son article. Après l'avoir épongé avec une feuille de buvard, elle se rendit à l'écurie. À sa demande, Alcidor, le palefrenier de sa tante, avait laissé le Phaéton attelé. Une fois dehors, elle constata que le brouillard s'était dissipé et que la pluie avait cessé. Elle se rendit à la rédaction de *L'Époque* pour y remettre l'article. À son grand soulagement, Arsène Gagnon, le rival de sa tante, ne s'y trouvait pas. Au moment où elle s'avançait vers le bureau du rédacteur en chef, elle fut abordée par un homme dans la cinquantaine, au visage doux et souriant. C'était monsieur Hébert, l'un des meilleurs typographes du journal, celui qu'on surnommait « le singe » à cause de ses grands bras très habiles à piger les lettres de plomb dans les casiers, et qui avait gentiment montré à Marie-Rosalie comment on composait un article.

— Le *boss* n'est pas là, dit-il à mi-voix. Il s'est absenté en coup de vent, y a pas cinq minutes. C'est bien la première fois que je le vois partir juste avant la tombée du journal. Pour moi, y a reçu une mauvaise nouvelle.

Fanette se sentit désemparée.

— J'apportais l'article de monsieur Jacques Gallant.

Le typographe prit l'enveloppe.

— Je m'en occupe. Je vous promets que le papier de votre tante sera en manchette, dit-il en faisant un clin d'œil complice à la jeune femme.

C'était un secret de Polichinelle dans la salle de rédaction que sous le nom de plume de Jacques Gallant se cachait en fait Madeleine Portelance. Fanette lui fit un sourire reconnaissant.

— Vous êtes un cœur, monsieur Hébert.

෴

Le bureau d'Auguste Lenoir n'était éclairé que par une lampe, qui jetait une lumière blafarde dans la pièce sombre. Un homme au profil d'aigle, vêtu avec élégance, était installé sur une chaise bancale. Ses gants de chevreau et son haut-de-forme étaient déposés sur le pupitre.

— Vous êtes certain de ce que vous avancez ? dit-il d'une voix métallique.

— Absolument certain, répondit Lenoir, dont une partie du visage restait dans l'ombre. Je suis un professionnel et n'ai pas pour habitude de raconter n'importe quoi.

— J'imagine que vous avez des preuves.

Lenoir ouvrit un tiroir et en sortit un dossier, qu'il remit à l'homme. Ce dernier y jeta un coup d'œil.

— Bien. Fort bien. Êtes-vous prêt à témoigner à la cour ?

— Je suis disposé à faire mon devoir de citoyen, mais…

L'agent de renseignement fit planer un silence.

— … mais ?

Lenoir se pencha vers son interlocuteur. Ses yeux noirs ressemblaient à des éclats d'obsidienne.

— Cette enquête m'a demandé du temps, beaucoup de temps. Et mon client ne s'est acquitté que d'une partie de sa dette à mon endroit. Il est malheureusement décédé avant d'avoir pu la régler entièrement.

L'homme aux gants de chevreau se leva brusquement, faisant grincer sa chaise.

— Je ne me suis jamais prêté à ce genre de marché, monsieur Lenoir. La justice ne se monnaye pas !

Il saisit son chapeau et ses gants et fit un mouvement vers la sortie. L'agent se leva à son tour et le rejoignit.

— Attendez, maître Craig. Loin de moi l'idée de vous demander une rétribution pour acheter mon témoignage. Je respecte trop la loi pour cela, ajouta-t-il d'un ton suave. Il s'agirait plutôt d'une compensation financière pour une enquête que la Couronne m'aurait demandé de mener sur le passé de l'accusée.

Maître Craig se tourna vers Lenoir, qu'il observa quelques instants dans la demi-pénombre.

— Je comprends, finit-il par dire. Cet arrangement me convient tout à fait. À combien estimez-vous vos… services ?

— Trois cents dollars, payables en un seul versement.

— Vous êtes fou ! s'exclama l'avocat de la Couronne. Cette somme est ridiculement élevée.

— C'est à prendre ou à laisser.

— Dans ce cas, je laisse.

L'avocat s'avança vers la porte et s'apprêta à l'ouvrir. Auguste Lenoir continua à parler d'une voix calme.

— Mon témoignage vous sera fort utile dans votre preuve contre l'accusée. Songez à votre réputation, qui sortira grandie si vous obtenez la condamnation d'Aimée Durand. Votre nom sera sur toutes les lèvres. Les meilleurs cabinets d'avocats vous solliciteront. Le ministère public se montre souvent ingrat, même pour ses meilleurs avocats…

Maître Craig hésita. Lorsqu'il avait quitté sa fonction d'avocat de la Couronne à Québec pour accepter de servir le ministère public à Montréal, il s'était attendu à une augmentation de salaire et, surtout, à une plus grande reconnaissance de ses talents de plaideur, car il était rare qu'il n'obtînt pas la condamnation des accusés. Or il avait été déçu par les émoluments modestes et le relatif anonymat dans lequel on le maintenait.

— Marché conclu, dit-il sèchement. Mon adjoint viendra vous porter la somme demain, à la première heure.

Le procureur partit en claquant la porte. Lenoir alla vers son bureau et rangea soigneusement le dossier de Lionel Durand dans un classeur. Un sourire satisfait étirait ses lèvres minces. Il devait admettre qu'il avait fort bien mené sa barque jusqu'à présent. Avec l'argent qu'il avait réussi à soutirer à Marguerite Grandmont et soigneusement mis de côté, sans compter la somme que s'apprêtait à lui verser maître Craig, il aurait de quoi partir dans quelque paradis tropical, en Martinique, peut-être. Il avait entendu dire qu'on pouvait y faire facilement fortune dans l'immobilier ou l'exploitation de la canne à sucre. Mais avant d'accomplir son projet, il lui fallait à tout prix récupérer l'original du certificat de libération du bagne de Brest que Fanette Grandmont lui avait subtilisé et dans lequel sa véritable identité était révélée. Il était de plus en plus convaincu que des sbires de l'empereur Napoléon III, qui avait pris le pouvoir à la suite d'un coup d'État, étaient activement à sa recherche pour le complot manqué auquel il avait participé contre le roi Louis-Philippe.

« Napoléon le Petit », comme Victor Hugo l'avait surnommé dans un pamphlet écrit au vitriol, ne voulait sans doute pas que son rôle dans la conspiration pour assassiner le roi déchu, qui était mort en Angleterre peu de temps après avoir quitté la France, fût connu. Si un espion ou un policier à la solde de l'empereur mettait la main sur ce document ou si, pour une raison quelconque, Fanette Grandmont décidait de le communiquer aux autorités, ce ne serait pas seulement la prison qui l'attendrait, mais la guillotine. Il devait coûte que coûte récupérer le certificat. Et il n'hésiterait pas à prendre n'importe quel moyen pour y parvenir.

Un léger bruit, ressemblant à un grattement, le mit soudain sur ses gardes. Il tendit l'oreille. Le bruit se répéta. Il se rendit compte qu'il avait oublié de verrouiller sa porte après le départ du procureur. Retenant son souffle, il glissa la main dans sa redingote et en sortit un pistolet, puis se dirigea à pas feutrés vers la porte et se plaqua contre le mur. Après avoir attendu quelques secondes, Lenoir ouvrit brusquement la porte, braquant son arme. Personne. Le palier était vide. Il s'approcha de l'escalier et se pencha au-dessus de la balustrade, scrutant la pénombre. Il entendit alors le son d'un pas qui dévalait les marches. Tenant le pistolet serré dans son poing, Lenoir se rua dans l'escalier jusqu'au rez-de-chaussée. Il n'eut que le temps d'entrevoir une silhouette s'élancer vers la sortie et il se mit à sa poursuite. Une fois dehors, il aperçut un homme d'assez grande taille qui courait vers un fiacre garé de l'autre côté de la rue. L'homme tourna la tête vers lui pendant un bref instant. Lenoir le reconnut, dans la lumière diffuse d'un lampadaire. C'était Loïc Perrec, un ancien compagnon du bagne de Brest qu'il avait engagé par la suite comme indicateur et tueur à gages lorsqu'il était chef adjoint de la Sûreté. Que faisait Perrec à Montréal ? Mais surtout, que lui voulait-il ? Lenoir braqua son arme, mais Perrec avait déjà atteint la voiture, qui partit en trombe. Lenoir la regarda s'éloigner, le visage sombre. Le fait que son ancien employé fût à ses trousses était de mauvais augure. Agissait-il pour le compte de l'empereur ou pour celui des monarchistes ? Son sentiment d'urgence se décupla. Il lui fallait redoubler de vigilance et mettre son plan à exécution s'il voulait rester en vie.

II

Fanette n'avait presque pas fermé l'œil de la nuit tant les événements de la veille l'avaient mise en alerte. Au réveil, son premier geste fut de regarder sa fille. Cette dernière, assise dans son lit, jouait avec sa poupée. Rassurée, la jeune femme l'embrassa, l'habilla et descendit avec elle à la cuisine. Sa mère bavardait avec Berthe tout en l'aidant aux préparatifs du déjeuner. Les deux femmes s'entendaient comme larrons en foire. Qu'elles aient toutes deux grandi à la campagne y était sans doute pour quelque chose. Elles partageaient la même passion pour la nature, les travaux de la ferme, le temps des labours et des récoltes et, par-dessus tout, elles adoraient la petite Marie-Rosalie, qu'elles gâtaient sans vergogne. C'était le seul reproche que Fanette pouvait leur faire...

Après le déjeuner, tandis que sa fille jouait avec la chienne George, Fanette recommanda à sa mère et à la servante de ne pas perdre Marie-Rosalie de vue.

— Surtout, ne la laissez jamais sortir seule, sans surveillance.

— Pour voir si je laisserais ma pitchounette sans surveillance ! s'écria Berthe, indignée.

Emma pressentit l'angoisse de sa fille.

— Qu'y a-t-il, Fanette ? Depuis hier soir, j'ai l'impression que quelque chose te tracasse.

Vous êtes la mère d'une gentille petite fille. Je l'ai croisée au marché Bonsecours et lui ai offert des dragées.

— C'est normal qu'une mère s'inquiète pour son enfant, répondit Fanette d'un ton faussement léger.

Elle s'empressa de changer de sujet.

— Je dois me rendre au palais de justice. Je reviendrai vers les trois heures.

Avant de partir, Fanette alla voir sa tante. George la suivit. Madeleine avait les yeux clos et geignait dans son sommeil. George se coucha aux pieds de sa maîtresse, redressa le museau et regarda la malade de son regard mélancolique. Fanette caressa la tête du basset.

— Prends bien soin de ta maîtresse, George.

Puis elle embrassa tendrement Madeleine sur une tempe.

— Je suis allée porter votre article à la rédaction, hier, en fin de journée. Monsieur Hébert m'a promis qu'il le placerait en première page.

Fanette crut voir les paupières de sa tante frémir, mais celle-ci n'ouvrit pas les yeux.

୯∽

Il était à peine huit heures, mais la circulation dans la rue Notre-Dame était déjà dense. Quelques omnibus bondés avançaient lentement sur la voie ferrée tandis que résonnaient les claquements de fouet des conducteurs impatients et le roulement ininterrompu des voitures. La nervosité de Fanette monta d'un cran. Sa pensée était rivée sur Julien. *Pourvu qu'il soit à son bureau !*

Une fois parvenue au palais de justice, dont les colonnes ioniques se dressaient dans la lumière matinale, Fanette ne put trouver de place pour garer son Phaéton. On aurait dit que la ville entière s'était donné rendez-vous pour assister au procès de l'empoisonneuse. Elle dut se résoudre à laisser sa voiture dans une ruelle isolée, malgré le risque que des voleurs de chevaux, qui faisaient la pluie et le beau temps à Montréal, n'en profitent. Quelques policiers avaient été placés en sentinelle devant le porche de l'édifice afin de contenir la foule qui s'y pressait.

— Pas de bousculade ! Tout le monde va pouvoir entrer. S'il vous plaît, attendez l'ouverture des portes !

Fanette eut du mal à se frayer un chemin jusqu'au portique. Elle aperçut un jeune crieur et le reconnut. Il s'appelait Pierrot et travaillait pour *L'Époque*.

— Achetez *L'Époque* ! scandait-il de sa voix encore enfantine. Tout sur la suite du procès de l'empoisonneuse ! Achetez *L'Époque* ! Juste trois cennes pour tout savoir sur le procès du siècle !

Fanette fouilla dans sa bourse et en sortit de la monnaie, qu'elle tendit au garçon. Elle saisit une copie du journal et y jeta un coup d'œil rapide. Monsieur Hébert, le typographe, avait tenu parole : son article était bel et bien en manchette. Elle replia la gazette, qu'elle rangea dans une poche de son manteau, et s'adressa à l'un des policiers.

— Je vous en prie, laissez-moi passer. Je dois parler à Julien Vanier, l'avocat d'Aimée Durand.

— Il faut attendre, comme tout le monde.

— J'ai un renseignement vital à lui transmettre, poursuivit Fanette avec véhémence. Cela concerne l'accusée. C'est une question de vie ou de mort !

L'agent hésita. Il avait reçu la consigne de ne laisser entrer personne avant neuf heures moins le quart, mais la jeune femme était si convaincante qu'il finit par lui ouvrir la porte. Fanette franchit le seuil sous les protestations bruyantes des badauds, frustrés de voir quelqu'un passer avant eux. Habitée par un sentiment d'urgence, elle courut vers l'escalier de marbre luisant dans la lumière des lustres qui pendaient du plafond, telles des araignées géantes, et longea ensuite le couloir en direction du bureau de l'avocat. Elle frappa à la porte. Personne ne vint ouvrir. Elle cogna de nouveau, sans succès. Elle se résigna à l'attente.

༄

Julien Vanier était assis derrière un petit secrétaire, placé devant la fenêtre qui donnait sur la rue Saint-Paul, et relisait tous les témoignages depuis le début du procès. Il s'était levé dès trois heures du matin afin de pouvoir travailler en paix. Le meublé où il habitait était bruyant à cause de la proximité du marché Bonsecours, du passage constant des charrettes transportant les marchandises vers les étals et des cris des commerçants qui commençaient dès l'aube. Déjà, le roulement des voitures lui parvenait de sa fenêtre, qu'il avait ouverte pour avoir un peu de fraîcheur. Julien n'avait pas les moyens de se payer un logement plus convenable, bien qu'il travaillât sans relâche. Il défendait en général une clientèle nécessiteuse, de laquelle il n'avait pas le cœur d'exiger des honoraires. Plusieurs collègues lui en faisaient le reproche, arguant qu'il devait se bâtir une armure et refuser de prendre des clients sans moyens s'il voulait gagner sa vie décemment dans la profession, mais il répondait invariablement : « Qui défendra ces pauvres gens si je ne le fais pas ? »

L'avocat referma le dossier en soupirant. La cause d'Aimée Durand lui semblait de plus en plus désespérée. Il avait gagné des points en jetant des doutes sur le témoignage du docteur Allard, qui avait dû admettre avoir commis une erreur de diagnostic lors de son premier examen de la victime, mais cela ne suffirait pas à contrer les autres témoignages. Celui de la sœur du défunt, en particulier, l'inquiétait. Noémie Hamel avait expliqué avoir rendu visite à sa belle-sœur, dont elle avait remarqué les yeux rouges. Aimée Durand lui aurait alors avoué que son mari la battait : « Je peux plus supporter la situation. Je voudrais que Lionel meure. » Ces paroles rapportées par le témoin avaient provoqué une véritable commotion dans la salle d'audience. Les membres du jury s'étaient empressés de prendre des notes. Seule Aimée Durand était restée de marbre, comme si rien de ce qui se passait n'avait d'importance pour elle. Lorsque Julien s'était rendu à la prison du Pied-du-Courant pour lui demander pourquoi elle ne lui avait pas dit que son mari la maltraitait, elle lui avait fait une réponse troublante :

— J'avais honte.

— Avez-vous, oui ou non, avoué à votre belle-sœur que vous ne pouviez plus supporter la situation, que vous vouliez que votre mari meure ?

Aimée Durand avait hésité, puis secoué la tête.

— Je ne me rappelle pas.

Il avait deviné à sa rougeur soudaine qu'elle mentait. Comment défendre une cliente qui lui cachait des faits essentiels, qui ne les lui avouait que lorsqu'elle avait le dos au mur ? Et c'était sans compter le témoignage de l'apothicaire. Ce dernier avait contribué à détruire le frêle parapet séparant sa cliente d'une condamnation quasi certaine. Car il fallait voir la vérité en face : sa cliente risquait la pendaison. Il faudrait un miracle pour qu'il arrive à renverser la vapeur. La seule idée que la jeune femme subisse un châtiment aussi ignoble lui était intolérable. La barbarie de la peine de mort le révoltait. De quel droit une société civilisée pouvait-elle se substituer à Dieu et mettre à mort un être humain ? Fallait-il, pour punir un criminel, commettre un crime encore plus grave en l'exécutant au nom de l'État ? Il avait assisté une seule fois à une pendaison, lorsqu'il était jeune étudiant au Barreau. Un professeur les avait emmenés à l'exécution de Jacques Cloutier, un homme accusé de meurtre, afin « qu'ils apprennent les rouages de la justice jusqu'à son déploiement ultime ». Le condamné, qui était encore jeune, avait refusé de porter le bonnet noir du supplicié et fixait la foule de ses yeux sombres et farouches. Julien aurait voulu se détourner de l'horrible spectacle, mais il s'était efforcé de le regarder jusqu'au bout, se jurant qu'il vouerait sa vie entière à la défense des accusés, qu'ils fussent coupables ou innocents, afin de les soustraire à un châtiment aussi inhumain.

Le condamné avait gravi une à une les marches du gibet et n'avait pas résisté lorsque le bourreau avait glissé la corde autour de son cou. Julien avait même cru discerner un sourire sur ses lèvres juste avant que l'exécuteur n'actionne la trappe. *Si je n'arrive pas à sauver Aimée Durand, j'abandonne le droit pour toujours.*

Il chassa cette pensée. Son seul devoir était de défendre sa cliente. Les paroles de Fanette lui revinrent à l'esprit : « Vous y parviendrez, Julien. » Quelle confiance il avait lu dans ses beaux yeux ! Le souvenir de leur baiser le fit frémir. Il revit la scène, le son de la pluie, la douceur de ses lèvres, le parfum suave de sa nuque. Une joie sauvage monta dans ses veines. Cette femme serait sa rédemption. Grâce à elle, il serait à nouveau un homme heureux et libre…

Le tintement de la cloche de la chapelle Notre-Dame-de-Bon-Secours le sortit de ses rêveries. Il jeta un coup d'œil à sa montre de poche. Déjà huit heures trente ! Il avait tout juste le temps de se rendre au palais de justice et de revêtir sa toge. Il se leva d'un bond, fit une toilette rapide, plaça ses papiers dans son gros sac de cuir et sortit en coup de vent.

III

Fanette attendait toujours devant le bureau de Julien Vanier mais, ne le voyant pas arriver, s'apprêtait à se rendre à la salle d'audience lorsqu'elle entendit des pas résonner dans le couloir. Elle se retourna vivement et l'aperçut. Le jeune homme s'arrêta net en la voyant. Ils échangèrent un regard où se lisaient la joie, la confusion et une soudaine timidité. Il leur paraissait étrange de se revoir dans le cadre austère du palais de justice alors que, la veille, ils avaient vécu un moment d'intimité magique, à l'abri d'une porte cochère.

— Enfin, vous voilà ! dit-elle.

— Il y a longtemps que vous m'attendez ? demanda-t-il, la gorge étranglée par l'émotion.

— Une vingtaine de minutes. Je pensais que vous n'arriveriez jamais !

Saisi par l'anxiété de la jeune femme, il s'empressa de déverrouiller la porte du bureau, qu'il referma derrière eux.

— Rien de grave, j'espère ?

— Cela concerne Aimée Durand. Je lui ai rendu une deuxième visite hier après-midi, après votre départ, expliqua Fanette. J'avais le sentiment qu'elle ne m'avait pas tout dit. Elle m'a fait des aveux.

— Des aveux ? répéta l'avocat d'une voix blanche, croyant que sa cliente avait confessé sa culpabilité.

— Ou plutôt des confidences, se corrigea Fanette. Elle m'a fait promettre de ne rien vous révéler, mais dans les circonstances j'ai jugé préférable de vous dire la vérité.

— Je vous en suis reconnaissant. Que vous a-t-elle confié ?

— C'est au sujet de l'arsenic. Elle a menti sur la raison pour laquelle elle s'en était procuré.

Julien sentit son sang se retirer de son visage.

— Continuez.

— Ce n'est pas pour se débarrasser de rats qu'Aimée a acheté le poison, mais pour avoir un teint plus pâle.

L'avocat lui jeta un regard stupéfait.

— Je ne comprends pas.

Fanette raconta la scène qui s'était déroulée entre elle et l'accusée dans la geôle de la prison, tâchant de n'omettre aucun détail.

— Aimée m'a expliqué qu'elle avait des origines indiennes par sa mère et trouvait son teint trop foncé. Elle a lu dans la réclame d'un journal que l'arsenic, mélangé avec du vinaigre et de la craie, pouvait rendre la peau plus blanche et a décidé de s'en procurer pour tenter l'expérience.

Julien garda le silence, tâchant d'évaluer les conséquences de ce que la jeune femme venait de lui apprendre. Puis il griffonna des notes dans le dossier de sa cliente, qu'il avait sorti de son sac et déposé sur son pupitre. Lorsqu'il eut terminé, il regarda Fanette.

— Je vous remercie de m'avoir fait part de ces nouveaux éléments.

— Croyez-vous que cela pourra aider sa cause ?

Il hocha la tête.

— Je n'en sais rien. En admettant que ma cliente vous ait dit la vérité, il n'en reste pas moins qu'elle a menti dans un premier temps. Si je prends le risque de la faire témoigner, maître Craig utilisera ce mensonge pour jeter le discrédit sur tout ce qu'elle dira. Il la mettra en pièces.

Fanette observa pensivement le visage soucieux du jeune homme. Elle se rappelait trop bien la pugnacité dont l'avocat de la Couronne avait fait preuve envers sa sœur Amanda, et sa détermination farouche à obtenir sa condamnation, pour ne pas partager ses craintes.

— Croyez-vous qu'elle sera condamnée ?

— Pour tout dire, oui, admit-il.

Il prit sa toge suspendue à une patère et l'endossa, puis noua un rabat blanc autour de son col.

— Souhaitez-moi bon courage, j'en aurai besoin, dit-il avec une note d'autodérision.

— Tout n'est pas perdu. Aimée Durand était très convaincante lorsqu'elle s'est confiée à moi. Elle le sera sûrement devant le jury.

— Je l'espère.

❧

La salle d'audience était bondée. Au parterre, les casquettes d'ouvriers se mêlaient aux hauts-de-forme tandis qu'au balcon les bonnets blancs des femmes du peuple côtoyaient d'élégants chapeaux à plumes. Il y avait tellement de monde que Fanette dut se contenter d'une place à l'arrière du balcon. Même avec les lunettes d'approche, elle pouvait à peine voir la tribune du juge ainsi que le box de l'accusée, encore moins le siège réservé à l'avocat de la défense. Elle commençait à comprendre l'habitude qu'avait sa tante d'adopter une tenue masculine à certaines occasions, seule façon d'obtenir les mêmes privilèges que les hommes et de s'asseoir au parterre. Elle repensa aux paroles de Julien : « Souhaitez-moi bon courage, j'en aurai besoin. » Bien qu'elle eût tenté d'encourager l'avocat, elle ne pouvait s'empêcher de partager son pessimisme.

Oscar Lemoyne s'installa dans la première rangée réservée aux journalistes. Par une sorte de réflexe, il leva les yeux vers le balcon et tenta de distinguer la silhouette de la « jolie dame », mais il lui fut impossible d'apercevoir Fanette Grandmont parmi la foule compacte. Il y renonça et tâcha plutôt de concentrer son attention sur la tribune. Une voix familière l'interpella.

— Si c'est pas Oscar Lemoyne !

Le reporter tourna la tête et vit une jeune femme au visage jovial, qu'il reconnut aussitôt.

— Mademoiselle Barrette !

Cette dernière lui sourit, ce qui creusa des fossettes dans ses joues. Elle s'appuyait sur un chariot qui servait à transporter des documents juridiques.

— Au moins, vous me reconnaissez, dit-elle avec un léger reproche dans la voix. Pourtant, vous n'avez pas répondu à ma lettre.

— J'en suis désolé, balbutia Oscar, qui était devenu rouge comme une pivoine. La vie de reporter n'est pas de tout repos.

Il s'en voulut d'avoir formulé des excuses aussi banales, d'autant plus que la jeune femme lui était sympathique. Il avait beaucoup apprécié son aide dans l'enquête qu'il avait menée sur l'affaire du prête-nom, qui avait compromis gravement le notaire Grandmont et l'avait conduit au suicide[1].

— Je vous pardonne, mais à une condition, répliqua la jeune femme avec un ton faussement sérieux. Que vous m'appeliez Jo.

Oscar sourit.

— Très bien, mademoiselle. Je veux dire, Jo. Vous travaillez toujours pour le greffe ?

— On ne peut rien vous cacher, fit-elle, gentiment moqueuse, en désignant son chariot.

Elle se pencha vers Oscar et lui parla à mi-voix. Il sentit un parfum légèrement musqué se dégager de son corsage.

— Alors, monsieur le reporter, à votre avis, Aimée Durand est-elle coupable ou innocente ?

— En tant que journaliste, je me dois de garder toute mon objectivité.

— Allez, vous avez bien une opinion. Je vous promets de ne pas la répéter.

Oscar hocha la tête.

— J'ai de l'empathie pour l'accusée, mais je crois qu'elle est coupable.

---

1. Voir le tome 3, *Le secret d'Amanda*.

Un brouhaha interrompit leur conversation. La prisonnière venait de faire son entrée, escortée par deux gardiens. Ses poignets étaient entravés par des chaînes.

— Pauvre fille, murmura Jo, qui s'éloigna en poussant son chariot.

Oscar la suivit des yeux, rêveur tout à coup. Décidément, cette Jo Barrette était bien intéressante. Il se surprit à souhaiter la revoir, puis se secoua. *Allez, trêve de rêveries. Tu n'es pas ici pour faire le joli cœur.* Il jeta un coup d'œil à l'accusée, dont le visage n'exprimait aucune émotion. Il aurait tout donné pour savoir ce qui se passait dans la tête d'Aimée Durand.

Arsène Gagnon, debout à quelques pieds du jeune reporter, examinait le balcon à l'aide d'une paire de lorgnettes, mais jusqu'à présent il n'avait pas repéré Madeleine Portelance, ni sa nièce. Son intuition lui disait que sa rivale n'y était pas, mais il voulait le constater *de visu*. Il n'avait toujours pas digéré le fait que cette virago l'avait remplacé à titre de chroniqueur judiciaire de *L'Époque* et qu'il en avait été réduit à couvrir les « chiens écrasés », comme on disait dans le jargon du métier. Quelques jours auparavant, il avait fait le pied de grue devant la maison de la Portelance et avait aperçu, dans la cour où se situait l'écurie, une calèche en piètre état dont une roue manquait. Il l'avait tout de suite reconnue : c'était la voiture qu'utilisait Madeleine Portelance pour se rendre au journal. Quelque chose de grave avait dû se produire pour que la calèche soit à ce point endommagée. Son hypothèse avait été confirmée par un médecin qui sortait de la maison et lui avait candidement appris que sa patiente avait eu un grave accident de voiture. Arsène avait rapporté la chose à son patron, mais entre-temps Fanette Grandmont s'était pointée à la salle de rédaction et avait apporté un article, prétendant que c'était sa tante qui l'avait écrit. Et Prosper Laflèche avait gobé le morceau, lui qui, d'habitude, se montrait intraitable et ne laissait rien passer, pas même une coquille ou une virgule de travers ! Les beaux yeux de la Fanette devaient y être pour quelque chose... Lui-même n'y était pas complètement insensible, mais la jeune femme lui tenait la dragée haute, ce qui ne faisait qu'attiser son ressentiment à son égard. Pour qui se prenait-elle, avec ses tenues élégantes et ses manières d'aristocrate ? Le reporter pinça ses lèvres minces. *Tu ne paies rien pour attendre, ma belle*, se dit-il. *Je finirai bien par savoir de quoi il retourne.*

Une voix impatiente s'éleva derrière lui.

— Eh, qu'attendez-vous pour vous asseoir, vous bloquez la vue !

Le journaliste haussa les épaules et prit place sur une chaise, non sans continuer à braquer ses lorgnettes vers le balcon. Pendant un instant, il crut reconnaître Fanette Grandmont, mais il n'en était pas certain. *Aux grands maux, les grands remèdes*, décida-t-il. Il se leva, provoquant les protestations de quelques spectateurs, et se dirigea vers l'escalier qui menait au premier étage. Il eut toutes les misères du monde à se faufiler parmi les dames qui s'entassaient dans la mezzanine surchauffée, dont s'exhalait une odeur de poudre de riz et de sueur. Une femme le repoussa avec indignation lorsqu'il lui marcha sur un pied. Par chance, il vit Fanette Grandmont qui se tenait debout près d'un pilier. Elle était seule. Aucune trace de Madeleine Portelance. Cela renforçait son hypothèse voulant que sa rivale fût gravement accidentée et incapable de se déplacer. Satisfait, il revint sur ses pas, s'attirant les foudres d'une bourgeoise vêtue avec élégance, qu'il avait bousculée au passage.

— Malotru !

Le reporter s'engagea dans l'escalier au pas de course. Il lui fallait d'abord passer chez lui. Un plan commençait à prendre forme dans son esprit enfiévré.

༄

Fanette avait entrevu le visage chafouin d'Arsène Gagnon, qui l'observait à distance. *Que vient-il faire au balcon des dames ?* se demanda-t-elle, anxieuse. Elle aurait mis sa main au feu qu'il préparait un mauvais coup. La voix du crieur s'éleva.

— Tout le monde debout ! Le juge Lindsay préside.

Le magistrat s'installa à la tribune, suivi par les avocats de la Couronne et de la défense. Fanette étira le cou dans l'espoir d'apercevoir Julien, mais ne put distinguer qu'une partie de son visage. Son cœur se serra d'appréhension. Elle sentait la fébrilité de la foule, cette tension qui prélude à un orage.

— Maître Craig, avez-vous d'autres témoins à faire entendre avant de clore votre preuve ? demanda le juge.

— Il m'en reste deux, Votre Seigneurie.

— Veuillez procéder.

Le greffier se tourna vers quelqu'un dans la salle.

— J'appelle Auguste Lenoir à la barre !

En entendant ce nom, Fanette se sentit défaillir. Ses pires craintes se matérialisaient soudain. Elle fit un effort et se redressa, scrutant le parterre à l'aide de ses jumelles. Elle découvrit une silhouette sombre qui s'avançait vers le box des témoins et reconnut avec horreur les traits sinueux de l'agent de renseignement. Il lui sembla pendant un instant que son regard de silex la fixait.

IV

— Posez votre main droite sur l'Évangile. Jurez-vous de dire la vérité, toute la vérité, rien que la vérité ? Dites : « Je le jure. »

— Je le jure.

La voix d'Auguste Lenoir résonna avec fermeté dans la salle d'audience. Après avoir prêté serment, l'agent prit place dans le box des témoins. Fanette réussit à s'avancer de quelques rangées, profitant du fait qu'une femme, incommodée par la chaleur, avait abandonné sa place. Elle avait maintenant une meilleure vue sur le prétoire. Elle jeta un coup d'œil du côté de Julien, dont le front était plissé par l'inquiétude. Comme elle aurait voulu être à ses côtés en ce moment crucial !

Maître Craig s'adressa au témoin.

— Monsieur Lenoir, quelle profession exercez-vous ?

— Je suis agent de renseignement.

— Pouvez-vous expliquer au jury en quoi consiste votre travail ?

— J'effectue des recherches de toutes sortes : personnes disparues, surveillance, recouvrement de rentes, ou encore enquêtes pour le compte d'un mari jaloux.

Ces derniers mots déclenchèrent des rires et des plaisanteries dans l'assistance.

— Silence ! s'écria le juge, rouge d'indignation.

Le magistrat se tourna vers l'avocat.

— Veuillez poursuivre votre interrogatoire, maître Craig.

L'avocat inclina la tête et s'adressa de nouveau à Lenoir :

— Est-il exact que vous avez fait une enquête pour le compte de la victime, Lionel Durand, il y a deux ans ?

— En effet.

Des murmures d'étonnement accueillirent sa réponse. Julien Vanier intervint.

— Je ne vois pas ce que cette enquête vient faire dans le procès de ma cliente.

— Je vais le démontrer si mon collègue m'en laisse le temps, rétorqua l'avocat de la Couronne.

— Objection rejetée, décréta le juge. Continuez, maître Craig.

Ce dernier acquiesça et reprit l'interrogatoire :

— Quel était l'objet de cette enquête, monsieur Lenoir ?

L'agent leva les yeux vers Aimée Durand.

— Lionel Durand soupçonnait sa femme d'adultère.

Une clameur parcourut la salle. Le mot « cocu » fut lancé par un spectateur, suivi d'un « cocorico » sonore. Le juge martela vigoureusement le pupitre avec un maillet.

— Silence, ou j'ajourne cette séance immédiatement ! Je ne supporterai pas l'usage de grossièretés dans cette cour.

Le calme revint graduellement. Maître Craig se tourna vers son témoin.

— Qu'avez-vous découvert, au juste ?

Fanette retint son souffle, entrevoyant déjà les conséquences désastreuses que pourrait avoir ce témoignage sur le sort de l'accusée.

— J'ai suivi Aimée Durand pendant une semaine, comme je le fais habituellement dans ce genre d'enquête. Elle s'est rendue à l'hôtel Empress à au moins trois reprises. À chacune de ses visites, elle était accompagnée d'un homme de taille moyenne, aux cheveux et aux favoris châtains. Tous les deux louaient une chambre en s'inscrivant dans le registre de l'hôtel sous le nom de monsieur et madame Ernest Chevrier.

— Quelle est l'identité de cet homme qui accompagnait l'accusée à l'hôtel ?

— Il s'agit d'Ernest Durand, le cousin de la victime.

Julien se leva.

— Encore une fois, je m'oppose à ces questions, qui n'ont rien à voir avec cette cause !

— Rien à voir, vraiment ? répliqua maître Craig d'une voix cinglante. Permettez-moi d'éclairer votre lanterne, cher collègue. Je suis en train d'établir que l'accusée, ici présente, trompait son mari avec le cousin de celui-ci, ce qui lui donnait un excellent mobile pour se débarrasser d'un époux encombrant !

Malgré les admonestations du juge Lindsay, des applaudissements et des sifflets retentirent dans la salle. Le magistrat perdit patience. Le son du maillet ponctua ses paroles.

— Le procès est ajourné !

Julien revint à la charge.

— Votre Seigneurie, je demande à ce que le procureur de la Couronne retire ses propos, qui sont un véritable déni de justice !

Mais le juge s'était déjà levé, tandis que le crieur s'époumonait :

— Debout ! Le juge Lindsay a ajourné la séance. Debout !

La détenue fut entraînée par les deux gardiens, sous le regard atterré de Julien et dans le vacarme de l'assistance.

༄

La foule se pressait dans l'escalier qui menait au hall du palais. Les conversations allaient bon train. Fanette en entendait des bribes tandis qu'elle descendait les marches de marbre, encore sous le choc des révélations de l'agent de renseignement. *Lionel Durand soupçonnait sa femme d'adultère.* S'il était vrai que l'accusée avait une liaison avec le cousin de son mari, alors la thèse de la Couronne s'en trouvait renforcée. Cela donnait un mobile supplémentaire à Aimée Durand d'avoir empoisonné son mari.

— Elle est coupable ! s'exclama un homme. Ça se voit comme le nez au milieu du visage.

— Qu'est-ce qu'on attend pour la pendre ?

— La pendaison, c'est pas un châtiment assez sévère pour une dévergondée pareille ! glapit une femme.

Une nausée monta à la gorge de Fanette. Le témoignage de Lenoir avait beau être dévastateur pour l'accusée, elle n'arrivait pas à comprendre la vindicte de ces gens, qui condamnaient Aimée Durand et lui souhaitaient une mort affreuse sans éprouver la moindre compassion. Elle songea à tout ce qu'elle savait sur le passé de l'agent de renseignement. S'il fallait en croire le certificat de libération, sa véritable identité était Faustin Lescault. D'après l'information fournie par Émile de Girardin, l'ancien directeur du journal parisien *La Presse*, Lescault serait devenu informateur pour la police, puis chef adjoint de la Sûreté de Paris. Il aurait ensuite fui Paris après avoir participé à un complot manqué contre le roi Louis-Philippe pour s'établir à Montréal sous son identité actuelle. Fanette avait en sa possession le fameux document qui établissait le vrai nom de Lenoir. *Si je remets ce document à la police, Lenoir sera arrêté et emprisonné. Il cessera d'être une menace pour ma fille. Son témoignage contre Aimée Durand sera discrédité.*

En franchissant les portes du palais de justice, Fanette se dirigea d'un pas ferme vers sa voiture. Sa décision était prise. Elle se rendrait d'abord à la banque, récupérerait le certificat de libération qu'elle avait déposé dans un coffret de sûreté, puis dénoncerait Lenoir à la police. Ce geste était hautement risqué, car l'agent était d'une habileté redoutable et ne se laisserait pas prendre si facilement. Il deviendrait encore plus dangereux s'il apprenait qu'elle était responsable de son arrestation. Dieu sait qu'il le lui ferait payer chèrement ! Elle pensa à Marie-Rosalie et son cœur se serra d'effroi. L'idée de se confier à Julien lui vint à l'esprit. Lui seul pourrait l'aider, saurait le meilleur parti à prendre. Elle le chercha des yeux dans la foule, mais il n'était pas visible. Ce n'est que lorsqu'elle arriva à la hauteur de sa voiture qu'elle le vit marcher à pas rapides sur le trottoir en direction du marché Bonsecours.

— Julien !

Il était trop loin pour l'entendre. Elle sentit soudain une pression sur son épaule, qui la fit tressaillir. Auguste Lenoir la fixait de ses yeux sombres.

— J'espère que vous n'oubliez pas notre petit marché, madame Grandmont.

Il s'éloigna aussitôt dans la cohue. Fanette comprit qu'elle était condamnée à se taire.

V

— Je meurs de soif.

Emma remplit un verre d'eau fraîche et voulut aider sa sœur à en boire une gorgée.

Madeleine s'impatienta.

— Je suis capable toute seule !

Elle s'empara du verre de sa main valide, mais celui-ci lui glissa entre les doigts et se fracassa par terre. Madeleine poussa une exclamation de rage impuissante.

— Quelle maladroite je fais ! Je suis devenue une incapable. Une invalide. Si jamais je n'étais plus en mesure d'écrire, eh bien je demanderais au docteur Brissette de m'achever avec un poison violent, qu'on en finisse ! La dernière chose que je souhaite, c'est d'être à ta charge.

Elle grimaça de douleur. Sa diatribe l'avait épuisée.

— Calme-toi, dit Emma tandis qu'elle aidait Berthe à ramasser les morceaux épars et à éponger l'eau répandue. Ce n'est qu'un verre cassé.

Des larmes de dépit vinrent aux yeux de Madeleine.

— Tu me trouves insupportable, n'est-ce pas ? Rien ne t'oblige à rester chez moi. De toute manière, je ne t'ai rien demandé.

La servante sortit, transportant le verre brisé dans une nappe dont elle avait replié les coins. Emma avait trop pitié de sa sœur pour perdre patience.

— Tu as toujours détesté être souffrante. Je tiens à rester à ton chevet, si tu veux le savoir. Mais tu dois te laisser le temps de guérir.

— Le temps… Il m'échappe, comme tout le reste.

Madeleine tourna la tête sur son oreiller dans un vain effort pour que sa sœur ne la voie pas pleurer. Bouleversée, Emma sortit un mouchoir de sa manche et essuya doucement les joues de sa cadette. Madeleine se laissa faire. Ce geste tendre sembla l'apaiser.

— Tu te souviens quand papa a voulu me faire interner ? murmura-t-elle d'une voix éraillée par le chagrin et la fatigue.

— Il ne l'a pas fait, en fin de compte.

Le regard de Madeleine se chargea de ressentiment.

— Le seul fait qu'il y ait songé en dit long sur l'opinion qu'il avait de moi.

— Il s'inquiétait à ton sujet.

— Toi aussi.

— Tu n'étais pas toujours facile à comprendre, admit Emma. Mais je t'ai toujours défendue, quoi qu'il arrive. Et notre sœur Marie aussi.

— C'est vrai.

Madeleine ferma les yeux, puis les rouvrit. Des traces de larmes luisaient sur ses joues.

— Je ne te l'ai jamais dit, mais j'avais entendu votre discussion, quand il avait été question de me faire enfermer à l'asile de Beauport.

Emma, qui s'apprêtait à remettre son mouchoir dans sa manche, suspendit son geste.

— Pourquoi ressasser le passé, ma pauvre Madeleine ? Tu te fais du mal pour rien.

— Se rappeler les choses qui ont marqué notre vie, ce n'est pas se faire du mal pour rien.

Madeleine poursuivit d'une voix faible, comme si elle se parlait à elle-même :

— Je n'arrivais pas à fermer l'œil. Vous parliez fort, vos voix montaient jusqu'à ma chambre. Surtout celles de notre frère Édouard et d'Anita. Le mot « folle » revenait souvent. Ils avaient honte de moi.

— Leur opinion n'a pas d'importance. De toute façon, ils se trompaient du tout au tout.

— Tu le penses vraiment ?

— Tu as toujours été la plus brillante de la famille, décréta Emma.

Un faible sourire éclaira le visage exsangue de Madeleine.

— C'est parce que je suis la plus brillante que je me suis mise dans un état pareil.

Les deux sœurs échangèrent un sourire complice. Madeleine contempla le visage rond d'Emma, ses yeux à la fois vifs et tendres. Un élan d'affection la traversa. Elle effleura la manche de sa sœur aînée avec sa main valide.

— Merci d'être venue.

Emma toussota pour masquer son trouble.

— Tâche de te reposer.

La sonnette de la porte d'entrée retentit. Emma alla répondre, convaincue qu'il s'agissait du docteur Brissette, qui rendait visite à sa patiente chaque jour. Elle resta figée en voyant une femme à la chevelure abondante et bouclée, qu'un chignon n'arrivait pas à discipliner. Elle portait une cape d'un rouge éclatant, qui faisait ressortir le blond vénitien de ses cheveux. Son joli visage était froissé par l'inquiétude et le manque de sommeil.

— Je voudrais voir Madeleine Portelance.

La visiteuse avait un léger accent anglais.

— C'est que… ma sœur n'est pas en état de recevoir.

— Dites-lui que c'est Clara. Clara Bloomingdale.

VI

Emma hésitait. Madeleine lui avait clairement dit qu'elle ne voulait voir personne, mais devant la mine suppliante de la visiteuse, elle décida de la faire entrer et désigna une chaise dans le hall.

— Attendez ici.

Tandis que la femme s'assoyait dans un froissement de jupes, Emma revint au salon et s'approcha du lit de sa sœur.

— Une certaine Clara Bloomingdale désire te parler.

À l'annonce du nom de son ancienne amie, le visage blême de Madeleine se colora légèrement.

— Mon Dieu, Clara, balbutia-t-elle.

L'émotion précipita les battements de son cœur. Une douleur comprima sa poitrine, là où les côtes avaient été brisées.

— Dis-lui… Je ne peux pas la voir, déclara-t-elle d'une voix étranglée.

Emma fut étonnée de constater la grande agitation dans laquelle sa sœur était plongée.

— Comme tu veux.

Elle s'apprêtait à retourner dans le hall lorsque Madeleine l'interpella.

— Attends.

La voix de la malade tremblait légèrement.

— Laisse-la entrer.

Habituée aux contradictions de sa cadette, Emma fit ce qu'elle lui demandait et alla retrouver la visiteuse, qui attendait toujours, les mains crispées sur ses genoux.

— Ma sœur veut bien vous recevoir. Je vous avertis, elle est bien mal en point. Il ne faut pas la fatiguer.

— Merci, merci ! répondit Clara, éperdue de reconnaissance.

La visiteuse suivit Emma dans le salon. Cette dernière s'éclipsa discrètement, laissant les deux femmes seules. Clara eut un choc en voyant le système complexe de cordes et de poulies qui soulevait la jambe de Madeleine. Elle remarqua le bandage autour de son poignet droit, les cernes mauves sous ses yeux, son visage amaigri et pâle. Elle saisit sa main gauche et la serra dans la sienne, retenant difficilement ses larmes.

— Ma pauvre Maddie. Dans quel état tu t'es mise ! Ma pauvre chérie.

— Comment as-tu appris…

— Notre livreur de bois de chauffage m'a raconté qu'il avait découvert une femme sur le bord du chemin Murray Hill, à un demi-mille de chez moi. Elle avait eu un grave accident. Il l'a ramenée chez elle, rue Saint-Denis. J'ai tout de suite compris qu'il s'agissait de toi.

Un sanglot comprima sa gorge.

— Tout est ma faute ! J'aurais dû t'empêcher de partir. Avec le verglas, c'était de la folie de reprendre la route.

— Tu n'as rien à te reprocher.

Clara porta la main de son amie à ses lèvres.

— Si seulement je pouvais refaire le passé, tu ne serais pas étendue dans ce lit, brisée de partout…

— À quoi bon les regrets ? soupira Madeleine, commentant les sages paroles de sa sœur.

En cherchant un mouchoir dans sa bourse, Clara leva les yeux et aperçut un rectangle plus pâle sur le mur, au-dessus de la cheminée.

— Le portrait que j'avais fait de toi. Tu l'as enlevé.

Madeleine voulut parler, mais Clara l'en empêcha.

— Ne dis rien. Tu ne me dois aucune explication.

— Je l'ai rangé dans le grenier, pour ne plus le voir, avoua Madeleine. Il me rappelait trop de souvenirs.

— Comme tu as souffert. J'ai été si égoïste !

— Tu as choisi ta passion pour la peinture. C'était ton droit.

— La peinture ! s'exclama Clara. Elle ne vaut rien à côté de l'amour. C'est seulement maintenant que je le comprends.

Madeleine observa son amie.

— Tu penses vraiment ce que tu viens de dire ? demanda-t-elle avec gravité.

— Chaque mot.

Les yeux de Clara brillaient de sincérité. Des mèches sortaient en désordre de son chignon, auréolant son visage fin. Madeleine se sentit soudain allégée, malgré l'attelle qui emprisonnait sa jambe, ses côtes brisées et la douleur qui lui vrillait constamment la poitrine. Mais ce sentiment de liberté fut aussitôt assombri par la réalité.

— Tu es mariée, Clara. Cela ne changera pas.

— J'ai décidé de demander le divorce.

Il fallut quelques secondes à Madeleine pour absorber le sens des mots que Clara venait de prononcer.

— Le divorce ? Mais de quoi vivras-tu, pauvre enfant ? Peter est ton mécène. Tu perdras tout : la belle maison, le studio, le financement pour tes expositions…

— Je vendrai mes toiles. Et puis je t'aurai, toi.

— Une handicapée, clouée dans son lit…

— Je prendrai soin de toi. Je t'aime, Maddie.

La joie qu'éprouva Madeleine était si puissante qu'elle lui fit mal. *Le bonheur est presque aussi épuisant que le malheur*, songea-t-elle.

— Dis-moi que je ne rêve pas. Tu es bien là, et tu m'as bien affirmé, en toute sincérité, que tu m'aimais et que tu voulais demander le divorce ?

Clara sourit et leva la main comme pour faire un serment.

— Je te le jure sur la tête de ma mère.

Madeleine n'avait jamais rencontré la mère de Clara, Elizabeth, car cette dernière était morte des suites de la tuberculose alors que les deux femmes ne se connaissaient pas encore, mais Clara l'avait adorée et parlait beaucoup de sa bonté, de sa grande culture et de son talent pour le piano, qu'elle avait dû abandonner après son mariage.

— Peter revient d'Afrique dans un mois. Je lui parlerai dès son retour. D'ici là, tu auras le temps de te rétablir. Plus rien ne nous séparera, nous serons heureuses ! Dis-moi que tu me crois ?

— Je te crois, murmura Madeleine, la voix étouffée par l'émoi.

— Oh, Maddie…

Clara déposa un baiser tendre sur la bouche pâle de Madeleine. La servante entra sur ces entrefaites, apportant une théière et des tasses. Elle s'immobilisa en voyant les deux femmes s'embrasser. Il s'en fallut de peu qu'elle ne renverse son plateau. Une violente rougeur lui brûla les joues.

— Pardon, j'voulions pas vous déranger, bégaya-t-elle. J'pensions qu'un peu de thé…

Incapable de finir sa phrase, Berthe déposa le plateau sur une petite table et s'empressa de sortir, profondément troublée par ce baiser dont elle avait été témoin. Madeleine poussa un soupir. Elle avait toujours gardé secrète sa liaison avec Clara. Malgré son dévouement et sa fidélité indéfectibles, Berthe ne pourrait jamais comprendre que deux femmes puissent s'aimer. Elle ferma les yeux. Clara, alarmée, se pencha au-dessus d'elle.

— Tu souffres ?

— Je suis un peu fatiguée.

— Je te laisse. Mais je te promets de revenir te voir très bientôt. Oh, Maddie, comme je suis heureuse !

Clara caressa d'un doigt la joue de Madeleine et partit. Le salon redevint silencieux. Seul un délicat parfum de roses attestait que Clara lui avait vraiment rendu visite, qu'elle n'avait pas été le songe d'une malade.

❧

Le visage toujours congestionné, Berthe entra dans la cuisine. Marie-Rosalie, assise à la table, dessinait tandis qu'Emma faisait la vaisselle. La servante prit place sur un tabouret et s'éventa d'une main. Emma lui jeta un regard intrigué.

— Vous êtes bien rouge, ma pauvre Berthe. C'est sans doute le surmenage. Vous devriez prendre un peu de repos.

— C'étions juste un coup de chaleur, ça va passer.

Emma l'observa du coin de l'œil.

— On dirait que quelque chose vous chicote.

La servante serra les lèvres et se leva, lissant nerveusement son tablier. Elle s'empara du linge qu'Emma tenait dans les mains.

— C'est pas de l'ouvrage pour une dame, dit-elle sèchement.

Elle se mit à laver la vaisselle avec des gestes brusques qui faisaient tinter la porcelaine. Emma regarda la servante avec une légère appréhension, se demandant quelle mouche l'avait piquée, puis haussa les épaules, renonçant à comprendre son comportement étrange. Un son cristallin résonna à distance. C'était une petite cloche qu'Emma avait eu l'idée de placer sur la table de chevet de la malade au cas où celle-ci aurait besoin d'aide. Inquiète, Emma s'élança vers le salon.

௸

Madeleine remit la cloche à sa place. Quelques instants plus tard, Emma entra dans la pièce et constata que la visiteuse était partie. Elle s'approcha du lit, la mine anxieuse.

— Tout va bien ?

— J'aurais un service à te demander. Il y a une peinture dans le grenier, sous une bâche. Un portrait de moi. J'aimerais que tu me le ramènes.

Bien que surprise par cette demande insolite, Emma fit ce que sa sœur lui demandait et se rendit au grenier. Une fois parvenue dans les combles, elle s'arrêta, hors d'haleine. Avec les années et son goût pour la bonne chère, Emma avait pris un peu de poids et s'essoufflait plus rapidement.

Le grenier était un véritable bric-à-brac. L'odeur de poussière prenait à la gorge.

— Il faudrait faire un bon ménage dans tout ce fouillis, maugréa-t-elle.

Après avoir cherché pendant quelques minutes, elle finit par apercevoir, parmi les meubles et les caisses empilées les unes par-dessus les autres, la bâche dont sa sœur lui avait parlé. Elle la souleva et découvrit une peinture, qu'un faible rayon de lumière provenant de la fenêtre éclairait. Madeleine y posait en cavalière, une cravache à la main. *Elle semble si jeune, sur ce portrait !* Sans doute n'avait-elle pas plus de trente-deux, trente-trois ans. Une sorte de sérénité imprégnait ses traits, de bonheur, même, qu'Emma ne lui avait jamais connus. Une émotion indéfinissable lui serra le cœur en découvrant ainsi une facette cachée de sa sœur cadette. Elle put déchiffrer une signature en bas, à droite : Clara Bloomingdale. Le nom de la mystérieuse visiteuse.

Pensive, Emma souleva la toile et la transporta jusqu'au salon. Elle était en nage lorsqu'elle parvint au lit de Madeleine.

— Mission accomplie, déclara-t-elle en reprenant son souffle.

Madeleine tourna la tête et jeta un coup d'œil au portrait. Un sourire ému lui vint aux lèvres.

— Merci. Tu ne peux savoir à quel point cela me fait plaisir. Une dernière chose : pourrais-tu demander à Alcidor de le remettre à sa place, au-dessus de l'âtre ?

— Comme tu veux.

Peu après, le palefrenier installa le tableau à l'endroit indiqué par sa maîtresse. Madeleine contempla longuement la toile, dont la vue la rasséréna, comme une promesse de bonheur futur.

VII

— Est-ce vrai que vous avez eu une liaison avec le cousin de votre mari ?

La voix de Julien Vanier résonnait dans la cellule. Il n'avait pas quitté la prisonnière des yeux en martelant chaque syllabe. Aimée Durand resta silencieuse. Des grincements de verrous et de grilles, et des ordres de gardes-chiourmes se faisaient entendre, amortis par les murs de pierre.

— Depuis le début de ce procès, vous m'avez caché des faits essentiels à votre défense, renchérit l'avocat, tentant de contenir sa colère. J'ai appris par le témoignage de votre belle-sœur que votre mari vous battait, et voilà qu'un agent de renseignement affirme que vous le trompiez !

Les lèvres de l'accusée tremblèrent.

— Pardon. Pardon.

Des larmes roulèrent sur ses joues. Julien soupira. L'irritation fit place à la compassion, mais il s'efforça de maintenir un masque de sévérité.

— Répondez franchement à ma question, madame Durand. Je dois tout savoir. Avez-vous, oui ou non, commis l'adultère avec le cousin de votre mari ?

L'accusée releva la tête. Son visage était à peine visible dans la pénombre de la cellule, éclairée par le faible rayon de lumière que laissait entrer la fenêtre grillagée.

— C'est vrai, admit-elle d'une voix étouffée. J'étais malheureuse. Mon mari me battait. Ernest était gentil avec moi. Il me faisait des compliments. Une fois, il m'a même apporté des fleurs. Des pensées, ajouta-t-elle, avec un début de sourire. Il m'a dit que c'était justement pour que je pense à lui.

Elle avait rougi légèrement en prononçant ces mots. Julien la regarda, songeur. Il y avait chez cette jeune femme un mélange de candeur et de rouerie qui le déroutait. Il jeta un œil à son dossier, dans lequel il avait consigné le témoignage de l'agent de renseignement. Ce dernier avait affirmé avoir effectué une enquête pour le compte de Lionel Durand deux ans auparavant. Aimée Durand n'avait donc que dix-sept ans lorsqu'elle avait entamé cette liaison.

— Depuis combien de temps étiez-vous mariée lorsque vous avez commencé à fréquenter le cousin de votre époux ?

Elle baissa les yeux.

— Un an. Je me suis mariée à seize ans. On était sept filles chez nous. Mon père était veuf. Ma mère est morte en couches à ma naissance.

Elle pinça les lèvres, comme pour contenir son émotion.

— Lionel était un client de la cordonnerie. Il était célibataire. Il a accepté de m'épouser sans dot. Pour mon père, ça faisait une bouche de moins à nourrir.

Julien comprit que le mariage avait été un arrangement plutôt que le résultat d'une affection partagée.

— Aimiez-vous votre mari ? demanda-t-il.

La jeune femme fixa son avocat. Son regard s'était obscurci.

— J'ai essayé de l'aimer. Il avait douze ans de plus que moi. Il sentait le tabac. J'avais peur de lui. La nuit…

Elle s'interrompit. Ses mains se croisaient et se décroisaient sur ses genoux serrés l'un contre l'autre.

— Il prenait son plaisir, comme on dit. Surtout quand il avait bu.

Le portrait de sa cliente commençait à se préciser. Comment la blâmer d'avoir cherché un peu de distraction pour échapper à une vie conjugale aussi pénible ? Lui-même n'était-il pas en train de succomber à la tentation de l'amour, alors que son devoir lui dictait de ne plus jamais aimer ? Il s'efforça de revenir à la situation d'Aimée Durand. Il devait la sauver, et non pas avoir pitié d'elle.

— Vous rendez-vous compte de l'arme dont dispose maintenant la Couronne pour vous faire condamner ?

— J'ai pas tué Lionel ! Je vous jure que j'y suis pour rien. Vous devez me croire.

Ce fut au tour de Julien de garder le silence. Il était à court de mots pour expliquer à sa cliente qu'il importait peu, à l'heure actuelle, qu'il la crût ou non. L'essentiel était d'en convaincre le jury, et la tâche était devenue presque insurmontable.

— Étiez-vous au courant que votre mari avait engagé cet agent de renseignement pour vous faire suivre ?

Elle fit non de la tête. Il poursuivit :

— Vous avez reçu la visite d'une jeune femme, tout dernièrement.

Il l'observa attentivement, comme pour la mettre à l'épreuve. Elle acquiesça.

— Une dame, très jolie, bien habillée, murmura-t-elle. Elle était gentille.

— Lui avez-vous fait des confidences, le genre de confidences que l'on fait seulement à une femme ?

Elle hésita.

— Répondez avec franchise.

Il fut tenté d'ajouter « pour une fois », mais s'en abstint.

— Il en va de votre vie, madame Durand.

— Oui, confirma-t-elle. Mais elle m'a promis qu'elle n'en parlerait à personne.

— C'est au sujet de l'arsenic, n'est-ce pas ?

Elle releva brusquement la tête.

— Comment l'avez-vous su ? La jeune dame vous a tout raconté, c'est ça ?

— Peu importe. Je vous demande de me répéter mot pour mot ce que vous lui avez confié.

Une porte se referma brusquement quelque part, ce qui fit sursauter la prisonnière.

— Je vous en conjure. Je suis votre avocat. Je suis là pour vous défendre. Vous devez me faire confiance.

Elle hésita, puis se décida enfin à parler. Julien l'écouta sans l'interrompre. Lorsqu'elle eut terminé, il la regarda longuement.

— Je vous crois. Mon seul regret, c'est que vous ne me l'ayez pas dit avant aujourd'hui.

— J'ai peur, dit-elle d'une petite voix. Je veux pas mourir.

— Je vous sortirai de là, madame Durand. Mais pour cela, il vous faudra témoigner en cour.

Elle se rencogna contre le mur humide de sa cellule.

— Oh non… Pas ça. Ils me détestent, ils me crient des noms, ils veulent que je sois pendue. Je pourrai jamais.

— C'est notre dernière chance, madame Durand.

Il avait dit le mot « notre », comme s'il avait voulu faire comprendre à sa cliente qu'il était partie prenante de son destin. Elle garda un long silence, puis finit par acquiescer. Il lui fit un sourire d'encouragement.

— Vous n'avez rien à craindre. Rappelez-vous seulement de garder la tête droite, de regarder le juge et l'avocat de la Couronne dans les yeux lorsque l'un ou l'autre s'adresse à vous. Tournez-vous de temps à autre vers le jury afin de susciter sa sympathie, mais surtout, dites la vérité, simplement, dans vos propres mots, sans peur ni doute.

La prisonnière esquissa un faible sourire.

— Je ferai mon possible.

✧

Lorsque Fanette revint chez sa tante, elle trouva cette dernière endormie dans son lit, un sourire paisible aux lèvres. Emma, assise dans un fauteuil, la tête appuyée sur un coussin, cognait des clous tandis que la chienne George semblait veiller sur sa maîtresse, la tête posée sur ses pattes de devant, tel un petit sphinx. La jeune femme jeta un coup d'œil attendri aux deux sœurs, si différentes l'une de l'autre, mais qui possédaient toutes deux une intelligence et une générosité hors du commun. Cette vision la réconforta. Entre les murs de cette maison, elle avait le sentiment qu'aucun danger ne pouvait l'atteindre. Elle remarqua un changement dans la pièce, puis se rendit compte qu'un tableau avait été placé là où il n'y avait qu'un rectangle vide. Le portrait de sa tante ! Celui-ci avait mystérieusement disparu, et voilà qu'il se retrouvait tout à coup à sa place.

De petits cris retentirent soudain. Fanette reconnut la voix de sa fille. Le cœur serré par l'angoisse, elle la chercha partout et la trouva finalement dans un petit jardin, situé derrière la maison, à droite de l'écurie, et entouré d'une haie de cèdres qui le protégeait des regards indiscrets. Marie-Rosalie était en train de s'amuser avec un bilboquet de bois sous le regard bienveillant de Berthe.

— Maman ! Regarde !

La fillette lança la boule en l'air et réussit à la faire atterrir dans la tige.

— Tu vois ? s'exclama Marie-Rosalie. Je l'ai réussi trois fois de suite !

Fanette applaudit en riant.

— Bravo, ma chouette.

Rassurée, elle rentra et se rendit au bureau de Madeleine, illuminé par l'éclat du soleil qui entrait à flots par les fenêtres. Elle décida d'écrire son article dans cette pièce. Ainsi, elle pourrait surveiller Marie-Rosalie en regardant par les croisées qui donnaient sur le jardin. Elle s'attabla et prit une plume, qu'elle trempa dans l'encrier. Il lui restait encore quelques heures avant la tombée du journal, ce qui lui laissait amplement le temps de rédiger son papier, mais les mots sortaient au compte-gouttes. La seule évocation du témoignage d'Auguste Lenoir la remplissait d'inquiétude et de dégoût. Elle commençait à se rendre compte à quel point il était difficile de garder son objectivité lorsque son cœur et son esprit étaient gagnés à une cause. *Et lorsque l'on est amoureuse de l'avocat qui la défend…*

Arsène Gagnon posa une casquette sur sa tête et regarda son reflet dans le petit miroir qu'il avait accroché au-dessus d'un meuble de toilette. Les rumeurs de la rue lui parvenaient par l'étroite lucarne du meublé qu'il habitait à deux coins de la rue Saint-Jacques, où étaient situés les bureaux de *L'Époque*. Il eut un petit sourire satisfait. Avec le bleu de travail qu'il venait d'enfiler et la casquette, il pourrait facilement passer pour un ouvrier. Il sortit et sauta dans un omnibus qui se rendait dans l'est de la ville. Une fois parvenu au coin des rues Saint-Denis et Sherbrooke, il descendit et fit le reste du trajet à pied.

Lorsque le reporter reconnut la maison de Madeleine Portelance, il ralentit le pas. Il ne voulait surtout pas se faire repérer. Sachant que l'écurie était dans la cour, au bout de l'allée, il s'en approcha prudemment. Il ne vit personne. La voiture accidentée qu'il avait aperçue lors de sa première visite était toujours garée au même endroit, ainsi que le Phaéton que conduisait Fanette Grandmont. Un frisson d'excitation le parcourut. Cela signifiait que la jeune femme était à la maison.

Gagnon avançait lentement, tâchant de ne pas faire crisser le gravier. À droite de l'écurie se trouvait un jardin entouré d'une haie. Un rire joyeux attira son attention. En tournant la tête, il vit, à travers les branches d'un pommier, la fille de Fanette Grandmont qui jouait au bilboquet. Elle était en compagnie d'une vieille femme portant un bonnet et un tablier blancs. Le reporter se cacha aussitôt derrière un bosquet. Les rires de la fillette continuaient à s'égrener dans l'air cristallin.

En regardant autour de lui, Gagnon avisa une porte qui se détachait sur un mur de briques. Il marcha à pas de loup dans cette direction, puis se hissa sur la pointe des pieds pour jeter un coup d'œil à travers les carreaux de la porte. Il distingua une cuisine, qui était déserte. Jouant le tout pour le tout, il fit tourner la poignée, qui céda. Un chaudron fumait sur le poêle. Une odeur appétissante régnait dans la pièce. Une batterie de chaudrons de cuivre, luisante de propreté, était accrochée par ordre de grandeur au-dessus d'un grand poêle ; des plats en porcelaine étaient empilés dans un vaisselier en pin. Son sentiment d'envie se décupla devant cette image de confort domestique. Avec son maigre salaire, il pouvait à peine se payer de la viande une fois par semaine ! Il ne possédait que quelques assiettes dépareillées et des tasses ébréchées ; le mobilier vétuste de sa petite chambre ne lui appartenait même pas. Ces observations ravivèrent son désir de se débarrasser de sa rivale.

Après avoir traversé la cuisine, il s'engagea dans un long corridor, dont le plancher de bois bien astiqué craquait sous ses pieds. Le cœur battant, il parvint à un hall éclairé par un candélabre. À droite, des portes vitrées donnaient sur un grand salon. La vue qui l'attendait le stupéfia : Madeleine Portelance était étendue dans un lit près de la cheminée où un feu crépitait ; elle semblait dormir. À quelques pieds de la malade, une femme ronde, installée dans un fauteuil, un livre sur les genoux, somnolait. Il eut du mal à reconnaître la journaliste tellement son visage était émacié. Un étrange appareillage lui emprisonnait une jambe. Elle portait un bandage à son poignet droit. Ce détail le frappa. De toute évidence, elle ne pouvait pas écrire, et il lui paraissait improbable qu'elle fût même en état de dicter un article à sa nièce. Son hypothèse se vérifiait. *Ce n'est pas Madeleine Portelance qui écrit les chroniques judiciaires.*

Galvanisé par sa découverte, le reporter poussa l'audace jusqu'à s'introduire dans la pièce. Il passa près des deux femmes qui dormaient toujours. Un rectangle de clarté se dessinait tout au fond, révélant une pièce de forme octogonale. Une jeune femme était attablée à un pupitre encombré de paperasse et de livres. *Fanette Grandmont.* Cette dernière était en train d'écrire, la tête légèrement inclinée. Elle semblait complètement absorbée par sa tâche. Seul le grincement de sa plume brisait le silence. Il ne put s'empêcher d'admirer son profil délicat éclairé par un rayon de lumière, sa main fine qui parcourait le papier.

Après un moment, la jeune femme déposa sa plume et se leva. Gagnon n'eut que le temps de se réfugier derrière un paravent qui divisait les deux pièces. Il entendit le froissement d'une robe et des pas qui s'éloignaient. Il attendit quelques minutes, puis se hasarda à sortir de sa cachette et se rendit jusqu'au pupitre, jetant un coup d'œil derrière lui pour s'assurer que Fanette Grandmont ne revenait pas. Il s'empara des feuillets et en reconnut sans peine l'écriture. Un titre se découpait en lettres détachées sur la première page : « L'affaire Aimée Durand : un nouveau témoin sème le doute sur les mœurs de l'accusée. » La curiosité l'emportant sur la prudence, il se mit à lire l'article. Force lui était d'admettre que celui-ci était bien ficelé, révélant juste ce qu'il fallait du déroulement du procès sans tomber dans des détails futiles. Une voix d'enfant le tira soudain de sa lecture. C'était sans doute la fillette qui revenait dans la maison. Les mains moites de nervosité, le reporter enfouit les feuillets dans une poche de son bleu de travail et se hâta de sortir du bureau. Il tomba nez à nez avec la dame ronde qui cognait des clous à son entrée.

— Qui êtes-vous ? Que faites-vous ici ? demanda-t-elle, l'air sévère.

Gagnon improvisa une réponse.

— On m'a fait venir pour ramoner la cheminée, balbutia-t-il, plus mort que vif.

— Qui vous a fait venir ?

— Une dame Portelance.

Emma scruta le reporter avec méfiance.

— Je ne vois pas vos brosses. De toute manière, on ne fait ramoner les cheminées qu'à l'automne.

Voyant que la dame ne mordait pas à l'hameçon, Arsène Gagnon courut vers l'entrée et aperçut Fanette Grandmont qui arrivait dans le hall, tenant sa fille par la main. Il enfonça sa casquette sur sa tête pour éviter que la jeune femme ne le reconnaisse et s'élança vers la porte, qu'il ouvrit brusquement. Il détala sans même prendre la peine de la refermer.

Fanette avait à peine eu le temps de distinguer la silhouette d'un ouvrier, portant une casquette et vêtu d'un bleu de travail, se ruer vers la porte et disparaître. Elle se tourna vers sa fille.

— Va voir Berthe dans la cuisine. Elle te donnera ton goûter.

Marie-Rosalie sourit, révélant l'espace où manquait une dent, et alla rejoindre la servante. Fanette se précipita vers la porte et sortit sur le perron. Elle regarda autour d'elle. L'ouvrier était déjà trop loin pour qu'elle puisse savoir de qui il s'agissait. Un doute affreux s'insinua en elle. *Si c'était Auguste Lenoir ?* L'homme avait à peu près la même taille, la même silhouette effilée… La simple idée qu'il ait pu s'introduire chez sa tante la glaça de terreur. Elle revint sur ses pas et referma la porte, puis la verrouilla soigneusement avec une clé suspendue à un crochet. Inquiète, Emma vint vers Fanette.

— J'ai trouvé cet homme dans le salon, expliqua-t-elle. Il prétendait qu'une « dame Portelance » l'avait fait venir pour ramoner la cheminée. Or je n'ai jamais demandé une telle chose. Et puis, Madeleine n'est pas en état de s'occuper de ce genre de détails.

Elle observa sa fille, qui était devenue pâle comme un linge.

— Que se passe-t-il, Fanette ? Qui est cet homme ?

La jeune femme fut tentée de dire à sa mère la vérité au sujet de l'agent de renseignement, mais les paroles menaçantes de Lenoir lui revinrent à l'esprit et l'en dissuadèrent.

— La porte d'en avant n'était pas verrouillée. Pourtant, j'avais demandé à ce qu'elle le soit en tout temps.

Emma soupira, penaude.

— Je suis désolée. J'ai dû oublier de le faire après être revenue du bureau de poste. La prochaine fois, je serai plus vigilante.

— Avez-vous vu cet homme entrer dans la maison ?

— J'étais assoupie, je n'ai rien entendu.

D'un pas décidé, Fanette se dirigea vers la cuisine pour y interroger Berthe. Cette dernière était en train de préparer une tartine pour Marie-Rosalie.

— Berthe, avez-vous vu quelqu'un entrer dans la maison lorsque vous étiez dans le jardin avec Marie-Rosalie ? Un ouvrier, portant un bleu de travail ?

La servante eut l'air stupéfait.

— Un ouvrier ? Ma foi, non. J'avions vu personne.

Fanette se rendit à l'écurie et posa la même question à Alcidor, qui brossait la livrée d'un cheval. Le palefrenier secoua la tête, expliquant qu'il était parti durant une demi-heure pour aller chercher du foin et de l'avoine afin de nourrir les chevaux.

— J'ai rien remarqué, madame Fanette.

— Je vous en prie, ne quittez plus la maison sans m'en avertir.

Le palefrenier fut surpris par le ton sec de la jeune femme et par l'anxiété dans sa voix, mais il se contenta d'acquiescer.

Fanette retourna dans le bureau de sa tante, se perdant en conjectures. L'intrus avait sans doute profité de l'absence du serviteur pour se rendre dans le jardin sans être vu et entrer en catimini dans la cuisine. Cela signifiait qu'il surveillait la maison et connaissait les allées et venues de ses habitants. Cette constatation la troubla au plus haut point. Encore une fois, le nom d'Auguste Lenoir s'imposa à son esprit. *Il faudra redoubler de prudence*, se dit-elle.

En reprenant place devant le pupitre, elle se rendit compte que quelque chose clochait. *Les feuillets…* Ils n'étaient plus là où elle les avait laissés avant de quitter la pièce pour aller retrouver sa fille, elle en était absolument certaine. Elle eut beau fouiller dans la pile de paperasse, ils avaient disparu. Elle se rendit à sa chambre, mais son secrétaire était en ordre, et aucun article ne s'y trouvait. Celui-ci s'était volatilisé. Une hypothèse commença à se former dans son cerveau fiévreux.

VIII

Arsène Gagnon était hors d'haleine lorsqu'il parvint à la rédaction du journal. Il n'avait pu trouver de fiacre et avait couru durant presque tout le trajet pour ne pas perdre de temps. Bien qu'il ne fût que cinq heures, l'effervescence régnait déjà dans la salle de rédaction. Sans prendre le temps de saluer ses collègues, le reporter, à bout de souffle, se précipita vers le bureau de Prosper Laflèche.

— Patron, cette fois, je la tiens !

Laflèche, une pipe éteinte au coin de la bouche, était accoudé à son pupitre. Ses traits étaient tirés et ses yeux, rougis, fixaient le vide. Gagnon s'approcha du rédacteur en chef, surpris de le voir dans cet état.

— Patron ?

Celui-ci sortit de sa torpeur.

— Que fais-tu dans cet accoutrement ? lança-t-il d'une voix rogue.

Rassuré de voir son supérieur revenir à ses manières habituelles, Gagnon reprit, les yeux brillants d'excitation :

— Je vous expliquerai plus tard. L'important, c'est que j'ai enfin découvert le pot aux roses !

— Quel pot aux roses ? maugréa Laflèche. Je ne comprends rien à ton charabia.

— Je reviens de chez Madeleine Portelance. Elle est gravement accidentée et n'est pas en état d'écrire un seul mot !

— Tu ne m'apprends rien. Madame Portelance dicte ses articles à sa nièce.

— C'est ce que Fanette Grandmont a cherché à vous faire croire, patron, mais c'est faux ! s'exclama Gagnon, postillonnant tellement il était énervé.

Le rédacteur prit un mouchoir et essuya son pupitre, en faisant une moue dégoûtée.

— Explique-toi.

— C'est comme je vous dis. Madeleine Portelance est trop mal en point pour écrire, et même pour dicter. C'est sa nièce qui écrit à sa place !

— As-tu une preuve de ce que tu avances ?

Le reporter fouilla fébrilement dans sa poche et en sortit les feuillets froissés, qu'il déposa triomphalement devant Laflèche.

— Voyez par vous-même.

Le rédacteur en chef s'en empara et les parcourut rapidement. Son visage se renfrognait au fur et à mesure de sa lecture. Il finit par relever la tête. Ses sourcils broussailleux formaient une ligne d'orage au-dessus de ses yeux noirs.

— Comment t'y es-tu pris pour obtenir cet article ? Et comment sais-tu qu'il n'a pas été dicté par Madeleine Portelance ?

Arsène Gagnon sourit, fier de son exploit.

— Je me suis introduit chez madame Portelance par la porte de la cuisine. Madeleine Portelance était alitée dans le salon, elle dormait comme un loir. Son poignet et sa jambe sont dans le plâtre. J'ai observé sa nièce en train d'écrire, j'ai profité d'un moment où elle s'absentait pour subtiliser les feuillets. En sortant, je suis tombé sur une grosse dame, je lui ai fait croire que j'étais un ramoneur. La pauvre idiote a avalé mon histoire comme du petit lait, mentit-il. Ni vu ni connu, patron !

Tenant à bien paraître aux yeux de son employeur, il omit de mentionner qu'il était passé à un cheveu de se faire prendre par Fanette Grandmont.

Prosper Laflèche était resté de marbre pendant le récit de son employé.

— Comme ça, tu es entré chez madame Portelance comme un voleur ? De quel droit ? l'interrogea-t-il soudain, d'un ton sévère.

Le reporter regarda son patron, décontenancé.

— Cette femme et sa nièce vous mentent en plein visage ! balbutia-t-il. Je l'ai fait pour vous ouvrir les yeux sur leurs manigances.

Le rédacteur en chef ne répondit pas, se contentant de tirer sur sa pipe éteinte, la mine sombre. Arsène Gagnon attendit la suite avec un mélange d'espoir et d'appréhension, ne sachant pas quel parti son patron allait prendre.

— Fais de l'air, Gagnon.

Le reporter sortit du bureau, la queue entre les jambes. Il avait espéré des félicitations, voire une promotion, et voilà qu'il était traité comme un moins que rien !

Quand la porte se referma, Prosper Laflèche asséna un coup de poing sur son pupitre. Il était blême de rage.

— Cette mauvaise blague a assez duré ! éructa-t-il, furieux.

❧

Je n'y comprends rien, se répétait Fanette, qui avait cherché ses feuillets partout dans la maison, sans succès. Elle était pourtant convaincue de les avoir laissés sur le bureau de sa tante. *L'article n'a pas pu disparaître par magie !* se dit-elle en soulevant pour la millième fois la pile de livres et de papiers qui en couvraient la surface. Puis elle regarda sous le pupitre, au cas où les feuillets auraient glissé par terre. Elle jeta un coup d'œil à l'horloge sur le manteau de la cheminée. *Cinq heures trente.* Et elle n'avait plus d'article à apporter au journal ! L'image de l'ouvrier dont elle avait à peine entrevu la silhouette lui revint à l'esprit : de taille moyenne, mince… Elle avait d'abord cru qu'il s'agissait d'Auguste Lenoir. *Se pourrait-il que ce soit…*

La sonnette d'entrée retentit au même moment. Fanette, devançant la bonne, se dirigea vers l'entrée. Avant d'ouvrir, elle prit la précaution de regarder à travers le carreau de la porte. Le visage rougeaud de Prosper Laflèche apparut derrière la vitre.

IX

Dès qu'elle vit le rédacteur en chef, Fanette sut quelle était la véritable identité de l'ouvrier. *Arsène Gagnon.* C'était la seule explication plausible à la disparition de son article. Il lui fallut quelques secondes pour trouver le courage d'ouvrir. Laflèche ne s'embarrassa pas de formules de politesse et apostropha rudement la jeune femme.

— Je veux voir madame Portelance. Tout de suite.

Fanette fit bravement face à la tempête qui s'annonçait.

— Ma tante se repose. Elle ne peut recevoir personne.

Le patron la repoussa sans ménagement et s'avança dans le hall.

— Où est-elle ?

Fanette se plaça devant lui.

— Puisque je vous dis qu'elle n'est pas en état de vous recevoir.

Une voix faible s'éleva.

— Laisse-le entrer, Fanette.

C'était Madeleine. Fanette hésita, puis, voyant que l'affrontement était inévitable, s'y résigna.

— Ma tante est dans le salon. Je vous en prie, ménagez-la, dit-elle tout bas.

Laflèche haussa les épaules et entra dans la grande pièce, tel un taureau fonçant sur une cape rouge. Il aperçut d'abord une femme bien en chair debout près d'un lit. Elle le fusillait de ses yeux noirs.

— Je me présente : Emma Portelance, la sœur de Madeleine Portelance, déclara-t-elle d'une voix ferme. Je vous donne cinq minutes, pas une de plus.

Une vraie furie, décréta le rédacteur en s'approchant du lit. La vue de la journaliste, dont le visage pâle et amaigri reposait sur un oreiller, l'impressionna malgré lui. Une jambe était surélevée et emprisonnée entre deux planches. Il remarqua que le poignet droit était bandé, ce qui corroborait les affirmations d'Arsène Gagnon.

— Madame Portelance, commença-t-il après s'être éclairci la gorge, vous me devez une explication.

Il glissa la main dans son gilet et en sortit des feuillets froissés, qu'il lui montra.

— Que signifie ceci ? renchérit-il.

Madeleine jeta un coup d'œil las à l'article.

— Pourquoi me le demander, si vous savez d'avance la réponse ? articula-t-elle avec difficulté.

Dans un geste d'exaspération, le rédacteur en chef lança les pages, qui voletèrent dans la pièce.

— Vous m'avez trompé, madame. Vous m'avez fait croire que vous étiez l'auteur de ces articles, alors que c'est votre nièce qui les écrivait à votre place.

Fanette intervint.

— J'en assume toute la responsabilité, monsieur Laflèche. Ma tante n'était pas en mesure d'écrire après son accident. Elle m'a dicté son premier article, et j'ai rédigé les autres à sa place.

Fanette avait sciemment omis de mentionner que c'était à la demande de Madeleine qu'elle avait écrit en son nom, tâchant de la protéger de l'ire du rédacteur en chef. Ce dernier ignora la jeune femme. La colère faisait battre une veine à sa tempe gauche.

— J'avais mis toute ma confiance en vous, madame Portelance. Je me suis marché sur le cœur pour vous engager comme chroniqueur judiciaire. J'ai renié tous mes principes. Et pour toute reconnaissance, vous m'avez grossièrement berné !

Madeleine ne répondit pas, sachant que toute défense était inutile.

— Cela m'apprendra à faire confiance à une femme, ajouta-t-il avec dépit.

Il prit un air solennel.

— En un mot comme en mille, vous êtes renvoyée, madame Portelance. C'est la fin de notre association.

Il se tourna vers Fanette.

— Quant à vous, mademoiselle, vous devriez avoir honte de vous être prêtée à une telle fumisterie !

Sans attendre la réponse de Fanette, il se pencha pour prendre les feuillets qui gisaient par terre, se redressa en poussant un grognement. Le visage congestionné par l'effort et la colère, il quitta la pièce. La porte claqua brusquement. Pas un mot ne fut prononcé après le départ du rédacteur en chef. Emma, complètement dépassée par les événements, se racla la gorge et replaça l'oreiller de sa sœur pour se donner une contenance. Madeleine tourna la tête vers sa nièce.

— Comment Point final a-t-il pu savoir ? commenta-t-elle avec fébrilité. Tu ne lui as rien dit, j'espère ?

Fanette fut blessée par l'insinuation de sa tante, mais comprenait son état d'esprit.

— Arsène Gagnon a réussi à se faufiler dans la maison et a subtilisé l'article. C'est lui qui a vendu la mèche à monsieur Laflèche.

Madeleine ferma les yeux.

— Mon Dieu, je suis finie. Ma réputation est ruinée. Il ne me reste plus rien.

Emma et Fanette échangèrent un regard navré.

— Ma tante…

— Laissez-moi. Je veux rester seule.

Les deux femmes se retirèrent à regret.

— Je veillerai sur elle, chuchota Emma à l'oreille de sa fille pour la rassurer.

Le souper fut silencieux. Emma avait été troublée par la pénible scène, mais n'osait poser de questions à Fanette, craignant d'être indiscrète. Cette dernière mangea à peine une bouchée. Un sentiment cuisant d'échec l'habitait. Si elle s'était montrée plus vigilante, rien de tout cela ne se serait produit. À cause d'elle, Arsène Gagnon avait découvert leur stratagème et sa tante avait perdu ce à quoi elle tenait le plus : son poste de journaliste et de feuilletoniste. Que deviendrait Madeleine ? Ce n'était pas tant les ennuis financiers que Fanette appréhendait pour sa tante, car cette dernière avait quelques économies qui lui permettraient de voir venir pendant un certain temps, mais la perspective de ne plus pouvoir exercer son métier. Prosper Laflèche, qui avait le bras long, ne se gênerait pas pour salir sa réputation et l'empêcher d'être embauchée par un autre journal. C'est alors que Fanette songea à son propre avenir. Sa tante n'aurait peut-être plus les moyens de la garder comme secrétaire particulière. Il lui faudrait alors trouver un autre travail. Tous les efforts qu'elle avait consentis pour se faire une place à Montréal étaient réduits à néant. La tournure désastreuse du procès d'Aimée Durand, l'ombre menaçante d'Auguste Lenoir obscurcissaient l'horizon. Seuls ses sentiments pour Julien Vanier lui donnaient de l'espoir, mais elle le connaissait à peine, ne savait rien de son passé. La vie lui avait appris qu'il serait mal avisé de mettre son existence et celle de sa fille entre les mains d'une seule personne. L'avenir lui sembla soudain sombre, sans issue. Elle se demanda même s'il ne lui faudrait pas se résoudre à quitter Montréal et retourner vivre à Québec avec sa mère lorsque sa tante serait rétablie, mais cette seule pensée lui chavirait le cœur. Comment pourrait-elle abandonner Madeleine, qui avait tant fait pour elle ? Et surtout, comment la priver de Marie-Rosalie, à laquelle elle était si attachée ?

❧

La salle de rédaction bourdonnait comme une ruche. Seul Arsène Gagnon était affalé sur sa chaise, ressassant sa frustration. Comment le patron osait-il le traiter ainsi ? Il n'avait pas mérité autant de mépris. On aurait dit que tous ses efforts viraient toujours en eau de boudin. Soudain, la porte de la salle de rédaction s'ouvrit et se referma avec fracas. Prosper Laflèche venait de faire son entrée. Les activités cessèrent brusquement. Le patron, arborant son visage des mauvais jours, traversa la salle et s'arrêta devant le pupitre d'Arsène Gagnon.

— Gagnon, dans mon bureau, et que ça saute.

Le reporter se leva d'un bond et, les jambes flageolantes, emboîta le pas au rédacteur en chef. *Ça y est, mes carottes sont cuites…*

Laflèche entra dans son bureau et s'installa à sa table de travail. Le reporter resta debout devant lui, les bras ballants. Le rédacteur en chef tendit à son employé les feuillets que ce dernier lui avait rapportés.

— Remets cet article à monsieur Hébert. Je veux qu'il soit en manchette.

— Bien, patron.

Le reporter prit les feuillets et s'apprêtait à sortir lorsque Laflèche l'interpella.

— Pas si vite.

Gagnon s'arrêta, le cœur en alerte.

— Tu signeras le papier.

— C'est que… je ne l'ai pas écrit.

— Depuis quand as-tu ce genre de scrupules ? lança Laflèche, sarcastique.

Le journaliste rougit.

— Bien, patron.

— Ce n'est pas tout. Tu reprends ton poste comme chroniqueur judiciaire. Je t'augmente de deux sous la ligne. Point final.

Arsène Gagnon sortit du bureau avec l'impression qu'il marchait sur un nuage.

X

Le lendemain

Après une nuit agitée, Fanette se leva tout de même tôt. Malgré le renvoi brutal de sa tante, elle avait décidé de continuer d'assister au procès d'Aimée Durand, autant par solidarité pour Julien Vanier que par profond désir de le revoir.

Avant de se rendre au palais de justice, Fanette confia Marie-Rosalie aux bons soins de Berthe et alla ensuite au chevet de sa tante. Emma était déjà à ses côtés. Elle mit un index sur sa bouche.

— Madeleine dort, murmura-t-elle.

Cela rassura la jeune femme. Il fallait que sa tante reprenne des forces. Le sommeil était le meilleur des remèdes, sans compter qu'il procurait le confort de l'oubli.

❧

La première personne que Fanette aperçut lorsqu'elle arriva devant le parvis du palais de justice fut Arsène Gagnon. Ce dernier était plongé dans la nouvelle édition du journal *L'Époque* dont l'encre, encore fraîche, lui tachait les doigts. Elle put distinguer le grand titre d'une manchette : « L'affaire Aimée Durand : un nouveau témoin sème le doute sur les mœurs de l'accusée. » C'était, mot pour mot, le titre de l'article qu'elle avait écrit la veille. Le cœur serré, elle lut le début du papier et reconnut ses propres phrases. Une sourde appréhension s'empara d'elle. Comment se faisait-il que Point final ait pris la décision de publier son article alors qu'il avait découvert la supercherie et mis sa tante à la porte ? Elle eut une réponse à son interrogation en déchiffrant la signature au bas de la chronique : Arsène Gagnon. Indignée, Fanette arracha le journal des mains du reporter.

— Comment osez-vous ! s'exclama-t-elle, rouge de colère.

Il la dévisagea avec un sourire mesquin.

— Oser quoi ?

— Signer un article que vous n'avez pas écrit ! Vous devriez avoir honte. C'est d'une malhonnêteté crasse !

Des badauds leur jetèrent un regard curieux. Le sourire de Gagnon s'accentua.

— Je n'ai pas de leçon à recevoir de vous, mademoiselle. N'avez-vous pas vous-même écrit deux articles en faisant croire que c'était votre tante qui les rédigeait ? Qui est le plus malhonnête de nous deux, vous ou moi ?

Sur le moment, Fanette ne sut que répondre. Le reporter n'avait pas complètement tort. Ses raisons d'agir de la sorte avaient certainement été plus nobles que celles de Gagnon, qui n'était motivé que par la jalousie et l'ambition, mais il n'en restait pas moins qu'elle s'était prêtée à une manœuvre malhonnête. Partagée entre la honte et la colère, elle redonna la gazette au journaliste.

— Vous devriez au moins avoir la décence de me remettre le cachet d'un article dont vous n'êtes pas l'auteur. Mais comme la décence ne fait pas partie de vos qualités, je sais que je ne dois pas y compter.

Elle lui tourna le dos et entra dans le palais de justice.

꩜

L'entrée d'Aimée Durand, enchaînée et encadrée par deux gardiens, se fit sous les huées de la foule. Le teint bistré de la prisonnière était devenu presque cendreux et son visage, habituellement placide, exprimait la crainte. Le crieur réclama le silence, qui se rétablit peu à peu. Julien, installé sur le banc de la défense, affichait une mine sereine, mais Fanette se doutait que son calme apparent cachait une grande nervosité. Le greffier se leva.

— La Couronne appelle son dernier témoin, Ernest Durand.

Des gens s'étirèrent le cou pour mieux observer le jeune homme qui s'avançait dans le prétoire. Celui-ci portait un costume et un chapeau à la dernière mode. Ses chaussures de cuir vernies, visiblement neuves, craquaient à chacun de ses pas. Une moustache et des favoris bien taillés achevaient de lui donner une apparence soignée, à la limite du dandy. Quelques femmes s'éventèrent. Après avoir prêté serment, le témoin prit place dans le box. Maître Craig lui adressa la parole :

— Vous êtes le cousin de la victime, Lionel Durand ?

— C'est exact.

— Connaissez-vous l'accusée, ici présente ?

Le jeune homme lança un coup d'œil à la prisonnière, puis ramena rapidement son attention sur l'avocat.

— Oui.

Le procureur de la Couronne toisa le témoin.

— Avez-vous commis l'adultère avec madame Durand ?

Le témoin pinça les lèvres. Un peu de rougeur colora ses joues glabres.

— Il m'est arrivé de lui donner rendez-vous, mais…

— Répondez par oui ou non, monsieur Durand.

— Oui.

Une rumeur de réprobation s'éleva. Les regards se rivèrent sur l'accusée, qui gardait la tête baissée.

— Combien de fois avez-vous commis l'*acte* avec l'accusée ?

Le jeune homme s'éclaircit la gorge.

— Je ne me rappelle plus. Deux ou trois fois.

— Deux *ou* trois fois ? ironisa l'avocat.

Des rires fusèrent, que le juge éteignit par un regard sévère.

— Aimée était malheureuse comme les pierres ! répliqua le jeune homme avec une note d'indignation. J'ai eu pitié d'elle.

Le juge Lindsay prit la parole.

— Monsieur Durand, contentez-vous de répondre aux questions.

Le témoin serra les mâchoires. Maître Craig adopta un ton doucereux.

— Vous dites que l'accusée était malheureuse. En quels termes vous a-t-elle décrit sa situation ?

Ernest Durand leva la tête vers la prisonnière. Cette fois, il ne détourna pas le regard.

— Aimée m'a avoué que mon cousin la maltraitait. Une fois, elle m'a montré ses bras et son dos. Ils étaient couverts de bleus. À une autre occasion, elle avait un œil au beurre noir. Elle m'a dit que son mari lui avait asséné un coup de poing. Lionel était une brute, surtout quand il prenait un verre.

La déclaration du jeune homme provoqua une certaine commotion, particulièrement chez les femmes, dont plusieurs sortirent un mouchoir de leur manche et se tamponnèrent les yeux.

— L'accusée vous a-t-elle confié autre chose sur sa situation matrimoniale ?

— Je ne comprends pas votre question.

— Par exemple, vous a-t-elle fait part de ses sentiments envers son mari ?

Julien s'interposa.

— Mon collègue tente d'orienter la réponse du témoin !

— Objection rejetée, décréta le juge. Répondez à la question, monsieur Durand.

Le témoin eut l'air soudain embarrassé.

— Eh bien...

Il s'interrompit. Son malaise s'accentua.

— Que vous a-t-elle dit ? martela maître Craig.

Le jeune homme regarda l'accusée puis baissa la tête.

— Qu'elle le détestait et qu'elle serait soulagée si Lionel partait.

— Que voulait-elle entendre par le mot « partait » ?

— S'il... décédait.

Un silence de plomb s'installa. Maître Craig le laissa se prolonger, puis s'adressa au juge.

— J'en ai terminé avec le témoin.

Julien se leva à son tour.

— Monsieur Durand, dans quel contexte ma cliente vous a-t-elle fait cette remarque ?

— Aimée venait de subir une raclée par son mari. Elle était bouleversée.

— Elle s'est donc exprimée sur le coup de l'émotion ?

— Oui, exactement.

— Croyez-vous qu'elle souhaitait véritablement la mort de son mari ?

Le cousin de Lionel Durand secoua la tête.

— Absolument pas. D'après moi, c'était simplement la phrase d'une femme désespérée.

— Je vous remercie.

Julien retourna s'asseoir. Le juge s'adressa à l'avocat de la Couronne.

— Maître Craig, avez-vous terminé votre preuve ?

— Oui, Votre Seigneurie.

— Maître, continua le juge à l'intention de Julien Vanier, c'est donc à vous de faire entendre vos témoins.

— J'appelle Aimée Durand à la barre.

— La défense appelle son premier témoin, Aimée Durand ! clama le greffier.

Des murmures accueillirent l'annonce. Même le procureur de la Couronne eut l'air surpris. Dans un procès criminel, il était rare qu'un accusé fût appelé à la barre sans que d'autres témoins aient d'abord été entendus.

Après avoir prêté serment d'une voix légèrement tremblante, la prisonnière fut escortée par les gardes jusqu'à la barre dans un cliquetis de chaînes. Elle gardait toujours les yeux baissés.

— Vos nom et âge, demanda le greffier d'une voix sèche.

— Aimée Durand.

— Vous devez parler plus fort. On ne vous entend pas.

— Aimée Durand, répéta-t-elle, tâchant d'élever la voix. J'ai dix-neuf ans.

Julien se leva et s'approcha de sa cliente. Il la regarda avec calme, comme s'il voulait la rassurer. Il espérait qu'elle n'avait pas oublié les consignes qu'il lui avait données lors de sa dernière visite à la prison du Pied-du-Courant.

— Madame Durand, dit-il d'une voix posée, quels étaient vos sentiments envers votre mari ?

L'avocat de la Couronne intervint.

— Mon collègue tente de bien disposer le jury à l'égard de l'accusée.

Le juge se tourna vers le procureur, les sourcils froncés.

— Maître Craig, il est tout à fait dans l'ordre des choses que la défense veuille éclairer le jury sur le caractère de l'accusée.

L'avocat reprit sa place, mécontent.

— Je répète, madame Durand, dit Julien. Quels étaient vos sentiments pour votre mari ?

Aimée Durand regarda son avocat. Ce dernier inclina la tête pour l'encourager à parler.

— Il avait ses défauts, mais je l'aimais, finit-elle par dire, la gorge nouée par l'émotion.

Quelqu'un cria :

— C'est pour ça que tu l'as trompé, puis empoisonné !

La répartie déclencha l'hilarité dans l'auditoire.

— Si j'entends un autre commentaire de ce genre, je condamne le ou les responsables pour outrage au tribunal ! déclara le juge Lindsay d'un ton sévère.

Ces mots eurent l'effet d'une douche froide. La salle redevint silencieuse. Julien poursuivit son interrogatoire.

— Un apothicaire, monsieur Sansregret, prétend que vous vous êtes procuré de l'arsenic le 12 novembre 1863. Est-ce exact ?

Aimée Durand acquiesça.

— Oui, c'est vrai.

Des chuchotements se firent entendre.

— Pour quelle raison en avez-vous acheté ?

L'accusée prit une inspiration, comme pour se donner du courage. Fanette l'observait avec une anxiété grandissante, se demandant si le jury accorderait du crédit à son témoignage.

— J'ai toujours trouvé que mon teint était trop foncé. Quand j'étais petite, les élèves à l'école se moquaient de moi, ils me traitaient de « sauvagesse ». Ça me vient de ma mère, qui avait du sang indien dans les veines.

Maître Craig se leva.

— L'accusée répond à côté de la question ! s'exclama-t-il. Qui se soucie que son teint soit foncé ou non ?

Julien s'empressa de préciser :

— Si vous laissiez madame Durand poursuivre, vous comprendriez la raison pour laquelle elle en parle.

Le juge s'adressa à la prisonnière.

— Vous pouvez continuer, mais venez-en au fait.

Aimée Durand croisa les mains sur ses genoux et fit un effort pour regarder le juge, comme son avocat le lui avait recommandé.

— J'avais lu dans la réclame d'un journal que l'arsenic mélangé avec du vinaigre et de la craie pouvait rendre la peau plus blanche.

Julien fit un pas vers elle.

— Vous avez donc utilisé l'arsenic pour tenter d'éclaircir votre teint, c'est bien cela ? demanda-t-il.

— Oui.

Elle eut un sourire penaud.

— Ça n'a rien donné. Mon teint est resté aussi foncé qu'avant.

Fanette observa attentivement l'accusée tandis qu'elle parlait. Celle-ci semblait parfaitement sincère. Son témoignage correspondait mot pour mot à ce qu'elle lui avait confié lors de sa deuxième visite en prison. Julien se tourna vers le jury, prenant le temps de regarder chacun des douze hommes qui le composaient, puis revint vers sa cliente.

— Une dernière question, madame Durand. N'oubliez pas que vous avez juré devant Dieu de dire toute la vérité.

Il attendit quelques secondes avant de reprendre la parole.

— Avez-vous, oui ou non, administré de l'arsenic à votre mari ?

L'accusée leva les yeux vers son avocat. Son visage basané devint presque beau dans la lumière blanche de la salle d'audience.

— Non. Je jure devant le Bon Dieu que j'ai pas tué mon mari. Je l'aimais. Pourquoi j'aurais voulu sa mort ?

Ses derniers mots résonnèrent dans la salle. On aurait dit que chacun des spectateurs retenait son souffle. Fanette sentit que le témoignage de la jeune femme avait suscité une certaine empathie chez l'auditoire.

— Je n'ai plus de questions, Votre Seigneurie.

Julien retourna à son banc tandis que l'avocat de la Couronne se dirigeait vers la prisonnière.

— Madame Durand, est-ce vous qui prépariez la nourriture pour votre mari pendant qu'il était malade ?

— Oui.

— Que lui serviez-vous ?

— Du gruau, du bouillon de poule. Il n'avait plus beaucoup d'appétit, surtout dans les derniers temps.

— Donc, vous étiez la seule personne qui lui donnait à manger ?

— C'est arrivé que ma belle-sœur s'en occupe quand elle lui rendait visite.

— Mais c'était toujours vous qui prépariez les repas ?

— Oui.

— Bien. Très bien.

Le procureur fit une pause.

— Vous avez admis, lors de l'interrogatoire de mon collègue, avoir acheté de l'arsenic à l'apothicaire Sansregret le 12 novembre 1863.

— Oui.

— Quelle quantité avez-vous demandée ?

— Je ne me rappelle pas.

— Vingt grammes, selon le témoignage de monsieur Sansregret.

Il attendit un peu, puis reprit :

— Toujours selon le témoignage de l'apothicaire, vous avez prétendu avoir eu besoin du poison pour éliminer une colonie de rats. Est-ce exact ?

— Oui.

— Vous venez pourtant d'affirmer devant cette cour que vous souhaitiez utiliser l'arsenic afin d'éclaircir votre teint.

— C'est vrai, répondit-elle en tâchant de soutenir le regard pénétrant du procureur.

— Vous avez donc menti lorsque vous vous êtes adressée à monsieur Sansregret.

La jeune femme tourna la tête vers son avocat, qui fit un geste apaisant, comme pour dire : « Parlez sans crainte. »

— C'est-à-dire...

— Répondez par oui ou par non.

— Oui, mais...

— Il n'y a pas de « mais » qui tienne. Vous avez menti une première fois. Qui nous dit que vous ne mentez pas devant cette cour aujourd'hui pour éviter un juste châtiment ?

Julien bondit de son banc.

— Mon collègue dépasse les bornes ! J'exige qu'il retire immédiatement ses accusations. Ma cliente n'est pas coupable tant que le jury n'a pas délibéré.

Le juge s'adressa à l'accusée.

— Vous avez juré de dire toute la vérité. Oui ou non, avez-vous menti à monsieur Sansregret en affirmant vouloir acheter de l'arsenic pour vous débarrasser de rats ?

— Oui, j'ai menti, admit la jeune femme.

Sa bouche tremblait, comme si elle était au bord des larmes.

— Pour quelle raison ? continua le juge.

Aimée Durand baissa la tête.

— J'avais honte de dire devant un homme que je voulais blanchir ma peau. C'est une affaire de femmes, vous comprenez ?

— C'était aussi une « affaire de femmes » lorsque vous avez eu une liaison avec le cousin de votre mari ? rétorqua maître Craig.

— Objection, Votre Seigneurie ! s'écria Julien, exaspéré.

— Accordée, répondit le juge. Maître Craig, contentez-vous de poser des questions à l'accusée.

Pendant cet échange, Aimée Durand avait rougi jusqu'à la racine des cheveux et enfoui son visage dans ses mains. Julien pria intérieurement pour qu'elle relève la tête. Comme si elle avait entendu son appel silencieux, la prisonnière se redressa. Ses joues étaient mouillées de larmes. Le procureur s'approcha d'elle et pointa un doigt accusateur dans sa direction.

— Vous avez confié à votre belle-sœur que votre mari vous battait. Vous lui avez avoué clairement que vous vouliez que la victime meure. Vous avez trompé votre époux avec son propre cousin, Ernest Durand. Vous avez révélé à ce dernier que vous détestiez votre mari et que vous seriez soulagée s'il « partait ». Vous avez acheté de l'arsenic à l'apothicaire Sansregret en quantité suffisante pour tuer plusieurs personnes. Vous lui avez menti quant à l'emploi que vous souhaitiez faire de ce poison. Vous étiez la seule à préparer les repas de votre mari. Vous avez mis de l'arsenic dans sa nourriture et l'avez délibérément, cruellement, tué à petit feu. Qu'attendez-vous donc pour avouer votre crime ?

Julien avait tenté de s'opposer à plusieurs reprises à la diatribe de son confrère, mais le juge Lindsay lui avait fait signe de se taire. Aimée Durand s'appuya sur la balustrade de chêne qui entourait le box des témoins, comme si elle était sur le point de s'évanouir.

— J'ai pas empoisonné mon mari ! protesta-t-elle d'une voix éraillée. Lionel souffrait de coliques nerveuses. C'est ça qui l'a tué !

Une clameur parcourut la salle. Le vent avait tourné. Le peu de sympathie que l'accusée s'était attirée au moment de son interrogatoire par Julien Vanier s'était réduite comme peau de chagrin. Même ses larmes ne semblaient plus émouvoir l'assistance.

L'avocat de la Couronne replaça les plis de sa toge, affichant l'air d'un chat qui vient d'avaler une souris.

— J'en ai terminé avec le témoin, Votre Seigneurie.

L'accusée fut entraînée par les gardiens sous les sifflets de la foule, tandis que le juge Lindsay ajournait le procès au lendemain.

XI

Julien et Fanette marchaient en silence sur le trottoir de bois de la rue Notre-Dame. Après l'ajournement du procès, ils s'étaient retrouvés dans le hall du palais de justice et, sans se consulter, avaient éprouvé le besoin de se tenir compagnie. Le jeune homme fut le premier à parler.

— Je n'aurais pas dû la faire témoigner, commenta-t-il, la mine sombre.

— Vous n'aviez pas le choix.

Il hocha la tête.

— Il aurait fallu mieux la préparer. C'était évident que maître Craig allait exploiter ses faiblesses. Cet homme ne recule devant rien pour mener les accusés à la potence. Et le juge Lindsay buvait ses paroles comme si elles avaient été l'Évangile ! Il n'a retenu presque aucune de mes objections. C'était une parodie de justice.

Le souvenir du procès d'Amanda O'Brennan pendant lequel maître Craig avait déployé tout son arsenal pour obtenir une condamnation ne l'avait jamais quitté. Il avait l'impression que l'histoire se répétait.

Les deux jeunes gens poursuivirent leur chemin en silence, ne semblant pas voir les nombreuses voitures qui roulaient bruyamment sur la chaussée. Fanette réfléchissait au témoignage d'Aimée Durand. Une chose que l'accusée avait dite l'avait frappée. C'était à la toute fin du contre-interrogatoire.

— Aimée Durand a affirmé que son mari avait des coliques nerveuses et que c'est cela qui l'avait tué, dit-elle.

— Oui, je me rappelle très bien. Elle m'en avait déjà fait part lors de l'une de mes visites en prison.

Il s'arrêta et regarda la jeune femme, une lueur d'intérêt dans les yeux.

— Des coliques nerveuses, répéta-t-il, songeur. Voilà une piste intéressante. Jamais le docteur Allard n'a soulevé cette possibilité quand il a effectué l'autopsie de Lionel Durand.

— Je connais un excellent médecin, le docteur Armand Brissette. Il a étudié en pathologie et en toxicologie. Il pourrait sans doute vous être utile.

❧

Berthe s'apprêtait à retourner dans la cuisine avec un plateau contenant un reste de bouillon auquel Madeleine avait à peine touché lorsque la sonnette de l'entrée retentit. La bonne déposa le plateau sur une crédence et alla répondre. Clara Bloomingdale était sur le seuil, portant une grosse valise dans chaque main. Berthe la regarda, ébahie.

— Puis-je entrer ?

La servante hésita, puis recula à contrecœur pour laisser passer la femme dont les boucles d'un blond vénitien sortaient en désordre d'un chapeau de feutre garni d'une plume. *Qu'est-ce qu'elle fait ici avec des bagages ?* se demanda Berthe avec appréhension. L'amie de Madeleine s'avança dans le hall et déposa ses valises au pied de l'escalier tout en reprenant son souffle. La chienne George courut vers elle en frétillant de la queue. Clara lui caressa le museau.

— Comment se porte Madeleine ? demanda-t-elle à la bonne.

— Ma'me Portelance se repose, répondit Berthe sèchement.

Clara tourna la tête vers le salon. La malade, étendue dans son lit, avait les yeux mi-clos tandis que sa sœur, assise à côté d'elle, un livre à la main, lui faisait à mi-voix la lecture de *Madame Bovary* :

— « Le jour blanchâtre des carreaux s'abaissait doucement avec des ondulations. Les meubles à leur place semblaient devenus plus immobiles et se perdre dans l'ombre comme dans un océan ténébreux. »

Clara voulut s'avancer, mais la servante se plaça devant elle.

— Puisque j'vous disions de laisser ma maîtresse en paix ! lança Berthe d'une voix plus forte qu'elle ne l'aurait souhaité.

La chienne, désarçonnée par l'agressivité inhabituelle dans le ton de la bonne, se mit à aboyer. Dérangée par le bruit, Madeleine s'étira le cou pour tenter de voir ce qui se passait dans le hall.

— Berthe, qu'y a-t-il ? Pourquoi toute cette agitation ?

— Y a cette dame qui veut vous voir, expliqua la servante, les joues en feu. J'ai beau lui dire que vous avez besoin de repos, elle ne voulions rien entendre.

Clara fit quelques pas vers le salon, George sur ses talons. Madeleine aperçut son amie, dont la silhouette était auréolée par un rayon de lumière, telle une apparition. Un sourire illumina son visage.

— Clara... Tu es revenue.

Cette dernière s'élança vers Madeleine et se jeta au pied du lit. Le basset la suivit et s'étendit près d'elle.

— Oh, Maddie, si tu savais...

Elle se mit à pleurer. Madeleine, bouleversée, lui caressa les cheveux de sa main indemne.

— Ma pauvre chérie, pourquoi pleures-tu ?

Comprenant que les deux femmes souhaitaient être seules, Emma referma le roman et sortit de la pièce, non sans jeter un regard entendu à la bonne, semblant lui dire : « Suivez-moi. » Berthe lui emboîta le pas, le visage réprobateur. Lorsque Emma aperçut les deux valises, elle lança un coup d'œil interrogatif à la servante, qui lui dit avec humeur :

— La dame est arrivée ici avec ses bagages.

Emma se mordit les lèvres. Décidément, la situation prenait une tournure imprévue... Mais il lui fallait décider.

— Demandez à monsieur Alcidor de porter les valises de madame Bloomingdale dans la chambre d'amis.

La servante obéit de mauvaise grâce.

ɔ

Clara, les larmes aux yeux, enlaça doucement sa compagne. Elle réussit à parler entre deux sanglots.

— Mon mari est revenu d'Afrique plus tôt que prévu. Je lui ai annoncé que je souhaitais me séparer de lui. Il a pleuré, m'a suppliée de rester… J'ai résisté. Me voilà, si tu veux toujours de moi.

Submergée par l'émotion, Madeleine tâchait de comprendre ce que son amie venait de lui apprendre.

— Tu quittes ton mari ? Pour de vrai ?

Clara acquiesça, souriant à travers ses larmes.

— Je t'aime. Je veux prendre soin de toi, être à tes côtés, pour toujours.

Madeleine resta silencieuse. Clara la regarda, inquiète.

— Tu veux bien de moi, dis ?

— Si je veux de toi ? Comment peux-tu me demander une chose pareille ? C'est ce que j'ai toujours souhaité.

Elle devint songeuse.

— Et toi, cela ne te fait pas peur d'être la compagne d'une pauvre vieille toute brisée ?

— Tu n'es pas vieille. Et tes os brisés se ressouderont. Tu guériras.

Les mots doux de Clara agissaient comme un baume sur le cœur et le corps meurtris de Madeleine. La visite de Prosper Laflèche, ses reproches véhéments, la façon humiliante dont il lui avait signifié son renvoi s'estompaient déjà avec la présence apaisante de son amie. Ainsi, l'amour, qu'elle avait tant combattu, qui l'avait tant fait souffrir, deviendrait peut-être un havre de paix et de bonheur.

ɔ

Le docteur Brissette s'apprêtait à se rendre à l'Hôtel-Dieu pour y visiter un patient qui venait de subir l'évacuation d'un hématome extradural, provoqué par un traumatisme crânien à la suite d'une chute de cheval. Son devoir de médecin ne l'obligeait nullement à effectuer une telle visite, mais son patient était le fils d'un de ses oncles, auquel il était très attaché, et il le faisait surtout par affection pour celui-ci. Il prit son chapeau suspendu à une patère et ouvrit la porte. Son cœur fit un bond dans sa poitrine lorsqu'il aperçut Fanette Grandmont sur le seuil. Ses sentiments pour la jeune femme n'avaient pas changé. Il était toujours aussi amoureux d'elle, mais depuis qu'elle avait refusé sa proposition de mariage, il s'était résigné à ce qu'elle demeurât une simple amie.

— Comment se porte votre tante ? s'enquit-il, inquiet.

— Rassurez-vous, elle va bien, du moins dans les circonstances.

C'est alors qu'il entrevit un homme resté en retrait. Il fut aussitôt frappé par son regard intense, son front haut, ses cheveux abondants et bouclés qui entouraient un visage aux traits harmonieux. Une sourde appréhension s'empara de lui. Que faisait Fanette en compagnie de cet inconnu ? Devinant son malaise, elle se hâta de faire les présentations.

— Armand, voici Julien Vanier, avocat. Nous aurions une question urgente à discuter avec vous.

Elle remarqua que le jeune médecin portait un chapeau et une redingote.

— Je vois que vous vous apprêtiez à sortir.

Piqué par la curiosité et un brin jaloux, le docteur Brissette ne put résister à la tentation de connaître l'objet de cette visite impromptue.

— Cela peut attendre. Entrez donc.

Fanette lui jeta un regard reconnaissant.

— Merci. Nous tâcherons de ne pas vous prendre trop de votre temps.

～

Assis dans un vieux fauteuil qui avait appartenu à son père, le docteur Brissette écoutait attentivement le récit de Julien Vanier. Ce dernier marchait de long en large dans le petit salon tout en parlant, tandis que Fanette avait pris place sur un canapé en face du médecin. L'avocat avait résumé la cause d'Aimée Durand, s'attardant aux résultats de l'autopsie qui avait été pratiquée par le docteur Allard.

— Ce médecin prétend que la victime a été empoisonnée à l'arsenic, mais ma cliente affirme que son mari souffrait de coliques nerveuses et que c'est ce qui l'a tué.

Le docteur Brissette hocha la tête.

— Les symptômes de l'empoisonnement par l'arsenic peuvent s'apparenter à ceux de coliques nerveuses. Mais il faudrait que je voie le rapport d'autopsie avant de commenter plus avant.

— Je l'ai apporté, dit Julien, qui s'empressa d'ouvrir son sac de cuir et en sortit un document, qu'il remit au médecin.

Ce dernier le prit et commença à le parcourir. Il fronça les sourcils.

— Je ne connais pas ce docteur Allard, mais à première vue il a commis des erreurs de méthodologie importantes.

Julien et Fanette échangèrent un regard rempli d'espoir. Le médecin décela une connivence entre les deux jeunes gens et ressentit un certain dépit. Il s'en voulut d'éprouver un tel sentiment, qu'il jugeait puéril, et poursuivit sa lecture. De temps en temps, il s'arrêtait pour réfléchir ou se levait pour consulter une encyclopédie médicale. Après une heure, il referma le rapport, puis le remit à l'avocat.

— Qu'attendez-vous de moi, au juste ?

— Je souhaiterais vous appeler à la barre comme témoin expert.

— Je n'ai jamais témoigné en cour de ma vie, balbutia le jeune médecin.

— Cela n'a pas d'importance. Ce qui compte, c'est votre compétence. Vous me semblez être la personne tout indiquée pour remplir ce rôle.

— J'ai besoin d'un peu de temps pour réfléchir.

— Je crains que la situation ne soit des plus urgentes, plaida Julien. La Couronne a terminé sa preuve. Je ne vous cacherai pas qu'elle est accablante. Vous êtes ma seule chance de sauver ma cliente.

La gravité de la situation sauta aux yeux du médecin, qui s'accorda néanmoins quelques minutes pour peser le pour et le contre. Il avait horreur d'être pris au dépourvu ou de devoir décider trop rapidement.

— Votre cliente est-elle innocente ?

Julien n'esquiva pas la question.

— J'en étais convaincu au début de ce procès. Aujourd'hui, je n'en suis plus aussi certain, mais cela importe peu à mes yeux.

Le docteur Brissette le regarda sans comprendre. Julien s'expliqua avec ferveur.

— Mon seul devoir, c'est de défendre les accusés, envers et contre tous. Mon opinion sur leur innocence ou leur culpabilité ne compte pour rien dans la balance de la justice.

Le jeune médecin n'était pas certain de bien saisir ces nuances juridiques, mais il acquiesça en silence. Une horloge sonna trois heures. Le docteur Brissette semblait toujours en proie à une intense réflexion, puis il se leva soudain, la mine déterminée.

— Très bien. J'accepte.

— Je vous remercie, docteur. Vous ne pouvez savoir à quel point votre aide nous sera utile ! s'exclama Julien.

Fanette se leva à son tour et lui serra la main.

— J'étais sûre que nous pouvions compter sur vous.

Le docteur Brissette rougit. Julien était trop préoccupé par sa cause pour le remarquer. Il fouilla de nouveau dans son sac et en sortit plusieurs documents volumineux, qu'il déposa sur une table à café.

— Voici le témoignage du docteur Allard ainsi que mon contre-interrogatoire. Je joins également les interrogatoires de monsieur Sansregret et le rapport d'autopsie de la victime, que vous souhaiterez sans doute relire.

Le médecin jeta un œil appréhensif à la pile de paperasse.

— Quand devrai-je témoigner ?

— Le procès recommence demain matin, à neuf heures.

— Demain matin ? Mais je n'aurai jamais assez de temps pour me préparer ! s'exclama le médecin. Je dois parcourir tous ces documents, consulter des collègues, compulser mes anciennes notes de cours, mes livres de médecine…

— Je demanderai un ajournement, mais je ne puis vous garantir qu'il me sera accordé.

Le docteur Brissette secoua la tête, atterré.

— Je n'y arriverai jamais !

Julien tenta de le rassurer.

— Vous n'aurez qu'à répondre à mes questions au mieux de vos connaissances. Si vous le souhaitez, je peux rester à votre disposition pour vous éclairer sur les aspects juridiques de la cause.

— Ça ne sera pas de refus. Mais je dois d'abord aller voir un patient. Vous pouvez m'attendre ici. Je serai de retour dans une heure tout au plus.

Il inclina la tête pour saluer Fanette, puis regagna le vestibule, remit chapeau et manteau et sortit. Il regrettait déjà d'avoir accepté une charge aussi lourde et doutait de ses capacités d'en être à la hauteur. D'après ce qu'il avait pu comprendre, la vie d'une femme dépendait de son témoignage. Par ailleurs, c'était une occasion unique de mettre ses connaissances à profit. Pendant ses années d'études, il avait été particulièrement intéressé par la toxicologie et les traités sur les poisons. Après le décès de son père, il lui avait fallu renoncer à une spécialisation pour reprendre son cabinet de médecine, mais il avait continué à se passionner pour ces questions et lisait tout ce qui lui tombait sous la main.

En se hissant dans sa voiture, il eut une pensée pour Fanette, qu'il avait laissée seule chez lui avec le jeune avocat. Avait-elle des sentiments pour ce dernier ? Il eut un pincement au cœur à cette idée.

XII

Après avoir veillé à ce que la chambre d'amis soit préparée pour accueillir la nouvelle venue, Emma revint au salon et trouva Clara Bloomingdale près du lit de Madeleine. Les deux femmes avaient les mains jointes. Madeleine dormait. Elle comprit soudain la raison de l'hostilité de la servante. Son visage se colora. Elle avait assez d'expérience de la vie pour savoir que deux personnes du même sexe pouvaient s'aimer, mais c'était la première fois qu'elle était témoin de telles amours. Jamais elle ne s'était doutée que Madeleine était amoureuse d'une autre femme. Mais que savait-elle de sa sœur, en fin de compte ? Était-il étonnant qu'une femme si peu conventionnelle, qui avait été en butte aux préjugés et aux jugements de la société toute sa vie, ait choisi cette voie ? Mais peut-être n'était-ce même pas une question de choix. Emma n'avait jamais compris grand-chose aux sentiments amoureux, mais elle se doutait que la rationalité n'y prenait pas une part importante. Elle resta figée un moment, ne sachant que faire, en proie à un malaise qui était plus fort qu'elle. Puis elle secoua son embarras et s'avança vers le couple.

— Madame Bloomingdale ?

Clara se redressa et tourna la tête vers Emma.

— Appelez-moi Clara, je vous en prie.

— Il sera bientôt l'heure de souper. Vous êtes bien sûr invitée à vous joindre à nous.

— Merci, répondit Clara avec reconnaissance. Vous êtes très aimable.

Emma se racla la gorge.

— J'ai remarqué qu'il y avait deux valises dans l'entrée. Je les ai fait porter par monsieur Alcidor dans la chambre d'amis.

Clara se redressa et agita ses jambes ankylosées.

— Je ne sais comment vous remercier.

Un silence embarrassé s'ensuivit. Emma se demandait combien de temps l'amie de sa sœur comptait rester chez celle-ci, mais elle n'osait aborder la question. Clara la devança.

— J'espère que ma présence ne vous importune pas. Je pourrais trouver une chambre à louer dans le quartier. Tout ce qui compte pour moi, c'est d'être auprès de Madeleine.

Emma fut touchée par la sincérité des sentiments que Clara portait à sa sœur et par la bonne volonté dont elle faisait preuve.

— Madeleine est très heureuse de vous recevoir chez elle.

La cloche annonçant le repas sonna.

— Allons manger. Berthe n'aime pas qu'on la fasse attendre.

Elle se rendit compte que Fanette n'était toujours pas rentrée et s'en inquiéta. Ce n'était pas dans ses habitudes de s'absenter aussi longtemps sans donner signe de vie. *Pourvu qu'il ne soit rien arrivé de fâcheux…*

❧

Marie-Rosalie et Clara bavardaient joyeusement. Une complicité immédiate s'était créée entre la fillette et l'amie de Madeleine. L'enfant était fascinée par la chevelure aux boucles d'or de Clara, sa tenue aux couleurs vives et chatoyantes et son léger accent anglais. De son côté, Clara, qui n'avait jamais eu d'enfant, trouvait la fillette intelligente et gaie, et ses réparties l'amusaient. La servante entra dans la salle à manger, tenant une soupière à bout de bras, qu'elle déposa trop brusquement sur la table. Un peu de liquide bouillant se répandit sur la nappe. Berthe laissa échapper une exclamation de dépit.

— Ma belle nappe ! J'venions de la laver.

Clara voulut éponger le liquide avec sa serviette de table, mais Berthe l'en empêcha.

— C'est moi, la servante, dans cette maison.

— Je tentais simplement de vous donner un coup de main.

— J'avions point besoin de votre aide.

La servante sortit un linge de son tablier, essuya la tache de soupe sans desserrer les dents, puis retourna dans la cuisine. Marie-Rosalie, qui ne comprenait pas les raisons de cette mauvaise humeur, demanda avec la candeur propre aux enfants :

— Pourquoi Berthe est fâchée ?

Emma intervint.

— Elle n'est pas fâchée. Juste un peu mécontente d'avoir sali la nappe.

Le reste du souper se déroula en silence. Après le dessert, Emma permit à Marie-Rosalie de sortir de table et lui demanda d'aller s'amuser dans sa chambre, en attendant que sa mère revienne. Lorsque les deux femmes furent seules, Clara laissa échapper un soupir.

— Berthe ne m'aime pas beaucoup, on dirait.

Emma avait de la sympathie pour cette femme et comprenait son désarroi.

— Ne vous en faites pas, lui dit-elle gentiment. Berthe a un caractère un peu bougon, mais elle a bon cœur.

Clara fit un sourire reconnaissant à la sœur de Madeleine.

— Maddie m'a souvent parlé de vous. Elle regrettait que vous habitiez si loin l'une de l'autre.

Emma se rembrunit.

— Je me suis souvent sentie coupable de ne pas venir la voir plus souvent.

— Oh, je ne voulais surtout pas que vous preniez cela pour un reproche. Vous lui manquiez, c'est tout. Elle m'a raconté que vous l'avez beaucoup défendue quand elle était enfant.

— Elle vous a dit cela ? répondit Emma, émue.

— Vous étiez un modèle pour elle.

Clara se leva.

— Veuillez m'excuser, je vais aller la voir, et ensuite j'irai dormir. Je suis morte de fatigue.

— Je vous en prie, faites comme chez vous.

Emma s'en voulut de la banalité de ses paroles. Elle attendit que l'amie de Madeleine fût partie pour se rendre dans la chambre de Fanette. Marie-Rosalie, attablée à son petit secrétaire, crayon à la main, dessinait dans un cahier. Rassurée, Emma alla rejoindre Berthe dans la cuisine. Celle-ci, le visage sombre, rangeait la vaisselle.

— Berthe, vous ne pouvez pas continuer à traiter cette pauvre femme de la sorte. Elle est notre hôte.

— J'avions mes raisons.

Emma se doutait bien de ce qui tracassait la servante. Elle décida de prendre le taureau par les cornes.

— Clara Bloomingdale semble avoir une relation… particulière avec ma sœur. Cela ne justifie pas pour autant que vous lui manquiez de respect.

— Le Bon Dieu n'approuvions point cela. C'est… contre nature, rétorqua la servante, le front plissé.

— Le *Bon* Dieu, comme vous dites, est censé être amour, répliqua Emma. Il aime toutes ses créatures et leur accorde son pardon. Ce n'est pas à nous de porter un jugement sur nos prochains, à plus forte raison sur nos proches.

La servante ne répondit pas. Emma revint à la charge.

— Du plus loin que je me souvienne, vous avez fait partie de notre famille. N'avons-nous pas droit à un peu de bienveillance de votre part ?

Berthe cessa de travailler. L'argument d'Emma semblait l'avoir touchée, car ses yeux, délavés par le passage des ans, s'étaient embrumés.

— M'sieur votre père se serait retourné dans sa tombe s'il avions su que sa fille…

Emma la coupa sèchement.

— Notre père a toujours eu de l'affection pour nous. Il nous a aimées telles que nous étions.

La servante s'essuya les yeux avec sa manche. Emma posa une main sur son bras.

— Je ne vous demande pas d'aimer Clara Bloomingdale. Seulement d'être polie avec elle.

Berthe serra les lèvres sans répondre. Emma fut incapable de savoir si elle avait réussi à convaincre la servante de changer son comportement à l'égard de l'amie de Madeleine. *Quelle tête de mule !* se dit-elle dans son for intérieur.

⌒

Le docteur Brissette revint de l'hôpital plus tard que prévu. Son patient avait eu des complications à la suite de l'évacuation de son hématome, et il s'était chargé de rencontrer le chirurgien qui avait effectué l'opération afin de discuter avec lui des détails de la procédure et des traitements à apporter au malade.

Lorsqu'il entra dans son salon, il aperçut Julien Vanier en train de parcourir des dossiers, qui avaient été étalés sur toute la longueur de la table à café. Il constata avec surprise que Fanette Grandmont n'était pas là.

— Madame Grandmont est partie ?

Julien leva la tête vers lui.

— Elle est rentrée chez elle vers huit heures pour s'occuper de sa fille.

Bien que le docteur Brissette jugeât son sentiment absurde, le fait que Fanette ait décidé de rentrer chez elle plutôt que de rester avec le jeune avocat le soulageait. Peut-être avait-il imaginé la connivence qu'il avait cru déceler entre eux ? Julien Vanier ne lui laissa pas le temps de spéculer davantage sur les sentiments de la jeune femme.

— Le temps presse, docteur Brissette, il faut nous remettre au travail.

Après avoir mangé un morceau à la cuisine, Fanette donna son bain à sa fille et lui lut un conte des frères Grimm, puis fit sa propre toilette et redescendit au salon. Quoique fourbue, elle voulait s'assurer que sa tante n'avait besoin de rien. La maison était plongée dans un profond silence. En entrant dans la pièce, à peine éclairée par une lampe dont la mèche avait été baissée, elle découvrit Berthe, installée dans un fauteuil à côté de Madeleine. La servante psalmodiait quelque chose à voix basse tout en serrant un objet qui cliquetait entre ses doigts noueux. Un chapelet. Fanette comprit qu'elle faisait une prière. Ce geste la toucha. La bonne était très dévote et priait sans doute pour le prompt rétablissement de sa maîtresse. Elle ne soupçonnait pas que, en réalité, Berthe invoquait la clémence de Dieu pour le pardon des péchés de Madeleine Portelance…

XIII

Le lendemain

Le docteur Brissette jeta un regard anxieux autour de lui. La salle d'audience était remplie du parterre jusqu'au balcon. Il n'y avait pas une place libre. Les mains moites, il observa le plafond haut, les lambris de chêne, la tribune du juge, le prétoire. La solennité de l'endroit accentua sa nervosité. Dire que, dans quelques minutes, il serait dans le box des témoins et parlerait devant cette foule ! En levant les yeux, il aperçut Fanette Grandmont dans la première rangée du balcon. Elle lui fit un signe d'encouragement. Cela le rasséréna. Il tâcha de se remémorer chaque détail du rapport d'autopsie. Il avait passé une bonne partie de la nuit à en faire l'analyse, en compagnie de Julien Vanier. Ce dernier s'était montré attentif et dévoué, répondant à chacune de ses questions avec patience et minutie. Le bon docteur avait bien été obligé d'admettre que le jeune homme démontrait une intelligence et une force de caractère hors du commun.

Le crieur annonça l'arrivée du juge. Voyant l'assistance se lever, le docteur Brissette l'imita. Le magistrat s'installa à sa tribune. Une sueur froide perla sur le front du médecin, qui sortit un mouchoir de sa redingote et s'épongea. Le poids de sa responsabilité le submergea de nouveau. *Je vais bafouiller lamentablement*, se dit-il. *J'aurai des trous de mémoire. Cette pauvre femme sera condamnée à cause de moi.*

— La défense appelle le docteur Armand Brissette à la barre !

À ces mots, le médecin sentit la panique engourdir ses membres. Il fit un effort pour se lever et dut s'appuyer au dossier de sa chaise pour ne pas vaciller. Il s'avança vers le prétoire, sentant les regards de la foule dans son dos. Sa voix tremblait lorsqu'il prêta serment. Une fois dans le box des témoins, il prit une grande inspiration, ce qui le calma. Il regarda Julien Vanier, qui venait vers lui.

— Docteur Brissette, vous êtes médecin et vous exercez votre profession à Montréal ?

— C'est exact. Je pratique dans l'ancien cabinet de mon père, dit-il d'une voix étranglée.

— Quelles études avez-vous faites ?

— J'ai obtenu ma licence de médecine de l'Université Laval avec grande distinction. J'ai étudié la toxicologie, la chimie, l'anatomie pathologique et l'anatomie interne.

— Quelle est votre expertise en médecine légale ?

— J'ai eu comme professeur le docteur Éthier, qui fut un éminent pathologiste et l'un des enseignants les plus renommés de la Faculté de médecine de Laval.

Julien acquiesça.

— Avez-vous déjà soigné un patient qui souffrait d'un empoisonnement à l'arsenic ?

— Cela m'est arrivé à deux reprises. Dans les deux cas, mes patients avaient avalé par mégarde de la mort-aux-rats, composée de trioxyde d'arsenic.

— Quels sont les symptômes de ce type d'empoisonnement ?

— Rougeurs, convulsions, picotements dans la gorge, sensation de brûlure, teint verdâtre, soif, visage gonflé, taches rouges dans les yeux.

La voix du médecin s'était raffermie au fur et à mesure de l'interrogatoire.

— Ce sont les mêmes symptômes que le docteur Allard avait observés lors de ses visites à la victime, fit remarquer le juge.

Julien se tourna vers le magistrat.

— Tout à fait, Votre Seigneurie.

L'avocat de la Couronne hocha la tête, médusé par la maladresse de son collègue, qui renforçait la thèse de l'accusation sans s'en rendre compte. Il se hâta de prendre des notes.

— Ces mêmes symptômes se manifestent-ils dans d'autres maladies ? poursuivit Julien.

— En effet, répondit le docteur Brissette. On les retrouve dans bon nombre d'afflictions telle l'inflammation de l'estomac, du foie ou de l'intestin, ainsi que dans le cas de coliques nerveuses, par exemple.

— Vous avez bien dit *coliques nerveuses* ? demanda l'avocat, appuyant sur chaque syllabe.

— Exactement.

Aimée Durand avait écouté attentivement l'échange ; son visage exprimait un début d'espoir. L'avocat s'adressa au jury.

— Vous noterez que l'accusée a affirmé dans son témoignage que son mari souffrait de coliques nerveuses.

Maître Craig se leva comme un ressort. Il venait de comprendre la stratégie de la défense.

— Objection ! s'écria-t-il. Je demande à ce que ce commentaire ne soit pas consigné au procès-verbal.

— Accordé, décréta le juge.

Julien ne se laissa pas décontenancer. Il savait que le jury avait entendu ce qu'il avait dit, et c'était exactement ce qu'il recherchait. Il reprit son interrogatoire.

— Docteur Brissette, y a-t-il des symptômes exclusivement liés à l'empoisonnement à l'arsenic ?

— Non. Ils n'existent tout simplement pas.

— Que voulez-vous dire par : « Ils n'existent tout simplement pas » ?

— On ne peut s'appuyer sur les seuls symptômes pour conclure à l'intoxication à un poison comme l'arsenic.

Maître Craig constata avec dépit que le juge et quelques jurés prenaient des notes.

— Comment peut-on alors faire la preuve d'un tel empoisonnement hors de tout doute ?

— Par des analyses chimiques sérieuses des substances trouvées dans le corps, recueillies avant et après l'autopsie.

Julien opina du chef.

— Bien.

Il saisit un document et le présenta au témoin.

— Avez-vous pris connaissance du rapport d'autopsie de la victime rédigé par le docteur Théophile Allard?

— En effet. Je l'ai lu attentivement à plusieurs reprises, en le comparant aux usages et aux règles de la médecine médicolégale tels qu'ils sont établis dans notre pays, ainsi qu'en France et en Angleterre.

— Quelles sont vos conclusions, docteur Brissette?

— J'ai découvert plusieurs failles graves dans la procédure.

Le procureur de la Couronne intervint.

— Le docteur Allard est l'un des médecins les plus réputés du Québec. Je ne permettrai pas que le témoin porte ainsi atteinte à sa réputation!

— La contre-expertise du docteur Brissette est essentielle à la défense de ma cliente, rétorqua Julien.

— Poursuivez, maître Vanier, trancha le juge.

— Quelles sont les failles que vous avez découvertes dans ce rapport d'autopsie, docteur?

— *Primo*, les procès-verbaux *post mortem* doivent être rédigés sur les lieux mêmes de la découverte du cadavre, ou peu de temps après l'examen du corps, afin qu'il n'y ait aucun problème de mémoire en ce qui a trait aux observations et aux analyses consignées. Or, si je me fie à la date inscrite sur son rapport, le docteur Allard l'a écrit plusieurs jours après le décès de Lionel Durand.

— Plusieurs jours après. Bien, poursuivez.

Le docteur Brissette s'éclaircit la gorge.

— *Secundo*, le médecin légiste doit s'assurer que les contenants utilisés pour entreposer les parties du corps ou les liquides corporels qui seront analysés sont parfaitement propres afin que les résultats ne soient pas faussés. De plus, chaque organe ou liquide doit être disposé dans des contenants différents et faire l'objet d'analyses chimiques distinctes.

— Le docteur Allard a-t-il procédé en suivant ces règles?

— Si je me fie à son rapport, mon confrère a mis l'estomac, une portion des petits intestins, une partie du foie, l'un des reins et le contenu de l'estomac dans un seul vase, ce qui est contraire aux règles les plus élémentaires de la pratique médicolégale.

Il y eut quelques exclamations dégoûtées dans l'assistance. Un homme, pris de nausée, porta un mouchoir à sa bouche et sortit de la salle.

— Quelles sont les conséquences de tels accrocs, docteur Brissette ?

— Eh bien, cela pourrait fausser les résultats d'analyse chimique.

Julien se tourna vers les jurés.

— *Cela pourrait fausser les résultats d'analyse chimique*, répéta-t-il, ne les quittant pas du regard.

Le juge griffonna dans un cahier tandis que maître Craig se grattait le menton, visiblement irrité par la tournure de l'interrogatoire.

— Autrement dit, résuma Julien, les analyses chimiques effectuées par le docteur Allard ne prouvent pas hors de tout doute raisonnable qu'il y a bel et bien eu empoisonnement à l'arsenic ?

L'avocat de la Couronne réagit aussitôt.

— Objection ! s'exclama-t-il. Maître Vanier ne pose pas une question, mais fait une affirmation suggestive !

— Objection retenue. Veuillez reformuler votre question, maître Vanier.

— Fort bien, Votre Seigneurie.

Julien leva les yeux vers le témoin.

— Ces manquements à la procédure peuvent-ils avoir eu un effet sur les analyses chimiques au point d'en fausser les résultats ?

— Tout à fait, affirma le médecin.

— Une dernière question, docteur Brissette. Dans son rapport d'autopsie, le docteur Allard écrit ceci : « L'estomac du défunt était enflammé et couvert de taches distinctes. Une substance blanchâtre adhérait aux parois muqueuses sous la forme de petits points blancs. Après une analyse de cette substance à l'aide de la méthode réactive de Marck et de Reinsh, les résultats ne laissent aucun doute sur la présence d'acide arsénieux dans l'estomac de la victime. » D'après vous, ces observations sont-elles une preuve irréfutable d'un empoisonnement à l'arsenic ?

— Non, absolument pas.

La réponse créa une commotion dans la salle.

— Expliquez au jury ce que vous voulez dire, docteur Brissette.

Le médecin s'adressa aux douze hommes qui étaient assis côte à côte sur leur banc, comme Julien Vanier le lui avait conseillé.

— Tous les traités de médecine légale mettent en garde les médecins contre les substances blanches sous forme de petits points blancs et brillants que l'on peut trouver dans les organes d'un défunt. Une substance blanchâtre de même apparence se forme parfois sur la surface de l'estomac après la mort. Il s'agit de phosphate ammoniaco-magnésien causé par la putréfaction, qui est souvent confondu avec l'arsenic. C'est aussi le cas de la graisse et de l'albumine, qui ont la même consistance et la même couleur que ce poison.

Il y eut des murmures dans la salle. Même l'accusée semblait étonnée par ce que le témoin venait de dire.

— Si je suis bien votre raisonnement, docteur Brissette, les substances blanchâtres trouvées dans l'estomac de Lionel Durand auraient pu être causées par ce phosphate ou par de l'albumine, et non par de l'arsenic ?

— Exactement. Et même dans le cas où les analyses auraient décelé de l'arsenic, celui-ci aurait pu se trouver accidentellement dans les matières analysées. Sa présence ne prouverait pas nécessairement qu'il y a eu empoisonnement dans un but criminel.

— Merci, docteur Brissette.

Julien s'adressa au juge.

— Je n'ai plus d'autres questions, Votre Seigneurie.

— Pas de questions, maugréa l'avocat de la Couronne.

Le juge s'adressa aux deux avocats.

— La preuve de la Couronne et celle de la défense sont closes. Avez-vous une contre-preuve à faire entendre, maître Craig ?

— Non, Votre Seigneurie.

— Dans ce cas, nous sommes prêts à entendre vos plaidoiries, messieurs ! J'ajourne le procès à demain.

Julien ramassa ses dossiers et les remit dans son sac. Il leva la tête vers le balcon. Son regard croisa celui de Fanette, qui lui sourit. Ils ne se quittaient pas des yeux, indifférents aux remous causés par les gens qui sortaient. Le docteur Brissette, soulagé, mais en nage après son témoignage, s'apprêtait à quitter le box des témoins lorsqu'il surprit le regard intense des deux jeunes gens. Son intuition ne l'avait pas trompé : Fanette Grandmont et Julien Vanier étaient amoureux. Étrangement, il n'éprouva rien sur le moment, comme si le fait d'avoir deviné cet amour naissant avait atténué la douleur de sa découverte. Ce n'est qu'en sortant du palais de justice et en respirant l'air printanier, chargé des parfums des fleurs et des arbres, que le chagrin fit son chemin dans son cœur, tel un venin qui met quelque temps à agir mais n'en est pas moins dévastateur.

ে৲

Madeleine s'était réveillée de bonne humeur. Déjà, son pauvre corps semblait lui faire moins mal et son état d'esprit était à l'optimisme. La présence de Clara à ses côtés expliquait sans aucun doute ces heureux changements. Même Berthe s'en était rendu compte après que sa maîtresse eut mangé en entier la soupe qu'elle lui avait apportée, alors que d'habitude elle laissait presque toujours le bol aux trois quarts plein. Emma se réjouissait de l'amélioration de l'état de sa sœur, sans compter l'humeur de la servante, qui semblait être un peu moins revêche. Se pouvait-il que leur discussion de la veille ait porté ses fruits ?

La sonnette de la porte carillonna. Emma alla répondre. Un jeune valet, portant une livrée bleu azur, se tenait sur le seuil. Ses yeux bleus étaient remplis d'inquiétude. Il avait une enveloppe à la main.

— *Is Mrs. Bloomingdale there, please?*

L'anglais d'Emma n'était pas très bon, mais elle comprit sans peine la question du jeune homme.

— Euh… *Yes.* C'est à quel sujet ?

Le garçon lui tendit l'enveloppe.

— *A letter for her. I'm afraid it's very urgent. I shall wait here for an answer.*

Emma n'avait pas saisi toute la phrase, mais la mine anxieuse du jeune serviteur annonçait quelque chose de grave. Elle prit la lettre et se hâta d'aller la porter à Clara, qui était assise au chevet de Madeleine.

— Pour vous, lui dit-elle.

Clara jeta un regard étonné à Emma, puis prit la missive. Son visage s'assombrit lorsqu'elle reconnut l'écriture sur l'enveloppe. Madeleine, voyant l'air soucieux de sa compagne, tenta de se redresser sur un coude.

— Qu'y a-t-il, Clara ? Qui t'a envoyé cela ?

Clara se leva.

— Ce n'est rien. Je reviens tout de suite.

Elle quitta le salon et se réfugia dans la salle à manger, qui était déserte à cette heure de la journée, puis déchira l'enveloppe. Quelques mots avaient été griffonnés en hâte sur une feuille de papier. L'écriture était presque difforme.

Clara, dearest, I'm terribly ill. Please come back. Peter.

Clara ferma les yeux, puis replia la feuille, qu'elle enfouit dans son corsage. Elle attendit que les battements de son cœur se calment et retourna au salon. Madeleine l'attendait, pleine d'appréhension.

— Clara, que se passe-t-il, à la fin ?

— Peter est très malade.

Madeleine regarda sa compagne dans les yeux.

— Tu ne vas pas retourner là-bas ?

— Je veux simplement m'assurer qu'il est bien soigné.

— N'y va pas, je t'en prie. C'est un piège. Ton mari ne cherche qu'un prétexte pour t'arracher à moi !

— Ce n'est pas son genre. S'il m'a fait demander, c'est qu'il est vraiment très atteint.

— Je t'en prie, ne me quitte pas, la supplia Madeleine.

— Je ne peux pas le laisser seul dans un moment pareil. Il a toujours été un ami fidèle. Je serais un monstre d'égoïsme si je n'allais pas à son chevet.

Clara lui caressa le front.

— Je reviendrai bientôt, je te le promets.

Madeleine tourna la tête vers le mur.

— Je n'aurais pas dû te faire confiance.

— Maddie, essaie de comprendre…

— Si tu franchis le seuil de cette maison, j'ai l'impression que je ne te reverrai plus jamais.

— Tu dois me croire.

Madeleine garda la tête tournée.

Clara resta un moment à ses côtés, espérant que sa compagne lui ferait un signe qu'elle comprenait, mais cette dernière demeura muette. Elle se résigna à la quitter.

— Je reviendrai.

Elle croisa Emma dans le hall.

— Prenez bien soin de Maddie, lui glissa-t-elle, les joues mouillées de larmes.

XIV

Le lendemain

Les jurés prirent place, puis ce fut au tour d'Aimée Durand de s'asseoir sur le banc des accusés. Julien Vanier l'observa. Les traits de son visage étaient tirés, et elle avait les yeux rouges, comme si elle avait pleuré. *Le sort de cette femme est entre mes mains*, songea le jeune avocat. Cette pensée lui faisait battre le cœur et l'empêchait de se concentrer sur sa plaidoirie. Il chercha Fanette du regard. Cette dernière était assise à proximité de la balustrade du balcon. Elle lui sourit, l'air de dire : « Ayez confiance », et il en fut réconforté. Le juge s'adressa au procureur de la Couronne.

— Veuillez faire entendre votre réquisitoire contre l'accusée, maître Craig.

Le procureur se leva et s'avança vers le jury, arborant une mine grave.

— Aimée Durand avait de puissants motifs de vouloir se débarrasser de son mari. Selon le témoignage de la sœur de la victime, l'accusée lui avait confié qu'il la battait. Elle lui a même avoué explicitement qu'elle voulait qu'il meure.

Il fit quelques pas dans le prétoire et s'immobilisa devant le jury.

— L'accusée a commis l'adultère avec le cousin de la victime. Lorsque son mari est tombé malade, elle s'est opposée vigoureusement à ce que le pauvre homme reçoive la visite d'un médecin. Il a fallu que sa belle-sœur insiste pour que l'accusée accepte enfin de le faire soigner. Le docteur Allard, qui a examiné la victime à trois reprises, a affirmé que Lionel Durand est mort à la suite d'un empoisonnement à l'arsenic. Les résultats de l'autopsie que ce réputé physicien a effectuée démontrent hors de tout doute qu'une quantité importante d'arsenic a été trouvée dans l'estomac de la victime, assez pour « tuer plusieurs personnes », selon les mots du médecin. L'accusée, dans son propre témoignage, a affirmé qu'elle préparait seule la nourriture que son mari consommait durant sa maladie. C'est également elle qui lui administrait ses remèdes. Et comme si ces preuves, déjà accablantes, n'étaient pas suffisantes, la Couronne a démontré que l'accusée s'était procuré une quantité importante d'arsenic chez un apothicaire, monsieur Sansregret, sous le prétexte qu'elle voulait se débarrasser de rats. Or, Aimée Durand a admis devant cette cour avoir menti à ce sujet, prétendant qu'en réalité elle voulait utiliser ce poison violent pour blanchir sa peau.

L'avocat fit une pause, fixant le jury de son regard d'aigle.

— La preuve contre l'accusée ne laisse donc *aucun doute* sur sa culpabilité.

Il désigna Aimée Durand d'un geste emphatique du bras, agitant sa toge, telle l'aile d'un corbeau.

— Ne vous laissez pas attendrir par le jeune âge de l'accusée, tonna-t-il. Car sous ses traits encore juvéniles se cache un monstre qui a délibérément mis fin aux jours de son mari, sans l'ombre d'un remords, sans une once de compassion pour la victime, en mentant sans vergogne pour parvenir à ses fins. Aimée Durand doit payer le prix de son crime. Les jurés ont un triste devoir à accomplir, mais la société, tout comme leur conscience, exigent qu'aucune considération d'humanité ou de pitié ne les en fasse dévier. Vous devez déclarer l'accusée coupable du meurtre au premier degré de son mari. Votre verdict ne fera pas revivre le pauvre homme, mais aura le mérite de faire triompher la justice.

Maître Craig retourna s'asseoir sur son banc dans un silence pesant. Plusieurs membres du jury prenaient des notes, dont un homme maigre vêtu de noir, aux traits austères. D'autres opinaient du chef. Ce fut au tour de Julien Vanier de prendre la parole.

— Le procureur de la Couronne affirme avec raison que la justice doit triompher.

Il se tourna vers le jury.

— Et c'est au nom de cette justice que je vous demande de déclarer Aimée Durand non coupable.

Une certaine agitation accueillit ces mots. L'un des jurés, un ouvrier portant une casquette et une vareuse, hocha la tête, comme s'il réfléchissait à ce qu'il venait d'entendre.

— Mon estimé collègue prétend que la preuve contre l'accusée est accablante, mais vous devez garder en mémoire que cette même preuve est entièrement circonstancielle. De fait, ajouta-t-il d'une voix ferme, personne n'a été un témoin direct de gestes de ma cliente qui auraient mené à la mort de l'infortunée victime. Le docteur Allard lui-même, lorsqu'il a visité Lionel Durand la première fois, a cru que ce dernier souffrait d'un ulcère à l'estomac. Ce n'est que lors d'une deuxième visite qu'il a diagnostiqué une intoxication à l'arsenic. Ensuite, le médecin a conclu à un soi-disant empoisonnement à l'arsenic sur la foi d'une autopsie qu'il a effectuée en faisant fi de consignes médicolégales importantes, ce qui représente une faute professionnelle grave.

Julien jeta un coup d'œil à ses notes, puis reprit sa plaidoirie.

— La thèse de l'empoisonnement par l'arsenic a été sérieusement mise en doute par le témoignage du docteur Armand Brissette, qui a démontré de façon éloquente que les médecins confondaient trop souvent les substances blanches trouvées dans l'estomac de défunts, le phosphate ammoniaco-magnésien, avec de l'arsenic. Plus encore, insista l'avocat, le docteur Brissette a examiné minutieusement le rapport d'autopsie et les méthodes d'analyse médicolégales utilisées par le docteur Allard, en les comparant aux usages et aux règles établis dans notre pays, ainsi qu'en France et en Angleterre. Le docteur Allard a-t-il procédé en suivant ces règles ? L'empoisonnement a-t-il été prouvé hors de tout doute raisonnable lors des analyses chimiques ? La réponse à ces deux questions est : *non*.

Julien Vanier se tourna vers le juge Lindsay.

— Non seulement il y a eu des manquements graves dans les procédures d'autopsie, mais ces manquements ont pu affecter les résultats des analyses chimiques, semant un doute raisonnable sur la possibilité d'un empoisonnement à l'arsenic.

Il s'approcha du box de l'accusée.

— Aimée Durand, lors de son contre-interrogatoire, a dit, et je cite : « Je n'ai pas empoisonné mon mari. Lionel souffrait de coliques nerveuses. C'est ça qui l'a tué. » Or, le docteur Brissette a déclaré que des symptômes semblables à ceux de l'empoisonnement par l'arsenic pouvaient se manifester dans plusieurs maladies, dont les *coliques nerveuses*.

L'avocat regarda les jurés un à un.

— Vous devez toujours garder à l'esprit qu'en cour criminelle la preuve de la culpabilité d'un accusé doit être démontrée *hors de tout doute raisonnable*. C'est la loi. Dans le cas d'Aimée Durand, cette preuve n'a pas été faite, tant s'en faut. Votre verdict doit refléter les faits. Vous devez donc, en votre âme et conscience, déclarer l'accusée non coupable.

Julien retourna à sa place. Le juge Lindsay s'adressa au jury.

— Messieurs, le temps est venu pour vous de commencer vos délibérations. Vous avez une lourde décision à prendre. Si vous croyez l'accusée coupable du meurtre par empoisonnement de son mari, et cela, hors de tout doute raisonnable, alors vous devez la condamner. Si, toutefois, vous avez un doute raisonnable quant à cette culpabilité, ce doute doit bénéficier à l'accusée et vous devez en conséquence l'innocenter. Enfin, il est essentiel que vous arriviez à rendre un verdict unanime. Vous ne pourrez revenir devant cette cour tant que vous n'y serez pas parvenus.

Le magistrat saisit son maillet et frappa plusieurs coups sur son pupitre, tandis que le crieur levait la séance dans le brouhaha de la foule. Le jury se retira. Julien remit ses dossiers dans son cartable de cuir. Il avait fait tout ce qui était en son pouvoir pour tenter de convaincre les jurés de l'innocence de sa cliente. Maintenant, son sort était entre leurs mains.

Un fiacre s'immobilisa dans une ruelle, à proximité de la rue Saint-Denis. Un vieil homme, portant une redingote et un chapeau rond, en sortit. Ses sourcils broussailleux et sa longue barbe blanche lui donnaient l'air d'un patriarche. Muni d'une canne et d'un journal, il se mit à marcher en direction de la rue Saint-Denis et s'arrêta devant une maison de briques rouges devant laquelle s'élevait un grand tilleul, dont les branches masquaient en partie les fenêtres. Il vit de la lumière au rez-de-chaussée. *Parfait, il y a du monde.* Il repéra un petit parc en face et s'installa sur un banc. De là, il avait une bonne vue sur la maison ainsi que sur l'allée qui menait à l'écurie. C'était un endroit idéal pour surveiller l'immeuble sans être repéré. Il posa sa canne à côté de lui, déplia son journal et fit semblant de lire, abaissant la gazette de temps à autre pour observer la demeure. Il était prêt à attendre aussi longtemps qu'il le faudrait.

XV

Assis côte à côte sur un banc de chêne attenant à la salle d'audience, Julien et Fanette attendaient le verdict. Le temps s'écoulait avec une lenteur éprouvante. L'avocat sortit une montre de gousset de sa poche et la consulta, l'air tendu.

— Voilà trois bonnes heures que le jury est réuni, et toujours pas de nouvelles, dit-il, laissant percer son inquiétude.

— Cela signifie sans doute qu'il pèse soigneusement le pour et le contre.

Julien hocha la tête, sombre.

— Si les jurés avaient été convaincus par mes arguments, ils en seraient venus à un verdict plus rapidement.

— L'un d'eux semblait favorable à la cause d'Aimée.

— Celui qui portait une casquette d'ouvrier et une vareuse bleu marine ?

Fanette acquiesça.

— Je l'ai observé attentivement pendant le procès. Il a pris des notes lors de votre plaidoirie.

— Oui, j'ai remarqué.

Le regard de l'avocat s'anima.

— Parfois, il suffit qu'un seul juré ait des doutes sur la culpabilité de l'accusé et les exprime avec force pour que le reste du jury soit influencé par son opinion.

Mais il suffit également qu'un seul juré soit convaincu de la culpabilité de l'accusé pour entraîner tout le jury à sa suite, pensa-t-il aussitôt. Un autre juré avait attiré son attention, un homme maigre, vêtu de noir, qui semblait être un clerc de notaire, et qui dévisageait parfois Aimée avec hostilité. Mais il préféra ne pas en parler, comme si l'évocation de ce témoin pouvait avoir des conséquences négatives sur la décision du jury. De toute manière, à quoi bon se lancer dans des conjectures sans fin ? Il avait tout essayé pour sauver l'accusée de la potence. Peut-être y avait-il un élément qu'il avait négligé ? Il passa en revue chaque détail du procès, tentant d'identifier des failles dans sa défense. Il sentit une main légère se poser sur son bras. Fanette le regardait. Il y avait de la fermeté dans ses yeux améthyste.

— Ayez confiance, dit-elle avec simplicité.

Ces mots lui redonnèrent courage. La jeune femme avait le don de le ramener vers des rivages plus paisibles, de calmer son esprit en ébullition. Sa seule présence était bienfaisante. Il se rendit compte qu'il lui serait impossible de poursuivre sa vie sans elle.

Soudain, les portes de la salle d'audience s'ouvrirent et s'abattirent avec un bruit sourd sur les murs lambrissés de chêne.

— Le jury est prêt à rendre son verdict ! clama le crieur.

⌁

L'assistance reprit place dans la salle d'audience tandis que la prisonnière s'assoyait pour la dernière fois sur le banc des accusés. Les membres du jury entrèrent à leur tour, suivis du juge Lindsay, qui fut accueilli par un profond silence, interrompu seulement par quelques toussotements nerveux. Saisi par la gravité du moment, Oscar écrivait ses impressions dans son carnet. Son regard s'attarda sur Aimée Durand, dont les yeux rougis trahissaient la fatigue et l'angoisse. Les spectateurs, qui s'étaient montrés si impitoyables à l'égard de celle qu'ils avaient surnommée l'empoisonneuse, semblaient retenir leur souffle. Julien Vanier croisa nerveusement ses mains pour tenter d'en contrôler le tremblement. Il leva les yeux vers sa cliente, qui gardait la tête baissée, comme si elle était entrée à l'intérieur d'elle-même, là où personne ne pourrait plus l'atteindre. Quelles étaient ses pensées, en cet instant crucial ? Priait-elle ? Espérait-elle la clémence du jury, comme il l'espérait lui-même de toute son âme ? Il se tourna vers les hommes qui le composaient, examinant le visage de chacun d'entre eux, tâchant de deviner, par leur expression, s'ils avaient condamné ou acquitté sa cliente. Il s'attarda à l'ouvrier à la vareuse, qui avait les yeux battus et le teint cireux de quelqu'un qui a peu dormi. Il l'imagina en train de défendre l'accusée, plaidant son innocence, seul contre tous… À côté de l'ouvrier se trouvait le clerc de notaire, dont le visage rigide était annonciateur du pire. Il tenta d'apercevoir Fanette, mais elle se confondait avec la foule qui s'était entassée au balcon pour assister à l'étape ultime du procès.

Le magistrat prit la parole d'une voix solennelle.

— Messieurs les jurés, le greffier m'a confirmé que vous étiez prêts à rendre votre verdict. En êtes-vous arrivé à un jugement unanime ?

Le président du jury se leva. Julien reconnut avec anxiété le clerc de notaire. On aurait dit que son visage maigre s'était concentré dans sa bouche étroite, qui formait une ligne dure sous l'aile aiguë du nez.

— Oui, Votre Seigneurie.

Le juge tourna la tête vers la prisonnière.

— Je demande à l'accusée, Aimée Durand, de se lever.

La prisonnière ne bougea pas, comme si elle n'avait pas entendu le magistrat. Ce dernier reprit d'une voix plus forte.

— Accusée, levez-vous pour entendre le verdict !

L'un des deux gardiens, qui se tenait derrière la prisonnière, la saisit par les épaules et la souleva d'un mouvement brusque. La jeune femme eut l'air soudain traqué, comme si elle s'éveillait d'un mauvais rêve pour retomber dans un autre. Une lueur de panique allumait ses prunelles. On aurait dit une biche aux abois.

— L'accusée ici présente, Aimée Durand, est-elle coupable ou non coupable du meurtre de son mari, Lionel Durand, des suites d'un empoisonnement à l'arsenic ? dit le juge d'une voix forte, qui se réverbéra dans la salle.

Le président du jury mit des bésicles, puis déplia la feuille de papier qu'il tenait dans ses mains. Ses gestes semblaient se faire au ralenti. Julien ferma les yeux, se répétant inlassablement les mots « non coupable », comme pour conjurer le sort.

— Le jury, après quatre heures de délibérations, pendant lesquelles chacun d'entre nous a pu discuter en détail de la preuve fournie par la Couronne et des éléments de la défense, en est venu à la conclusion que l'accusée est...

Il se racla la gorge.

— ... non coupable.

Une sorte de stupéfaction accueillit le jugement. Personne ne parla pendant de longues secondes. Même l'accusée ne paraissait pas comprendre ce qui venait de se produire. Hormis le grincement de la plume du greffier, aucun son ne se faisait entendre. Le juge Lindsay reprit la parole :

— Messieurs les jurés, vous avez accompli votre devoir de citoyen, et je vous en remercie au nom de la reine.

Il s'adressa à la prisonnière.

— Aimée Durand, le jury a fait entendre son verdict. Vous êtes libre !

Julien n'en croyait pas ses oreilles. Sa cliente venait d'être acquittée ! Une clameur s'éleva alors dans la salle tel le ressac d'une vague. Le procureur de la Couronne ramassa ses dossiers avec des gestes saccadés et sortit rapidement, la tête basse. Les journalistes se levèrent d'un bond et se ruèrent vers la sortie afin de pouvoir être les premiers à entendre le témoignage de l'ex-accusée. Oscar joua des coudes comme les autres. Quel retournement extraordinaire ! Tout au long du procès, il s'était attendu à une condamnation. *Non coupable...* Il n'en revenait pas. Son patron, qui n'aimait rien autant que les condamnations à mort, beaucoup plus spectaculaires, serait déçu, mais le reporter était soulagé de la tournure des événements. Son papier serait peut-être moins dramatique, mais c'était de loin préférable à une pendaison.

Julien leva la tête vers le balcon. Fanette, debout près d'une colonne, le visage radieux, lui fit un signe de la main. Julien sentit une joie immense inonder son cœur. Il mesura à quel point il avait craint de perdre le procès, et combien il était soulagé de l'avoir gagné. Fanette avait toujours cru en lui ; pas un instant elle n'avait douté de la justesse de sa cause ou, à tout le moins, elle ne lui avait jamais fait part de ses incertitudes. *Aujourd'hui, je lui demanderai de devenir ma femme*, décida-t-il.

Transporté d'allégresse, le jeune homme s'élança vers sa cliente, qui était restée debout devant le box des accusés, l'air perdu.

— Vous êtes libre, madame Durand ! s'écria Julien, aux anges.

La jeune femme lui jeta un regard incertain, presque hébété.

— Le jury vous a innocentée, reprit l'avocat. Vous êtes libre, comprenez-vous ?

Un sourire timide apparut sur les lèvres de l'ancienne prisonnière. L'avocat se tourna vers les gardiens.

— Qu'attendez-vous pour lui enlever ses chaînes ?

L'un des hommes s'exécuta. La jeune femme frotta machinalement ses poignets rougis. Julien la prit gentiment par un bras et l'entraîna vers la sortie.

— Venez, ne restons pas ici.

Ils franchirent la lourde porte qui donnait sur un corridor. Déjà, une cohorte de journalistes s'y étaient massés. Dès qu'ils virent Aimée Durand et son avocat, ils se précipitèrent vers eux. Oscar Lemoyne réussit à s'approcher de Julien Vanier, non sans avoir écrasé quelques pieds, dont celui d'Arsène Gagnon.

— Maître, à quoi attribuez-vous votre étonnante victoire ? demanda-t-il.

— Ce n'est pas ma victoire, c'est celle de la justice.

Oscar s'empressa de noter la répartie de l'avocat, qu'il trouvait excellente.

— Maître Vanier, vous attendiez-vous à ce que votre cliente soit acquittée ? Croyez-vous toujours à son innocence ? cria Arsène Gagnon pour couvrir le bruit ambiant.

— Bien sûr que j'y crois. J'y ai cru dès le premier jour.

— Madame Durand, comment vous sentez-vous après ce jugement ?

— Avez-vous une pensée pour votre mari ?

— Que deviendrez-vous, maintenant que vous avez été acquittée ?

Les questions fusaient de toutes parts. Julien écarta les reporters avec véhémence.

— Laissez cette femme tranquille. Elle a suffisamment souffert.

Il dut repousser des journalistes qui refusaient de s'écarter, suscitant des réactions indignées.

— Hé, vous n'avez pas répondu à nos questions ! On ne fait que notre travail ! glapit Gagnon.

Julien leur fit face.

— Ma cliente a été déclarée non coupable. Le jury a reconnu son innocence. Maintenant, tout ce qu'elle souhaite, c'est de retourner à une vie normale.

Il reprit le bras d'Aimée Durand et l'éloigna de la meute. La jeune femme, visiblement dépassée par les événements, se laissa faire. Un mouvement de la foule mena l'avocat et sa cliente vers l'escalier. Ils parvinrent difficilement au hall, où des gens se bousculaient pour les voir.

— C'est elle, c'est l'empoisonneuse ! crièrent des voix.

Julien fut tenté de leur répondre : « Elle a été acquittée ! Cessez de l'appeler ainsi ! » mais cela n'aurait servi qu'à jeter de l'huile sur le feu. Une jeune femme s'approcha de lui et effleura son épaule.

— Maître Vanier, vous êtes un héros ! lui lança-t-elle, éperdue d'admiration.

Julien secoua la tête, embarrassé par le compliment, et continua à se frayer un chemin dans la masse de gens agglutinés au pied de l'escalier, couvrant sa cliente avec un pan de sa toge afin de la protéger des regards avides.

Oscar Lemoyne s'était installé sur un banc dans un corridor du palais de justice et écrivait rapidement dans son carnet. Il ne voulait rien oublier des détails du procès et de son dénouement inattendu. La stratégie de la défense avait été des plus habiles. Il se rappelait le rôle que Julien Vanier avait joué lors des élections municipales à Québec, quelques années auparavant. Le jeune avocat, qui se présentait à la mairie comme échevin, avait dénoncé les manœuvres frauduleuses du notaire Grandmont pour se faire élire et avait eu gain de cause. *Décidément, ce Julien Vanier est très doué, il ira loin.* Une voix claire lui fit lever la tête.

— Vous êtes bien occupé.

Joséphine Barrette se tenait debout devant lui, les bras croisés, un sourire mutin aux lèvres. Oscar rougit jusqu'aux oreilles.

— Je prenais quelques notes, balbutia-t-il.

Il se maudit intérieurement de la banalité de sa répartie et de la rougeur qui lui brûlait les joues.

Le sourire de la jeune femme s'accentua.

— Je pensais bien que c'était ce que vous étiez en train de faire.

Constatant l'embarras du reporter, elle éclata de rire.

— Je plaisante, voyons.

Elle s'assit sur le banc à côté de lui.

— J'ai une pause de vingt minutes. Que diriez-vous d'aller prendre un thé ? Je connais un salon de thé charmant, The Little Shop, juste à côté du tribunal.

Oscar s'attendait si peu à cette proposition qu'il en resta bouche bée.

— Je prends votre silence pour un assentiment, déclara Joséphine en riant. Venez !

Elle se leva et fit signe à Oscar de la suivre. Ce dernier, trop heureux de lui obéir, lui emboîta le pas.

De jolies lampes peintes à la main, suspendues à un plafond lambrissé de feuilles de cuivre ouvragé, dispensaient une lumière douce sur les tables couvertes de nappes damassées. Le son cristallin de vaisselle et d'ustensiles se mêlait au bruissement feutré des conversations. Oscar et Joséphine étaient attablés à l'écart, près d'une fenêtre garnie de rideaux de dentelle. À peine avaient-ils pris place qu'une femme bien en chair, à la mine accorte, les aborda.

— *Oh, miss Josephine, how nice to see you again !* s'exclama-t-elle d'une voix haut perché.

— Bonjour, Mrs. Boswell.

— Vous avez emmené *a nice gentleman,* reprit la dame avec un sourire entendu.

Oscar devint cramoisi.

— *Welcome to The Little Shop. What may I serve you ?*

Joséphine commanda un thé Darjeeling et des scones. Oscar, qui ne connaissait pas les variétés de thé et n'avait jamais mangé de scones de sa vie, l'imita. Mrs. Boswell nota la commande et s'éloigna. La jeune femme parla en premier.

— Quand repartez-vous pour Québec ?

— Ce soir, par la diligence de six heures.

Elle plaça sa serviette de table en lin sur ses genoux, se concentrant sur son geste, comme s'il revêtait la plus grande importance.

— Et quand reviendrez-vous ?

— Je... je ne sais pas, bafouilla le jeune homme.

Il s'empara de sa propre serviette, la plaça sur ses genoux comme Jo Barrette l'avait fait et y essuya ses mains moites. *Dis quelque chose d'intelligent,* se morigéna-t-il.

— Mais j'aimerais bien que ce soit le plus rapidement possible.

— Vraiment ? Et pourquoi cette hâte ? demanda la jeune femme, affichant un air détaché.

Mrs. Boswell revint avec le thé et les scones.

— Bonne appétite ! dit-elle avec son accent anglais prononcé.

Oscar prit une gorgée de thé pour se donner une contenance. Le liquide, trop chaud, lui brûla la langue. Il déposa la tasse d'un mouvement brusque, sous l'œil inquiet de Mrs. Boswell, qui s'était procuré ces tasses en porcelaine de Staffordshire dans un marché aux puces à un prix raisonnable et y tenait beaucoup. Le reporter sentit son front se couvrir de sueur. Il cacha ses mains sous sa serviette pour que Joséphine ne se rendît pas compte qu'elles tremblaient.

— Vous n'avez toujours pas répondu à ma question, le relança la jeune femme, un sourire amusé aux lèvres.

Jette-toi à l'eau, sapristi !

— Eh bien… Vous… vous ne m'êtes pas indifférente.

Jo Barrette redevint sérieuse.

— Vous pensez vraiment ce que vous venez de dire ?

— J'en pense chaque mot.

Les paroles lui venaient plus aisément. La force de ses sentiments pour elle avait pris le dessus sur sa timidité. Jo Barrette regarda le reporter en silence.

— J'ai eu le cœur brisé une fois, finit-elle par dire. Un greffier. Je ne sais même plus ce que je lui trouvais. Il avait autant d'imagination qu'un lampadaire et ne s'intéressait qu'aux procédures. Mais le fait est que je n'ai plus jamais voulu retomber amoureuse après cela. Chat échaudé craint l'eau froide, comme dit le proverbe.

Ému par les confidences de la jeune femme, Oscar se garda bien de les interrompre.

— Avec vous, ce n'est pas pareil, poursuivit-elle. Je ne vous connais pas encore très bien, mais mon petit doigt me dit que vous êtes gentil et que vous avez bon cœur.

Elle but une gorgée de thé et reposa la tasse sur la soucoupe.

— Et vous n'êtes pas laid, ce qui n'est pas négligeable.

Oscar, qui avait porté sa tasse à ses lèvres, faillit s'étouffer. Il épongea le liquide qui s'était répandu sur la nappe.

— Dois-je en conclure que nos sentiments sont réciproques ? fit remarquer Jo, qui avait repris son ton narquois.

Le reporter fut capable de soutenir son regard.

— Vous êtes spirituelle, amusante, pleine de gaieté !

Sa propre audace l'étonna lui-même.

— Rien que ça ? rétorqua la jeune femme.

— Je vous trouve également très jolie.

— À la bonne heure, dit-elle en prenant une bouchée de scone.

Puis elle plongea son regard dans le sien.

— Et vous, Oscar, je présume que vous avez déjà été amoureux ?

— Une fois, admit-il. Mais c'était un amour impossible.

Il fut surpris de la facilité avec laquelle il avait fait cet aveu.

— Nous avons au moins ce point en commun.

Elle déposa sa serviette sur la table.

— Je dois retourner au palais. Vous trouverez mon adresse dans le bottin imprimé par la compagnie Lovell, sous le nom de J. Barrette. Écrivez-moi, et je vous écrirai en retour. Si, après quelques mois de correspondance, vos sentiments pour moi n'ont pas changé, et les miens non plus, alors nous aviserons.

Elle se leva.

— J'ai un secret pour boire un thé trop chaud, ajouta-t-elle avec un sourire en coin. Il faut d'abord s'humecter les lèvres.

Elle se dirigea vers la sortie, croisant la propriétaire.

— Au revoir, Mrs. Boswell.

— *Goodbye, dear.*

Resté seul, Oscar, médusé par sa rencontre avec Jo Barrette, en revivait chaque moment avec extase. *Quelle femme, non mais, quelle femme !* se répétait-il comme un leitmotiv. Il resta ainsi sans voir le temps passer. Ce n'est que lorsque Mrs. Boswell apporta l'addition qu'il revint à la réalité. Il fouilla fébrilement dans ses poches et se rendit compte qu'il lui restait tout juste assez de monnaie pour acquitter le thé et les scones. Il devrait se priver de souper, mais il n'en avait cure. L'amour lui servirait de viatique.

En se mettant debout, il entraîna une partie de la nappe dans son mouvement. Les tasses s'entrechoquèrent avec un tintement clair. Mrs. Boswell se précipita vers lui.

— *Oh dear ! My china…*

⌒

Emma n'avait pas quitté le chevet de Madeleine depuis le départ de sa compagne, la veille. Lorsque midi avait sonné, elle avait tenté de la faire manger, mais sa sœur avait refusé de prendre une seule bouchée, malgré ses exhortations. Emma avait rapporté le plateau encore plein à la cuisine, sous l'œil désolé de Berthe. Cette dernière n'avait pas compris les raisons pour lesquelles Clara Bloomingdale avait quitté la maison si brusquement, laissant toutes ses affaires dans la chambre d'amis. Sur le moment, elle avait été soulagée de ce départ, mais en constatant l'état de sa maîtresse, elle avait éprouvé des remords. Peut-être que cette femme était partie à cause d'elle ?

Berthe rinça la vaisselle dans l'évier de grès. Après l'avoir essuyée et rangée dans l'armoire, elle ôta son tablier et prit un vieux manteau suspendu à une patère, près de la porte de la cuisine. Marie-Rosalie, installée à la table, dessinait. Elle leva la tête en entendant la porte grincer sur ses gonds.

— Où vas-tu, Berthe ?

— Au marché Bonsecours.

Les yeux de la fillette brillèrent.

— J'aimerais y aller avec toi !

La servante secoua la tête.

— Ta maman ne voulions pas que tu sortes sans surveillance.

— Mais tu seras là pour me surveiller ! rétorqua la petite avec sa logique enfantine.

Berthe hésita.

— S'il te plaît, Berthe ! Je m'ennuie ici, toute seule !

— Tu n'es point toute seule ! Ta grand-maman Emma veillera sur toi.

La fillette, sentant l'hésitation de Berthe, s'approcha d'elle et s'accrocha à ses jupes.

— Je te promets d'être sage comme une image.

La bonne ne put résister plus longtemps. Elle avait toujours eu un faible pour cette enfant, depuis le premier jour où elle l'avait aperçue sur le seuil de la porte, l'air d'une demoiselle dans sa robe cintrée par un ruban à la taille, son chapeau et ses chaussures de cuir verni, tenant la main de sa mère.

— Va vite mettre un chapeau et un manteau, si tu ne veux pas attraper froid, maugréa-t-elle.

Marie-Rosalie sauta de joie et sortit de la cuisine en courant. Elle croisa Emma dans le couloir. Sa grand-mère tenait un panier de linge dans ses bras.

— Où cours-tu comme ça, ma chouette ?

— Je vais au marché Bonsecours avec Berthe !

Emma déposa le panier sur une chaise.

— Ta mère a bien dit qu'elle ne voulait pas te laisser sortir sans sa permission.

La petite utilisa l'arme la plus répandue chez les enfants lorsqu'ils veulent à tout prix obtenir quelque chose : le mensonge.

— Maman m'a donné la permission de sortir, à la condition que je sois accompagnée d'une grande personne. Berthe est une grande personne, pas vrai ?

Emma l'observa, en proie à un dilemme. Marie-Rosalie la regardait avec ses grands yeux noisette, la mine innocente. Elle céda.

— Bon. Tu peux y aller, mais je t'en prie, reste tout le temps avec Berthe. Ne la perds surtout pas de vue une seconde. Tu m'as bien comprise ?

La fillette embrassa Emma.

— Mais oui, grand-maman.

Elle s'élança vers l'escalier, qu'elle grimpa aussi vite que ses petites jambes le lui permettaient, et alla dans sa chambre pour y chercher un chapeau et un manteau, comme Berthe le lui avait demandé, puis elle aperçut sa poupée et décida de l'apporter. Elle retourna à la cuisine, où la servante l'attendait.

— Ah, te voilà déjà, ma p'tite Vif argent !

« Vif argent » était le surnom que Berthe avait donné à la fillette, qui avait de l'énergie à revendre et tenait difficilement en place.

— Tu ferais mieux de laisser ta poupée à la maison, tu risques de la perdre.

— Elle va s'ennuyer, toute seule.

La servante haussa les épaules, saisit la main de l'enfant et se rendit à l'écurie. Alcidor, qui était en train de réparer la calèche accidentée, interrompit son travail et attela la charrette, dont Berthe se servait toujours pour se rendre au marché. Marie-Rosalie, tenant sa poupée d'une main, grimpa sur le siège du conducteur en poussant de petits cris de joie. Berthe la rejoignit, faisant la grimace à cause de ses rhumatismes, qui la faisaient toujours souffrir davantage au printemps. Elle saisit les guides et les secoua. La charrette s'ébranla.

ふ

Il y avait plusieurs heures que le vieil homme était assis sur le banc à surveiller la maison de briques rouges. Le soleil brillait, mais l'air était frais et il commençait à se sentir transi. Il frotta ses mains l'une contre l'autre pour les réchauffer. Soudain, il aperçut une charrette qui roulait dans l'allée de la maison. Une femme âgée, portant un bonnet blanc et un manteau sombre, tenait les rênes. Une fillette était assise à côté d'elle. Le vieil homme se leva d'un bond. Le journal qu'il tenait sur ses genoux tomba par terre et les feuilles voletèrent dans la brise. Il courut vers le fiacre qu'il avait garé dans la ruelle, se hissa sur le marchepied et prit place sur le siège du conducteur tout en continuant d'observer la charrette, qui bifurquait dans la rue Saint-Denis en direction sud. *Il ne faut surtout pas que je les perde de vue...* Il déposa sa canne à côté de lui, puis s'empara des rênes et fouetta le cheval.

— Hue ! Hue dia !

La voiture partit en flèche. Un passant qui s'apprêtait à traverser la rue dut reculer pour ne pas se faire piétiner. Il secoua la tête en voyant un vieillard conduire aussi imprudemment.

Le fiacre s'engagea dans la rue Saint-Denis. Le vieil homme, qui avait perdu la charrette de vue, décida de dépasser une calèche qui roulait trop lentement à son goût et cachait les voitures devant lui. Par chance, aucun véhicule n'arrivait en sens inverse. Il aperçut la charrette, qui se trouvait à trois voitures de la sienne. Un sourire satisfait découvrit les dents blanches et pointues d'Auguste Lenoir.

༄

Le marché Bonsecours battait son plein. Les étals regorgeaient de pommes de terre, de navets et d'oignons. Des carcasses de bœuf avaient été suspendues à des crochets. Un boucher affûtait ses couteaux tandis qu'un autre servait une cliente. Des barils contenant de la mélasse et du sucre étaient alignés devant un magasin général, dont la clochette résonnait au rythme du va-et-vient des clients. Une odeur de paille et de crottin imprégnait l'air. La charrette, conduite par Berthe, s'arrêta derrière un cabrouet dans lequel s'empilaient des cageots vides. Quelques poules picoraient çà et là. Berthe descendit de la charrette et voulut saisir Marie-Rosalie par la taille pour l'aider à descendre à son tour, mais l'enfant avait déjà sauté sur le sol poussiéreux, salissant ses chaussures et le rebord de sa robe, au grand dam de la bonne.

— Tes souliers neufs ! s'exclama-t-elle, regrettant de ne pas avoir songé à lui faire porter des bottines. Et ta jolie robe !

Berthe prit des paniers et des cabas d'une main, saisissant de l'autre le bras de Marie-Rosalie.

— Viens, Vif argent.

L'enfant voulut porter elle aussi un panier. La bonne lui donna le plus petit, dans lequel Marie-Rosalie plaça sa poupée.

— Regarde, Berthe, j'ai l'air d'une maman ! s'exclama-t-elle.

La servante ne put s'empêcher de sourire, attendrie par la joie de la fillette.

— Allons d'abord chez le boulanger.

Auguste Lenoir avait vu la charrette s'immobiliser dans la rue Saint-Paul, à proximité d'un magasin général. Il conduisit son fiacre à quelques pâtés de maisons de là. La vieille femme avait attaché son cheval à une clôture et s'éloignait, tenant la petite par la main. Il vérifia d'un geste machinal si sa fausse barbe tenait toujours en place, puis enfonça son chapeau rond un peu plus sur ses yeux, saisit sa canne et prit la même direction que la vieille femme et l'enfant, tout en maintenant une distance raisonnable. La nervosité le gagnait peu à peu. Ce qu'il s'apprêtait à accomplir était fort risqué, mais il était prêt à tout pour récupérer ce satané document. Il ne remarqua pas un homme de bonne taille qui se tenait debout derrière l'étal d'une boucherie. Un tablier autour de la taille, il aiguisait un couteau. C'était Loïc Perrec.

XVI

Après avoir demandé à Aimée Durand de l'attendre devant son bureau pour qu'il puisse enlever sa toge et endosser une redingote, Julien ressortit et trouva l'ancienne prisonnière assise bien sagement sur une chaise. Il ne décela pas d'expression sur son visage, sinon une sorte de fatigue. Julien ressentit à nouveau de la compassion pour la jeune femme, qui ne semblait toujours pas se rendre compte qu'elle avait été acquittée.

— Venez, partons d'ici.

Le parvis du palais de justice baignait dans une lumière blanche et aveuglante. Aimée Durand cligna des yeux à cause du soleil. Elle paraissait désorientée.

— Que ferez-vous, maintenant que vous êtes libre ?

Elle resta silencieuse, le regard vague.

— Je ne sais pas. Retourner chez moi, je suppose.

Julien se demanda ce qu'il adviendrait de la pauvre jeune femme. Il avait assez d'expérience pour savoir que les anciens accusés, malgré leur acquittement, étaient le plus souvent rejetés et mis au ban de la société.

— Vous avez sûrement des effets à récupérer à la prison. Je vous accompagne, suggéra-t-il.

— Comme vous voulez.

Il chercha un fiacre des yeux, mais n'en vit aucun parmi les innombrables voitures garées dans la rue Notre-Dame.

— Julien !

Il tourna la tête en direction de la voix et aperçut Fanette, qui tenait son cheval par la bride et s'apprêtait à monter dans son Phaéton. Il s'adressa à Aimée Durand.

— Attendez-moi ici. Je reviens tout de suite.

Il s'approcha de Fanette, le cœur battant.

— Je vous ai cherché partout, dit-elle, la gorge nouée par l'émotion.

— Moi aussi.

Ils échangèrent un long regard où se mêlaient la joie de se revoir, le soulagement devant l'issue du procès et cette sorte de réserve qui sert de paravent à des sentiments amoureux latents, dont l'issue est incertaine. Fanette fut la première à parler :

— J'étais certaine que vous gagneriez votre procès.

— Avez-vous toujours raison, ou vous arrive-t-il parfois de vous tromper ?

— J'ai toujours raison, répondit-elle en souriant.

Il éclata de rire. C'était la première fois que Fanette voyait le jeune avocat rire d'aussi bon cœur. Elle le trouva beau, dans la lumière vive du soleil printanier, avec ses yeux légèrement plissés dont les prunelles marron semblaient irisées d'or.

— Je dois me rendre à la prison avec ma cliente, afin d'y chercher ses affaires, expliqua l'avocat. Après, il y a un sujet important dont je voudrais vous entretenir.

La voix de Julien avait légèrement fléchi. Fanette lui jeta un regard songeur.

— Je peux vous y conduire dans ma voiture, suggéra-t-elle.

Julien accepta la proposition avec reconnaissance. Les morceaux épars de sa vie s'étaient soudain rassemblés en un tout harmonieux : il avait gagné son procès et, bientôt, il demanderait à la femme qu'il aimait de l'épouser. Il refermerait à jamais la porte sur les souffrances passées et connaîtrait enfin le bonheur.

❧

134

Il leur fallut une bonne demi-heure pour parvenir à la prison du Pied-du-Courant tellement la circulation était dense. Une grève des charretiers avait commencé, quelques jours auparavant, paralysant une bonne partie de la ville.

La façade grise de la prison semblait presque joyeuse dans la clarté du soleil. Aimée Durand, qui avait été silencieuse durant tout le trajet, se tourna vers Fanette.

— J'aimerais que vous veniez avec moi.

Quoiqu'un peu surprise par la demande de la jeune femme, Fanette ne vit aucune raison de refuser.

— Bien sûr.

— Je vous attends ici, proposa Julien.

Les deux femmes se dirigèrent vers l'entrée de la prison. La sensation familière de malaise et d'étouffement saisit Fanette lorsqu'elle franchit la guérite. *Ce sera la dernière fois*, s'encouragea-t-elle.

Un gardien les conduisit vers la cellule qu'Aimée Durand avait occupée pendant de longs mois. L'ancienne prisonnière jeta un dernier coup d'œil autour d'elle. Le grabat inconfortable qu'éclairait chichement un rayon de lumière provenant de la fenêtre en ogive, le pot de chambre, le vieux coffre où ses vêtements étaient rangés et sur lequel une bassine ébréchée, qui servait à sa toilette, avait été déposée, tout cela ne serait bientôt plus qu'un mauvais souvenir. Et pourtant, elle savait qu'elle ne quitterait pas cette geôle indemne et traînerait avec elle le poids de ses remords. Elle se pencha et souleva une valise de carton bouilli qui se trouvait sous le lit. Elle entreprit d'y ranger ses effets. Elle se mit soudain à parler, sans se tourner vers Fanette.

— Je suis coupable, murmura-t-elle.

— Que dites-vous là ! Le jury vous a innocentée.

Aimée Durand se redressa et se tourna lentement vers Fanette. Ses yeux sombres luisaient dans la demi-pénombre.

— Je l'ai tué.

— Vous êtes encore sous le choc de votre libération, Aimée. Vous ne savez pas ce que vous dites.

L'ancienne accusée secoua la tête.

— J'ai vraiment tué Lionel, poursuivit-elle d'une voix étouffée. Ma vie était devenue un vrai calvaire. Il me battait presque tous les jours. J'étais si malheureuse, je ne savais plus quoi faire.

Étrangement, la révélation d'Aimée Durand ne surprit pas Fanette outre mesure. Elle n'avait jamais oublié ses aveux concernant l'arsenic, lors de sa deuxième visite en prison. Il n'était pas impossible qu'Aimée eût honte de ses origines indiennes et que ce fût pour pâlir son teint qu'elle s'était procuré le poison, mais Fanette avait eu sur cette version des faits des doutes dont elle n'avait jamais fait part à Julien.

Aimée Durand boucla sa valise, la déposa à ses pieds et s'assit sur le grabat. Une profonde lassitude creusait maintenant ses traits. Malgré son jeune âge, elle semblait avoir vieilli de vingt ans.

— J'ai acheté l'arsenic pour blanchir ma peau. Là-dessus, je vous ai pas menti, mais pour le reste…

Elle arrêta de parler, le regard perdu dans le vague.

— Un soir, Lionel m'a battue au point où j'ai eu des bleus sur quasiment tout le corps. C'était pire que d'habitude. L'idée m'est passée par la tête de mettre un peu d'arsenic dans son verre de lait chaud. Il en prenait chaque soir, avant de se coucher, il disait que ça l'aidait à dormir. Les premiers jours, ç'a pas semblé l'affecter, mais après une semaine, il s'est mis à se plaindre de maux de ventre, puis il a eu des vomissements.

Sa voix baissa d'un cran.

— Lionel voulait voir un médecin, mais j'avais peur que le docteur découvre la vérité. Un jour, ma belle-sœur nous a rendu visite. Quand elle a vu dans quel état était son frère, elle a insisté pour que j'aille quérir un médecin. C'est à ce moment-là que je lui ai dit que Lionel me battait, que je voulais qu'il meure.

Un soupir s'échappa de ses lèvres pâles.

— Quand le docteur Allard a examiné mon mari, j'attendais à côté du lit, j'étais morte de peur. Au début, il a pensé que Lionel avait un ulcère d'estomac. J'étais tellement soulagée ! Je lui ai dit que mon mari avait déjà souffert de coliques nerveuses, ce qui était la pure vérité. Après la visite du médecin, l'état de Lionel a empiré. J'ai continué à lui donner de l'arsenic chaque soir. C'était terrible, de le voir mourir à petit feu.

Elle leva les yeux vers Fanette.

— Vous devez penser que je suis un monstre.

— Je n'approuve pas ce que vous avez fait, mais ce n'est pas à moi de vous juger.

— Je devrais me dénoncer à la police.

— À quoi bon ? Le procès est terminé.

— Mais je suis coupable ! s'écria Aimée.

Fanette jeta un coup d'œil inquiet vers la porte, mais il n'y avait personne. Elle réfléchit aux aveux qu'Aimée Durand venait de lui faire. Son geste était horrible, condamnable. Cependant la jeune femme avait été maltraitée par son époux et n'avait aucun recours pour s'en protéger. Cela ne justifiait pas son meurtre, tant s'en faut, mais permettait au moins de comprendre les raisons qui l'avaient conduite à le commettre.

— Votre punition sera déjà bien assez grande de rester en vie, en gardant en vous le remords de ce que vous avez fait.

Aimée ne répondit pas, comme si elle tentait de comprendre la portée de ce que cette belle dame venait de lui dire. *Rester en vie… Le remords…* Oui, ce serait déjà bien assez difficile.

Fanette lui proposa de la reconduire chez elle, ce qu'elle refusa.

— Vous avez déjà fait tellement, vous et monsieur Julien.

Fanette insista.

— Je ne veux pas vous laisser seule ici.

En quittant la cellule, durant les quelques minutes qu'il leur fallut pour parcourir le long corridor de la prison, Fanette soupesait l'attitude à adopter quant aux révélations d'Aimée Durand. Devait-elle dire la vérité à Julien ? Il était légitimement heureux de sa victoire et croyait fermement en l'innocence de sa cliente. Non seulement elle ne voulait pas gâcher ce moment important pour lui, mais il lui semblait aussi inutile que cruel de lui asséner cette vérité. Un fardeau était-il moins accablant une fois partagé ?

⁓

Julien attendait près du Phaéton. Il lui semblait que Fanette et Aimée étaient parties depuis une éternité, mais, en consultant sa montre, il se rendit compte que seulement une quinzaine de minutes s'étaient écoulées. Son cœur se mit à battre la chamade lorsqu'il aperçut la silhouette des deux jeunes femmes se profiler sur le seuil de la prison. Il alla à leur rencontre et saisit la valise de carton de l'ancienne prisonnière.

— Laissez-moi vous aider.

Ils regagnèrent la voiture. Julien déposa la valise dans le porte-bagages. Après avoir donné son adresse à Fanette, Aimée Durand se mura de nouveau dans le silence. Elle regardait autour d'elle, étonnée du spectacle de la rue. Lorsque le Phaéton s'arrêta devant l'immeuble où elle habitait, elle se tourna vers son avocat.

— Merci, se contenta-t-elle de dire.

Puis une pensée l'agita.

— Je ne vous ai même pas payé ! Combien vous dois-je ?

— Rien du tout, répliqua Julien. Notre victoire me suffit amplement.

Les lèvres de la jeune femme tremblèrent, comme si elle était au bord des larmes. Fanette craignit qu'elle fût sur le point de faire des aveux. Aimée Durand descendit de la voiture, saisit la valise que Julien lui tendait et se dirigea vers l'entrée de l'immeuble devant lequel des enfants jouaient. Fanette et Julien la suivirent du regard jusqu'à ce qu'elle disparaisse à l'intérieur. Une étrange tristesse les habitait.

— Dieu sait ce qu'elle deviendra, dit Julien.

— Je pensais exactement la même chose.

Ils se résignèrent à partir. Tandis que le Phaéton s'éloignait, Julien regarda Fanette, dont le beau profil était auréolé par la lumière dorée de l'après-midi. Il sentit ses tempes battre. Lui dont la profession consistait à gagner ses causes grâce à son éloquence avait le sentiment que les mots le fuyaient. Des pensées contradictoires se bousculaient dans sa tête. *J'ai le droit d'être heureux*, lui disait une voix. *Tu dois accomplir ton devoir*, lui disait une autre.

— Vous vouliez me faire part d'une chose importante, lui rappela Fanette, comme si elle avait suivi le fil de ses pensées.

Soudain, le Phaéton dut s'immobiliser. Une longue file de charrettes formait une sorte de barricade dans la rue, empêchant les voitures de passer. Des hommes, tenant des bannières et des pancartes, scandaient des slogans:

— À bas John Shedden!

— À bas le Grand Tronc!

— À bas Shedden, le voleur de *jobs*!

Des citoyens les appuyaient avec des cris d'encouragement; d'autres les conspuaient:

— Laissez-nous passer! On doit travailler, nous autres!

— Bande de chialeux! Si vous êtes pas contents, changez de *job*!

— Vive les charretiers! Shedden au poteau!

— À bas Shedden! On veut garder nos emplois!

Fanette se tourna vers le jeune avocat.

— Que se passe-t-il?

— Les charretiers se sont mis en grève, expliqua Julien. Ils craignent que l'arrivée d'une agence de voiturage au dépôt du Grand Tronc ne leur enlève du travail.

De gros nuages s'étaient formés, assombrissant le ciel. Une averse se mit soudain à tomber. Julien aida la jeune femme à rabattre le toit du Phaéton. La pluie crépitait, couvrant les cris des grévistes qui leur parvenaient, amortis. La réalité du monde extérieur s'estompait peu à peu. Julien sentit la chaleur du corps de Fanette contre le sien. Cette nouvelle intimité lui donna le courage de parler.

— Fanette, je vous aime de tout mon cœur. Voulez-vous devenir ma femme?

Les mots lui étaient venus facilement. Ses doutes, ses hantises s'étaient dissipés. Pour toute réponse, la jeune femme se blottit dans ses bras. Il l'enlaça et la tint contre lui, respirant le doux parfum de ses cheveux, effleurant de ses lèvres son front, ses joues si douces. Leurs bouches s'unirent. La pluie continuait à tomber, mais les deux amants n'entendaient plus que les battements de leur cœur. Dehors, les trottoirs et les rues luisaient dans une clarté vaporeuse tandis que les charretiers continuaient à brandir leurs pancartes.

XVII

L'averse avait obligé les marchands à recouvrir leurs étals de toiles. Berthe et Marie-Rosalie s'étaient réfugiées sous un auvent, en compagnie d'autres badauds. Lorsque la pluie cessa, la servante, tenant toujours fermement Marie-Rosalie par la main, se procura un pain de ménage chez un boulanger, se rendit chez un volailler, à qui elle acheta une douzaine d'œufs ainsi qu'une poule dont le commerçant trancha la tête et qu'il dépluma pour elle. Elle avait l'habitude de ces tâches, qu'elle devait accomplir chaque jour, même enfant, lorsqu'elle vivait à la ferme de ses parents, mais elle était soulagée de ne plus avoir à s'en charger. Après avoir rangé la volaille dans son cabas, elle emmena la fillette en direction d'un maraîcher. En chemin, Marie-Rosalie aperçut un castelet devant lequel un groupe d'enfants s'étaient massés. Des marionnettes colorées s'agitaient sur la petite scène. Marie-Rosalie s'arrêta pour les regarder, fascinée. Berthe la tira par la main.

— Allons, Vif argent !

— Berthe, s'il te plaît, laisse-moi voir les marionnettes !

Un arlequin vêtu d'un habit à losanges bariolés courait après un polichinelle et lui asséna un coup de pied au derrière, soulevant les rires de l'assistance.

— J'avions d'autres courses à faire, grommela la servante.

— S'il te plaît ! Je t'attendrai ici, insista la fillette, le regard implorant.

Berthe hésita. La vue des enfants agglutinés devant le castelet, riant et applaudissant devant les pitreries des marionnettes, la rassura à moitié, mais elle ne se résignait pas à laisser la petite sans surveillance. Un vieil homme à la barbe blanche, portant un chapeau melon et tenant une canne à la main, s'approcha d'elles.

— Bonjour, madame. Je ne voudrais pas me montrer indiscret, mais j'ai entendu votre conversation. Étant moi-même grand-père, j'emmène souvent mes petits-enfants au spectacle. Je me ferais un plaisir de surveiller cette adorable enfant pendant que vous faites vos emplettes. Ce serait dommage de la priver d'une telle joie !

La servante jeta un regard circonspect au vieil homme, dont la mine joviale et distinguée, la barbe et les cheveux blancs la mirent en confiance.

— Vous êtes certain que cela ne vous dérange point ?

— Au contraire. Rien ne me ferait plus plaisir, répondit-il avec un sourire affable.

La bonne se tourna vers Marie-Rosalie.

— Sois bien sage. Ne t'éloigne pas d'un pouce de ce gentil monsieur. Je reviens dans quelques minutes.

La servante s'éloigna, non sans s'être retournée à plusieurs reprises pour s'assurer que la fillette était toujours en compagnie du vieillard. Ce dernier tenait Marie-Rosalie par la main. Tranquillisée, Berthe marcha le plus rapidement qu'elle pouvait. Heureusement, le maraîcher était à proximité du théâtre de marionnettes, et il ne lui faudrait pas plus de quelques minutes pour se procurer les légumes dont elle avait besoin.

෮

Auguste Lenoir regarda la vieille servante s'éloigner, puis se tourna vers la fillette.

— Comment t'appelles-tu ? lui demanda-t-il, tâchant de prendre une voix avenante.

— Marie-Rosalie.

— Et quel âge as-tu ?

— J'ai cinq ans.

— Le même âge que ma petite-fille ! commenta-t-il en souriant.

Une marionnette portant de longues tresses blondes surmontées d'une petite couronne dorée apparut sur la scène. Les enfants poussèrent des cris de joie.

— Isabelle ! Isabelle ! La belle princesse !

Marie-Rosalie lâcha la main du vieil homme et tapa des mains en riant. C'est alors qu'un dragon fit son entrée sur la scène dans un bruit de tambours. Des filaments de papier orange sortaient de sa gueule, représentant des flammes. Tout le monde hurla d'effroi.

— Attention, Isabelle ! Le méchant dragon !

— Le dragon ! Il est juste derrière toi !

— Attention, Isabelle ! s'écria Marie-Rosalie à l'unisson.

Le dragon était sur le point de s'attaquer à la princesse lorsqu'un cavalier, monté sur un destrier, surgit en brandissant une épée.

— Le Prince charmant ! s'exclamèrent les enfants en chœur, en applaudissant.

— Il va sauver la belle princesse !

Le cavalier galopa jusqu'au dragon en brandissant son épée, qu'il plongea dans la gueule du monstre vert. Le dragon s'abattit sur le dos.

— Bravo ! Vive Isabelle ! Vive le Prince charmant !

Les rideaux du castelet se fermèrent sous les applaudissements et les exclamations enthousiastes. Auguste Lenoir profita de la cohue pour s'adresser à la fillette.

— Que dirais-tu d'un cornet de bonbons ? Ma petite-fille en raffole, je lui en achète toujours lorsque je vais au marché avec elle.

Marie-Rosalie se rappela la recommandation de la servante.

— Berthe m'a dit de ne pas bouger d'un pouce.

— C'est très bien d'être obéissante. La confiserie est à deux pas d'ici. Nous serons de retour dans quelques instants.

Le vieillard lui fit un clin d'œil complice.

— Ce sera notre secret.

La fillette hésita. Sa mère lui avait répété de ne pas accepter de bonbons de la part d'un étranger, mais ce vieux monsieur avait l'air aimable, avec sa barbe blanche qui le faisait ressembler au père Noël. Elle ne put résister à la tentation et accepta finalement l'offre du vieil homme, oubliant la consigne de Berthe. Lenoir la prit par la main et l'entraîna vers le magasin, situé rue Saint-Paul. Marie-Rosalie fut éblouie en voyant des bocaux de bonbons de toutes les couleurs alignés dans la vitrine. Elle choisit du sucre d'orge en forme de cœur et du pain d'épices. Le vieux monsieur la mena ensuite vers le fiacre qu'il avait garé dans une petite rue adjacente.

Lenoir jeta un coup d'œil en direction du marché. Il aperçut à distance celle que l'enfant avait nommée Berthe. Cette dernière, chargée de paniers, revenait vers le castelet. Il serra les dents. *Il ne faut pas perdre une minute.* Il pressa le pas. Marie-Rosalie avait un peu de difficulté à le suivre, à cause de ses petites jambes.

— Où on va, monsieur ? demanda-t-elle, la bouche pleine de sucre d'orge.

— Rejoindre Berthe, répondit l'homme. Viens dans mes bras, ma belle, nous y serons plus rapidement.

Il la saisit par la taille et la porta vers le fiacre, dont il ouvrit la portière. Comme la petite commençait à s'agiter, il la déposa sur la banquette, se hissa à l'intérieur et referma la portière derrière lui. Effrayée, elle se mit à pleurer.

— N'aie pas peur. Je craignais que tu prennes froid.

— Je veux voir Berthe !

— Bien sûr que tu verras Berthe. Dans une petite minute…

Il sortit un flacon de sa redingote et en enleva le capuchon. Une odeur forte envahit l'espace confiné. Il imbiba un mouchoir d'éther et le plaqua sur le nez et la bouche de la fillette. Celle-ci tenta de se débattre, mais Lenoir la maintenait fermement. Après quelques instants, elle cessa de bouger. L'agent lui enserra les poignets avec de la corde et la bâillonna avec le même mouchoir qui avait servi à l'endormir. Puis il étendit la petite sur la banquette, lança une couverture sur elle et sortit de la voiture tout en jetant un coup d'œil autour de lui pour s'assurer que personne ne les avait vus. La ruelle était déserte. Il se hâta de refermer la portière et se hissa sur le siège du conducteur. Son fouet claqua. Le fiacre se mit à rouler rapidement, laissant un sillage noir sur le pavé. Un petit panier en osier et une poupée gisaient sur le trottoir.

❧

Berthe, hors d'haleine, marchait aussi vite que le lui permettaient ses rhumatismes et ses paniers remplis de victuailles. Ses achats chez le maraîcher lui avaient pris un peu plus de temps que prévu, car beaucoup de clients s'étaient présentés tout d'un coup et elle avait dû attendre avant d'être servie. Elle jeta un regard inquiet à la place du marché où se donnait le spectacle de marionnettes. Sa poitrine se serra lorsqu'elle se rendit compte que la foule s'était dispersée et que les rideaux du castelet étaient fermés. *Mon Dieu, Marie-Rosalie…* Affolée, elle courut vers la place, cherchant le vieil homme et la fillette des yeux. Elle aperçut un vieillard debout devant un étal de fleurs. Elle déposa ses paniers encombrants par terre et courut vers lui.

— Monsieur ! Monsieur !

L'homme se retourna. Ce n'était pas le même.

— Pardon, balbutia-t-elle, j'vous prenions pour quelqu'un d'autre.

Elle parcourut la place, en proie à une panique grandissante. Marie-Rosalie avait disparu.

XVIII

Incapables de se quitter, Fanette et Julien étaient restés dans les bras l'un de l'autre, hors du temps, entendant à peine les rumeurs des grévistes. Ils n'éprouvaient pas le besoin de parler, unis qu'ils étaient par une entente tacite, que la demande en mariage venait de sceller. Leur quiétude fut brisée par le son strident de sifflets et des claquements de sabots. Des policiers montés, armés de gourdins, venaient de faire irruption dans la rue et tentaient de disperser les charretiers. Ces derniers se défendaient comme des lions, mais les coups pleuvaient sur eux, accompagnés de hurlements et de vociférations. Certains grévistes coururent se réfugier dans des commerces ; d'autres se servaient de leur charrette comme d'un bouclier. Un homme, frappé à la tête par un gendarme, s'effondra par terre. Julien serra les dents.

— Quel courage ! S'attaquer à des travailleurs sans défense...

Il fit un mouvement pour descendre de la voiture et rejoindre les manifestants, mais Fanette le retint.

— Que pouvez-vous contre eux ? Ils sont armés.

Plusieurs fourgons tirés par des chevaux arrivèrent. Des gendarmes casqués en sortirent et s'élancèrent vers les manifestants. Ils procédèrent à des arrestations tandis que des hommes s'activaient à enlever les charrettes qui bloquaient la rue. Bientôt, la barricade de voitures fut complètement démantelée. Il ne restait plus que quelques badauds qui regardaient la scène, ébahis, et des charretiers que des policiers jetaient sans ménagement à l'intérieur des voitures grillagées. La circulation reprit peu à peu.

Fanette saisit les rênes et les secoua. Le Phaéton se mit à rouler sur la chaussée encore humide. Elle avait l'impression d'avoir été arrachée à un rêve. Julien l'avait-il vraiment demandée en mariage ou l'avait-elle imaginé ? Il se pencha vers la jeune femme, la pressa contre lui.

— Marions-nous le plus vite possible.

— Je le souhaite de tout mon cœur, mais il vaudrait mieux attendre que ma tante se rétablisse.

Fanette lui expliqua que Madeleine avait eu un grave accident de voiture et que sa mère était venue de Québec pour prendre soin d'elle.

— Vous m'en voyez navré. Si je puis vous être de quelque utilité…

— Ma tante est encore très fragile, mais elle se porte mieux.

Ils convinrent que Fanette annoncerait la nouvelle du mariage à sa mère et à sa tante dès que possible, mais qu'ils attendraient encore quelques semaines avant la publication des bans.

Fanette offrit à Julien de le conduire chez lui. Le jeune homme, qui souhaitait prolonger ce moment d'intimité, accepta avec plaisir.

— Volontiers.

Il lui donna son adresse. La voiture s'arrêta rue Saint-Paul, devant un vieil immeuble. Julien désigna le troisième étage.

— C'est là que j'habite, dit-il. Mon logement ne paie pas de mine, et il est plutôt bruyant, surtout à l'heure de la livraison, mais c'est bien chauffé, et la logeuse ne rechigne pas trop lorsque j'ai quelques jours de retard dans le paiement du loyer, ajouta-t-il avec humour.

Fanette sourit en contemplant la façade de briques orangées. Une croisée était ouverte, et des rideaux blancs s'agitaient dans la brise.

— C'est votre fenêtre, celle avec les rideaux blancs ?

Il acquiesça. Elle la contempla, heureuse de savoir enfin où vivait Julien. Lorsqu'elle penserait à lui, elle pourrait l'imaginer installé dans son logement, son beau front studieusement penché sur des dossiers.

— Puis-je vous revoir demain ? proposa-t-il. Je dois préparer une cause dans la matinée, mais j'aurais du temps au début de l'après-midi. Nous pourrions faire une promenade à pied le long du canal Lachine ou bien aller au Champ-de-Mars.

— Avec joie. À deux heures, cela vous convient-il ?

— Je vous attendrai ici même.

De tout son être, il aurait voulu la serrer de nouveau contre lui, l'embrasser longuement, lui murmurer des mots doux à l'oreille, mais il se contenta d'effleurer de ses lèvres sa main gantée, comme si la demande en mariage conférait une certaine solennité à leur relation.

— À demain, alors.

— À demain.

Il descendit du Phaéton et marcha vers son immeuble. Juste avant d'entrer, il se retourna et la salua de la main en souriant. Elle l'imita et attendit que la porte de l'immeuble se soit refermée derrière lui avant de repartir. La voiture s'éloigna. Fanette ignorait qu'à une centaine de pieds de là Berthe, affolée, tournait en rond dans la place du marché, cherchant désespérément Marie-Rosalie.

XIX

Lorsque Fanette entra dans la maison, son premier geste fut de se rendre au salon. Sa mère était au chevet de Madeleine, qui dormait.

— Comment va-t-elle ? demanda Fanette à voix basse.

— Elle n'a rien avalé depuis ce matin, chuchota Emma. Au moins, j'ai réussi à lui faire prendre un peu de laudanum.

Fanette brûlait d'annoncer la nouvelle de son mariage à sa mère, mais décida d'attendre un moment plus opportun, à l'heure du souper, peut-être. Il lui faudrait également préparer sa fille au fait qu'elle aurait un nouveau père et un nouveau foyer, ce qui s'annonçait délicat, car la fillette était très attachée à Berthe et à sa grand-tante.

— Marie-Rosalie a-t-elle été sage ?

Emma eut l'air embarrassé.

— Berthe l'a emmenée au marché Bonsecours.

Fanette se rembrunit.

— J'avais pourtant dit clairement que je ne voulais pas qu'elle sorte sans ma permission !

— Marie-Rosalie m'a affirmé que tu la lui avais donnée.

Contrariée, la jeune femme se mordit les lèvres. Emma renchérit, malheureuse :

— La petite y tenait tellement !

Fanette regretta aussitôt la fermeté de son ton, surtout lorsqu'elle vit à quel point sa mère était désolée. Madeleine commença à s'agiter dans son lit. Fanette poursuivit à mi-voix :

— Quand sont-elles parties ?

— Il y a deux heures, environ. Elles devraient être de retour d'un instant à l'autre.

Fanette songea à se rendre au marché Bonsecours, puis y renonça. Il serait plus avisé d'attendre le retour de la servante et de Marie-Rosalie. Elle était bien décidée toutefois à avoir une explication sérieuse avec ces dernières lorsqu'elles seraient rentrées.

La sonnette carillonna sur ces entrefaites. Espérant que Berthe et sa fille étaient de retour, Fanette s'élança vers la porte. Un garçon de treize ou quatorze ans, vêtu pauvrement, se tenait sur le seuil.

— J'ai un message pour une ma'me Fanette Grandmont, dit-il, intimidé par la toilette élégante et la beauté de la jeune femme.

— Je suis Fanette Grandmont.

Elle saisit l'enveloppe que l'adolescent lui tendait et remarqua qu'il n'y avait ni nom ni adresse sur celle-ci.

— Qui te l'a remise ?

— Un vieux monsieur.

Fanette ouvrit la lettre d'un mouvement nerveux et en extirpa une feuille sur laquelle quatre lignes avaient été griffonnées.

> Je vous rendrai votre fille si vous apportez le document que vous savez au square Chaboillez, à l'angle de la rue du Cimetière, demain soir, à minuit. <u>Venez seule</u>. Ne parlez à personne de notre rendez-vous, sinon votre fille en pâtira.

Les mots « Venez seule » avaient été soulignés. Fanette aperçut alors quelque chose d'autre au fond de l'enveloppe et sentit son sang se retirer de ses veines. Il s'agissait d'une mèche de cheveux blonds. Elle reconnut ceux de Marie-Rosalie. Ses pires craintes étaient brutalement devenues réalité : sa fille avait été enlevée par Auguste Lenoir. Il lui fallut toute sa volonté pour reprendre ses esprits. La vie de son enfant en dépendait.

Pour éviter que sa mère puisse entendre sa discussion avec le jeune messager, Fanette sortit sur le perron et referma la porte.

— Qui t'a remis cette enveloppe ? demanda-t-elle de nouveau à l'adolescent.

— J'vous l'ai dit, un vieux monsieur.

— De quoi avait-il l'air ? Comment était-il habillé ?

— Y avait une barbe puis des cheveux blancs. Y portait un habit propre.

— T'a-t-il dit son nom ?

Le garçon secoua la tête. Il décida de ne pas révéler que le vieillard lui avait remis un dollar pour faire la commission de crainte que la dame, qui semblait fâchée, le lui confisquât.

— Où l'as-tu rencontré ? poursuivit la jeune femme.

— Sur la rue Saint-Pierre, pas loin de Notre-Dame.

— Était-il à pied ou en voiture ?

— À pied. En tout cas, s'il était en *char*, je l'ai pas vu.

— Était-il accompagné par une fillette de cinq ans, aux cheveux blonds et aux yeux noisette ?

L'adolescent fit non de la tête.

— Y était tout seul.

— Bien. Tu peux partir.

Le garçon ne se le fit pas dire deux fois et dévala l'escalier quatre à quatre. Fanette plia la feuille, la remit dans l'enveloppe et glissa celle-ci dans son corsage. La dernière chose qu'elle souhaitait, c'était que sa mère fût au courant de cette lettre de menaces. Elle s'efforça de mettre de l'ordre dans ses idées. Auguste Lenoir surveillait probablement la maison depuis quelque temps et avait vu Berthe partir avec la fillette. Il les avait suivies et avait profité d'une occasion pour s'emparer de Marie-Rosalie. Le garçon avait parlé d'un vieillard, mais Lenoir avait fort bien pu prendre un déguisement. Elle pensa se rendre tout de suite à un poste de police pour dénoncer Lenoir et lancer des recherches pour retrouver sa fille, mais les menaces de l'agent de renseignement étaient sans équivoque : « Ne parlez à personne de notre rendez-vous, sinon votre fille en pâtira. »

En revenant dans la maison, Fanette se composa un visage calme. Sa mère l'attendait dans le hall, la mine anxieuse.

— Qui était à la porte ?

Fanette se résolut à mentir.

— Un garçon qui demandait l'aumône.

Emma hocha la tête.

— Seigneur, quelle misère ! En être réduit à quémander jusqu'aux portes des maisons…

Un bruit de roues se fit entendre. Une porte claqua à distance. Les voix d'Alcidor et de Berthe s'élevèrent. Sans perdre une seconde, Fanette courut en direction de la cuisine. Lorsqu'elle y parvint, elle aperçut la servante, affalée sur une chaise, le visage enfoui dans ses mains percluses d'arthrite. Elle pleurait, le dos secoué de sanglots. Alcidor, debout à côté d'elle, les bras ballants, essayait de la calmer, en vain.

— Voyons, ma'me Berthe, faut pas vous mettre dans des états pareils…

— C'est de ma faute, sanglota la bonne, j'aurions pas dû laisser la petite sans surveillance !

Fanette s'approcha d'elle, lui mit une main sur l'épaule.

— Que s'est-il passé, Berthe ? Il faut tout me dire, dans le moindre détail.

La vieille femme leva la tête. Ses joues ridées ruisselaient de larmes.

— J'aurions pas dû la laisser toute seule avec lui, mais il était si poli, si aimable.

— De qui parlez-vous ?

— Un vieux monsieur.

— Quel monsieur ? Qui était-il ?

— La petite voulait à tout prix voir le spectacle de marionnettes. J'devions faire d'autres commissions chez le maraîcher, alors un monsieur a proposé de rester avec elle.

Fanette réprima des paroles de remontrance, qui n'auraient servi à rien.

— À quoi ressemblait cet homme ?

— Il avait des cheveux tout blancs, et une canne. Il portait un bel habit.

Cette description correspondait à celle qu'avait faite l'adolescent.

— À quel endroit se trouvait ce théâtre de marionnettes ?

— Juste en face des grandes colonnes, au-dessous de la coupole.

Fanette comprit qu'il s'agissait de la mairie, qui avait pignon sur la rue Saint-Paul du côté nord et rue des Commissaires au sud, près du fleuve.

— Que portait Marie-Rosalie ?

— Sa belle robe bleu ciel et le petit manteau qui va avec. Et puis ses beaux souliers de cuir verni.

Fanette réfléchit à ce que la servante venait de lui apprendre. Il lui fallait se rendre au marché Bonsecours. Peut-être croiserait-elle quelqu'un qui aurait été témoin de l'enlèvement. Pour le moment, c'était son seul espoir d'obtenir un indice, aussi minime soit-il.

— Monsieur Alcidor, ressortez mon Phaéton, je vous prie. Je voudrais que vous m'accompagniez au marché Bonsecours.

Le serviteur inclina la tête avec une gravité qui ne lui était pas coutumière et sortit dans la cour. Fanette se tourna vers sa mère et tenta de la rassurer.

— Nous la retrouverons, ne vous inquiétez pas.

— Je vous accompagne ! décréta Emma.

— Ce serait préférable que vous restiez ici avec Berthe et ma tante.

Emma la regarda dans les yeux.

— Que se passe-t-il, Fanette ? Qui est ce vieil homme ? Ne cherche surtout pas à m'épargner.

Fanette l'entraîna vers la salle à manger. La pièce était plongée dans la pénombre. La jeune femme monta la mèche d'une lampe, puis se tourna vers sa mère.

— Il faut d'abord me promettre de rester calme et de garder tout ce que je vais dire pour vous.

Pressentant le pire, Emma, incapable de parler tellement sa gorge était serrée, se contenta d'acquiescer en silence.

— Marie-Rosalie a été enlevée, reprit Fanette à mi-voix. L'homme qui la détient veut un document qui est en ma possession.

— Qui est cet homme ? Pourquoi s'en est-il pris à elle ? Il faut aller à la police sans perdre un instant !

— C'est la dernière chose à faire.

— Je ne te comprends pas ! Marie-Rosalie est en danger...

Fanette lui fit signe de baisser le ton et sortit la lettre de son corsage. Elle la tendit à sa mère. Cette dernière en prit connaissance. Son visage devint d'une pâleur de cire.

— Qui t'a envoyé cette lettre ?

— Je ne puis vous le révéler pour le moment.

Emma sortit un mouchoir et tamponna ses yeux.

— Pauvre petite, que va-t-elle devenir ?

— Nous la retrouverons saine et sauve, dit Fanette bravement. Je vous le promets.

Les deux femmes s'étreignirent en silence.

❧

Lorsque Marie-Rosalie se réveilla, elle ne vit qu'un noir d'encre autour d'elle. Pendant un moment, elle crut qu'elle était dans sa chambre.

— Maman, murmura-t-elle.

Un silence profond lui répondit.

— Berthe !

Sa voix se perdit dans le vide. La fillette se redressa sur ses coudes. Ses membres étaient engourdis. Les yeux grands ouverts, elle tâchait de distinguer quelque chose. Des filets de lumière filtraient entre des planches disjointes. *Je ne suis pas dans ma chambre.* Ce constat lui donna un choc. Le souvenir des événements lui revint peu à peu. Berthe. Le marché Bonsecours. Le théâtre de marionnettes. Le vieil homme aux cheveux et à la barbe blancs, qui ressemblait au père Noël. Le cornet de sucre d'orge. La voiture. Puis une odeur très forte, qui piquait les yeux et les narines. Elle eut un mouvement instinctif pour saisir sa poupée, mais elle ne la trouva pas. La perte de sa poupée la fit pleurer. Elle sanglota jusqu'à ce qu'elle sente la fatigue revenir et bâilla à travers ses larmes. Il faisait froid. Elle remonta jusqu'à son menton la couverture rêche qui la couvrait.

— Berthe, où es-tu ?

Berthe n'était pas là. Où était-elle passée ? Pourquoi l'avait-elle laissée toute seule dans cet endroit sombre ? Elle tenta de se consoler en pensant à des choses joyeuses. Le théâtre de marionnettes ! Berthe lui avait permis de regarder le spectacle en compagnie du vieux monsieur, qui la tenait par la main. Comme c'était amusant de voir le chevalier courir après le méchant dragon ! La belle princesse Isabelle avait été sauvée. Elle pensa à sa maman et faillit se remettre à sangloter. Puis son ventre gargouilla. Elle avait beau s'être empiffrée de sucre d'orge, elle mourait de faim. Elle entendit soudain un grincement, comme lorsqu'une porte s'ouvre. L'espoir lui fit battre le cœur. C'était sa mère qui venait la chercher ! Elle perçut le son de pas qui faisaient craquer le plancher. Un rond de lumière jaune, tel un petit soleil, s'approcha. Le visage du vieux monsieur apparut dans le halo. La déception lui comprima la poitrine.

— Tu dois sûrement avoir faim, dit l'homme. Je t'ai apporté à manger.

— Je veux voir maman, demanda l'enfant, au bord des larmes.

— Tu verras ta maman très bientôt. Mais d'abord, tu dois manger.

Auguste Lenoir déposa un quignon de pain et un morceau de jambon enveloppé dans du papier ciré devant la fillette. Celle-ci leva de grands yeux marron vers lui. Il détourna la tête. Ces yeux, cette expression lui rappelaient trop sa propre fille. Elle avait quatre ans lorsqu'il avait dû fuir Paris, presque le même âge que cette enfant. Il ignorait ce qu'elle et sa femme étaient devenues. Il avait pris le risque d'envoyer des lettres à cette dernière, mais n'avait jamais eu de ses nouvelles. Peut-être avait-elle

disparu avec sa fille, dans la tourmente de la révolution de 1848.
La voix de l'enfant le ramena à la réalité.

— Je veux voir ma maman, répéta-t-elle.

— Sois sage, tu la reverras très bientôt. Je reviendrai tout
à l'heure.

Le vieux monsieur s'éloigna. Marie-Rosalie fut replongée
dans l'obscurité. Elle se mit à pleurer de nouveau, mais la faim
prit le dessus sur le chagrin. Elle rompit le pain, comme sa mère
le lui avait montré, et enfourna un morceau. Pourquoi le vieil
homme la laissait-il seule dans le noir ? Pourquoi sa mère ne
venait-elle pas la chercher ?

XX

Fanette se rendit d'abord à l'emplacement que Berthe lui avait décrit, en face des colonnes doriques du marché Bonsecours, pendant qu'Alcidor arpentait les rues avoisinantes à la recherche de Marie-Rosalie. Elle avait convenu avec le serviteur qu'ils se rejoindraient à la voiture, qu'elle avait garée près du marché, vers les sept heures du soir.

Un castelet était effectivement installé près de la mairie. À la droite du petit théâtre se trouvait une boulangerie, flanquée, à sa gauche, d'une boucherie. Des enfants et leurs parents s'étaient attroupés devant la scène pour assister au prochain spectacle. Fanette scruta attentivement la foule, au cas où, par miracle, sa fille aurait réussi à s'échapper des griffes de Lenoir et se tiendrait parmi eux, mais elle dut se rendre à l'évidence : Marie-Rosalie n'était pas là. Elle aperçut un vieillard qui ressemblait à celui que Berthe et l'adolescent avaient décrit. Il était seul et semblait attendre le début du spectacle, comme les autres badauds. Elle l'aborda.

— Monsieur, auriez-vous vu une petite fille de cinq ans ? Elle portait un manteau et une robe bleus.

L'homme secoua la tête.

— Malheureusement, non. Bonne chance.

Les rideaux du castelet s'ouvrirent et le spectacle commença, sous les cris joyeux des enfants. Refusant de se laisser abattre, Fanette décida d'interroger des marchands dont les étals étaient à proximité du castelet. Elle commença par la boulangerie.

Une femme en tablier se souvint d'avoir aperçu une petite fille, accompagnée par une vieille femme portant un bonnet blanc. *Berthe.*

— Savez-vous dans quelle direction elles sont allées, après leur achat ?

La boulangère ne se rappelait rien.

Fanette fit le tour des autres commerces. Personne ne put la renseigner. Elle s'arrêta finalement à la devanture de la boucherie. Les carcasses suspendues à des crochets dégageaient une odeur vaguement répugnante. Elle s'adressa à un homme à la forte carrure, dont le tablier était taché de sang.

— Monsieur, auriez-vous vu une fillette de cinq ans, portant une robe et un manteau bleu ciel ? Elle était accompagnée d'un vieillard, avec une barbe et des cheveux blancs. Il avait une canne.

L'homme réfléchit un moment, puis fit non de la tête.

— Il y a foule au marché aujourd'hui. J'ai servi beaucoup de monde, dit-il avec un accent français prononcé.

Fanette traversa le marché et alla du côté de la rue des Commissaires. C'était à cet endroit que Lenoir avait abordé Marie-Rosalie la première fois, près d'un quai, et qu'il lui avait offert des dragées. Peut-être l'avait-il à nouveau entraînée de ce côté et que quelqu'un les avait remarqués ? Elle arpenta la rue, encombrée de centaines de carrioles et de voitures. Les boniments des marchands rivalisaient avec les cris des charretiers et des débardeurs. Des ménagères, paniers aux bras, palpaient des légumes. Des embâcles immenses aux reflets mauves se découpaient au loin sur le fleuve moiré. Un profond désespoir la gagna. Marie-Rosalie était quelque part, dans un endroit inconnu, avec cet homme dangereux et sans scrupules. Fanette savait qu'il n'hésiterait pas un instant à s'en prendre à sa fille pour obtenir ce qu'il voulait.

Elle revint sur ses pas, la mort dans l'âme, puis marcha comme un automate sur le trottoir de bois qui longeait la rue Saint-Paul. Elle croisa un gendarme et fut tentée de lui demander son aide, mais le souvenir des mots menaçants de Lenoir l'arrêta à temps. À l'angle d'une petite rue, elle aperçut un objet qui gisait sur le trottoir. Elle s'en approcha et se pencha pour l'observer de plus près. Elle reconnut la poupée de sa fille.

XXI

Fanette resta clouée sur le trottoir, serrant la poupée contre elle. La douleur était si profonde qu'elle paralysait tous ses membres. Quelques passants lui jetèrent un regard intrigué, mais elle ne les voyait pas. La cloche de la chapelle Notre-Dame-de-Bon-Secours sonna. Il était déjà quatre heures. La coupole argentée du marché baignait dans une lumière diaprée. Peu à peu, les marchands rangeaient leurs étals et tiraient leurs rideaux de fer.

Tenant toujours la poupée dans ses bras, Fanette se dirigea vers l'église. Elle éprouvait un besoin impérieux de se recueillir. Plusieurs fidèles devisaient sur le parvis. Elle poussa la lourde porte. À l'intérieur, des centaines de lampions scintillaient. Elle se signa et prit place sur un banc de bois, à proximité du maître-autel. Le silence et l'odeur de cire et d'encens ne l'apaisèrent pas. Depuis qu'elle avait appris l'enlèvement de sa fille et découvert la poupée gisant sur le trottoir, toute joie avait déserté son cœur, ne laissant que des décombres. Le lendemain, à minuit, le sort de Marie-Rosalie se jouerait. Et même si elle acceptait les conditions de Lenoir et apportait le certificat, elle n'avait aucune certitude qu'il lui ramènerait sa fille. La pensée qu'il la tuerait peut-être lui glaça le sang. Elle ferma les yeux et pria. *Mon Dieu, protégez ma fille. Ne le laissez pas faire du mal à mon enfant.*

෴

Après avoir rangé les pièces de viande dans des glacières et nettoyé les étals dont la paille était gorgée de sang, Loïc Perrec ôta son tablier, qu'il suspendit à une patère dans l'arrière-boutique. Le magasin allait fermer ses portes dans quelques minutes. Le boucher salua ses compagnons de travail, enfila une vareuse, enfonça un béret sur sa tête et sortit. Il marchait rapidement, repassant les détails de l'affaire dans sa tête. Il tenait Faustin Lescault à l'œil depuis plusieurs mois. Ce dernier était d'une grande habileté et avait réussi à lui échapper jusqu'à présent. Perrec s'en voulait amèrement d'avoir manqué son coup, quelques jours auparavant. *Il faut en finir.* Ces derniers temps, il avait constaté que son ancien complice effectuait de nombreux déplacements. Il avait même adopté le déguisement d'un vieillard et surveillait une maison, rue Saint-Denis, depuis le matin. Clavet, qui l'avait pris en filature une partie de la journée, lui en avait fait rapport. Lui-même avait pu observer, de son étal, le faux vieillard en train de parler à une dame âgée portant un bonnet blanc, qui tenait par la main une fillette vêtue d'une robe et d'un manteau bleus. Ensuite, il avait vu la femme au bonnet blanc s'éloigner, laissant l'enfant seule avec Lescault. Tout en servant une cliente, le boucher n'avait pas quitté Lescault et la fillette des yeux. Un spectacle de marionnettes était en cours. L'homme et l'enfant s'étaient mêlés à l'assistance pour le regarder. La petite tapait des mains et riait. Quand le spectacle avait pris fin, le faux vieux l'avait entraînée en direction de la rue Saint-Paul. Le boucher aurait mis sa main au feu que Lescault préparait un coup. Son hypothèse avait été confirmée par la visite d'une jeune femme aux abois, qui cherchait sa fille de cinq ans, précisant que celle-ci était accompagnée d'un vieillard. Pas de doute : elle était la mère de la petite. Son désarroi crevait les yeux. La possibilité d'un enlèvement lui effleura l'esprit. Mais pourquoi diable Lescault prendrait-il le risque de faire une chose pareille, alors qu'il se doutait qu'il était poursuivi ? Il fallait qu'il ait des raisons importantes. Était-ce pour une rançon, ou bien une forme de chantage ? Avec lui, tout était possible.

Loïc Perrec donna un coup de pied sur une bouteille de bière qui traînait sur le trottoir. Il lui fallait agir maintenant, sinon c'est lui qui écoperait. Il n'avait pas envie de finir égorgé dans une ruelle. Pourtant, jusqu'à présent, il avait toujours pu tirer son épingle du jeu. Il avait connu Faustin Lescault au bagne de Brest, à l'époque où il était garde-chiourme et Lescault, un forçat. Par la suite, Perrec avait repris le commerce de son père, boucher à Quimper. Un jour, il avait reçu la visite étonnante de Lescault, qui était alors devenu chef adjoint de la Sûreté de Paris et voulait l'engager comme indicateur. Le métier de boucher était monotone, la perspective d'aller à Paris et d'être au service de l'une des polices les plus puissantes d'Europe le tentait. Il avait accepté. Peu à peu, à ses tâches d'indicateur s'étaient ajoutées des filatures et l'exécution de commissions un peu plus délicates, comme de se débarrasser d'informateurs devenus trop encombrants ou trop bavards. Perrec tuait sans plaisir, mais sans états d'âme. Pour lui, occire un être humain n'était pas plus difficile que de saigner un porc ou d'abattre un bœuf. Sans compter qu'il rendait service à la société en la débarrassant de gibiers de potence qui auraient tôt ou tard goûté à l'échafaud. Puis les choses s'étaient précipitées. La révolution de 1848 avait éclaté. Faustin Lescault avait participé à un complot fomenté par Napoléon III pour faire assassiner le roi Louis-Philippe, considéré comme un tyran qui affamait son peuple. Après l'échec de la conspiration, Lescault avait réussi à prendre la fuite. Entre-temps, le roi avait abdiqué et s'était enfui en Angleterre. Loïc Perrec avait repris du service auprès de Casimir Joseph Boittelle, préfet de police de Paris et bras droit de l'empereur. Connaissant ses anciennes affiliations avec Lescault, le préfet de police lui avait confié la mission de le retrouver et de le tuer.

XXII

Installé à son secrétaire, Julien relisait ses notes tout en mangeant un morceau sur le pouce. Il s'agissait de la cause d'une veuve qui avait hérité d'une somme modeste à la mort de son mari, mais ses enfants contestaient l'héritage et sa cliente s'était retrouvée sur la paille. C'est à peine s'il entendit les coups discrets frappés à sa porte. Surpris d'avoir une visite, alors qu'il rencontrait toujours ses clients au palais de justice, il se leva et alla ouvrir. C'était Fanette. Il fut frappé par sa pâleur et par les ombres mauves qui cernaient ses yeux et pressentit qu'un malheur était survenu.

— Ma fille a été enlevée.

Les mots résonnèrent lugubrement dans la pièce étroite. Julien fit asseoir la jeune femme dans un fauteuil qui avait appartenu à ses parents. Fanette raconta d'une voix éteinte tout ce qu'elle savait sur la disparition de Marie-Rosalie. C'était dans la chapelle Notre-Dame-de-Bon-Secours, où elle avait passé une heure à réfléchir, qu'elle avait pris la décision de confier son malheur à Julien, nonobstant les menaces de Lenoir. Étant avocat, Julien serait de bon conseil et la guiderait dans ce cauchemar. Il l'écouta avec attention, tâchant d'assimiler chaque détail.

— Avez-vous une idée de la personne qui l'a enlevée ?

— Un agent de renseignement du nom d'Auguste Lenoir.

Julien accusa la surprise.

— C'est l'homme qui a témoigné pour la Couronne et qui avait effectué une enquête pour le compte de Lionel Durand, commenta-t-il pensivement.

Fanette acquiesça.

— Pour quelle raison s'en est-il pris à votre fille ?

Elle hésita, puis décida de dire une partie de la vérité.

— Je détiens un document auquel il accorde une grande importance. Il veut que je le lui remette en échange de Marie-Rosalie.

— Quel genre de document ?

— Je préfère ne pas vous le révéler.

L'avocat leva les yeux vers elle.

— Il faut dénoncer cet homme à la police.

— Ce serait signer l'arrêt de mort de mon enfant.

Voyant l'incompréhension dans le regard de Julien, elle lui montra la lettre de Lenoir.

— Je l'ai reçue à mon retour chez ma tante, après vous avoir déposé ici.

Il en prit connaissance. Son visage s'assombrit au fur et à mesure de sa lecture.

— « Venez seule », lut-il à mi-voix, frémissant d'horreur et d'indignation devant tant de vilenie.

Un silence lourd s'installa entre les deux jeunes gens.

— Qu'avez-vous l'intention de faire ? demanda finalement Julien, devinant la réponse.

— J'irai.

Il saisit ses mains.

— Laissez-moi vous accompagner. Je vous suivrai à distance. Lenoir ne se rendra compte de rien.

— Vous ne le connaissez pas ! Il le saura et n'hésitera pas à s'en prendre à Marie-Rosalie. Je dois y aller seule. Vous devez me promettre de ne pas me suivre.

Julien fut incapable de soutenir son regard.

— Promettez, insista-t-elle.

— Je vous le promets, dit-il à son corps défendant.

Pour la première fois, le parapet fragile que Fanette avait édifié pour ne pas sombrer dans le désespoir s'ébrécha. Un sanglot sans larmes la secoua.

— J'ai si peur pour elle ! S'il fallait qu'il lui fasse du mal, je ne m'en remettrais jamais.

— Il ne lui arrivera rien.

Julien eut le sentiment que ses paroles d'encouragement sonnaient creux, mais Fanette s'y accrocha avec l'énergie d'un naufragé qui tente d'échapper aux flots.

— Si seulement vous pouviez dire vrai.

Le silence revint. Une horloge sonna sept heures. Fanette se rappela qu'elle avait donné rendez-vous à Alcidor au marché Bonsecours.

— Je dois partir.

— Tâchez de vous reposer, la pressa Julien. Demain, vous aurez besoin de toutes vos forces.

Fanette serra furtivement la main de l'avocat puis s'en alla. Julien entendit ses pas décliner dans l'escalier et se précipita vers la fenêtre, dont il écarta les rideaux. Fanette parut bientôt dans la lueur orangée du soleil déclinant. Elle marchait rapidement sur le trottoir de bois et ne se retourna pas. La tentation de la rejoindre était si forte qu'il s'agrippa au rebord de la croisée sans s'en rendre compte tandis qu'elle disparaissait au tournant d'une rue.

Après son départ, il marcha de long en large dans son petit logement, déchiré par un terrible dilemme. Il avait donné sa parole qu'il n'irait pas au rendez-vous du lendemain, mais comment la laisser courir au-devant d'un tel danger sans bouger le petit doigt ? Son sentiment d'impuissance le mettait hors de lui. En désespoir de cause, il songea de nouveau à faire appel à la police. Il y avait un poste non loin de chez lui, rue des Commissaires, mais il renonça aussitôt à cette idée. Fanette ne lui pardonnerait jamais ce qu'elle considérerait, à juste titre, comme une trahison. Et le risque que Lenoir mette ses menaces à exécution était trop grand. Il s'affala dans le fauteuil que la jeune femme avait occupé quelques minutes auparavant, rongé par le doute et l'indécision.

Il était près de sept heures et demie lorsque Fanette revint chez sa tante. Sa mère l'attendait, morte d'inquiétude.

— As-tu trouvé quelque chose ? demanda Emma d'emblée.

Fanette lui tendit la poupée en silence, lui expliquant qu'elle gisait sur le trottoir, près de la rue Saint-Paul. La robe de la poupée était déchirée et maculée de poussière. Les yeux noirs d'Emma se remplirent de larmes.

— Pauvre petite, pauvre enfant. Où peut-elle bien être ? Que Dieu la protège !

En entrant dans sa chambre, Fanette aperçut le lit de Marie-Rosalie, dont les draps et l'édredon étaient soigneusement tirés. Elle ne put résister à la vague de chagrin qui la prit d'assaut et, le visage enfoui dans l'oreiller de sa fille encore imprégné de son odeur, elle pleura toutes les larmes de son corps.

XXIII

Le lendemain

Fanette s'était finalement endormie tout habillée, pour être réveillée à l'aube par un cauchemar terrifiant dans lequel Marie-Rosalie se noyait dans le fleuve sans qu'elle puisse la sauver. Elle se leva, le cœur lourd et l'esprit embrouillé. Son espoir de retrouver sa fille vivante s'amenuisait, mais elle s'efforça d'accomplir les gestes de tous les jours pour se donner du courage.

Après avoir fait sa toilette et s'être changée, elle descendit au rez-de-chaussée et se rendit au salon. Elle constata avec soulagement que le fauteuil où s'installait habituellement sa mère était vide. Cette dernière avait dû aller se coucher. Berthe, assise près de Madeleine, veillait sur elle, les traits tirés par l'inquiétude et le manque de sommeil. George frétilla de la queue et rejoignit Fanette, qui lui flatta le museau. Étrangement, la vue de l'animal la rasséréna. C'était l'image même d'un bonheur familier et rassurant, qui tenait à distance les ombres et l'angoisse.

Madeleine se réveilla et demanda à voir son « petit rayon de soleil », comme elle se plaisait à appeler Marie-Rosalie. La servante, paralysée par la panique, ne sut que répondre. Fanette, tâchant de garder son sang-froid, expliqua à sa tante que la fillette était en visite chez son amie Rosalie. Madeleine, qui avait une sensibilité à fleur de peau, sentit que sa nièce lui cachait quelque chose.

— Il ne lui est rien arrivé, dis ? Il n'est rien arrivé à ma pitchounette ? murmura-t-elle, soudain alarmée.

Fanette eut pitié de sa tante. Elle aurait tant souhaité l'épargner, mais comprit qu'elle lui ferait encore plus de tort en lui cachant la vérité. Elle se résigna à parler, sans toutefois faire mention de Lenoir ni du document que ce dernier voulait à tout prix récupérer. Madeleine l'écouta en silence. Seule sa respiration sifflante s'élevait dans la pièce. Lorsque Fanette eut terminé, elle ferma les yeux. Des larmes roulèrent sur ses joues hâves.

— Il n'y a pas de justice en ce bas monde.

Après avoir avalé sans appétit un bout de pain trempé dans du café, Fanette fit atteler sa voiture et se rendit à la banque, où elle récupéra l'original du certificat du bagne de Brest qu'elle avait placé dans un coffre de sûreté. Elle rangea le précieux document dans une serviette de cuir qui avait appartenu à Philippe. Tout en sachant que c'était puéril, elle avait le sentiment que son mari veillait sur leur fille. Lors de ses visites à Québec, elle emmenait toujours Marie-Rosalie au cimetière afin de se recueillir sur sa tombe. Elle épelait le nom gravé sur la pierre, *Philippe Grandmont*, pour que la fillette ne l'oublie jamais.

— Papa ne reviendra plus ? lui avait un jour demandé Marie-Rosalie.

Fanette avait été saisie par la question de sa fille, dont le visage était devenu grave, comme celui d'un adulte.

— Il ne reviendra plus, mais il veillera toujours sur toi.

— Comment peut-il veiller sur moi s'il est sous la terre ?

Fanette lui avait montré un oiseau qui volait à tire-d'aile.

— Il est comme cet oiseau. Il peut voir ce que d'autres ne voient pas.

Marie-Rosalie avait souri et était allée cueillir des pissenlits, qu'elle avait placés sur la tombe de son père, à côté du bouquet de marguerites que sa mère y avait déjà disposé.

Au retour de la banque, Fanette déposa la serviette de cuir sur son secrétaire et jeta un coup d'œil à l'horloge. Il était seulement dix heures du matin. *Encore quatorze longues heures à attendre avant le rendez-vous…* Elle s'installa au chevet de sa tante et voulut lui faire prendre un peu de nourriture, mais Madeleine mangea à peine. À son chagrin d'avoir perdu encore une fois sa Clara bien-aimée s'ajoutait la disparition de sa petite-nièce. Il lui semblait qu'un voile noir couvrait tout.

～

Portant toujours son déguisement de vieillard, muni d'une lanterne, Auguste Lenoir entra dans le hangar et s'approcha à pas précautionneux du grabat rudimentaire qu'il avait installé pour la petite, dans le fond de la remise. L'enfant était couchée en chien de fusil. Une menotte dépassait de la vieille couverture. Lenoir déposa un quignon de pain et un bol de lait à côté d'elle, puis fit un mouvement pour la réveiller, mais se ravisa et la regarda dormir. Une émotion indéfinissable le saisit. *Charlotte…* Il fit le compte dans sa tête. Elle aurait vingt ans dans quelques mois. Pendant toutes ces années, elle avait grandi sans lui. *Si elle vit toujours…* Car Paris à cette époque était la ville de tous les dangers. On ne savait jamais de quoi le lendemain serait fait. Et pourtant, il y avait été heureux. Après ses années de misère au bagne et son ascension ardue dans l'échelle de la respectabilité, il avait connu l'amour. Lui, l'homme sans espoir et sans pitié, avait aimé et avait été aimé en retour. La naissance de Charlotte avait été la consécration de ce bonheur. Et il avait tout perdu, par sa faute. Quel idiot il avait été ! La petite gémit et se redressa sur un coude. Ses cheveux fins auréolaient son visage chiffonné par la fatigue et la peur. Des traces de larmes luisaient dans la clarté fumeuse du quinquet.

— Où est maman ?

Sa voix était devenue ténue comme un fil.

Il s'accroupit près d'elle.

— Ne t'inquiète pas, tu la reverras bientôt. Je te le promets.

Il avait mis une douceur inhabituelle dans sa voix et se surprit à essuyer le visage de la fillette avec un mouchoir qu'il avait sorti de sa poche. Elle eut un léger mouvement de recul, mais il lui sourit.

— N'aie pas peur. Puisque je te dis que tu reverras ta maman bientôt.

Il poussa le bol de lait et le pain devant elle.

— Maintenant, mange. Ta maman ne sera pas contente si tu as le ventre vide.

Rassurée à moitié, Marie-Rosalie prit le bol de lait et le porta à ses lèvres.

༄

Le temps s'écoulait au compte-gouttes. Lorsque l'horloge sonna enfin onze heures du soir, Fanette, vêtue d'une robe et d'un mantelet de couleur foncée, descendit au rez-de-chaussée, la précieuse serviette de cuir à la main. La maison était silencieuse. Elle traversa la cuisine, alluma une lanterne et sortit. La nuit était plutôt douce pour avril. Une demi-lune brillait dans le ciel, traversée par des filaments de nuages rougeâtres. La cabane dans laquelle Alcidor habitait était plongée dans la pénombre. Fanette put atteler sa voiture sans devoir s'expliquer sur une sortie aussi tardive. Elle déposa la serviette de cuir sur le banc, à côté d'elle, et secoua les rênes.

Le square Chaboillez était quasi désert lorsqu'elle y parvint avec une demi-heure d'avance. Un promeneur ivre s'éloignait en titubant dans l'une des rues transversales, sous la lumière fantomatique de quelques lampadaires qui éclairaient vaguement les façades. Des fenêtres brillaient çà et là. À l'angle de la rue Chaboillez et de la place du même nom se profilait un hôtel en bois plongé dans l'ombre. La lune avait disparu dans les nuages.

Fanette gara son Phaéton au coin de la rue du Cimetière, comme Lenoir l'avait précisé dans sa lettre. *Cimetière...* Elle était convaincue que l'agent n'avait pas choisi le nom de la rue au hasard. Celle-ci menait autrefois au cimetière Saint-Antoine, dont on avait déplacé les sépultures jusqu'au mont Royal en 1850. *La cruauté de cet homme est sans limites*, songea-t-elle, le cœur glacé d'effroi. Elle descendit de sa voiture et se mit à attendre, les mains moites d'angoisse. Après quelques minutes, n'y tenant plus, elle consulta sa montre de poche. Il était minuit moins dix. Il n'y avait personne en vue. Le silence avait quelque chose d'oppressant. La gigantesque enseigne du magasin de chaussures Ronayne & Frères, sorte de botte géante faisant office de locomotive rattachée à des wagons composés de souliers, si gaie le jour, semblait vaguement menaçante, telle une massue prête à s'abattre sur un passant. Fanette ne remarqua pas l'ombre qui se glissait le long de la devanture du commerce.

∽

Auguste Lenoir, portant sa lanterne devant lui, se hâta de rejoindre la fillette, qui était assise sur son grabat et se berçait d'avant en arrière, le pouce dans la bouche. Il déposa le quinquet par terre. Une lueur fauve éclairait sa fausse barbe.

— Allez, viens, il est temps de partir. Tu vas la retrouver, ta mère. Chose promise, chose due, comme on dit !

L'enfant resta coite, tenant toujours son pouce dans la bouche. Il se pencha vers elle.

— Maintenant, écoute-moi bien. Tu dois m'obéir si tu veux revoir ta maman. Comprends-tu ?

Marie-Rosalie lui jeta un regard apeuré. Le vieux monsieur, qui lui avait semblé si gentil au marché Bonsecours, lui faisait peur, avec sa grosse voix et ses yeux noirs, qui ressemblaient à des billes de verre. Il prit un mouchoir, qu'il imbiba à nouveau d'éther.

— Ne crains rien, tout ira bien.

Il posa rapidement le mouchoir sur son visage avant qu'elle ait le temps de réagir. Cette fois, elle se débattit à peine, comme un oiseau emprisonné dans une cage depuis trop longtemps. Il l'enroula dans la vieille couverture et la transporta sur une épaule vers le fiacre, tenant sa lanterne à bout de bras. Il regarda à la ronde, mais ne vit personne. Il ouvrit la portière et étendit l'enfant sur la banquette. Après avoir refermé doucement la portière, il suspendit la lanterne sur un crochet devant le fiacre, regagna le siège du conducteur et claqua la langue pour faire avancer le cheval. Il allait à faible allure afin de ne pas attirer l'attention.

Un homme à la large stature, vêtu de noir, faisait le guet à une bonne distance, derrière un entrepôt. Il tenait un cheval par la bride. Lorsqu'il vit le fiacre s'éloigner, il attendit un moment, puis se hissa sur sa monture et se mit à la poursuite de la voiture. C'était Loïc Perrec.

XXIV

Perrec, vêtu d'un costume sombre, le visage sans expression, tâta la poche intérieure de sa redingote pour s'assurer que son pistolet s'y trouvait toujours. Il filait Lescault depuis une quinzaine de minutes et maintenait une bonne distance entre le fiacre et lui pour ne pas attirer l'attention de son ancien employeur. Ce dernier portait toujours son déguisement de vieillard, ce qui le conforta dans son hypothèse : Lescault préparait un coup, et il fallait l'éliminer avant qu'il soit trop tard.

Après avoir parcouru une partie de la rue des Commissaires, la voiture que conduisait Lescault s'engagea dans la rue Saint-François-Xavier, en direction du nord. Celle-ci était déserte. Seul un réverbère traçait un halo de clarté jaune dans la nuit. Sentant que le moment était propice, Perrec sortit son arme, dont il débloqua le cran de sûreté, puis lança sa monture à la suite du fiacre, qu'il rattrapa en quelques secondes. Il dépassa la voiture et lui barra la route.

Auguste Lenoir aperçut un cavalier surgir devant lui. Il tenta de distinguer ses traits dans la lumière diffuse d'un bec de gaz qui éclairait faiblement la rue, mais ne voyait qu'une masse sombre. Puis il le reconnut.

— Perrec !

Lenoir comprit que son ancien comparse était là pour le tuer. Il tâcha de gagner du temps, tout en glissant la main dans son manteau pour saisir son pistolet.

— Tiens, une vieille connaissance ! Comme on se retrouve ! Qui t'envoie ? L'empereur ? Le chef de la Sûreté ? Des nostalgiques de la monarchie ?

Au moment où il sentait le métal froid de son arme sous ses doigts, Lenoir vit Perrec lever son pistolet vers lui.

☙

Fanette tressaillit. Il lui semblait avoir entendu deux coups secs, dont l'écho s'était répercuté dans l'air frais de la nuit. Elle était incapable d'en identifier la provenance. De quoi pouvait-il bien s'agir ? On aurait dit des pétards, comme ceux que les enfants allument dans les fêtes ou dans des ruelles, après l'école. Elle consulta machinalement sa montre, qu'elle avait gardée dans sa main. Il était minuit moins deux minutes. Elle jeta un regard anxieux autour d'elle, mais ne vit personne. La place était retombée dans un silence complet, troublé seulement par le léger sifflement des becs de gaz et celui du vent dans les arbres. Resserrant les pans de son mantelet contre elle, Fanette fit quelques pas pour se réchauffer. *Dans quelques minutes, je reverrai Marie-Rosalie, et ce cauchemar sera chose du passé*, se dit-elle pour garder courage.

Dix minutes s'écoulèrent. Lenoir n'était toujours pas au rendez-vous. Une angoisse mortelle s'insinua dans ses veines. Qu'avait-il bien pu se passer pour qu'il ne se présente pas ? Se pouvait-il qu'elle se soit trompée d'endroit ? L'agent de renseignement avait pourtant été très clair dans sa lettre : square Chaboillez, rue du Cimetière, à minuit. Les pires conjectures lui vinrent en tête. Marie-Rosalie avait peut-être tenté de s'enfuir et Lenoir, dans un geste de panique, l'avait tuée. Fanette imaginait sa fille morte, son pauvre petit corps abandonné dans un endroit isolé. Cette image était si intolérable qu'elle dut s'appuyer sur la portière de sa voiture pour ne pas défaillir. Ou bien ce retard faisait partie de la stratégie de Lenoir. Il voulait la réduire à la terreur pour la garder à sa main.

Une demi-heure passa. Il n'avait toujours pas donné signe de vie. Le désespoir gagna Fanette. Le pire était survenu. Elle ne reverrait plus jamais sa fille. C'est alors qu'elle entendit des pas résonner sur le pavé. L'espoir lui fit battre le cœur. Auguste Lenoir, il fallait que ce fût lui ! En se retournant, elle lâcha sa montre, qui tomba par terre et se brisa. Elle aperçut une silhouette sombre s'approcher d'elle. Elle reconnut le visage à la lueur d'un réverbère. C'était Julien.

— Vous m'aviez promis, lui reprocha-t-elle.

— Pardonnez-moi. Je ne pouvais me résigner à vous laisser seule.

Elle ferma les yeux.

— Il n'est pas venu. Mon Dieu, ma fille…

— Ne perdez pas espoir. Quelque chose a dû le retarder.

Il saisit la jeune femme par les épaules.

— Je vais retourner là où j'étais, près de la devanture du magasin que vous voyez là-bas, du côté est.

Il désigna le commerce de chaussures, qui se trouvait entre les rues Notre-Dame et Saint-Maurice, de l'autre côté du square.

— Si Lenoir ne se manifeste pas d'ici à quelques heures, vous n'aurez d'autre choix que de signaler la disparition de votre fille à la police.

❧

Un gardien de la paix, tenant son quinquet devant lui, un gourdin attaché à sa ceinture et un sifflet autour du cou, faisait sa ronde en fredonnant une chanson pour tromper la monotonie.

Au chant de l'alouette
Je veille, je dors
J'écoute l'alouette
Et puis je m'endors.

La nuit avait été calme, hormis un soûlon qui avait réveillé le voisinage en chantant des airs grivois à tue-tête, un peu avant minuit. Au moment où il procédait à l'arrestation de l'ivrogne, il avait cru entendre un bruit de détonation, mais cela ne s'était pas reproduit et il avait conclu qu'il s'agissait sans doute d'un tuyau ou d'un lampadaire au gaz qui avait éclaté. Il avait emmené le buveur au poste de police situé rue des Commissaires. Le pauvre type cuverait son vin dans la prison commune en compagnie de prostituées ou de marins en goguette et regagnerait son domicile le lendemain, à condition d'avoir payé une forte amende pour avoir troublé la paix publique. *Que ça lui serve de leçon!* se dit l'employé, qui déposa sa lanterne par terre et se frotta les mains pour les réchauffer. On avait beau être au printemps, les nuits étaient encore fraîches. Il reprit sa lanterne et poursuivit sa ronde. En passant près de la chapelle Notre-Dame-de-Bon-Secours, il entendit la cloche sonner matines et poussa un soupir de satisfaction. Il était trois heures du matin. À six heures, son quart de garde serait terminé, et il pourrait retourner tranquillement chez lui.

Il continua à marcher et s'engagea dans la rue Saint-François-Xavier. Quelques voitures étaient garées des deux côtés de la rue. Un tonnelier s'était arrêté en face d'un commerce et transportait des barriques avec l'aide d'un adolescent, dont les yeux battus trahissaient le manque de sommeil. Un peu avant Notre-Dame, il remarqua un fiacre immobilisé au beau milieu de la voie. Un petit groupe s'était formé autour de la voiture. Intrigué, le gardien de la paix s'en approcha.

— Que se passe-t-il? dit-il en prenant une voix forte, pour faire impression. Qui a laissé cette voiture en pleine rue?

Un ouvrier pointa un doigt vers le siège du conducteur.

— V'nez jeter un coup d'œil par icitte, m'sieur Vincelette.

Le gardien, qui faisait sa faction de nuit dans le quartier depuis une bonne quinzaine d'années, était connu comme Barabbas par à peu près tous les gens qui menaient une vie nocturne, des filous jusqu'aux honnêtes travailleurs qui devaient se lever à l'aurore. Il fit le tour du fiacre et regarda dans la direction indiquée par l'ouvrier. Un homme était affalé, la tête renversée sur le côté de la banquette, serrant les rênes dans ses mains crispées. Monsieur Vincelette crut que le conducteur était ivre mort.

— Si ç'a du bon sens, bloquer la voie publique de même ! s'exclama-t-il, outré.

Selon lui, la loi n'était pas assez sévère pour ces chauffards qui sévissaient de plus en plus dans les rues de Montréal. Il se dirigea d'un pas ferme vers le conducteur, qu'il secoua plutôt rudement.

— Hé, vous ! Allez cuver votre vin ailleurs !

L'homme poussa un gémissement. Dans la lueur de sa lanterne, le gardien découvrit de larges taches sombres sur la chemise du conducteur. En l'examinant de plus près, il se rendit compte qu'il s'agissait de sang. L'homme semblait grièvement blessé. Se sentant soudain investi d'une mission importante, monsieur Vincelette se tourna vers le tonnelier, un gros homme aux bras puissants.

— Mon brave, rendez-vous tout de suite au poste de police, rue des Commissaires, et faites venir des gendarmes. Je resterai ici pour garder le fort, comme on dit.

— Faut que je finisse ma livraison, vinguenne ! protesta le tonnelier.

— Faites votre devoir de citoyen, ou je vous colle une amende dont vous vous souviendrez longtemps !

— Faut d'abord que je finisse de décharger ma marchandise, s'obstina l'homme.

D'autres curieux s'étaient joints au groupe et observaient la scène avec curiosité. Monsieur Vincelette passa une main au-dessus de la bouche du blessé pour savoir s'il respirait encore. Il avait lu dans une gazette que c'est ce qu'il fallait faire dans de tels cas. Il ne sentit rien et en conclut avec un mélange d'effroi et d'excitation que l'homme était mort. Quelle histoire incroyable il aurait à raconter à son collègue, lorsque celui-ci le relèverait de sa garde, à six heures ! Il s'adressa aux badauds.

— Connaissez-vous un médecin dans le quartier ?

Un ouvrier prit la parole.

— Y a le docteur Primeau qui habite à quelques rues d'ici.

— Allez le chercher. Dépêchez-vous !

Un son ténu se fit soudain entendre, ressemblant au miaulement d'un chat. Monsieur Vincelette tendit l'oreille. Cela semblait provenir de l'intérieur du fiacre. Serrant la main sur son gourdin, il s'avança vers la portière et l'ouvrit d'un mouvement brusque. Une petite forme entourée d'une couverture, recroquevillée dans un coin de la banquette, geignait. Le cœur battant la chamade, le gardien se hissa dans la voiture et retira la couverture. Ce qu'il vit le glaça d'effroi.

XXV

Toujours dissimulé près de la devanture du magasin Ronayne & Frères, Julien consulta sa montre de gousset. Il était passé trois heures. Il sortit de sa cachette et rejoignit Fanette.

— Il faut se rendre à l'évidence. Le ravisseur ne viendra pas. Vous devez aller au poste de police. Je vous accompagne.

Fanette se contenta d'acquiescer. Elle avait dépassé le seuil de la douleur et ressentait un étrange détachement, comme si son corps avait appartenu à quelqu'un d'autre. Julien, constatant que la jeune femme était à bout de forces, lui prit le bras et la soutint jusqu'au Phaéton.

Le poste était presque désert lorsque Fanette et Julien y firent leur entrée. Un adolescent à la crinière fournie et au regard mauvais agonissait un policier d'injures. Celui-ci venait de le menotter et tentait de le traîner jusqu'à une cellule commune située au fond de la grande pièce, où se trouvaient déjà quelques prostituées et un homme affalé sur un banc qui ronflait comme une forge.

— Lâche-moé, calvase !

— Tiens-toi tranquille, Antoine, sinon tu vas finir dans une vraie prison, lança le policier.

— Penses-tu que tu me fais peur, mon calvase de saint-crême !

Le regard du garçon croisa celui de Fanette. Il s'interrompit pendant un bref instant, comme subjugué. Une lueur brilla dans ses yeux, vite éteinte par la honte et la colère. Le policier poussa sans ménagement celui qu'il avait nommé Antoine. Ce dernier reprit ses jurons de plus belle. Fanette avait suivi la scène comme une somnambule. Tout ce qui lui importait était de retrouver sa fille. Pendant ce temps, Julien s'était adressé au gendarme à l'accueil et avait demandé à parler à l'inspecteur en chef, Godefroy Samson, qu'il connaissait pour avoir eu parfois affaire à lui en tant qu'avocat de la défense. Samson était un homme bourru, mais intègre.

— M'sieur l'inspecteur n'est pas encore arrivé.

— Envoyez quelqu'un le chercher. C'est urgent.

— Pensez-vous sérieusement que j'vas déranger m'sieur l'inspecteur pour un oui ou un non ? s'indigna le policier.

— Il s'agit d'un enlèvement d'enfant. Une fillette de cinq ans.

Quinze minutes plus tard, l'inspecteur Samson se présentait au poste, les yeux encore bouffis de sommeil, la lavallière nouée de travers. Il repéra tout de suite Julien Vanier, qui était accompagné d'une jeune femme, dont le beau visage était altéré par l'angoisse.

— Venez dans mon bureau, dit-il avec brusquerie.

L'inspecteur les fit entrer dans une petite pièce glaciale et encombrée de dossiers, et les fit asseoir sur des chaises inconfortables. Il avait des yeux verdâtres et globuleux, assortis d'un front large et dégarni qui luisait dans la lueur d'une lampe au kérosène. Il s'adressa à Fanette :

— Ainsi, votre fille a été enlevée. Je veux tout savoir, dans les moindres détails.

Fanette raconta à l'inspecteur Samson les circonstances de l'enlèvement de Marie-Rosalie en s'appuyant sur le récit qu'en avait fait Berthe, mais elle ne fit pas mention du certificat de libération du bagne de Brest. Elle craignait trop les représailles de Lenoir si elle remettait ce document à la police et restait convaincue que le certificat était son seul espoir de retrouver Marie-Rosalie saine et sauve. L'inspecteur avait gardé ses yeux étranges fixés sur la jeune femme pendant son récit, sans ciller une seule fois, ce qui le faisait ressembler à un batracien.

Lorsqu'elle eut terminé, il continua à la fixer quelques secondes, comme s'il soupesait chacune de ses paroles.

— Vous dites que cet homme, Auguste Lenoir, portait un déguisement de vieillard lorsqu'il a enlevé votre fille.

— C'est exact.

— Pour quelle raison s'en est-il pris à votre enfant ?

— Pour de l'argent, se hâta de répondre Fanette.

— Vous êtes riche ? reprit l'inspecteur sans la quitter du regard.

La jeune femme rougit.

— Non, mais ma tante a quelques économies.

— Quel est son nom ?

— Madeleine Portelance. Mais je ne souhaite pas qu'elle soit mêlée à cette histoire. Elle a eu un grave accident de voiture et a besoin d'un repos complet.

Les yeux verdâtres de l'inspecteur Samson étaient toujours rivés sur elle.

— Ce Lenoir vous a-t-il envoyé une demande de rançon ?

Fanette se troubla, mais s'efforça de répondre.

— Oui.

— Puis-je la voir ?

— C'est que… je ne l'ai pas apportée.

L'inspecteur se tut quelques instants, puis se pencha en avant.

— Je veux bien retrouver votre fille, madame Grandmont, mais pour cela vous ne devez rien me cacher.

Fanette lança un regard désespéré à Julien, qui intervint.

— Elle vous a dit tout ce qu'elle savait.

Godefroy Samson tourna les yeux vers l'avocat.

— Quel est votre lien avec cette dame ?

Julien soutint son regard sans broncher.

— Madame Grandmont est ma fiancée.

Le jeune homme avait parlé calmement, sans l'ombre d'un malaise. L'inspecteur reprit :

— Très bien. J'enverrai des agents au square Chaboillez, et je lancerai ensuite un avis de recherche. Pouvez-vous me décrire votre fille ?

Fanette demanda une feuille de papier et un crayon et fit rapidement une esquisse de Marie-Rosalie, qu'elle tendit à l'inspecteur. Ce dernier examina le dessin. Il ne laissa rien paraître sur son visage, mais il était impressionné par son talent.

— Où habitez-vous ? demanda-t-il.

Fanette lui donna l'adresse de sa tante. L'inspecteur la nota, puis leva la tête.

— Maintenant, rentrez chez vous, décréta-t-il.

Fanette voulut protester, mais il l'en empêcha d'un geste de la main.

— Il ne vous servira à rien de rester ici. Je vous aviserai des progrès de nos recherches.

On frappa à la porte sur ces entrefaites. Un policier s'adressa à Godefroy Samson.

— M'sieur l'inspecteur, y a un tonnelier qui prétend qu'un homme grièvement blessé a été trouvé rue Saint-François-Xavier, au sud de Notre-Dame. Il y avait une fillette dans son fiacre.

Fanette se leva d'un bond.

— C'est ma fille, c'est Marie-Rosalie ! Comment va-t-elle ?

Le gendarme haussa les épaules en signe d'ignorance.

XXVI

Une lueur rose se profilait à l'horizon au moment où l'inspecteur Samson, escorté par trois gendarmes, arriva sur les lieux en
voiture, suivi de près par Fanette et Julien. L'inspecteur s'était
d'abord opposé à ce que la jeune femme soit présente, mais Julien
était intervenu avec fermeté, arguant que la fillette retrouvée
dans la voiture était peut-être celle qui avait disparu et que la
mère pourrait ainsi vérifier l'identité de l'enfant.

Tandis que monsieur Vincelette s'adressait aux policiers, leur
expliquant avec force paroles et moulinets des bras dans quelles
circonstances il avait découvert le blessé et la fillette, Fanette,
accompagnée par Julien et un policier, se précipita vers le fiacre.
Le gendarme avait pris soin d'apporter une lanterne, et il insista
pour ouvrir la portière lui-même. Un sanglot comprima la gorge
de Fanette lorsqu'elle vit, dans la clarté tremblotante de la lampe,
une vieille couverture au fond de la banquette. Un pressentiment
atroce lui noua le ventre. *Elle est morte. Ma petite fille est morte.* Il
lui fallut tout son courage pour soulever la couverture tant elle
craignait d'apercevoir le petit corps inanimé de Marie-Rosalie.
Il n'y avait personne.

— Où est-elle ? Où est ma fille ? dit-elle d'une voix étranglée.

Un homme en bleu de travail s'approcha. Il enleva poliment
sa casquette.

— J'ai ramené la p'tite fille chez nous. Elle grelottait de froid.

Fanette se tourna vers l'ouvrier.

— Où habitez-vous ?

— À cinq minutes d'ici. Je vous montre le chemin.

Pendant ce temps, l'inspecteur Samson s'était hissé sur le marchepied du fiacre. Un homme en redingote était en train d'examiner un corps recroquevillé sur le banc.

— Que faites-vous là ? Qui êtes-vous ? dit Samson sur un ton coupant.

— Je suis médecin, le docteur Primeau. Il faut emmener cet homme à l'hôpital de toute urgence. Son pouls est très faible. Il a déjà perdu beaucoup de sang.

— Écartez-vous ! s'exclama l'inspecteur de manière péremptoire.

Le médecin hocha la tête et laissa l'homme de loi s'approcher du blessé, dont la chemise était gorgée de sang. L'inspecteur fouilla dans ses poches et y trouva un trousseau de clés et un peu de monnaie, mais aucune pièce d'identité. C'est alors qu'il remarqua un revolver dans la main de l'inconnu. Il le prit et le renifla. L'arme n'avait pas servi récemment. Il la tendit à un des policiers.

— Mettez ça en lieu sûr.

Puis il s'adressa au médecin.

— Quel est l'hôpital le plus proche ?

— L'Hôtel-Dieu, je crois bien.

— Emmenez le blessé à l'Hôtel-Dieu, ordonna Samson à ses hommes. Ne perdez pas une minute.

Il s'adressa de nouveau au médecin.

— Je veux que vous l'accompagniez. Gardez-le-moi en vie.

⁓

Fanette et Julien suivirent l'ouvrier, qui s'approcha d'immeubles en brique collés les uns sur les autres. Des cordes à linge pendaient des fenêtres étroites, faisant des taches de couleurs dans la grisaille de l'aube. Pas un arbre n'agrémentait la rue. Un chat étique miaula et courut se réfugier derrière un tonneau. L'homme désigna un des logements.

— C'est ici.

Il ouvrit la porte et laissa le couple entrer. Il faisait sombre dans la pièce, qui n'était éclairée que par une chandelle posée sur une table en pin. Une odeur de lait suri et de charbon de bois prenait à la gorge. Un bébé couché dans un berceau pleurait. Une fillette d'environ neuf ans, portant une robe usée, prit le poupon dans ses bras et tâcha de le consoler. Deux autres enfants dormaient tête-bêche dans un lit étroit. Fanette se rendit compte que le plancher était fait de terre battue recouverte de planches disjointes. Elle pensa à la maison de son enfance, qui ressemblait à celle-ci à s'y méprendre. Ses yeux s'habituant à l'obscurité, elle aperçut une femme assise dans une chaise à côté d'un poêle. Elle tenait un enfant sur ses genoux et le berçait doucement. Deux petites jambes dépassaient d'une couverture. Fanette reconnut les souliers vernis de sa fille, couverts de poussière.

— Marie-Rosalie ! Ma petite fille…

Fanette s'élança vers la femme, entrouvrit les pans de la couverture. Le visage pâle de Marie-Rosalie apparut. La fillette avait les yeux mi-clos. Ses cheveux emmêlés formaient une sorte d'étoile autour de sa tête. Ses joues sales étaient striées de larmes.

— Pauvre petite, dit la femme. Elle était bien mal en point quand mon mari l'a ramenée. Je lui ai donné un peu de lait chaud.

Fanette saisit sa fille dans ses bras en sanglotant de joie et de soulagement.

— Marie-Rosalie… Ma petite fille…

L'enfant leva les yeux vers sa mère. Un faible sourire se dessina sur ses lèvres exsangues.

— Maman…

XXVII

Emma déposa un canard sur le poêle afin de faire du café bien fort. Elle avait réussi à convaincre Berthe d'aller se coucher. Bien qu'elle tombât elle-même de fatigue, elle se sentait incapable de dormir tant que sa fille ne serait pas rentrée. Et puis il fallait bien que quelqu'un veille sur Madeleine. Cette dernière s'était montrée agitée, comme si elle pressentait qu'un événement grave se déroulait.

Le canard se mit à siffler en même temps que le roulement d'une voiture se fit entendre. Emma faillit laisser tomber la théière de porcelaine qu'elle venait de sortir d'un placard. Elle la déposa sur le comptoir et courut vers la porte de la cuisine, qu'elle ouvrit toute grande. Dans la clarté laiteuse de l'aube, elle aperçut le Phaéton qui venait de s'immobiliser devant l'écurie. Un jeune homme qu'elle ne connaissait pas était assis sur le siège du conducteur. Fanette était installée à côté de lui et tenait dans ses bras une forme entourée d'une couverture. Le jeune homme mit pied à terre et aida Fanette à descendre de la voiture.

Emma s'élança vers sa fille. Une petite main sortait de la couverture. Emma la prit doucement dans la sienne. La main remua. *Marie-Rosalie. Elle est vivante.*

— Dieu soit loué, murmura-t-elle.

Plein de questions se bousculaient dans sa tête : où était la fillette ? Comment Fanette l'avait-elle retrouvée ? Qui était ce jeune homme ? Mais ce n'était pas le moment de harceler sa fille, qui avait déjà subi une terrible épreuve. Il serait bien temps d'en savoir plus lorsque celle-ci aurait pris du repos. Elle se tourna vers le compagnon de Fanette pour l'inviter à prendre un café. Celui-ci déclina poliment l'offre.

— Je vous remercie, mais je dois plaider dans quelques heures.

Ainsi, il est avocat, songea Emma. Elle remarqua le regard intense qu'il jetait à Fanette.

— À bientôt, lui dit-il avec simplicité. Prenez bien soin de vous et de votre fille. Je reviendrai demain.

— Je vais demander à notre palefrenier de vous raccompagner.

— Ne prenez pas cette peine. Une bonne marche me fera du bien.

Il s'éloigna. C'est alors qu'Alcidor, alerté par le bruit, sortit de sa cabane, les cheveux hirsutes et une vareuse jetée sur son pyjama. Elles avaient beau être épuisées, les deux femmes ne purent s'empêcher de sourire devant ce spectacle insolite.

Pendant qu'Emma faisait chauffer de l'eau pour préparer un bain, Fanette fit asseoir la fillette dans la cuisine et tenta de la faire manger, mais Marie-Rosalie refusa la nourriture. Elle se balançait d'avant en arrière, le regard flou, le visage inexpressif. Inquiète, la jeune femme demanda à Alcidor d'aller chercher le docteur Brissette. Ce dernier ne tarda pas à arriver. Il avait hâtivement lissé ses cheveux, et ses yeux étaient encore gonflés de sommeil. Il fut saisi en voyant la fillette dans cet état. Fanette le prit à part et lui expliqua à voix basse l'enlèvement dont sa fille avait été victime, sans donner de détails. Bien qu'il fût bouleversé, le médecin garda son flegme et examina l'enfant. Après un moment, il se tourna vers sa mère.

— Ne vous inquiétez pas, tout va bien. Elle n'a aucune fièvre et je ne vois aucune trace de blessure, pas même une ecchymose. Je lui administrerai une très légère dose de laudanum pour l'aider à dormir. Il faudra toutefois la surveiller de près dans les jours qui viennent. Un accès de fièvre est toujours possible. Je reviendrai la voir vers la fin de l'avant-midi.

La tête recouverte d'un voile noir, des sœurs hospitalières allaient et venaient dans un dortoir où une cinquantaine de lits, entourés de rideaux blancs, étaient alignés de part et d'autre d'une longue allée lambrissée de chêne. Auguste Lenoir reposait dans un des lits. Les yeux clos, le visage pâle, comme s'il avait été en cire, il gémissait doucement. Son corps était parcouru de légers tremblements. Une religieuse était en train de nettoyer ses plaies à l'aide de linges, qu'elle rinçait ensuite dans une bassine remplie d'eau rouge. Lorsqu'elle eut terminé sa tâche, elle fit venir le docteur Gélinas, qui était en fonction cette journée-là. Le médecin, vêtu de sa blouse blanche, examina le blessé. Il tâta d'abord son front.

— Il a de la fièvre. Il faudra surveiller cela de près.

Il observa ensuite la poitrine. Deux trous, dont les rebords étaient rougeâtres, y apparaissaient, du côté gauche.

— À première vue, le patient a reçu deux balles. La première l'a traversé de part en part sans toucher d'organes vitaux. La deuxième semble s'être logée dans les chairs. Il a eu de la chance, le cœur n'a pas été atteint. Il faudra retirer les projectiles dès que possible, sinon le patient risque une infection. Faites préparer la salle d'opération. Désinfectez et pansez les blessures en attendant.

Pendant que le médecin allait examiner d'autres patients, la religieuse, avec l'aide d'une novice, appliqua de la teinture d'iode sur les plaies du blessé, puis prit des bandes de gaze et en entoura le torse.

Loïc Perrec, portant un habit d'ouvrier, un bouquet de fleurs à la main, entra dans la salle et jeta un regard à la ronde. Il repéra facilement celui qu'il cherchait. Après avoir abattu Lescault de deux balles, il s'était enfui, mais, pris par une sorte de pressentiment, il était revenu quelques heures plus tard pour s'assurer que l'homme était bel et bien mort et avait aperçu de loin des policiers l'emporter sur une civière. Il attendit que la religieuse et la novice aient terminé leur travail et tiré le rideau blanc pour s'approcher du blessé. Son plan était de l'achever avec le couteau qu'il avait pris soin d'apporter, puis de s'enfuir. C'était risqué, mais les ordres du préfet de police étaient on ne peut plus clairs. Au moins, le rideau le protégerait des regards… Au moment où il arrivait à la hauteur du lit, il entendit une voix forte s'élever derrière lui.

— Inspecteur Samson. Je veux interroger un homme du nom d'Auguste Lenoir. Mes hommes l'ont transporté à l'hôpital il y a quelques heures.

Perrec tourna légèrement la tête et vit un homme aux larges yeux globuleux qui parlait à un médecin. Il s'éloigna sans demander son reste, pestant contre sa malchance.

— Ah, le blessé par balle, dit le docteur Gélinas. Je regrette, mais il n'est pas en état d'être interrogé.

Samson insista, mais le médecin ne voulut rien entendre.

— Revenez dans quelques jours.

Le médecin continua sa tournée de patients. Le policier attendit qu'il se fût suffisamment éloigné et s'avança vers les lits proches de l'entrée. Il souleva un rideau et vit une vieille femme dont les joues creusées et le souffle presque éteint annonçaient une mort imminente. Dans le lit suivant, un jeune homme, couvert de pansements, dormait, la bouche légèrement ouverte. Ce n'est que dans le troisième lit que le policier aperçut un homme mince, d'une pâleur presque cadavérique. Il reconnut Lenoir. Ce dernier avait les yeux clos et respirait difficilement. Le médecin avait raison, il n'était pas en état d'être interrogé. L'inspecteur décida de partir, mais il serait de retour bientôt. Sous ses manières brusques, l'homme de loi cachait une patience à toute épreuve. Il avait la ferme intention de tirer cette mystérieuse affaire d'enlèvement au clair.

∽

Loïc Perrec ferma sa valise et jeta un dernier coup d'œil autour de lui pour être certain de n'avoir rien oublié. Dès l'ouverture du bureau de télégraphe, il avait envoyé un câble à son supérieur, lui apprenant en termes codés qu'il avait échoué dans sa mission.

La marchandise n'a pu être livrée. Attends vos instructions.

Quelques heures plus tard, il avait reçu un télégramme de la part de Boittelle, le préfet de police de Paris, lui donnant l'ordre de revenir dès que possible. D'autres instructions l'attendraient à Calais.

Perrec quitta son logement, glissa sous la porte du concierge une enveloppe contenant l'argent pour acquitter son loyer et sortit. L'air de l'après-midi était vif. Il releva le col de son manteau et héla un fiacre qui attendait au coin de la rue.

— Emmenez-moi à l'hôtel Rasco.

Il avait soigneusement élaboré son plan. Il se rendrait d'abord à Québec en diligence. Une fois là-bas, il attendrait que la saison de navigation commence, ce qui ne devrait pas tarder, car le transport fluvial avait repris à Montréal depuis le 13 avril. Il s'embarquerait ensuite dans un transatlantique à destination de Calais. Une inquiétude sourde l'habitait. Son patron était un homme impitoyable, qui avait horreur de l'échec. Peut-être qu'il lui avait tendu un piège et chercherait à l'éliminer. Mais Perrec savait qu'il n'avait d'autre choix que d'obéir. Lorsqu'il serait arrivé à bon port, il saurait bien assez vite à quoi s'en tenir.

XXVIII

Fanette regardait Marie-Rosalie dormir. Depuis l'enlèvement qui avait failli coûter la vie à sa fille, elle la veillait constamment, s'inquiétant du moindre changement d'humeur, du plus infime signe de détresse. Pourtant, la fillette ne semblait pas avoir gardé de séquelles des terribles événements, sinon une propension à se tenir davantage dans les jupes de sa mère et à pleurer à des moments inattendus. Sur l'insistance de Fanette, le docteur Brissette, après sa visite quotidienne à Madeleine – qui allait de mieux en mieux et avait enfin réintégré sa chambre –, venait voir la fillette. Après plusieurs visites, constatant que Marie-Rosalie se portait à merveille, compte tenu des circonstances, le médecin prit Fanette à part.

— Votre fille est en parfaite santé. Je ne crois pas que ce soit nécessaire que je continue à lui donner des consultations.

— Ne trouvez-vous pas qu'elle est un peu pâle ? Et puis elle fait parfois des cauchemars.

— Tous les enfants font des cauchemars, il n'y a là rien d'anormal.

Le visage de la jeune femme se rembrunit.

— J'ai eu si peur pour elle…

Le docteur Brissette, qui devait effectuer sa tournée de patients, s'attarda.

— Je comprends vos sentiments. Toute mère se ferait du souci, après le drame qui s'est produit. Mais je vous assure que Marie-Rosalie se porte très bien. Les enfants oublient vite, à leur âge. Pour tout dire, je suis plus inquiet à votre sujet.

— Je vais très bien ! protesta Fanette, sur la défensive.

— Il n'y a sûrement rien de pire que de craindre pour la vie de son enfant. Cela laisse des marques. Vous devez prendre soin de vous. Faites des promenades, changez d'air. Si cela peut vous rassurer, je reviendrai demain.

La jeune femme escorta le docteur Brissette vers le hall. Au même moment, on sonna à la porte. Elle alla répondre. Julien Vanier se tenait sur le seuil.

— Je venais aux nouvelles. Comment se porte votre fille ?

Le docteur Brissette reconnut le jeune avocat et rougit légèrement.

— Je viens de la voir. Son état ne m'inspire aucune crainte.

Il mit son chapeau et se hâta de sortir. Julien avait remarqué l'embarras du médecin, sans en comprendre la cause.

— J'espère que je n'arrive pas à un moment inopportun.

— Vous savez bien à quel point vos visites sont importantes pour moi.

Il y eut un moment de flottement. Julien allait voir Fanette chaque jour, mais il avait le tact de ne jamais aborder le sujet du mariage, attendant que les choses reprennent un cours normal. Fanette lui avait présenté sa mère, sans faire part à celle-ci des intentions de son prétendant. Après ce qui était arrivé à Marie-Rosalie, elle hésitait à reparler du mariage, comme si ses devoirs de mère l'emportaient sur sa vie amoureuse.

Julien fut le premier à briser le silence.

— Auguste Lenoir est toujours à l'hôpital. J'ai parlé à son médecin traitant. Il n'a pas encore repris connaissance, bien que son état soit stable. La police attend qu'il revienne à lui pour l'interroger.

— J'espère qu'il ira en prison et qu'il n'en sortira plus jamais ! s'exclama Fanette.

Julien lui jeta un regard pensif. Il n'avait jamais entendu la jeune femme parler avec autant de ressentiment, mais il ne pouvait pas la blâmer, après l'épreuve qu'elle avait subie.

— D'après mon expérience, même avec un bon avocat, Lenoir passera probablement les vingt prochaines années derrière les barreaux. Les jurys sont très sévères pour les enlèvements d'enfants.

— Vous devez me trouver bien hargneuse.

— Je serais le dernier à vous juger.

Il leva les yeux vers elle.

— Sachez que mes sentiments pour vous n'ont pas changé. Je souhaite plus que jamais que vous deveniez ma femme, mais je comprends que, dans les circonstances, vous ne vous sentiez pas prête à prendre une décision aussi importante. J'attendrai le temps qu'il faudra.

Il sourit.

— Je tâcherai d'être patient, même si la patience n'est pas ma première qualité…

— Vous n'aurez pas besoin de l'être.

Les beaux yeux sombres de Julien brillèrent d'espoir.

— J'accepte de devenir votre femme.

Il l'attira à lui.

— Je ne voudrais surtout pas que vous précipitiez les choses à cause de moi.

— C'est tout réfléchi, Julien.

Il la serra dans ses bras.

— Alors n'attendons plus, ma chérie ! Marions-nous dès que possible. Pourquoi pas dès le mois de juin ? Nous aurons tout juste le temps de publier les bans.

Fanette rit.

— Pour quelqu'un qui était prêt à attendre le temps qu'il faudrait…

— Je t'aime. Je t'aime plus que tout au monde. Mon seul souhait, c'est de te rendre heureuse.

Ils s'embrassèrent avec passion. Une voix rêche s'éleva.

— Quel bon vent vous amène, monsieur Vanier ?

Les deux jeunes gens se séparèrent et tournèrent la tête vers l'escalier. Madeleine, portant une robe de chambre et un bonnet de nuit, s'agrippait à la balustrade d'une main et tenait une canne dans l'autre. Sa jambe était encore emprisonnée dans une sorte de plâtre qui la maintenait en place ; un léger bandage ceignait son poignet droit.

— Ravi de vous revoir, madame Portelance, balbutia Julien.

Il jeta un coup d'œil à Fanette, qui vola à son secours.

— Julien est venu me rendre visite.

— Je ne suis pas aveugle, ça me semble évident, rétorqua Madeleine.

Emma entra dans le hall au même moment.

— Tu n'aurais pas dû descendre l'escalier sans aide ! reprocha-t-elle à sa sœur. Le docteur Brissette t'a dit cent fois…

— Au diable ce cher docteur ! la coupa Madeleine, de mauvaise humeur. J'en ai assez d'être enfermée entre quatre murs.

Julien tâcha de recouvrer ses esprits et s'adressa à la mère de Fanette.

— Madame, puis-je vous entretenir d'un sujet important ?

Emma, troublée par la gravité du jeune homme, acquiesça.

— Je… Bien sûr.

— Je souhaiterais vous parler seul à seule.

Piquée, Madeleine serra le pommeau de sa canne.

— Puisque je suis de trop dans ma propre maison, je retourne dans ma chambre.

— Je vous accompagne, ma tante ! s'écria Fanette en lui offrant son bras.

— Je n'ai pas besoin d'aide, répondit sèchement Madeleine. Je ne suis pas invalide.

Madeleine se détourna et reprit l'ascension de l'escalier, s'appuyant maladroitement à la rampe. Fanette et sa mère échangèrent un regard navré. Bien qu'elle fît des progrès chaque jour, Madeleine n'était pas à prendre avec des pincettes. Fanette attribuait son humeur maussade au fait que Prosper Laflèche l'avait chassée de la rédaction du journal, mais Emma se doutait que la mystérieuse amie de sa sœur, Clara Bloomingdale, y était pour quelque chose.

— Je vais faire du thé, proposa Fanette.

Restée seule avec l'avocat, Emma le conduisit au salon et l'invita à s'asseoir.

— Je vous écoute, monsieur Vanier.

Julien l'observa discrètement. Ses yeux vifs et intelligents, son visage rond et bienveillant lui inspirèrent confiance.

— J'aime votre fille de tout mon cœur. Je souhaiterais vous demander sa main.

Les joues d'Emma se colorèrent. Elle se croisa les mains pour se donner une contenance.

— Mon Dieu, si je m'attendais… Je n'ai guère l'habitude de ce genre de choses. Et puis ma fille n'a pas besoin de mon consentement pour se marier. Ce qui m'importe d'abord et avant tout, c'est son bonheur.

— Fanette a accepté de m'épouser, mais je tenais à vous en faire part.

Emma fut touchée par la démarche du jeune homme, dont les manières et la franchise lui firent une excellente impression.

— Bien que je ne vous connaisse pas, monsieur Vanier, j'ai une entière confiance dans le jugement de ma fille.

Julien inclina la tête.

— Je vous promets de tout faire en mon pouvoir pour la rendre heureuse.

— Le bonheur, c'est important, mais ce n'est pas tout, répliqua Emma. Fanette est une jeune femme éduquée, accomplie. Elle ne se contentera pas de jouer le rôle d'une épouse au seul service de son mari.

Julien ne put s'empêcher de sourire.

— Ce n'est pas dans mes intentions de la confiner dans ce rôle. Le Code Napoléon n'a pas été favorable aux femmes, tant s'en faut. Nous établirons nos propres règles dans notre foyer.

Les paroles de l'avocat surprirent et émurent Emma.

— C'est la première fois de mon existence que j'entends un homme contester le Code Napoléon.

— N'oubliez pas que je suis avocat. Notre but n'est pas de respecter aveuglément les lois, mais de tenter de les faire évoluer avec notre temps.

La sympathie naturelle qu'Emma avait ressentie pour le soupirant de Fanette se transforma en affection inconditionnelle.

— Je comprends maintenant ce que ma fille a trouvé en vous.

— J'essaierai d'être digne d'elle.

⁓

Fanette était en train de déposer une théière et des tasses sur un plateau lorsque sa mère entra dans la cuisine, les joues rosies par l'excitation.

— Voilà, c'est fait ! déclara-t-elle. J'ai donné mon consentement. Quel jeune homme intelligent ! J'ai rarement rencontré quelqu'un avec autant d'ouverture d'esprit. Je lui prédis un grand avenir !

L'enthousiasme de sa mère fit sourire Fanette. Son futur mari avait visiblement usé de son éloquence pour convaincre Emma qu'il était un bon parti. Berthe, qui plaçait des petits fours dans une assiette, leva la tête.

— Votre consentement ? Pour quoi faire ?

— Pour le mariage de ma fille !

La servante dut s'asseoir tellement elle était émue.

— Ma'me Fanette se marie ? Quelle joie ! Quelle joie !

Depuis l'enlèvement de Marie-Rosalie, la pauvre Berthe était devenue l'ombre d'elle-même. La culpabilité la rongeait. Elle disait souvent à Fanette que tout était sa faute. « Si je l'avions pas emmenée au marché Bonsecours, rien ne serait arrivé. » La jeune femme avait beau tenter de l'apaiser, lui répéter qu'il n'y avait plus de danger, que l'homme qui avait séquestré Marie-Rosalie irait sûrement en prison, rien n'y faisait. La nouvelle du mariage mettait du baume sur sa plaie, comme si l'heureux événement allégeait quelque peu le poids de ses remords. Elle décida d'aller à la cave chercher une bonne bouteille de *sherry* pour fêter dignement l'occasion.

Des glissements de pas, des murmures, le froissement des draps…
Le tintement d'une cuillère dans une tasse… Auguste Lenoir ouvrit
lentement les yeux. Il entrevit le profil d'une religieuse, son front
ceint de blanc sous un voile noir. Les sons lui parvenaient à
distance, comme s'il avait été enfermé dans un aquarium. Ses
paupières étaient lourdes, si lourdes ! Il les referma. La religieuse
se pencha vers lui.

— Docteur ! Je crois qu'il s'est réveillé.

Un médecin en blouse blanche s'approcha du patient et lui
souleva une paupière, qui frémit sous ses doigts.

— En effet.

Il prit le poignet de Lenoir.

— Son pouls est à peu près normal.

L'inspecteur Samson, qui faisait les cent pas non loin de là,
s'approcha.

— Il est revenu à lui ? demanda-t-il, examinant Lenoir de ses
gros yeux globuleux.

Le médecin toisa l'inspecteur.

— Cet homme vient tout juste de reprendre connaissance. Il
n'est pas encore en état d'être interrogé !

— Je reviendrai demain. Et je l'interrogerai, quel que soit
son état, vous m'avez compris ?

Le policier s'éloigna, faisant claquer ses talons sur le parquet
de bois. Auguste Lenoir sentit ses tempes battre. Il avait reconnu
la voix rauque de l'inspecteur Samson et compris chacune de ses
paroles. Il avait jusqu'au lendemain pour se préparer à l'interrogatoire et tenter de sauver sa peau.

XXIX

Madeleine déposa sa canne contre le mur et s'assit sur son lit en réprimant une grimace de douleur. Elle était sur la voie de la guérison, mais ses côtes et sa jambe l'élançaient encore et son poignet n'était pas complètement rétabli. Elle pouvait écrire une lettre de temps en temps, guère plus. Des voix et des rires joyeux venant du rez-de-chaussée lui parvinrent. La frustration lui serra la gorge. Comment les autres pouvaient-ils se réjouir alors qu'elle souffrait depuis des semaines et avait perdu tout ce qui lui importait ? Elle avait conscience que ses sentiments étaient sans fondement, que ce n'était la faute de personne si son existence s'était réduite à vivoter entre les quatre murs de sa chambre, sans qu'aucun événement, aucune joie vinssent l'égayer, mais elle les éprouvait malgré tout. Elle contempla son reflet dans la glace qui surmontait la commode. Il lui sembla voir, dans sa silhouette devenue si frêle, dans son visage pâle et sans expression, le fantôme de ce qu'elle avait été. Sa force vitale, sa foi dans la vie s'étaient peu à peu dissipées dans un désespoir morne, diluées dans ces jours gris et sans joie qui s'égrenaient tel un chapelet entre les doigts d'une vieille femme.

Des coups discrets furent frappés à sa porte. Madeleine appuya sa tête contre son oreiller.

— Je suis fatiguée, je ne veux pas être dérangée.

— C'est moi, ma tante.

Madeleine reconnut la voix de sa nièce.

— Entre, soupira-t-elle.

La porte s'ouvrit. Fanette, le teint animé et le sourire aux lèvres, fit quelques pas dans la pièce.

— Je ne vous dérangerai pas longtemps.

Madeleine lui jeta un regard où perçait l'inquiétude.

— Que se passe-t-il ? Je vous entends rire jusqu'ici.

— Julien Vanier m'a demandée en mariage.

— Cet avocat prétentieux et arrogant ? s'exclama Madeleine. J'espère que tu l'as envoyé promener !

— Vous ne l'avez rencontré que quelques fois ! protesta Fanette. Vous ne le connaissez pas. Si vous saviez combien c'est un homme bon, loyal…

Les traits de Madeleine s'étaient altérés.

— Tu as vraiment l'intention de l'épouser ?

— Les bans seront publiés dans quelques semaines. Nous nous marierons au mois de juin.

— Tu es prête à renoncer à ton indépendance pour un avocat ! lança Madeleine avec dépit. Je n'arrive pas à en croire mes oreilles.

— Julien n'est pas un avocat comme les autres. Il défend les plus démunis. Il renonce même le plus souvent à être payé.

— Tous les hommes se ressemblent, va. Ils s'efforcent de faire bonne impression au début pour nous amadouer, mais une fois qu'ils nous ont prises au piège ils n'hésitent pas à faire tomber les masques et à montrer leur vrai visage !

Fanette perdit son calme.

— Vous êtes injuste, ma tante !

Madeleine serra les lèvres pour ne pas pleurer. Au fond, ces récriminations odieuses étaient un paravent pour cacher son chagrin de perdre sa nièce et Marie-Rosalie.

— Ainsi, tu m'abandonnes.

Elle se détestait d'employer ce ton larmoyant, mais c'était plus fort qu'elle. Fanette s'approcha de sa tante.

— Vous savez bien que ce n'est pas vrai. Je demeurerai votre secrétaire particulière, si vous avez toujours besoin de moi.

— Tu seras trop accaparée par ta nouvelle vie. De toute façon, je n'aurai plus rien à te donner, puisque je ne travaille plus pour *L'Époque* et qu'aucun journal ne voudra de mes services, après la mauvaise réputation que Point final m'aura faite. Non, va, je me débrouillerai bien toute seule. Ma vie est finie, ma pauvre enfant, alors que tu as encore la tienne devant toi. Ne te préoccupe plus du sort de ta vieille tante. La solitude ne me fait pas peur.

De grosses larmes d'enfant roulaient sur ses joues amaigries. Fanette en fut bouleversée.

— Ma mère restera avec vous jusqu'à ce que vous soyez complètement rétablie. Et c'est sans compter Berthe et Alcidor, qui se jetteraient au feu pour vous. Et puis Marie-Rosalie et moi vous rendrons visite très souvent.

— Pardonne-moi. Je suis une vieille chipie amère et aigrie. Je te souhaite d'être heureuse, comme tu le mérites. Ce sera un grand soulagement pour toi d'être éloignée d'une tante aussi insupportable.

— Le fait que je me marie n'a rien à voir avec mes sentiments à votre égard. Vous savez bien à quel point je suis attachée à vous.

Madeleine prit un mouchoir dans sa manche et se moucha.

— Tu es gentille. Maintenant, laisse-moi.

— Ma tante…

— Ne t'inquiète pas pour moi. Je survivrai, comme je l'ai toujours fait.

Fanette, partagée entre l'inquiétude et l'irritation, se retira. *Comment peut-elle être à la fois si attachante et si exaspérante ?* se demanda-t-elle en redescendant lentement l'escalier. Son bonheur lui sembla soudain égoïste.

৩৩

Madeleine serra son mouchoir humide dans son poing. Quelle scène ridicule elle venait de faire à la pauvre Fanette ! Celle-ci avait montré tant de patience et de sagesse devant ses lamentations indignes ! *Si c'est cela que je suis devenue, une pauvre chose geignarde et larmoyante, aussi bien en finir.* Un petit grincement se fit entendre, suivi d'un léger bruit de pas. Madeleine leva la tête et aperçut Marie-Rosalie. La fillette, en robe de nuit, pieds nus, les yeux encore ensommeillés, vint vers elle en étreignant sa poupée.

— J'ai vu un méchant bonhomme noir sortir de l'armoire. Il voulait m'attraper.

Le cœur de Madeleine fondit.

— Ce n'était qu'un mauvais rêve, mon cœur. Viens me rejoindre. Ici, personne ne pourra te faire du mal.

Marie-Rosalie courut vers le lit et y grimpa. Elle se blottit contre Madeleine, qui lui caressa doucement les cheveux. Une tendresse infinie avait chassé ses pensées amères.

— Personne ne pourra plus jamais te faire du mal. Plus jamais.

XXX

Le lendemain

Auguste Lenoir avait à peine dormi, malgré le laudanum qu'une sœur hospitalière lui avait administré pour atténuer la douleur. Il tâchait de se préparer à la venue de l'inspecteur Samson, mais son cerveau semblait englué dans une lourde torpeur qui l'empêchait de réfléchir. Il regarda autour de lui. Une courtine blanche l'encerclait, masquant le reste de la salle. Les gémissements des autres patients, les bruits de pas des religieuses, le tintement des bassines lui parvenaient à distance, amortis par le rideau. Soudain, quelqu'un tira sur la courtine. Le visage bienveillant du docteur Gélinas se pencha au-dessus du sien. Le médecin portait un stéthoscope autour de son cou.

— Comment vous portez-vous, ce matin ?

— Mal. J'arrive à peine... à respirer...

Il savait que sa seule planche de salut pour le moment était de retarder l'interrogatoire le plus longtemps possible.

— L'inspecteur Samson est ici. Il souhaite vous interroger.

Lenoir ferma les yeux. Le médecin prit son pouls, qu'il trouva irrégulier. Il se tourna vers le policier, qui était debout à quelques pieds du lit.

— J'ai bien peur que mon patient soit encore trop mal en point pour répondre à vos questions.

L'inspecteur en chef saisit le bras du docteur Gélinas avec autorité et l'entraîna à quelques pas du lit.

— Cet homme a enlevé une petite fille de cinq ans et l'a séquestrée pendant deux jours. L'enfant est passée tout près de mourir. Peu m'importe que cette crapule soit mal en point ! Je veux savoir ce qui s'est passé, et je le saurai. Maintenant, laissez-moi faire mon travail.

Le médecin se mordit les lèvres.

— Je vous donne quinze minutes, pas une seconde de plus.

L'inspecteur haussa les épaules et revint vers Lenoir. Il s'empara d'une chaise et l'approcha du lit. Le grincement fit tressaillir le patient, qui ouvrit les yeux.

— Vous êtes réveillé ! À la bonne heure ! s'écria Samson en s'assoyant.

Il fixa Lenoir de ses gros yeux verdâtres.

— Votre nom est bien Auguste Lenoir ?

Le blessé acquiesça sans parler.

— Vous êtes agent de renseignement et vous exercez votre… profession à Montréal ?

Toujours le même mouvement de la tête.

— Pour quelle raison avez-vous enlevé et séquestré Marie-Rosalie Grandmont ?

Lenoir ne répondit pas. Samson pencha son visage au-dessus de celui de l'agent.

— J'ai la réputation d'être une véritable teigne. Je vais rester ici tant que vous ne m'aurez pas dit la vérité.

— Une rançon.

L'inspecteur sortit un carnet de sa poche et nota ce renseignement. *Une rançon…* C'était la même réponse que la mère de la fillette lui avait donnée, lorsqu'elle s'était rendue au poste de police pour signaler l'enlèvement de sa fille.

— Quel est votre lien avec la mère de la petite, Fanette Grandmont ?

— Aucun. Je… ne la connais… pas.

Les mots sortaient difficilement de sa bouche et sa respiration était sifflante, mais le policier poursuivit néanmoins son interrogatoire.

— Si vous ne connaissez pas madame Grandmont, comment avez-vous pu savoir qu'elle avait une fille ?

— Par… hasard.

— Par hasard. Je ne comprends pas bien, monsieur Lenoir. Vous devez être plus explicite.

L'agent de renseignement s'emmura dans le silence. Samson sentit sa tension grimper d'un cran, mais s'efforça de rester calme. Il changea de tactique.

— Qui vous a tiré dessus ? demanda-t-il brusquement.

— Je ne sais pas.

— Vous n'avez aucune idée de l'identité de votre agresseur, ni de la raison pour laquelle il a cherché à vous tuer ?

— Aucune.

L'inspecteur s'appuya sur le dossier de la chaise. De toute évidence, l'homme était coriace. Il n'arriverait pas à le faire parler facilement. Il fallait trouver un moyen d'« attendrir la viande », comme on disait dans le jargon du métier. Il se leva et rejoignit le docteur Gélinas, qui était au chevet d'une patiente, et parla assez fort pour être entendu de Lenoir.

— Je vais donner l'ordre qu'Auguste Lenoir soit transféré à la prison du Pied-du-Courant immédiatement.

— Mais vous n'y pensez pas ! s'insurgea le médecin. Il n'est pas en état de sortir de l'hôpital.

Une demi-heure plus tard, trois policiers vinrent chercher le blessé, qu'ils installèrent sur une civière et transportèrent vers un fourgon cellulaire, malgré les protestations véhémentes du docteur Gélinas.

Durant le transport, Lenoir perdit connaissance tant la douleur était forte. Lorsqu'il émergea de son évanouissement, il ne vit d'abord que des ténèbres. Il crut que la nuit était tombée et chercha d'une main la clochette qui se trouvait sur une petite table de chevet à côté de son lit d'hôpital afin d'appeler une religieuse. Il mourait de soif, son front et sa gorge brûlaient, il avait le sentiment que la fièvre l'avait repris.

Il n'y avait pas de table. Ses yeux s'habituant peu à peu à l'obscurité, il se rendit compte qu'il n'y avait plus de courtine autour de son lit. Se pouvait-il qu'on l'ait déplacé dans une autre section de l'hôpital ? Il finit par distinguer un filet de lumière qui entrait par une fenêtre étroite, munie de barreaux. Il tourna la tête et aperçut une porte surmontée d'un guichet grillagé. Pris de panique, il tenta de se redresser, mais retomba sur son lit, trop faible pour faire un geste. Les mots prononcés par l'inspecteur Samson lui revenaient. Il comprit soudain où il se trouvait. *La prison du Pied-du-Courant.*

XXXI

Port de Québec
Mai 1864

Des drapeaux et des voiles claquaient au vent. De l'écume blanche constellait le fleuve sombre. Amanda, tenant sa petite fille Marie-Awen par la main, son mari Noël à ses côtés, contemplait avec fierté son fils, qui avait fière allure dans son uniforme de pilotin. Ian avait été admis à bord du navire marchand le *Mistral* en tant qu'élève officier. Noël connaissait bien le capitaine, Denis Courval, un Français d'origine qui avait émigré au Québec vingt ans auparavant et qu'il avait rencontré au Collège industriel de Saint-Germain de Rimouski, où l'on enseignait le commerce, l'agriculture, les arts mécaniques et la navigation. Courval, un bon vivant aux manières affables, s'était pris d'affection pour le jeune apprenti, qu'il trouvait intelligent et débrouillard. Ian avait au moins une tête de plus que les autres matelots et arborait une assurance étonnante pour un garçon qui n'avait pas encore seize ans. Courval ne doutait pas d'en faire un jour un capitaine digne de ce nom.

Ian leva les yeux vers le navire, dont les mâts élégants s'élançaient dans un ciel sans nuages. Il accomplissait enfin son rêve le plus cher, ce rêve qui avait pris forme au Nouveau-Brunswick, dans les eaux tourmentées de la baie de Chignectou. Il revoyait le visage bienveillant de Martin Aubert, le chef de chantier qui l'avait initié à l'art de fabriquer les navires; ses périples dans la baie à bord d'un vieux bateau de pêche, d'où il pouvait admirer les flots magenta et les côtes lisérées d'or; les matins brumeux où l'horizon se confondait avec le ciel; le vol gracieux des goélands qui formaient un cercle argenté au-dessus de la mer émeraude. Rien ne le comblait autant que cette vie dure, mais exaltante.

Un homme bâti comme une armoire à glace s'avança vers le groupe. Il donna une claque dans le dos d'Ian, qui aurait pu faire perdre l'équilibre à un garçon plus frêle, mais Ian bougea à peine.

— Hé, mon garçon, te v'là déjà rendu apprenti officier, ma parole ! s'écria le colosse d'une voix de stentor. Dire que t'étais moussaillon y a pas si longtemps !

Ian sourit.

— Momo !

Celui qu'Ian avait nommé Momo le prit dans ses bras et l'étreignit à l'étouffer.

— Heureux de te revoir, tit-gars ! Tu vas être obligé de m'endurer encore un bout de temps, parce que j'ai été engagé à bord du *Mistral*.

Amanda et Noël jetèrent un coup d'œil médusé au quasi-géant qui entourait Ian de ses bras énormes. Ian se dégagea en riant.

— Momo, je te présente mes parents.

L'homme tendit sa paluche et serra la main de Noël, qui fit la grimace tellement la poigne était solide, puis il inclina la tête devant Amanda avec une grâce étonnante pour quelqu'un de sa stature.

— Maurice Bastien. J'ai eu la chance de rencontrer votre garçon à bord de l'*Empress of Ireland*. Il a la navigation dans le sang, ce petit ! Fort comme un bœuf, avec de la jarnigoine en masse, pis brave par-dessus le marché ! Vous devez être ben fiers de lui !

Amanda considéra le marin, qui la dépassait d'un bon pied, avec un mélange de sympathie et de crainte.

— Aucun parent ne pourrait être plus fier ! s'exclama spontanément Noël.

Ian regarda son beau-père avec reconnaissance. Depuis que Noël l'avait convaincu de ne pas mettre fin à ses jours, à la suite de sa découverte de l'identité de son vrai père, une affection solide s'était formée entre eux, scellée par la magie de la chute Kabir Kouba[2].

Des cloches retentirent. Une voix forte s'éleva.

— À vos postes ! Parés pour le départ !

— Il est temps que j'y aille, dit Ian.

Amanda serra la main de son mari pour se donner du courage. Elle s'était promis de ne pas pleurer.

— Bon voyage, Ian. N'oublie pas de nous écrire. Sois prudent.

Ian étreignit brièvement sa mère pour ne pas se laisser gagner par l'émotion. Puis il se tourna vers Noël, qui le prit gentiment par les épaules.

— En suivant le fleuve, on parvient à la mer.

C'était une citation de Plaute, qu'il avait beaucoup lu durant ses longues heures de navigation.

Ian souleva Marie-Awen dans ses bras.

— Hé, ma p'tite sœur, souhaite-moi bon voyage.

Marie-Awen, dont le prénom signifiait « eau » en huron, fit un grand sourire, dévoilant de jolies dents de lait nacrées. Il l'embrassa sur ses joues rondes, caressa ses cheveux noirs et fournis, comme ceux de son père, puis déposa doucement l'enfant par terre. Ne voulant pas prolonger les adieux, il s'éloigna à pas rapides en direction du navire, flanqué de Momo, qui le dépassait d'au moins une tête. Ian se retourna, agita la main une dernière fois à l'intention de sa famille, puis franchit la passerelle. Amanda tint à rester au quai jusqu'à ce que le *Mistral* ne soit plus qu'un point à l'horizon.

⁓

Le retour à la Jeune Lorette se fit en silence, que seuls les babils joyeux de Marie-Awen égayaient. Amanda se laissait bercer par le roulement du cabrouet en songeant à son fils, qu'elle ne reverrait plus pendant de longs mois. Noël, tenant les guides, tourna la tête vers sa femme.

---

2.   Voir le tome 5, *Les ombres du passé*.

— Tout se passera pour le mieux. Ian a un excellent jugement et il est très bien entouré. Ce Maurice Bastien me semble un gaillard fort sympathique.

— Je sais.

Amanda avait dit cela davantage pour rassurer son mari que pour se rassurer elle-même. Elle n'avait jamais aimé les bateaux ni la mer, qui lui avait arraché tour à tour son père et sa mère, et ne comprenait pas la passion de son fils pour la navigation. Pourtant, elle avait épousé un ancien officier de la marine, qui avait passé le plus clair de sa vie à bord de bateaux !

Noël proposa de passer par le village de l'Ancienne Lorette, où se trouvait le bureau de poste. Amanda accepta. Il y avait un moment qu'elle avait eu des nouvelles de Fanette, et elle espérait qu'une lettre de sa sœur l'attendrait. Son souhait fut comblé. La postière lui tendit une enveloppe dont elle reconnut aussitôt l'écriture. Son chagrin d'être séparée de son fils en fut quelque peu allégé. Impatiente d'en lire le contenu, Amanda n'attendit pas d'être arrivée au village huron et parcourut la lettre dans l'inconfort de la voiture, dont les roues s'enfonçaient dans des ornières qu'une pluie abondante, tombée la veille, avait creusées.

Montréal, le 27 avril 1864

Ma chère Amanda,

Tu me pardonneras si je ne t'ai pas écrit plus souvent. Des événements importants se sont produits ces dernières semaines, dont je préfère te parler de vive voix. Mais d'abord, j'ai à t'apprendre une nouvelle qui te surprendra sans doute. Julien Vanier m'a demandée en mariage. J'ai décidé d'accepter sa proposition. Nous nous marierons le samedi 18 juin prochain. J'espère de tout cœur que toi et toute ta famille pourrez y assister.

Amanda interrompit sa lecture. *Julien Vanier.* C'était l'avocat qui l'avait défendue avec tant d'éloquence lorsqu'elle avait été faussement accusée du meurtre de Jean Bruneau. Le jeune homme avait donc conquis le cœur de Fanette ! D'une certaine manière, elle n'en fut pas autrement surprise. C'était un homme sincère, passionné, dont on ne pouvait oublier facilement le regard perçant, le front haut et droit auréolé d'une masse de cheveux châtains. Il n'était pas sans lui rappeler Philippe, quoiqu'elle décelât chez le jeune avocat une fougue que le premier mari de Fanette, de nature plus contemplative, n'avait pas possédée. Amanda se replongea dans la lettre :

> Personne ne remplacera jamais Philippe dans mon cœur. Ce nouvel amour, je l'envisage comme une deuxième chance que la vie m'a donnée d'aimer. Ma mère m'a raconté un jour que, lorsque je l'avais quittée pour des vacances d'été à La Malbaie, dans la maison de campagne des Grandmont, elle s'était rendu compte de mes sentiments à l'égard de Philippe et avait confié à Eugénie, dans le bateau qui les ramenait toutes deux à Québec, qu'elle craignait de m'avoir perdue. Eugénie lui avait répondu quelque chose comme : « L'amour, ça s'ajoute, ça ne se soustrait pas. » Ces mots traduisent parfaitement mon état d'esprit. Je ne croyais pas pouvoir retrouver un tel bonheur.
>
> Ma tante n'a malheureusement pas très bien accueilli la nouvelle. Je ne l'en blâme pas. Malgré le dévouement de Berthe et d'Alcidor et la présence de ma mère à ses côtés, elle est bien solitaire et craint sans doute que mon départ et celui de Marie-Rosalie ne l'isolent encore davantage.
>
> J'espère que tout va pour le mieux à la Jeune Lorette. Embrasse Noël, Ian et la petite Marie-Awen de ma part. En attendant le bonheur de te serrer dans mes bras, je t'envoie toute mon affection.
>
> Ta Fanette

Amanda se demanda quels étaient ces « événements importants » dont sa sœur parlait. Elle songea au fait que pas une seule fois Fanette n'avait mentionné le nom d'Alistair Gilmour. Au fond d'elle-même, elle en éprouva du soulagement. Cet homme étrange, qui l'avait envoûtée au point de lui faire pour ainsi dire perdre la raison et qui lui avait, en fin de compte, préféré Fanette, ne l'avait pas rendue heureuse. Ils traînaient tous deux de vieilles blessures jamais guéries. Leur relation avait été celle de deux éclopés qui tentent désespérément d'oublier leur douleur dans les bras l'un de l'autre. Depuis qu'elle avait rencontré Noël, elle savait que ce qu'elle avait pris pour de l'amour n'était qu'une forme de consolation réciproque. Elle était convaincue qu'Alistair aurait fini par rendre Fanette malheureuse à son tour. C'était peut-être parce qu'il l'avait lui-même pressenti qu'il avait renoncé à l'épouser et avait quitté le pays pour ne plus y revenir. *C'est mieux ainsi*, se dit-elle en repliant soigneusement la lettre et en la glissant dans une poche de sa robe.

XXXII

Quelques semaines plus tard
Début de juin 1864

Les derniers bans du mariage furent publiés alors qu'allait commencer le procès d'Auguste Lenoir. Quelques jours avant le début des audiences, Fanette reçut une sommation de la cour l'assignant comme témoin de la Couronne. Bien qu'elle fût soulagée que Lenoir soit traduit en justice, le fait de comparaître la rendait nerveuse. Elle n'avait pas révélé à la police la véritable raison de l'enlèvement de sa fille par crainte de représailles de l'agent de renseignement, mais la situation avait changé. Lenoir était derrière les barreaux et subirait bientôt son procès. Il ne pouvait plus faire de mal à Marie-Rosalie. Pourtant une crainte instinctive subsistait. Et si Lenoir s'échappait de prison ? Si, par un retournement inattendu, il était libéré des accusations qui pesaient contre lui ?

Lorsque Julien lui rendit sa visite quotidienne, il remarqua aussitôt le trouble de la jeune femme. Il avait appris que le procès de Lenoir commencerait le lendemain et attribua l'agitation de sa future épouse à cet événement.

— Tu n'as rien à craindre. Je suis convaincu que maître Craig obtiendra une condamnation sévère.

Fanette lui avoua qu'il y avait une autre raison à son inquiétude. Elle alla chercher la serviette de cuir où elle avait rangé le certificat de libération du bagne de Brest et le montra à l'avocat.

Congé de forçat

Bagne de Brest

Le forçat du nom de Faustin Lescault, né à Angers en 1820 et jugé coupable de vol en juin 1838, a été remis en liberté le 14 juin 1844 après avoir purgé sa peine. Ledit Faustin Lescault s'engage à garder la paix et à ne provoquer aucun désordre public, sous peine que ce certificat de libération soit jugé nul et non avenu. De plus, l'ex-forçat sera envoyé dans la ville de Rennes afin d'y poursuivre son existence, loin du lieu de son crime. Il doit se rapporter chaque semaine au commissariat de son quartier, et s'engage à ne jamais quitter la ville sans permission écrite dudit commissaire.

Signé par Hervé Caumont, commissaire des chiourmes du bagne de Brest

Julien lui rendit le document.

— Faustin Lescault est la véritable identité de Lenoir, n'est-ce pas ? C'est pour récupérer ce certificat de libération qu'il a enlevé ta fille ?

Fanette acquiesça.

— Tu comprends pourquoi je ne pouvais en parler. Mais maintenant, la situation est différente. Devrais-je en révéler l'existence à la cour ? Est-ce que je ne cours pas le risque d'être accusée d'avoir caché un élément important à la police ?

— Tu n'as cherché qu'à protéger ta fille, ce n'est pas un crime.

Il l'observa attentivement.

— Sais-tu autre chose sur le passé de cet homme ?

— D'après l'ancien directeur en chef du journal *La Presse*, à Paris, Lescault aurait participé à un complot pour faire assassiner le roi Louis-Philippe. La conspiration a échoué, et il aurait fui la France pour s'établir à Montréal.

L'avocat réfléchit. Les révélations de la jeune femme étaient beaucoup plus sérieuses que ce qu'il avait supposé.

— Je crois que tu dois dire la vérité à la cour.

La porte s'ouvrit dans un grincement. Auguste Lenoir n'eut pas même besoin de tourner la tête pour savoir qui lui rendait visite. L'inspecteur Samson entra dans la cellule et prit place sur un banc de bois qui faisait face au grabat de paille.

— Alors, comment vous portez-vous, ce matin, monsieur Lenoir ?

L'homme de loi était toujours poli avec le prisonnier, mais d'une froideur à glacer le sang.

— Pas mieux ni plus mal qu'hier, inspecteur.

Comme il le faisait chaque jour depuis l'internement d'Auguste Lenoir au Pied-du-Courant, Samson interrogea le prisonnier, reprenant inlassablement les mêmes questions : pour quelle raison avait-il enlevé et séquestré Marie-Rosalie Grandmont ? Quel était son lien avec la mère de la fillette ? Qui était l'homme qui avait tenté de le tuer ? Auguste Lenoir avait toujours les mêmes réponses :

— Je vous répète que je ne connais pas Fanette Grandmont. J'ai enlevé la petite pour une rançon. J'ignore qui m'a tiré dessus.

— Qu'avez-vous à perdre à me dire la vérité ? Vous passerez probablement le reste de votre vie derrière les barreaux.

— Je n'ai rien d'autre à dire.

L'inspecteur Samson comprit l'utilité des méthodes d'interrogatoire moyenâgeuses, où l'on soumettait les prisonniers à toutes sortes de supplices afin de les faire parler. Il se contenta de se lever.

— On se reverra à votre procès, monsieur Lenoir.

XXXIII

Tous les journaux s'étaient emparés de la mystérieuse affaire d'enlèvement d'enfant et en avaient fait leurs choux gras. Oscar Lemoyne avait accompli le voyage afin de couvrir le procès pour *L'Aurore de Québec* et en profiterait pour séjourner quelques jours chez son oncle, Victor, qui le recevait toujours à bras grands ouverts.

Étant arrivé au palais de justice un peu à l'avance, le reporter décida d'aller faire un tour au greffe dans l'espoir d'y voir Joséphine Barrette, à qui il avait écrit à plusieurs reprises, mais ses lettres lui étaient revenues avec la mention « Return to sender ». L'hypothèse la plus plausible était qu'elle avait déménagé. Mais dans ce cas, pourquoi ne lui avait-elle pas écrit pour lui donner sa nouvelle adresse ? Tout en s'approchant de la porte imposante, il répéta son boniment. *Chère Joséphine...* Non, il ne fallait surtout pas l'appeler par son prénom complet, qu'il trouvait charmant, mais qu'elle détestait à s'en confesser. *Chère Jo, vous ne m'avez pas envoyé une seule lettre depuis mon départ.* Non, cela ressemblait à un reproche, pas à une déclaration d'amour ! *Ma Jo chérie...* Il secoua la tête. Trop direct. Joséphine était une femme intelligente et sincère, elle ne voudrait rien savoir de formules toutes faites. Une boule s'était formée dans sa gorge. Pour la millième fois, il se demanda comment Joséphine réagirait à sa visite. L'enverrait-elle promener ? Ou bien au contraire l'accueillerait-elle avec son sourire particulier, qui lui donnait un air si espiègle ?

Son soliloque intérieur se poursuivit jusqu'à ce qu'il parvienne au greffe, où travaillait la jeune femme. Au lieu du joli minois de Joséphine, il tomba sur un vieux commis au visage jaunâtre et sévère.

— Je voudrais parler à mademoiselle Jo Barrette, s'il vous plaît.

— Qui ?

— Joséphine Barrette.

— Mademoiselle Barrette ne travaille plus ici.

Inquiet, le reporter voulut savoir pour quelle raison elle avait quitté son poste, mais l'employé haussa les épaules.

— Je n'en sais rien. De toute manière, cela ne vous regarde pas.

Le cœur lourd, Oscar se rendit à la salle d'audience, se demandant ce qui avait bien pu motiver Jo à abandonner son travail au greffe. Peut-être s'ennuyait-elle et avait-elle trouvé mieux ailleurs ? *Peut-être qu'elle te trouve ennuyant, toi aussi, et que c'est pour cette raison qu'elle ne t'a pas donné de nouvelles.* Cette réflexion le déprima encore davantage. L'hypothèse qu'elle avait rencontré quelqu'un d'autre et en était tombée amoureuse lui vint à l'esprit. Elle était si mignonne, il n'y aurait rien d'étonnant à ce qu'un cavalier la courtise. Pourtant, il n'avait pas inventé son sourire mutin, la sincérité avec laquelle elle lui avait avoué avoir aimé quelqu'un qui lui avait brisé le cœur, son regard brillant lorsqu'elle lui avait dit : « Je ne vous connais pas encore très bien, mais mon petit doigt me dit que vous êtes gentil et que vous avez bon cœur. » Elle avait ajouté : « Si, après quelques mois de correspondance, vos sentiments pour moi n'ont pas changé, et les miens non plus, alors nous aviserons. » *Donc, elle ne m'aime plus,* en conclut Oscar, la mine défaite.

Lorsqu'il entra dans la salle d'audience, le juge Dozois et les avocats avaient déjà pris place. L'accusé, muni de chaînes, fut conduit par deux gardiens dans son box. Le reporter fit un effort pour se concentrer sur le procès et examina avec curiosité le visage anguleux d'Auguste Lenoir, ses yeux noirs et durs, le pli amer de sa bouche. *Il a le physique de l'emploi*, ne put s'empêcher de remarquer Oscar tout en prenant des notes.

— Fanette Grandmont est appelée à la barre ! clama le greffier.

Oscar fut saisi en apercevant la « jolie dame » se diriger vers le box des témoins après avoir prêté serment. Elle portait une simple robe de gabardine d'un bleu indigo, avec un corsage à rucher et des manches garnies de dentelle. Il la trouva pâle. Ses magnifiques yeux pervenche étaient légèrement cernés. Maître Craig s'avança vers elle.

— Connaissez-vous l'accusé, Auguste Lenoir ? demanda-t-il.

Fanette tourna la tête vers l'agent de renseignement, qui ne la quittait pas des yeux.

— Oui.

— Dans quelles circonstances l'avez-vous rencontré ?

— Cet homme a tenté d'extorquer de l'argent à une personne de ma connaissance.

— De qui s'agit-il ?

— Je ne puis révéler son nom, par souci de ne pas porter atteinte à sa réputation.

La jeune femme chercha le regard de Julien dans la salle. Ce dernier l'avait longuement préparée à l'interrogatoire. Il inclina légèrement la tête en signe d'encouragement et de soutien.

— Vous avez déclaré à l'inspecteur Godefroy Samson, ici présent, que le ravisseur avait enlevé votre fille afin d'exiger une rançon. Est-ce exact ?

Fanette aperçut l'inspecteur Samson dans la salle, la fixant de ses yeux globuleux.

— Oui, affirma-t-elle d'une voix claire. J'ai dit cela. Mais ce n'était pas la vérité.

Des exclamations de stupeur accueillirent cette déclaration. Oscar lui-même n'en revenait pas. Quoi, sa « jolie dame », mentir ? Impossible… Auguste Lenoir avait tressailli et dévisageait maintenant Fanette de ses yeux sombres.

L'avocat de la Couronne attendit que le calme se rétablisse avant de poursuivre :

— Expliquez-vous, madame.

Fanette se concentra un moment, puis s'adressa à maître Craig.

— Si j'avais dit la vérité, ma petite fille serait peut-être morte, à l'heure qu'il est.

Des femmes mirent un mouchoir sur leur bouche. Médusé, Oscar hocha la tête. Le juge intervint.

— Que voulez-vous dire, madame Grandmont ? En quoi révéler la vérité aurait-il mis la vie de votre fille en danger ?

Fanette se tourna de nouveau vers l'accusé, qui la foudroyait du regard.

— Je possède un document qui atteste la véritable identité de monsieur Lenoir.

— De quel document s'agit-il ? s'enquit maître Craig.

L'avocat de la défense se leva.

— Objection ! La défense n'a jamais entendu parler d'un tel document avant aujourd'hui. J'exige d'en avoir copie avant la poursuite de l'audience.

Le juge prit le temps de réfléchir.

— Je comprends votre intervention, maître Émery, mais étant donné les circonstances exceptionnelles entourant ce procès, je vais permettre au témoin de répondre à la question de maître Craig. Votre objection sera toutefois consignée au procès-verbal.

Le magistrat s'adressa à Fanette.

— Quel est ce document, madame Grandmont ?

— Un congé de forçat par lequel un nommé Faustin Lescault était libéré du bagne de Brest.

— Qui est ce Faustin Lescault ?

— Il s'agit de l'accusé, Auguste Lenoir.

Lenoir se leva d'un bond, faisant cliqueter ses chaînes.

— C'est faux ! Cette femme ment !

Un brouhaha indescriptible s'ensuivit. L'avocat de la défense se précipita vers le juge et exigea un report du procès afin d'examiner le fameux document, que le magistrat lui accorda sur-le-champ.

Dans les jours qui suivirent, la preuve fut faite qu'Auguste Lenoir, alias Faustin Lescault, avait bel et bien enlevé et séquestré Marie-Rosalie Grandmont afin de récupérer le certificat de libération qui établissait sa véritable identité. Il fallut seulement quelques heures de délibération au jury pour reconnaître Lenoir coupable de tous les chefs d'accusation qui avaient été portés contre lui. Il fut condamné à vingt ans de réclusion, exactement comme l'avait prédit Julien. L'accusé écouta la lecture du verdict en arborant un visage de marbre. Mais lorsque les gardiens l'entraînèrent vers la sortie, son regard croisa celui de Fanette. Il y avait une telle haine dans ses yeux qu'elle sentit une main de glace lui serrer le cœur.

❧

En sortant du palais de justice, Oscar se rendit à l'adresse de Joséphine qui figurait dans le bottin Lovell. Si la jeune femme ne voulait plus rien savoir de lui, eh bien, il en aurait le cœur net, au lieu de continuer d'attendre et d'espérer en vain. *Ah, en finir avec l'incertitude !* pensa-t-il, les mains moites d'angoisse.

Par chance, il n'eut pas de mal à trouver l'endroit, qui était à proximité du palais, au 121, rue Saint-Paul. Il s'agissait d'un immeuble à logements bien entretenu, égayé par des fenêtres peintes d'un jaune vif. Il vérifia le numéro de la porte pour s'assurer que c'était bien celui qu'il avait transcrit dans son carnet, puis prit son courage à deux mains et entra dans l'immeuble. Le hall était propre et sentait l'encaustique. Il vit avec soulagement que la porte de la loge était entrouverte. Une femme sans âge était en train de faire son repassage.

— Bonjour, madame. Je cherche mademoiselle Joséphine Barrette. Elle habite bien ici ?

Le visage de la logeuse se ferma.

— Elle a déménagé.

— Depuis quand ?

— Quelques semaines. Pourtant, c'était une excellente locataire, elle payait toujours son loyer rubis sur l'ongle.

— Savez-vous où elle est allée ?

La femme secoua la tête.

— Elle ne m'a pas laissé d'adresse.

Oscar ressentit une immense déception. L'hypothèse que Joséphine avait rencontré quelqu'un s'en trouva renforcée. La logeuse lui jeta un regard empreint de curiosité.

— Quel est votre nom, jeune homme ?

— Oscar Lemoyne.

— Ah ! Mademoiselle Barrette a laissé quelque chose pour vous.

La logeuse fourragea dans de la paperasse accumulée sur un comptoir, parmi des objets disparates, et finit par trouver une enveloppe, qu'elle tendit au jeune homme.

Oscar s'en empara et y vit son nom inscrit en lettres carrées.

— Merci mille fois, madame !

Le cœur rempli d'espoir, le reporter regagna la rue et se réfugia sous un auvent pour se protéger de la pluie qui avait commencé à tomber. Il déchira l'enveloppe et en sortit une feuille, qu'il respira. Il crut reconnaître le parfum de Jo, mais c'était peut-être ses sentiments amoureux qui lui jouaient un tour.

> Cher Oscar,
>
> Vous devez m'oublier, m'oublier pour toujours. Vous n'êtes pas en cause, loin de là, mais je vous demande, au nom des sentiments que vous dites avoir pour moi, de ne jamais chercher à me revoir. Tâchez malgré tout de garder un bon souvenir de moi. Jo

Oscar relut la missive un nombre incalculable de fois, comme pour se pénétrer de la réalité des mots et comprendre leur sens caché. « Vous n'êtes pas en cause », cela voulait nécessairement dire qu'elle l'aimait encore, mais alors pourquoi exiger de lui qu'il l'oublie « pour toujours » ?

Sans se soucier de la pluie qui tombait de plus belle, le cerveau en ébullition, Oscar marcha vers l'imprimerie de son oncle, qui était située à proximité de là, rue Saint-Vincent. *Pourquoi ? Pourquoi ? Pourquoi ?* se répétait-il à mi-voix. Lorsqu'il parvint chez son oncle, il trouva ce dernier debout devant sa presse à bras en train d'imprimer son journal, *Le Phare*.

— Bonsoir, mon oncle.

Victor Lemoyne sursauta.

— Ah, mon petit Oscar, tu m'as fait une de ces peurs ! Je ne t'avais pas entendu entrer.

Victor continuait à l'appeler « mon petit Oscar », bien que son neveu eût vingt-huit ans. C'était une vieille habitude qu'il avait contractée alors qu'il avait pris l'enfant sous son aile, à la mort de ses parents. Il lui donna une tape affectueuse sur l'épaule.

— Je suis heureux de te revoir, mon petit.

Il remarqua que le jeune homme avait les yeux rougis.

— Tu as l'air fatigué. C'est sans doute le long voyage. Tu dois avoir l'estomac dans les talons. Montons à l'étage, je vais voir ce qu'il me reste.

Oscar éclata en sanglots. Il eut beau tenter de contrôler ses larmes, rien n'y fit. Victor le regarda, désemparé.

— Que t'arrive-t-il, mon petit ?

— Rien, mon oncle, rien du tout, balbutia Oscar entre deux sanglots. La fatigue…

Victor sortit un vieux mouchoir de sa poche. C'était la première fois qu'il voyait son neveu pleurer ainsi, et il ne savait pas comment réagir.

— Allons, allons, un garçon de ton âge ne pleure pas ! Je cours te chercher à manger. Tu as sans doute besoin de reprendre des forces.

Le vieux journaliste franchit l'escalier intérieur qui menait à son logement et se rendit à la cuisine, une pièce minuscule qui n'était équipée que d'un petit poêle à deux éléments et d'une glacière, dans laquelle il trouva un peu de jambon et un quignon de pain. Il se hâta de retourner au rez-de-chaussée.

Oscar était plus calme lorsque son oncle le rejoignit, mais ses paupières étaient gonflées et il avait l'impression que sa poitrine allait éclater.

— Tiens, mange un morceau, lui dit Victor. Ce n'est pas grand-chose, mais à mon âge je n'ai plus mon appétit d'autrefois. J'irai au marché demain matin. Avec un peu de nourriture et de repos, tu vas te remettre en un tournemain.

Le vieil homme parlait vite, comme pour masquer son anxiété. Le reporter avala à peine une bouchée. Le chagrin lui avait coupé la faim. Son oncle lui jeta un regard désolé.

— Tu n'as presque rien mangé ! Ce n'est pas ainsi que tu vas reprendre du poil de la bête, mon garçon.

Jugulant ses larmes à grand-peine, Oscar prit congé.

— Ne vous en faites pas pour moi, mon oncle. Bonne nuit.

Il regagna la petite chambre qu'il occupait lors de ses séjours à Montréal, une sorte de réduit où s'entassaient de vieux journaux et des seaux d'encre. Habituellement, l'odeur de papier et d'encre le réconfortait, mais sa tristesse était si vive qu'il se jeta sur le petit lit sans se déshabiller et pleura, la tête enfouie dans l'oreiller. Il finit par s'endormir, ses joues rousselées mouillées de larmes.

XXXIV

Le 18 juin 1864

Fanette fut réveillée par la lumière qui inondait sa chambre. Elle se leva et ouvrit la croisée. Les effluves délicieux du tilleul lui parvinrent. Bientôt, elle ne contemplerait plus cet arbre, ne respirerait plus son parfum. C'est aujourd'hui qu'elle deviendrait la femme de Julien Vanier.

Emma avait proposé aux futurs mariés de leur donner un coup de main afin qu'ils se trouvent un logement convenable. Fanette tenait à habiter à proximité de sa tante, sachant que celle-ci se sentirait bien seule après son départ et celui d'Emma. Julien avait entendu parler d'un nouveau quartier, en plein essor, qu'on appelait le carré Saint-Louis. Un avocat de sa connaissance venait de se faire bâtir une résidence rue Laval et souhaitait louer le deuxième étage. Le couple visita donc le logement, en compagnie d'Emma. Il s'agissait d'un grand appartement de cinq pièces, offrant une vue sur un joli parc tout juste aménagé. La cuisine, spacieuse, donnait sur une cour intérieure. La quiétude de l'endroit, la lumière qui entrait à flots par les grandes fenêtres au plomb plurent tout de suite à Fanette. Le loyer était toutefois un peu trop élevé pour leurs moyens, car Julien ne roulait pas sur l'or. Le retentissement du procès d'Aimée Durand lui avait valu des offres fort alléchantes de plusieurs grands cabinets d'avocats, mais le jeune homme les avait toutes refusées, tenant mordicus à son indépendance. Il exerçait donc sa profession seul, recevant ses clients dans son petit bureau du palais de justice. Aussi Fanette lui annonça-t-elle en souriant qu'elle avait l'intention de continuer à travailler, ce qui arrondirait un peu leurs fins de mois. Julien, qui n'avait pas oublié la leçon que lui avait servie Emma, l'y encouragea.

— Il est tout à fait normal qu'une femme éduquée et intelligente comme toi ne se contente pas de jouer le rôle d'une épouse au seul service de son mari, avait-il dit en jetant un coup d'œil complice à Emma.

Les jeunes gens avaient donc convenu avec le propriétaire de signer un bail et d'emménager dans le logement après leur mariage. Une fois cette affaire importante réglée, il restait à assembler un trousseau pour la future mariée, ce à quoi se dévoua Berthe, qui y voyait un moyen de se faire pardonner sa bévue. Pourtant, Fanette ne lui avait jamais fait l'ombre d'un reproche et ne souhaitait qu'une chose : tourner la page sur ce sombre épisode. Madame Béland, une couturière réputée de Montréal, fut chargée de confectionner la robe de mariée.

Durant les semaines précédant le mariage, Julien avait continué à rendre visite chaque jour à sa promise, au grand dam de Madeleine. Cette dernière, malgré ses efforts de civilité, n'avait toujours pas digéré le fait que sa nièce et Marie-Rosalie quitteraient bientôt sa maison et ne reviendraient que pour de rares visites de politesse – du moins c'est ce qu'elle s'était mis en tête, bien qu'elle eût elle-même insisté pour que Fanette ne soit plus sa secrétaire particulière. *Comment ma nièce a-t-elle pu se résoudre à troquer sa liberté contre les liens du mariage ?* se disait-elle lorsqu'elle entendait la sonnette et le pas familier du jeune homme que Berthe faisait entrer au salon. Madeleine recevait le futur époux de sa nièce avec froideur. Julien ne se formalisait pas de cet accueil pour le moins réservé. Aux questions de Madeleine, qui lui demandait avec une note d'ironie « Comment se porte notre sauveur de la veuve et de l'orphelin ? », il répondait, avec une bonne humeur que rien ne pouvait entamer : « Eh bien, je voudrais en sauver davantage, mais il n'y a que vingt-quatre heures dans une journée. »

Madeleine offrit toutefois à sa nièce de recevoir chez elle sa sœur Amanda et sa famille, qui avaient confirmé par lettre leur venue à Montréal pour le mariage.

— Il n'est pas question que ta parenté loge à l'hôtel, avait-elle décrété.

Fanette en fut reconnaissante à sa tante, dont les réticences quant à son mariage ne lui avaient pas fait oublier les devoirs de l'hospitalité, mais elle se souciait davantage de préparer Marie-Rosalie à cet événement, qui bouleverserait immanquablement son existence.

Un soir, après avoir mis sa fille au lit et lui avoir lu un conte, Fanette s'attarda.

— Tu sais, Julien Vanier…

— Le monsieur aux yeux de velours ?

Fanette sourit.

— C'est ainsi que tu l'appelles ? C'est un joli surnom.

Fanette caressa les cheveux soyeux de sa fille.

— Eh bien, nous nous aimons très fort, lui et moi.

— Aussi fort que toi et papa ?

— Personne ne remplacera jamais ton père. Mais Julien est un homme bon, loyal, comme l'était Philippe. Nous allons nous marier.

Le lendemain, Marie-Rosalie alla trouver Julien, qui venait d'être introduit dans le salon par la bonne, et le regarda avec gravité.

— Maman m'a dit que vous l'aimez très fort. Aussi fort que mon papa.

Julien, visiblement ému, se pencha vers la fillette et lui déclara avec douceur :

— Je suis certain que ton père était quelqu'un de très bien. De mon côté, je n'ai pas eu la chance d'avoir un enfant. Je ferai tout mon possible pour être à la hauteur. Je compte sur toi pour m'aider dans ma tâche.

La petite sourit et proposa à Julien de jouer à cache-cache avec elle, ce qu'il accepta de bonne grâce. Tandis que Marie-Rosalie comptait, il jeta un regard autour de lui et finit par se réfugier derrière le paravent qui séparait le bureau de Madeleine du salon. Cette dernière, installée à son secrétaire, dépouillait son courrier.

— Que faites-vous là ? s'écria-t-elle lorsqu'elle vit le jeune homme debout à quelques pieds d'elle.

Embarrassé, Julien lui expliqua la situation. Madeleine ne put s'empêcher de sourire, pensant aux fois où elle-même avait été mise à contribution par sa petite-nièce pour participer à ses jeux d'enfant.

— Je vous conseille de vous cacher derrière les rideaux, vous serez moins visible.

Son antipathie pour le futur époux de sa nièce diminua d'un cran.

❧

Fanette quitta la croisée et contempla la robe blanche, à la jupe droite, dont le corsage était agrémenté d'une jolie dentelle de Bruges. Malgré l'insistance de la couturière, qui lui avait suggéré des modèles en vogue à Paris, la jeune femme avait choisi une tenue simple. C'était son deuxième mariage et elle tenait à ce que tout se déroule avec sobriété. Quant à la cérémonie, elle aurait lieu à la chapelle Notre-Dame-de-Bon-Secours. Seuls la famille et les amis proches avaient été invités.

On frappa à la porte. C'était Amanda, qui était arrivée deux jours auparavant avec son mari et Marie-Awen. Ian ne pouvait malheureusement pas assister à la cérémonie, étant toujours à bord du *Mistral* pour y faire son apprentissage d'officier. Les deux sœurs s'étreignirent longuement. Fanette sentit avec émotion le léger renflement du ventre d'Amanda, qui lui avait annoncé qu'elle attendait un autre enfant. *Comme elle est belle !* songea Fanette en contemplant son visage serein, que le bonheur avait adouci.

— C'est aujourd'hui le grand jour ! Comment te sens-tu, ma petite sœur ? Un peu nerveuse ?

Fanette sourit.

— Heureuse, plutôt.

Amanda lui caressa une joue. Ses yeux gris se voilèrent, comme un ciel d'Irlande.

— Nous en avons fait, du chemin, Fionnualá. Nous venons de si loin ! Parfois, je me dis que c'est un miracle que nous soyons encore en vie. Te souviens-tu de notre père, qui sortait son violon, les soirs d'hiver, et nous réchauffait le cœur en jouant pendant des heures, sans se lasser ?

Fanette acquiesça, la gorge serrée.

— Et la mer, que nous regardions de la falaise ?

— Je ne te l'ai jamais avoué, mais j'avais le vertige !

Amanda rit de bon cœur, puis redevint grave.

— J'ai quelque chose pour toi. Ferme les yeux et donne-moi ta main.

Intriguée, Fanette fit ce que sa sœur lui demandait. Celle-ci détacha le collier qu'elle portait et le plaça dans la paume de la jeune femme.

— Tu peux les ouvrir.

Fanette regarda le collier de jade qui avait appartenu à sa mère et que cette dernière avait offert à Amanda en souvenir de leur grand-mère.

— Mais il t'appartient, Amanda.

— Garde-le en mémoire de notre mère. *Ná déan dearmad riamh ar cárbh as dúinn ná ar cad uaidh a staonadh ár dtuismitheoirí chun go mbeimis go sona sásta !* N'oublie jamais d'où nous venons, ni les sacrifices que nos parents ont faits pour que nous soyons heureuses.

Fanette porta le bijou à ses lèvres. Elle revit sa mère, étendue sur la couchette à bord du *Rodena*, son pauvre visage défait par la maladie, le père McGauran qui priait à ses côtés, le bouquet de myosotis que Fanette avait apporté et qui s'était répandu entre les doigts affaiblis de la mourante. *Forget-me-not.*

⁊

Installée au premier rang de la chapelle, avec sa sœur d'un côté et la petite Marie-Rosalie de l'autre, Emma contemplait avec émotion le chœur, surmonté d'un baldaquin brodé de passementeries d'or et d'argent. La voûte était ornementée d'appliques décoratives joliment ouvragées. Elle se réjouissait du bonheur de sa fille, qui, après un deuil douloureux, avait à nouveau rencontré l'amour. *Ce jeune homme la rendra heureuse.* Elle jeta un coup d'œil à Madeleine. Cette dernière feuilletait distraitement un livre de prières. Son cœur se serra. Elle savait que sa sœur souffrait du départ de sa nièce, mais se serait fait couper en morceaux plutôt que de l'admettre. Elle-même devrait se résoudre à repartir pour Québec tôt ou tard. Son métayer, monsieur Dolbeau, lui avait écrit à plusieurs reprises, la priant instamment de rentrer pour « des affaires pressantes concernant le domaine de Portelance ». Emma se doutait que ces « affaires pressantes » ne l'étaient pas tant que cela, mais le brave homme n'aimait pas prendre de décisions sans la consulter.

Rosalie était assise de l'autre côté de l'allée, un peu en retrait. Elle leva les yeux vers le futur marié, qui attendait devant l'autel, les mains croisées dans son dos pour masquer sa nervosité. Elle avait fait la connaissance de Julien Vanier quelques jours auparavant, lors d'une réception que Fanette avait organisée chez sa tante pour fêter l'annonce de son mariage avec sa famille et les amis proches, et avait tout de suite éprouvé une vive sympathie pour le jeune avocat, dont les manières simples, le regard droit lui avaient plu. Quel contraste avec Lucien ! Elle ne l'avait pas revu depuis qu'elle l'avait chassé du domicile conjugal. D'après la rumeur, il vivait toujours avec une actrice. Elle fit un effort pour éloigner son amertume. Aujourd'hui était un jour de bonheur, il ne fallait pas qu'il fût assombri par des sentiments négatifs. Lucien n'avait pas que des défauts. Il s'était montré d'un grand dévouement lorsque leur bébé était mort à la naissance. *Peut-être que les choses auraient été différentes si notre enfant avait vécu.* Son regard se porta sur un couple assis quelques rangées devant elle. Il s'agissait d'Amanda, la sœur de Fanette, et de son mari. Leur petite fille, portant le joli prénom de Marie-Awen, était assise sur les genoux de son père. Une nostalgie poignante la saisit. Ce n'était pas tellement sa vie avec Lucien qu'elle regrettait, mais surtout le fait que leur seul enfant n'avait pas survécu.

Amanda tourna la tête vers Noël. Il se tenait bien droit dans son bel habit huron, qu'il ne portait que pour les événements importants. Marie-Awen dormait, la tête sur son épaule. Amanda ne se lassait pas de regarder le profil pur de son mari, ses pommettes légèrement saillantes, ses cheveux drus et noirs. Déjà, Marie-Awen était née de leur amour, et un autre enfant verrait le jour dans quelque six mois. Un bonheur serein la gagna tout entière, une sorte de certitude fortifiée chaque jour par les gestes rituels du quotidien et la certitude d'aimer et d'être aimée en retour. Et maintenant, sa petite sœur, sa Fionnualá, allait connaître la même joie, unissant sa destinée à celle de l'homme qu'elle avait choisi. Il lui semblait, dans l'atmosphère recueillie de la chapelle, que leurs malheurs étaient chose du passé et que leur existence se déroulerait désormais dans une quiétude bien méritée.

Vêtus de leurs habits du dimanche, Berthe et Alcidor se tenaient timidement au fond de la chapelle, n'osant s'asseoir. Les chaussures du serviteur, qu'il avait soigneusement cirées, luisaient comme des miroirs, et sa lavallière, qu'il n'avait pas l'habitude de porter, l'étouffait un brin. Il aperçut une femme vêtue de noir entrer dans l'église. Son visage était caché par une voilette, de sorte qu'il était difficile de lui donner un âge, mais à en juger par sa silhouette gracile, il pensa qu'elle devait être plutôt jeune. La femme en noir trempa une main gantée dans le bénitier, fit son signe de croix et alla s'asseoir dans un coin sombre de l'église. Elle baissa la tête et se mit à prier avec ferveur.

Julien tira sur les manches de son habit, que son ami Arthur Buies, qui était revenu d'Italie deux ans auparavant après s'être battu avec les troupes de Garibaldi, lui avait prêté pour l'occasion. La redingote était un peu juste aux épaules et les manches, un peu trop courtes, mais au moins le futur marié était présentable. Il contempla l'autel. Le prêtre s'y trouvait déjà, accompagné par deux enfants de chœur. Arthur, qui avait accepté de lui servir de témoin, sourit à son ami. Un sentiment d'irréalité habitait Julien, comme s'il n'arrivait pas à croire que, quelques instants plus tard, la femme qu'il aimait de toute son âme deviendrait son épouse.

Les portes de la chapelle s'ouvrirent, laissant jaillir la lumière du jour. Fanette, au bras du bon docteur Lanthier, qui avait accepté avec joie de conduire la future mariée à l'autel, s'avança dans l'allée. Des murmures émus et admiratifs l'accueillirent tandis que s'élevaient les notes de la marche nuptiale. Emma sortit un mouchoir de sa manche et se tamponna les yeux. Madeleine haussa les épaules, trouvant cet épanchement ridicule, mais en regardant sa nièce s'approcher du chœur elle fut touchée par la beauté de la jeunesse, de l'amour sincère, et se détourna pour que sa sœur ne remarque pas sa propre émotion.

Le cœur battant, Julien se tourna vers Fanette, si belle dans sa robe blanche que les lueurs des vitraux coloraient d'éclats d'or et d'azur. Ses craintes, ses remords, le poison délétère d'un passé qu'il avait tant cherché à oublier se dissipèrent dans la clarté des lustres, la beauté émouvante des pierres, qui avaient été témoins de tant de souffrance, de tant de vœux et de prières.

Le docteur Lanthier mena Fanette jusqu'à l'autel, puis lui sourit avant de regagner son banc. Le prêtre prit la parole :

— Frères et sœurs, nous sommes venus avec joie dans la maison du Seigneur pour cette célébration, accompagnant Fanette et Julien en ce jour où ils désirent fonder leur propre maison.

La femme en noir crispa les mains, au point que ses jointures blanchirent, tandis que le prêtre poursuivait :

— Vous allez vous engager l'un envers l'autre dans le mariage. Est-ce librement et sans contrainte ?

La femme en noir se leva, faisant bruisser sa jupe. Dans son mouvement, un livre de prières tomba sur le sol avec un bruit mat. Quelques têtes se tournèrent dans sa direction. Alcidor la regarda avec inquiétude. Quelque chose dans l'attitude de cette femme le troublait.

Julien tourna aussi la tête et entrevit une silhouette sombre debout au fond de la chapelle. Une angoisse diffuse s'insinua en lui. Il ne pouvait pas distinguer le visage de l'étrangère, caché par une voilette, mais sa posture lui parut familière.

L'inconnue resta debout sans un geste, puis fit quelques pas dans l'allée. Le prêtre avait interrompu son rituel. Il y eut une sorte de flottement, comme si le temps avait été suspendu. Fanette observa son futur époux et remarqua sa pâleur.

La femme en noir sembla sur le point de parler, puis se ravisa et sortit de l'église. Ses talons résonnèrent dans le silence. Le prêtre jeta un regard confus à Julien, qui lui fit signe de poursuivre la cérémonie. Pendant un moment, le jeune homme avait cru que son monde s'écroulait. Ses doutes et ses craintes étaient revenus le hanter, mais l'inconnue était partie, entraînant avec elle son cortège d'ombres.

❧

Les nouveaux mariés avaient choisi de faire leur voyage de noces à Charlevoix. Le Phaéton n'étant pas assez confortable pour franchir une telle distance, ils avaient emprunté la calèche de Madeleine, qu'Alcidor avait entièrement réparée et qui était comme neuve. Ils passèrent leur première nuit dans une auberge de relais des Trois-Rivières, fréquentée surtout par des commerçants et des commis voyageurs. La chambre était petite, encombrée d'un mobilier usé et impersonnel, et le bruit incessant des voitures qui allaient et venaient sous leur fenêtre en aurait dérangé plus d'un, mais le couple ne voyait ni n'entendait rien d'autre que le bonheur d'être ensemble.

Une fois dans la chambre, le premier geste de Julien fut de fermer les rideaux. Lorsque Fanette voulut baisser la mèche de la lampe, il lui demanda de la laisser telle quelle.

— Je veux te voir.

Il y avait une intensité dans sa voix et dans son regard qui remua Fanette jusqu'à l'âme. Il enleva les vêtements de sa femme un à un, avec lenteur, savourant chaque instant. Lorsqu'elle fut entièrement déshabillée, il l'admira longuement dans la clarté de la lampe. Puis sans un mot, il l'attira à lui, la pressant contre sa poitrine. Il l'embrassa doucement, goûtant ses lèvres, sa peau satinée, son cou, ses seins. Fanette fondait sous ses caresses, submergée par le désir. Il l'entraîna vers le lit, entoura ses hanches de ses mains et entra en elle. Leurs corps s'unirent, comme s'ils ne formaient plus qu'un. Ils s'aimèrent longtemps, avec une passion que rien ne semblait rassasier. Plus rien n'existait que leurs souffles emmêlés, la chaleur de leur peau l'une contre l'autre, le parfum suave de l'amour.

⁓

Le village de Saint-François-Xavier-de-la-Petite-Rivière apparut au détour du chemin, lové dans les montagnes bleues festonnées de nuages qui surplombaient le fleuve chamarré. Des rubans de brume striaient le ciel magenta, sillonné par des goélands.

— Nous y sommes, dit Julien, ému.

Tandis que la calèche roulait sur le chemin escarpé menant au village, Julien parla de ses parents, qui étaient nés tous deux à Petite-Rivière, étaient allés à la même école de rang et s'étaient mariés après une longue fréquentation, comme cela se faisait à cette époque.

— On disait que ma mère était la plus jolie fille du village. Elle recevait la visite de plusieurs prétendants, dont mon père, tous les dimanches, ainsi que les bons soirs de la semaine : les mardi, jeudi et samedi.

— Pourquoi, les « bons soirs » ? demanda Fanette, amusée.

— C'était la coutume. On considérait qu'il aurait été inconvenant pour les cavaliers de fréquenter une jeune fille les autres soirs. Mon père me racontait que c'était tout un spectacle, de voir ces jeunes gens cordés sur des chaises dans la salle de séjour avec la tête tournée vers ma mère comme des tournesols cherchant le soleil… Les visites se faisaient toujours en présence des parents. Quand l'un d'eux se levait pour remonter l'horloge, le prétendant comprenait qu'il était temps de partir. Tout le monde prédisait que ma mère jetterait son dévolu sur Théophile Leduc, un grand gaillard qui était la coqueluche du village et venait la voir tous les samedis. C'est finalement mon père qui a eu sa préférence. Trois mois plus tard, ils se sont mariés à l'église du village. Mon père était le cadet de sa famille. Comme c'est l'aîné qui devait hériter de la terre, il a dû quitter Petite-Rivière et s'est installé avec ma mère dans le quartier Saint-Sauveur, à Québec, où il a ouvert un commerce de cordonnier.

— Cela a dû être difficile pour eux de quitter leur village.

Julien acquiesça.

— Ma mère n'a jamais réussi à s'accoutumer à la ville. Je me souviens, quand j'étais enfant, j'entendais souvent mes parents parler de Petite-Rivière. Ils faisaient plein de projets pour y retourner. Mais leur rêve ne s'est jamais concrétisé. Ma mère est morte des suites d'une éclampsie le jour de mes dix ans. Mon frère est mort à la naissance. Tu vois, même l'amour le plus sincère ne protège pas toujours du malheur.

Il s'arrêta de parler, contemplant le paysage avec de la tristesse dans le regard. Fanette lui prit la main et la serra dans la sienne.

— Et ton père, qu'est-il devenu ?

— Il s'est jeté dans le travail, tâchant d'économiser chaque sou pour m'envoyer au collège. Il tenait à ce que je reçoive une bonne éducation. Il rêvait de me voir devenir médecin ou avocat.

— Son rêve s'est réalisé.

— Oui, mais il s'est épuisé à la tâche. Il est mort, il y a quelques années. Il a été enterré aux côtés de ma mère et de mon petit frère, ici, à Petite-Rivière.

Des maisons blanches se profilèrent à l'horizon, dominées par le clocher d'une église, dont le toit argenté brillait au soleil. Une brise fleurant le sel et les algues leur parvenait des battures, qui s'étiraient tout au long de petites anses sinueuses. Des pêcheurs d'anguilles avaient jeté leurs filets dans le fleuve. Le couple s'arrêta pour admirer le paysage, puis poursuivit sa route jusqu'au petit cimetière pour se recueillir sur la tombe des parents de Julien. Au loin, la silhouette d'un grand héron dessinait une courbe gracieuse sur la rive. Sans savoir pourquoi, Fanette pensa à la femme en noir, entrevue dans la chapelle, pendant leur cérémonie de mariage. Elle se rappela le regard inquiet de Julien, la tension presque palpable qui avait momentanément figé ses traits.

— Il y avait une femme dans l'église, pendant notre cérémonie de mariage. Elle était habillée en noir.

— Je ne me souviens pas.

— Pourtant, elle s'est levée et a fait quelques pas dans l'allée, elle te regardait avec intensité.

— Je ne sais pas de qui tu veux parler. Viens, partons d'ici.

Il la prit par le bras et l'entraîna vers l'arche de fer forgé qui surmontait l'entrée du cimetière. Fanette eut le sentiment fugace qu'il connaissait cette mystérieuse femme mais refusait d'en parler. Lorsqu'ils parvinrent à la calèche, Julien se tourna vers son épouse. Ses yeux marron reflétaient le ciel.

— Oublions le passé. Il n'y a que l'avenir qui compte, notre avenir.

Il l'embrassa avec une passion presque farouche. Les doutes de Fanette se dissipèrent dans les bras de son mari et l'ardeur de son baiser, sous la caresse du vent du large et le parfum musqué des fleurs sauvages.

XXXV

Auguste Lenoir fut réveillé par le grincement de la porte grillagée. Il leva à peine les yeux. Qu'y aurait-il à voir, sinon le même
gardien, Théo, qui lui apporterait une écuelle de mauvaise soupe
et viderait son seau d'aisance en grommelant quelques mots inar-
ticulés en guise de salutation ? Ce n'était pas un mauvais bougre.
Jamais il n'avait fait preuve de brutalité envers lui ou ne l'avait
abreuvé d'insultes, mais il avait l'impassibilité d'un roc. Rien ne
semblait l'émouvoir ni le perturber, comme si, à force de travailler
dans cette prison, il en avait assimilé la froide inertie.

Il y avait à peine deux semaines que l'agent de renseignement
avait été enfermé dans la prison du Pied-du-Courant pour y subir
sa peine, mais il avait le sentiment d'y être depuis toujours. Il
avait déjà perdu la notion du temps. Les jours s'égrenaient lentement, dans une grisaille pareille aux murs de sa geôle.

La porte grillagée s'abattit contre le mur. Lenoir crut distinguer les traits grossiers de Théo dans la clarté fumeuse d'un
quinquet.

— Hé, debout ! T'as de la visite.

Le prisonnier se redressa sur un coude. *De la visite ?* La crainte
que ce fût l'inspecteur Samson lui serra le ventre, mais il chassa aussitôt cette pensée absurde. Pourquoi Samson perdrait-il son temps
à venir le voir ? N'avait-il pas déjà écopé de vingt ans de prison ?

— Monsieur Lescault ?

Lenoir sursauta en entendant ce nom. Une longue silhouette
s'avança dans la cellule, escortée par deux gardiens. Cette apparition

243

était si inhabituelle que Lenoir en fut saisi. *Qui est cet homme ? Que me veut-il ? Pourquoi m'a-t-il appelé Lescault ?* La voix s'éleva de nouveau :

— Je suis Louis Payette, le gouverneur de la prison du Pied-du-Courant.

À ces mots, le cœur de l'agent de renseignement se mit à battre à grands coups dans sa poitrine. Un espoir fou s'empara de lui. *Je suis libéré.* Pourquoi recevrait-il la visite d'un personnage aussi important si ce n'était pour lui annoncer la nouvelle de son élargissement ?

— Vous êtes recherché par le gouvernement français pour crimes contre la sûreté de l'État et haute trahison, crimes que vous avez perpétrés en France sous l'identité de Faustin Lescault. Une demande d'extradition a été faite afin que vous subissiez votre procès en France.

Crimes contre l'État. Haute trahison. Extradition. Les mots se bousculaient dans sa tête telle une litanie macabre. C'était comme si le couvercle d'un cercueil se refermait sur lui. Quelqu'un avait sans doute écrit au ministère de l'Intérieur français pour le dénoncer, en s'appuyant sur le certificat de libération du bagne de Brest établissant sa véritable identité. Fanette Grandmont ? L'inspecteur Samson ? Ou peut-être s'agissait-il de Loïc Perrec…

— Il y a erreur sur la personne ! protesta-t-il. Je ne suis pas Faustin Lescault. Je n'ai jamais entendu parler de cet homme !

Les deux gardiens s'emparèrent de lui et l'entraînèrent hors de la cellule. Lenoir, atterré par ce nouveau coup du sort, n'opposa aucune résistance. Tout cela était la faute de Fanette Grandmont. C'était à cause de son témoignage que sa véritable identité avait été exposée au grand jour. *Je reviendrai*, se jura-t-il. *Je reviendrai et je me vengerai.*

Deuxième partie

La confrérie des Fenians

XXXVI

Philadelphie, automne 1864

Andrew Beggs arpentait nerveusement l'allée centrale de la grande salle où devait se tenir la troisième convention nationale de la confrérie des Fenians. L'assemblée s'annonçait houleuse. Le leadership de John O'Mahony, qui s'était montré réticent à une intervention armée des révolutionnaires irlandais au Canada, était contesté par une partie importante des Fenians. Ces derniers, menés par William Randall Roberts, un marchand de New York peu éduqué mais au charisme remarquable, souhaitaient en découdre avec les autorités britanniques le plus rapidement possible. Pour sa part, Andrew appuyait entièrement son chef. Il estimait que les troupes irlandaises n'étaient pas encore prêtes à livrer bataille. Beaucoup de membres de la confrérie, qui avaient combattu durant la guerre de Sécession sous le drapeau de l'Union, avaient déserté et manquaient d'entraînement. Un an plus tôt, Andrew, accompagné par son protégé Sean, avait réussi à faire main basse sur une importante cargaison de fusils et de munitions lors d'une mission à Boston, mais cet armement était nettement insuffisant pour entreprendre une guerre d'envergure contre l'armée anglaise et les miliciens canadiens, qui ne manqueraient pas de se joindre aux forces britanniques en cas de conflit.

L'ancien capitaine tourna les yeux vers John O'Mahony, qui était debout à quelques pas de l'estrade en attendant que la réunion commence. Son chef arborait une mine calme, mais Andrew le connaissait suffisamment pour savoir qu'il était inquiet. La salle était déjà presque remplie, et les militants continuaient à entrer à pleines portes, s'apostrophant ou se donnant l'accolade. Les organisateurs attendaient plus de six cents participants. Soudain, Andrew aperçut Sean parmi la foule et alla à sa rencontre. Il lui mit familièrement une main sur l'épaule.

— Prépare-toi, lui glissa-t-il à l'oreille. Il risque d'y avoir du grabuge.

Sean acquiesça. Il connaissait les inquiétudes de son mentor concernant l'avenir de la confrérie et il était prêt à défendre leur chef, même s'il fallait pour cela en arriver aux poings.

Un homme de bonne stature, au front haut et à la barbe fournie, s'avança dans l'allée qui menait vers l'estrade. Des murmures admiratifs accueillirent son arrivée. Andrew reconnut William Randall Roberts. Celui-ci se dirigea d'un pas décidé vers le leader des Fenians, dont il serra vigoureusement la main. Andrew, qui les observait à distance, hocha la tête. *Hypocrite*. Bien qu'il respectât le patriotisme de Roberts, il se méfiait de son impétuosité, mais surtout de sa soif de gloire. Il avait la conviction que le peuple irlandais ne conquerrait pas sa liberté avec de l'orgueil et de l'ambition, mais avec du courage et de la persévérance.

Des militants refermèrent les portes. Déjà, la fumée des pipes était si dense qu'elle formait un halo autour des lampes torchères. John O'Mahony monta sur la scène où le drapeau des Fenians, constitué d'une harpe et d'un soleil levant, se déployait au bout d'une hampe. Il leva les mains.

— *My dear friends ! My dear brothers*, commença-t-il d'une voix forte pour couvrir le bruit.

Le silence se rétablit aussitôt. D'un ton calme, mais avec une autorité naturelle, le leader parla des défis immenses qui attendaient la confrérie. Il comprenait le désir de ses compatriotes d'en finir une fois pour toutes avec l'oppresseur britannique, mais il les exhorta à la patience. Rien ne serait plus tragique pour leur peuple que d'engager une bataille et de la perdre. Les Fenians ne pouvaient se permettre une telle erreur. Leur cause dépassait de loin leurs ambitions personnelles.

En prononçant sa dernière phrase, O'Mahony ne put s'empêcher de jeter un coup d'œil en direction de Roberts, qui regardait fixement devant lui, les sourcils froncés, comme s'il voulait exprimer sa désapprobation.

— Je vous demande, mes chers frères, poursuivit le chef en anglais, d'avoir le courage d'attendre le bon moment pour entreprendre notre combat.

— *We've waited long enough !* lança un des participants.

Des cris enthousiastes ponctuèrent l'intervention. Le leader des Fenians tenta d'apaiser la foule, mais des voix de plus en plus nombreuses se mirent à scander un nom.

— *Roberts... Roberts... Roberts...*

— *Let our leader speak !* s'écria un vieil Irlandais.

Son intervention fut aussitôt enterrée par les voix des partisans de Roberts. Constatant qu'il n'arrivait plus à continuer son discours, O'Mahony chercha du regard un appui dans la salle, mais ne vit que des poings levés. Andrew Beggs, accompagné par Sean, s'approcha de son chef, prêt à intervenir pour le protéger. La clameur s'enfla comme une vague.

— *Roberts... Roberts... Roberts...*

William Randall Roberts monta sur l'estrade, provoquant des acclamations exaltées. Il laissa délibérément la foule exprimer son enthousiasme puis, sans même un regard pour John O'Mahony, leva les bras pour rétablir le silence, qui se fit comme par enchantement. Tous les regards se posèrent sur lui. Il prit la parole à son tour :

— *A Fhíníní ! Dear Fenians ! We've waited long enough. The time has come to free our people !* s'écria-t-il, ponctuant chaque mot. *The time has come to fight for our land, for our liberty, for our dignity !*

Roberts continua son discours, réussissant à couvrir le bruit ambiant grâce à sa voix puissante. Selon lui, la seule façon de vaincre leur oppresseur était de l'attaquer là où il était le plus faible. Et ce maillon faible, cet endroit où l'ennemi portait le flanc était le Canada.

— The battle against the enemy must start as soon as possible, and it must take place in Canada. For it is in Canada that our enemy is weak and that we will win back our beloved country !

Et pour réaliser ce grand rêve, continua-t-il en anglais, pour reconquérir la liberté du peuple irlandais, il avait besoin de l'appui de tous les membres de la confrérie des Fenians.

— I therefore ask your support to make me the new president of the Fenian Brotherhood. Éire go brách ! Bráithreachas na bhFíníní abú ! Saoirse go deo ! Vive l'Irlande, vive la confrérie des Fenians, vive la liberté !

Le marchand descendit de l'estrade sous un tonnerre d'applaudissements. Sa déclaration avait plongé John O'Mahony dans une colère blanche. Il s'était attendu à ce que son leadership soit remis en question, mais pas au point où Roberts demanderait carrément de le remplacer comme président des Fenians. Après que ce dernier eut regagné sa place, une élection en bonne et due forme fut demandée par un des partisans de Roberts. Andrew Beggs, constatant que les choses allaient beaucoup plus loin qu'il l'avait prévu, tenta de renverser la vapeur :

— We already have a leader, and a great one ! We don't need any bloody vote ! s'écria-t-il.

Son intervention fut accueillie par certains cris d'approbation, mais la plupart protestèrent.

— We want an election !

Deux hommes en vinrent aux poings. Andrew se précipita vers eux et, avec l'aide de Sean, les sépara.

— You should be ashamed ! We must fight the enemy, not among ourselves !

La bataille, c'était contre les Anglais qu'il fallait la mener, arguait Andrew, et non pas contre leurs propres compatriotes. Les deux Fenians, honteux, baissèrent la tête. Entre-temps, des voix de plus en plus nombreuses s'élevèrent :

— Elections, elections, elections !

John O'Mahony échangea un regard anxieux avec Andrew, puis leva la main.

— *Silence !* cria un homme. *Our leader wants to speak !*

Le calme revint peu à peu. O'Mahony s'adressa à l'assemblée.

— *Let's have a vote, then. The majority shall prevail.*

Andrew secoua la tête. Il comprenait que son chef veuille laisser la démocratie s'exprimer, mais il appréhendait le résultat de l'élection. L'assemblée avait été habilement échauffée par Roberts et risquait de se laisser emporter par l'émotion, au lieu d'être guidée par la rationalité. Si par malheur Roberts était élu, le spectre d'une guerre prématurée les guettait.

Des hommes s'affairèrent à préparer l'élection, dressant une liste des Fenians présents, puis ils distribuèrent des feuilles de papier en guise de bulletin à chacun d'eux. Un secrétaire d'élection fut nommé et s'installa à une table que deux Fenians avaient placée sur l'estrade. Quelqu'un eut l'idée de mettre un haut-de-forme sur la table en guise d'urne. Lorsque tout fut prêt, le secrétaire se leva et s'adressa à la foule :

— *Dear brothers, you now must chose our next leader. There are two candidates : John O'Mahony and William Randall Roberts. May God help you.*

La salle bourdonna tandis que les Fenians se consultaient et inscrivaient leur choix sur leur bulletin. Après avoir voté, John O'Mahony se retira à l'écart, escorté par Andrew et Sean. Le leader ne disait rien, mais son expression sombre trahissait l'inquiétude. Une fois que tout le monde eut voté et que le dépouillement fut achevé, le secrétaire d'assemblée se leva et annonça le résultat, le visage empreint de gravité.

— *John O'Mahony : 201 votes. William Randall Roberts : 463 votes. Our new leader is William Randall Roberts !*

Une salve d'applaudissements accompagnée de quelques huées s'ensuivit. Le candidat défait se mordit les lèvres, tandis que le gagnant fut soulevé par ses partisans et transporté en triomphe à travers la salle. Une belle voix de baryton entonna un chant patriotique, à laquelle d'autres se joignirent bientôt.

'Twas down by the glenside, I met an old woman
A-plucking young nettles, she ne'er saw me coming
I listened a while to the song she was humming
Glory O, Glory O, to the bold Fenian men.

Tandis que le chant prenait de l'ampleur, Andrew Beggs mit une main sur l'épaule de l'ancien leader.

— *I'm with you*, dit-il. *I'll always be.*

O'Mahony lui donna l'accolade puis quitta la salle.

XXXVII

New York

Après le coup de force de Roberts, qui avait réussi à se faire élire à la tête des Fenians, Andrew Beggs et Sean retournèrent à New York, où ils poursuivirent les activités habituelles de la confrérie : réunions, recrutement, campagnes de financement. Mais Andrew avait perdu de sa flamme. La défaite cuisante de son chef lui restait sur le cœur. Le nouveau leader ne s'était pas contenté de lui ravir la présidence, il s'était également emparé du siège social des révolutionnaires irlandais situé à la Moffat Mansion, rue Broadway, à l'angle d'Union Square. Une nouvelle constitution avait été rédigée sous sa gouverne. Roberts avait également institué une armée ; des lettres de marque permettant à une flotte d'attaquer ou de saisir des navires ennemis avaient été émises. La confrérie des Fenians était devenue une sorte de république irlandaise au cœur des États-Unis, et c'était Roberts qui en dirigeait les destinées.

Andrew n'avait reçu aucune nouvelle de John O'Mahony depuis leur retour à New York et supposait que celui-ci était retourné en Irlande pour panser ses plaies. Aussi fut-il ravi lorsqu'il reçut un mot de son ancien chef, qui le convoquait au Shamrock Inn, une auberge tenue par un Irlandais dont la faconde et les idées révolutionnaires étaient connues dans tout le quartier. Il demanda à Sean de l'accompagner. Depuis que son protégé était revenu bredouille de sa quête pour retrouver ses sœurs, un rapprochement s'était produit entre les deux hommes. Andrew traitait le jeune militant comme un fils et lui confiait de plus en plus de responsabilités, gardant ses propres remords enfouis dans les replis de sa conscience. Quant à Sean, ignorant que son mentor lui avait caché une partie de la vérité sur le sort d'Amanda et de Fionnualá afin de le garder auprès de lui pour défendre le mouvement révolutionnaire, il se vouait corps et âme à la cause de son peuple et s'efforçait de ne plus penser à ses sœurs. La confrérie des Fenians lui tenait lieu de famille. Il avait noué une relation avec Molly, une serveuse du Shamrock Inn, une jolie Irlandaise de vingt-trois ans, orpheline comme lui, qui avait quitté son pays en raison de la famine, mais il n'était pas amoureux d'elle. Cette situation lui convenait. Il avait déjà trop souffert des liens brisés et des séparations déchirantes pour s'attacher à qui que ce soit.

L'auberge était pleine à craquer lorsque Andrew et Sean y entrèrent. Une épaisse fumée montait vers le plafond noirci. On entendait le choc des pichets de bière sur les tables de chêne et le bourdonnement continu des conversations. John O'Mahony, installé à sa place habituelle, au fond de la salle, fit signe aux deux hommes de le rejoindre. Andrew fut agréablement surpris en constatant que l'ancien chef avait bonne mine. Son regard charbonneux était plus déterminé que jamais. O'Mahony leur serra chaleureusement la main, puis aborda sans attendre la raison pour laquelle il les avait réunis.

— *They want war, I'll give them war!* dit-il avec fermeté.

Ils veulent la guerre, ils l'auront! Andrew regarda son chef sans comprendre. O'Mahony se pencha vers lui et lui expliqua son plan. Puisque Roberts s'était emparé de la présidence des Fenians en voulant faire la guerre, lui, John O'Mahony, allait continuer à jouer son rôle de chef et organiserait un raid des Fenians contre les forces britanniques avant son rival. Andrew, qui ne s'était pas attendu à une telle proposition, demeura circonspect. L'ancien leader sentit la réticence de son bras droit et lui fournit plus de détails. Son plan était de s'attaquer à l'île de Campobello, située à l'entrée de la baie de Passamaquoddy. Comme il y avait un litige entre le Maine et le Nouveau-Brunswick concernant la propriété de l'île, O'Mahony espérait ainsi provoquer un conflit entre les États-Unis et le Canada qui servirait de levier à leur cause. Andrew prit une gorgée de bière pour se donner le temps de réfléchir. Il continuait à croire qu'une intervention armée était condamnée à l'échec, faute de temps et de moyens, et soupçonnait que l'orgueil, davantage que la raison, motivait O'Mahony. Ce dernier fixa Beggs dans les yeux.

— *You said you were with me, that you would always be with me.*

Andrew hésita. Il est vrai qu'il avait juré sa foi à son chef. Sa fidélité fut plus grande que sa prudence.

— *I did. And I will.*

Ému, John O'Mahony lui saisit les mains et les pressa dans les siennes.

— *I knew I could count on you. Beidh an lámh in uachtar againn, a bhráthair, buafaidh na Fíní an cogadh in aghaidh an tíoránaigh.* Nous vaincrons, mon frère, les Fenians gagneront la guerre contre l'oppresseur !

Sean avait suivi la conversation sans saisir la gravité des enjeux, mais le mot « war » lui fit comprendre qu'une guerre des Fenians se préparait contre les forces britanniques et qu'il y participerait. Une onde d'excitation le traversa. Enfin, il pourrait donner sa vie pour la libération du peuple irlandais.

XXXVIII

Halifax

Les mains arrimées fermement au gouvernail, le visage fouetté par le vent du large chargé d'embruns, Ian contemplait le ciel, qui chatoyait dans la lumière ocre de l'automne. Il suivit du regard un goéland qui virevoltait autour du mât de misaine et sourit. Il avait gardé précieusement le goéland de bois sculpté que sa tante Fanette lui avait offert, quelques années auparavant. Cet oiseau avait été son porte-bonheur.

Cela faisait plusieurs mois qu'il était à bord du *Mistral*, mais le même sentiment grisant de liberté l'habitait. Malgré les quarts épuisants, les nombreuses tâches à accomplir du matin au soir et la mauvaise nourriture, la vie de marin lui apparaissait comme la plus belle du monde. Il se sentait dans son élément, comme si tout son être ne faisait qu'un avec la mer et le ciel. Le capitaine, Denis Courval, avait vite remarqué le talent inné du jeune apprenti pour la navigation et l'avait pris en affection. Il lui confiait des responsabilités de plus en plus importantes et, ces derniers temps, le laissait même prendre la barre du timonier tellement il avait confiance dans son jugement. Momo Bastien observait avec satisfaction la progression de son protégé.

— À ce train-là, tu deviendras bientôt capitaine ! disait-il, plaisantant à moitié.

Après avoir déchargé le fret et chargé de nouvelles marchandises, le *Mistral* venait de quitter le port d'Halifax et faisait route vers Boston, où il ferait escale deux jours. Le bateau retournerait ensuite à Halifax et ferait encore quelques voyages jusqu'à ce que la saison de navigation soit terminée. Ian était excité à l'idée de connaître la grande ville de la côte est américaine. Il avait lu dans un atlas que beaucoup d'Irlandais y avaient élu domicile après l'exil de 1847 et qu'ils y formaient l'une des plus importantes communautés catholiques des États-Unis.

Il fallut plusieurs jours de navigation pour parvenir au port de Boston. Ian vit avec émotion les centaines de bateaux qui mouillaient le long des quais, les hangars immenses, les nombreux clochers d'église qui se profilaient dans le ciel gris.

— Comme c'est grand ! s'exclama-t-il, sous le regard amusé et attendri de Momo.

— Et c'est rien à comparer avec New York !

En descendant du bateau, les deux compagnons tanguèrent légèrement. Il y avait des semaines qu'ils étaient à bord du *Mistral* et il leur fallait se réhabituer à la terre ferme. Un jeune homme aux yeux verts et aux cheveux roux, debout sur une caisse, faisait un discours enflammé devant une trentaine de débardeurs et de badauds qui s'étaient attroupés autour de lui.

— *The British Empire has oppressed our people for too long. The Fenian Brotherhood will fight the oppressor by all means necessary to free our beloved country !*

Des applaudissements suivirent sa diatribe. Ian s'était approché du groupe et se mit à écouter le jeune harangueur avec attention. Momo lui prit un bras.

— Allez, viens, tu as autre chose à faire que de te bourrer le crâne avec des niaiseries !

Ian l'ignora. Il était fasciné par l'éloquence du jeune homme, qui poursuivit avec fougue :

— *The future of our people lies in your hands. Now is the time to take action. Now is the time to win our liberty ! Become a member of the Fenian Brotherhood and fight against our enemy !*

Des ouvriers enlevèrent leur casquette et l'agitèrent en poussant des cris d'assentiment. D'autres hommes entonnèrent le chant patriotique des Fenians.

Glory O, Glory O, to the bold Fenian men !

— Qui sont ces Fenians ? demanda Ian avec curiosité.

Momo haussa les épaules.

— Une bande de têtes brûlées. Viens !

Il tâcha de l'entraîner à nouveau, mais Ian se dégagea et s'avança vers le jeune militant. Ce dernier lui donna un feuillet.

— *So, you want to join us ?* dit le Fenian, ses yeux verts brillant d'enthousiasme.

Ian ne sut que répondre. Le partisan lui donna une tape dans le dos.

— *You seem to be a brave lad. Our country needs you.*

Ian s'éloigna et se mit à lire. On invitait les patriotes irlandais âgés de seize à cinquante-cinq ans à s'enrôler dans l'armée de la confrérie des Fenians. Il aurait seize ans dans quelques mois. Il enfouit la feuille de papier dans sa vareuse et rejoignit Momo, qui montrait des signes d'impatience.

— Grouille, on a plein de choses intéressantes à voir !

Le marin, qui avait déjà visité la ville dans un précédent voyage, entraîna son protégé dans les rues tortueuses qui avoisinaient le port. Des femmes de tous les âges au maquillage prononcé, dont certaines semblaient à peine sorties de l'adolescence, les abordèrent. Momo les reluqua en leur faisant des œillades, puis offrit à son compagnon de prendre du bon temps avec l'une d'elles. Ian rougit jusqu'aux oreilles. Il avait toujours fait plus vieux que son âge, mais il était encore puceau. Momo l'encouragea en lui faisant un clin d'œil.

— Y est temps que tu deviennes un homme !

Il lui glissa un billet dans la main. Ian n'eut pas le courage de refuser. Une jeune fille trop maquillée, portant un corsage qui laissait entrevoir une poitrine maigre, le prit par le bras et lui sourit de ses lèvres peintes d'un rouge vif. Le jeune homme la suivit dans un escalier bancal qui sentait l'urine, tandis que Momo s'éloignait au bras d'une autre prostituée.

La jeune fille, qui avait tout au plus quatorze ans, fit entrer Ian dans une chambre décrépite et pauvrement meublée. Ian resta debout, les bras ballants, tandis que l'adolescente se déshabillait avec des gestes machinaux.

— *Come he'e !* lui lança-t-elle avec l'accent prononcé de Boston, en désignant le lit.

Ian s'assit sur le bord du lit. La jeune fille se pencha vers lui, frotta ses cheveux sombres et bouclés avec une tendresse fruste.

— *You have nice hai'. How old a'e you ?*

— *Sixteen.*

Elle s'approcha pour déboucler sa ceinture, mais Ian lui enleva gentiment la main.

— *You dan't want me ? I'm not pretty enaugh fo' you ?*

— *You're very pretty.*

Ian fouilla dans sa poche et lui tendit le billet que Momo lui avait remis. La fille le prit et le serra dans son poing. Dans son mouvement, le garçon avait laissé tomber le pamphlet par terre. La jeune prostituée le ramassa et y jeta un coup d'œil. Elle savait à peine lire, mais put déchiffrer le mot « Fenian ».

— *My eldest brather is a Fenian*, dit-elle avec fierté.

Elle redonna le feuillet à Ian. Il y avait de la gravité dans son regard.

— *You' Irish ?*

Il fit oui de la tête. Elle replaça le billet dans la poche d'Ian en lui expliquant qu'elle ne voulait pas prendre l'argent d'un compatriote, et embrassa doucement le garçon sur la bouche.

— *For ya, it's free.*

Ian n'eut pas le cœur de la repousser encore. La suite se déroula avec l'étrangeté et la confusion d'un rêve. Il se laissait guider par les gestes de la jeune prostituée, emporté dans un flot de sensations qui le dépassait lui-même. Il remarqua qu'elle avait des taches de rousseur sur le nez et des fossettes aux joues. Il oublia les murs lépreux, les meubles décatis. Une sorte de fièvre le traversa, il sentit une brûlure au creux de son ventre suivie d'une explosion, comme si tout son être éclatait. Après, il resta étendu sans bouger, comme engourdi. La jeune fille lui caressa le visage, puis se redressa et fit une toilette rapide tandis qu'Ian remontait son pantalon. Il ressentait un vague mélange de joie et de remords. Il se leva, fouilla à nouveau dans sa poche, plaça l'argent sur l'oreiller et quitta la chambre.

Momo l'attendait devant l'immeuble en faisant les cent pas.

— Et puis ? lui demanda-t-il avec un sourire égrillard.

Ian haussa les épaules sans répondre. Momo lui donna une tape dans le dos en riant.

— On va fêter ce grand jour !

Ils s'arrêtèrent à un pub. Ian, songeur, ne toucha presque pas à son assiette. Un groupe de jeunes gens discutait fiévreusement à une table. Ian reconnut la langue gaélique, dont sa mère lui avait appris des rudiments lorsqu'il était enfant. Les mots « Fenian », « raid », « injustice », « enemy » revenaient constamment dans leurs propos. Momo, tout en mangeant avec un appétit d'ogre, observait son protégé du coin de l'œil et attribua son humeur songeuse à l'expérience qu'il venait de vivre.

— C'est un moment important de ta vie, dit-il entre deux bouchées. Moi, je n'oublierai jamais ma première fois.

Il raconta qu'un marin l'avait entraîné dans une maison close de Liverpool lorsqu'il avait à peu près le même âge qu'Ian. La femme qui l'avait « initié » était beaucoup plus âgée que lui. Il avoua que l'expérience avait été bizarre, pénible même, car on lui avait donné à boire trop de mauvais whisky, et il avait été malade comme un chien, mais il avait été heureux malgré tout d'être dépucelé. L'adolescent ne l'écoutait que d'une oreille. Vexé, Momo interrompit son récit.

— Si ce que je te raconte ne t'intéresse pas, j'vas me fermer la trappe.

Ian s'excusa.

— Qu'est-ce qui te chicote, mon garçon ?

— Rien.

Mais l'adolescent continuait à écouter le groupe de Fenians, attiré par eux comme par un aimant. Momo suivit son regard et hocha la tête.

— T'as mieux à faire que de t'abreuver de bêtises, maugréa-t-il.

⚬

Les deux jours de permission passèrent rapidement. Momo s'employa à faire connaître la ville et ses environs à Ian. Celui-ci fut particulièrement impressionné par le chantier naval, le Boston Navy Yard, où des navires de gros tonnage pouvaient être amarrés en cale sèche. Des ouvriers, hissés sur de hautes plate-formes, travaillaient à la construction d'une frégate. Ian admira le bateau, dont la structure était presque achevée.

Le jour du départ prévu pour le *Mistral*, Momo alla frapper à la porte de la chambre de son protégé. Il n'eut pas de réponse. Il cogna à plusieurs reprises, en vain. Il entrouvrit la porte, qui n'était pas verrouillée. Le lit était vide. Il n'y avait aucun bagage. Momo présuma qu'Ian avait quitté l'auberge plus tôt et s'était rendu au navire sans l'attendre. Il paya sa propre chambre et se dirigea à pied vers le port, qui était situé à deux pas de là. Lorsqu'il parvint au bateau, il gagna l'entrepont où était située sa couchette, rangea ses affaires dans le petit coffre placé au pied de sa paillasse, puis remonta vers le pont principal. Le chargement des marchandises était presque terminé. Des marins s'affairaient déjà aux manœuvres de départ. Momo s'adressa au capitaine Courval, qui surveillait ses hommes de la dunette.

— Cap'taine, auriez-vous vu Ian, par hasard ?

Celui-ci, une pipe entre les dents, secoua la tête. Commençant à être inquiet, Momo parcourut le navire sans apercevoir le jeune homme, demandant à tout un chacun des nouvelles de son protégé. Personne ne l'avait vu. Même sa couchette était vide. Soudain, il vit quelqu'un courir vers le quai. C'était Ian. Il arriva juste avant que la passerelle fût enlevée par des matelots. Momo soupira de soulagement.

— Te v'là enfin ! Un peu plus et on partait sans toi.

Il avait craint pendant un moment qu'Ian ait décidé de rester à terre et de s'engager dans ce groupe de têtes brûlées qui voulaient libérer l'Irlande en faisant la guerre aux Anglais.

Momo et Ian se hâtèrent de gagner leurs postes tandis que le capitaine Courval continuait à donner des ordres d'appareillage. Le bateau quitta la rade. Il faisait nuit lorsque Ian termina son quart, mais, incapable de dormir, il resta dans la dunette et admira le ciel rempli d'étoiles. Une exaltation qu'il n'avait jamais éprouvée auparavant le submergeait. Avant de revenir au *Mistral*, il s'était rendu à un camp de recrutement des Fenians et s'était engagé dans la confrérie. Dans quelques semaines, il retournerait à Boston et commencerait son entraînement.

XXXIX

Village de la Jeune Lorette

Amanda arracha un plant de pommes de terre et le plaça dans un panier déjà presque plein. Bien qu'elle fût enceinte de sept mois, elle avait insisté pour donner un coup de main à Noël et à son beau-frère Bertrand afin de terminer les récoltes avant les premiers gels, qui pouvaient survenir aussi tôt qu'en septembre. Lucie, la sœur de Noël, l'aidait à la cueillette. Lorsqu'un panier était plein, elle le transportait vers la maison, nettoyait les tubercules et les rangeait au frais dans le garde-manger. La petite Marie-Awen jouait dans un carré de sable que Noël avait fabriqué et placé à proximité du potager afin que sa mère puisse toujours avoir l'œil sur elle.

La journée était fraîche et lumineuse, de cette clarté ocre qui paillette d'or les montagnes et le faîte des arbres à l'automne. Les moissons s'annonçaient abondantes. Les provisions seraient plus que suffisantes pour affronter la saison froide. Après avoir arraché un nouveau plant, Amanda se redressa péniblement. Son dos l'élançait. C'est alors qu'elle aperçut une silhouette qui s'avançait dans le sentier menant à la maison. Elle tâcha de reconnaître l'homme qui s'approchait, mais le soleil l'aveuglait et elle ne pouvait distinguer son visage. La démarche lui était pourtant familière. Soudain, elle poussa un cri.

— Ian !

Amanda laissa tomber la pomme de terre qu'elle tenait. Son fils lui fit signe de la main en riant, découvrant de belles dents blanches et carrées.

— Mon Dieu, comme tu as grandi ! s'exclama Amanda. Tu es devenu un homme. Comme tu es beau !

— Et toi, tu es toute ronde !

Amanda embrassa Ian sur les joues, incapable de détacher son regard de ce grand gaillard aux larges épaules qui était son fils. Sa ressemblance avec son père, Jacques Cloutier, était plus saisissante que jamais, mais une douceur dans ses yeux et une sorte de bonhomie dans ses traits le rendaient complètement différent.

— Tu n'écris pas souvent ! lui reprocha-t-elle gentiment, des larmes de bonheur aux yeux.

Ian haussa les épaules.

— Tu sais bien que je n'ai jamais été porté à écrire. Et puis la vie sur les bateaux ne me laisse pas beaucoup de temps libre.

Lucie vint vers eux et embrassa Ian à son tour.

— Tu es devenu un homme, lui dit-elle avec un sourire en coin.

Ian sentit ses joues se colorer. Son expérience avec la jeune prostituée de Boston lui revint à l'esprit. Sa tante Lucie ne croyait pas si bien dire…

৩

Le repas fut joyeux. Bertrand et son fils aîné avaient tué un caribou, qu'ils avaient dépecé et distribué en partie à des voisins, comme les Hurons avaient coutume de le faire. Lucie avait préparé un délicieux ragoût avec du pain banique et monté quelques bonnes bouteilles de cidre de la cave. Noël et Amanda ne tarissaient pas de questions sur l'existence quotidienne d'Ian à bord du *Mistral*, espérant que le capitaine Courval le traitait bien. Bien que peu loquace, Ian répondait avec politesse.

— Le capitaine est très aimé de l'équipage. Il est honnête et juste.

— Combien de temps resteras-tu à la maison ? s'enquit Amanda.

— Quelques jours.

La mère d'Ian accusa la déception.

— J'espérais que tu aurais un plus long congé.

— Je dois retourner à Boston.

Noël eut l'air étonné.

— Le *Mistral* ne mouille-t-il pas au port de Québec ?

Ian garda un silence embarrassé. Lucie jeta au jeune homme un regard complice. Elle était convaincue qu'il y avait sans doute une affaire de cœur derrière ce départ hâtif.

— Un beau jeune homme comme toi doit sûrement faire tourner bien des têtes, commenta-t-elle avec un air taquin.

L'adolescent rougit. Amanda éprouva soudain une étrange détresse. Son fils était devenu un homme. La vie de marin l'avait mûri, ce dont elle se réjouissait, mais en même temps elle sentait qu'elle l'avait perdu, qu'il n'avait plus besoin d'elle. Elle avait beau être la mère d'une adorable petite fille et attendre un autre enfant, le sentiment de perte n'en était pas moins grand.

— Laisse-le, dit-elle à sa belle-sœur, la gorge serrée. Cela le regarde.

Le lendemain, en faisant le ménage de la chambre de son fils, Amanda trouva un papier froissé sur la table de chevet. Elle le lut avec un effroi grandissant, puis alla trouver Noël, qui soignait les deux chevaux que possédait la famille Picard. Elle lui montra la feuille. Il en prit connaissance, puis hocha la tête.

— J'ai entendu parler de ces Fenians. C'est un groupe de révolutionnaires irlandais qui veulent libérer l'Irlande du joug britannique. D'après la rumeur, ils se préparent à attaquer le Canada.

Amanda se sentit défaillir.

— Mon Dieu… Crois-tu que c'est pour cette raison qu'Ian veut retourner à Boston ?

Noël ne dit rien, mais son silence était éloquent. Amanda secoua la tête.

— Il ne faut pas le laisser partir.

— Ian est à l'âge de prendre ses propres décisions.

Elle eut un sursaut de révolte.

— Tu l'approuves ?

— Ce n'est pas ce que j'ai dit. Simplement, ce sera difficile de l'empêcher de faire ses choix.

Elle reprit le feuillet.

— Je vais lui parler.

∽

Ian admirait le nouveau canot que Bertrand avait construit et qu'il avait disposé sur des tréteaux, à l'arrière de la maison. L'embarcation avait été entièrement fabriquée avec de l'écorce de bouleau.

— Pour la structure, j'ai utilisé du cèdre trempé dans l'eau, expliquait Bertrand avec enthousiasme. Tu vois les jointures ? Je les ai cousues avec des racines de pin. Pour rendre les coutures imperméables, j'utilise de la résine d'épinette. Le canot est léger comme un courant d'air.

— Ian ?

L'adolescent tourna la tête et vit sa mère. Il aperçut tout de suite le feuillet qu'elle tenait dans une main et s'en voulut de l'avoir laissé sur la table de chevet, comme si, au fond de lui-même, il voulait que sa mère le trouve. Sentant que quelque chose de grave se tramait, Bertrand les laissa seuls. Mère et fils se regardèrent longuement. Amanda fut la première à prendre la parole.

— Tu as l'intention de t'engager dans ce groupe ?

— Oui.

— Pourquoi ? s'écria-t-elle. Je croyais que ton rêve était de devenir marin !

— Ça l'est toujours, mais je dois aider mon pays.

— L'Irlande n'est pas ton pays !

— Je n'y suis pas né, répliqua le jeune homme avec ferveur, mais ça n'a pas d'importance. Je veux me battre pour la libération de mon peuple !

— Qui a bien pu te mettre ces folies dans la tête ?

— Tu ne te rappelles pas ? Quand j'étais enfant, tu me parlais des souffrances endurées par notre peuple, des *landlords* qui nous exploitaient, de la famine qui vous avait forcés à l'exil, des soldats anglais qui mettaient le feu à nos maisons pour nous obliger à partir…

— Tout cela est vrai, mais la situation a changé. Nous sommes dans un nouveau pays, qui nous a accueillis avec générosité !

— … et qui est occupé par les Anglais ! la coupa-t-il. C'est à cette tyrannie que les Fenians veulent mettre fin.

— Noël m'a dit que les Fenians se préparaient à attaquer le Canada. Si tu t'engages avec eux, tu te battras contre tes propres compatriotes. As-tu pensé à cela ?

— Je suis prêt à courir ce risque pour la cause.

Constatant que les arguments rationnels n'avaient aucune prise sur son fils, Amanda tenta de le prendre par les sentiments.

— Tu sais à quel point je suis attachée à toi, Ian. Je ne peux accepter l'idée que tu risques ta vie pour une cause, aussi noble soit-elle. Je ne supporterais pas de te perdre, comprends-tu ? J'en mourrais.

Ian entoura les épaules de sa mère avec affection.

— Ne crains rien. Je serai prudent, je te le promets.

Amanda se dégagea.

— Que puis-je dire d'autre pour te convaincre de rester ?

Ian fut incapable de soutenir son regard. Elle tourna les talons et marcha vers la maison sans se retourner.

Le lendemain, Ian se leva un peu avant l'aube. Il frappa à la porte de la chambre de sa mère pour lui faire ses adieux, mais cette dernière refusa de lui ouvrir. Ian partit avec son havresac, le cœur lourd. Il ignorait encore à quel point sa décision bouleverserait à jamais sa destinée et celle de sa famille.

Troisième partie

Duels

XL

Installée dans un fauteuil du salon, Emma relut la longue missive qu'Isidore Dolbeau venait de lui envoyer. C'était sa sixième lettre en quelques semaines. Son métayer se plaignait à nouveau de son absence prolongée. « Encore cette année, les récoltes s'annoncent exceptionnelles. J'ai dû engager quatre garçons de ferme des environs pour me donner un coup de main. J'ai beau me démener comme un diable dans l'eau bénite, je ne peux être à la fois au four et au moulin. Il y a de nombreuses décisions importantes à prendre, que j'ai dû retarder faute de pouvoir vous consulter. » Et la liste des doléances de monsieur Dolbeau se poursuivait pendant plusieurs pages. Emma connaissait le fermier comme si elle l'avait tricoté et savait qu'il était porté parfois à monter en épingle des problèmes qui pourraient facilement se résoudre sans elle, mais cette fois, c'était clair comme de l'eau de roche que le pauvre homme était dépassé par les événements.

Un *tac-tac* sec lui fit lever les yeux. Sa sœur Madeleine, serrant le pommeau de sa canne dans sa main gauche, s'avançait vers elle en boitant légèrement. Son visage avait retrouvé un peu de couleur. Elle avait repris du poids et ne flottait plus dans ses vêtements.

— J'ai l'air d'une vieille femme avec ma canne ! ronchonna-t-elle.

— Mieux vaut avoir l'air d'une vieille femme que de tomber et de te fouler une cheville, répliqua Emma.

Madeleine prit place dans un canapé. Sa respiration était légèrement sifflante, mais il n'y avait rien d'alarmant. Emma replia la lettre et mit des gants blancs avant de poursuivre :

— Ma chère sœur, il est temps que je retourne à Québec.

— Déjà ? s'écria Madeleine, alarmée.

— Cela fait plus de trois mois que je suis chez toi. Monsieur Dolbeau commence à être désespéré, il ne sait plus où donner de la tête. Sans parler du refuge du Bon Samaritain… Je l'ai confié aux soins de Mrs. McPherson, une dame patronnesse de Québec, mais elle a aussi les mains pleines avec ses autres œuvres charitables, et je ne veux pas abuser de sa générosité.

Madeleine soupira.

— Je savais bien qu'il te faudrait partir un jour ou l'autre. Tu ne sauras jamais à quel point je te suis reconnaissante de tout ce que tu as fait pour moi.

— Comment aurais-je pu faire autrement ?

Les deux sœurs se regardèrent, émues.

— À quelque chose, malheur est bon, reprit Madeleine, pensive. Si je n'avais pas eu mon accident, tu n'aurais pas séjourné chez moi aussi longtemps, et nous n'aurions pas eu la chance d'apprendre à mieux nous connaître.

— Il ne faudra plus compter sur un autre accident de ce genre pour nous revoir, répondit Emma avec une note d'humour.

Madeleine sourit, ce qui ne lui était pas arrivé depuis longtemps.

— Quand pars-tu ?

— Demain.

— Je vais demander à Berthe de t'aider à préparer tes bagages. Alcidor te conduira jusqu'à Québec.

— Ce n'est pas nécessaire. Je prendrai la diligence.

— Il n'en est pas question ! Je tiens à ce que tu voyages confortablement. Les diligences sont de véritables tape-culs ! Sans compter qu'elles s'arrêtent à chaque village, c'est interminable…

Emma rit de bon cœur et accepta volontiers l'offre de sa sœur, soulagée de pouvoir faire le trajet dans de meilleures conditions.

Avec l'âge, ses rhumatismes commençaient à la faire souffrir, et la perspective de supporter la dureté des banquettes et les soubresauts d'un coche ne lui souriait guère.

Le lendemain matin, avant son départ, Emma alla voir Fanette et Marie-Rosalie afin de leur faire ses adieux. Mère et fille s'enlacèrent longuement, tandis que Marie-Rosalie s'accrochait aux jupes de sa grand-mère, comme pour l'empêcher de partir.

— Tu vas revenir, dis, grand-maman ?

— Je reviendrai, l'assura Emma, les larmes aux yeux.

Elle s'adressa à mi-voix à Fanette.

— Prends soin de ta tante. Elle est encore fragile.

— Promis.

Lorsque Emma revint chez sa sœur, Alcidor avait déjà fini de sangler ses bagages à l'arrière de la calèche. Madeleine l'attendait à côté de la voiture, sa canne à la main. Une sorte de timidité gagna les deux sœurs, comme si elles sentaient la solennité du moment et appréhendaient déjà une longue séparation. Malgré le caractère imprévisible et parfois irascible de Madeleine, Emma avait du chagrin de la quitter.

— Au revoir, ma chère Madeleine. Ma petite sœur, ajouta-t-elle tendrement en la serrant contre sa poitrine généreuse. Prends bien soin de toi. N'oublie pas de m'écrire.

— Et toi, ne t'épuise pas trop à venir en aide à tes prochains. Pense un peu à toi, de temps en temps. Un peu d'égoïsme n'a jamais tué personne.

Emma sourit.

— J'essaierai.

Elle s'installa dans la voiture. Madeleine sentit son cœur se serrer lorsque la portière claqua. Alcidor se hissa sur le siège du conducteur.

— Surtout, sois prudent ! lança-t-elle à son serviteur, qui tenait les guides d'une main et une cravache de l'autre. Je te confie un trésor inestimable !

La calèche se mit à rouler. Madeleine resta debout au même endroit, s'appuyant sur sa canne. Un profond sentiment de solitude la couvrit tel un linceul.

— Adieu, ma grande sœur, murmura-t-elle. Fasse le ciel qu'on se revoie un jour.

☙

Lorsque Berthe sonna la cloche pour le souper, Madeleine se rendit à la salle à manger et prit place sur sa chaise habituelle, puis déposa sa canne sur la chaise vide à côté d'elle. La pièce lui parut soudain immense. Pas un son ne troublait le silence, hormis le sifflement léger des lampes au gaz. Elle n'entendrait plus le rire cristallin de Marie-Rosalie ni son pas vif dans l'escalier. La voix grave et rassurante de sa sœur Emma ne résonnerait plus entre ces murs. Fanette ne serait plus là pour l'égayer ou l'encourager dans ses accès de détresse. Comme sa vie lui semblait vide et sans substance tout à coup ! Et comme ces moments partagés avec sa sœur, qui étaient pourtant associés à son accident et auraient dû lui rappeler de douloureux souvenirs, lui paraissaient maintenant doux et heureux dans le silence étouffant de la maison ! Madeleine sentit un frôlement sur sa jambe. Le museau humide de George apparut entre ses genoux. Les grands yeux marron de l'animal la regardaient, presque larmoyants. Elle lui caressa la tête.

— Ah, ma pauvre George ! Tu t'ennuies d'elles, toi aussi. On a l'air fin, toi et moi, toutes seules comme des dindes !

Un rire qui ressemblait à un sanglot monta dans sa gorge. C'est à peine si elle entendit la servante entrer dans la pièce et déposer un plat sur la table.

— Un ragoût de pattes de porc, votre plat préféré. Il faut manger, si vous voulez continuer à prendre des forces.

Après s'être efforcée d'avaler une bouchée sous l'œil vigilant de Berthe, Madeleine se rendit dans le salon. Le portrait que Clara avait peint d'elle semblait lui sourire dans la lumière tamisée d'une lampe au kérosène. *Clara. En voilà une autre que je ne reverrai peut-être jamais plus*. Elle détourna la tête et alla dans son bureau, comme si elle cherchait à échapper au triste cortège d'un passé révolu, et s'installa à son secrétaire. Des monceaux de papiers et de lettres s'y accumulaient. Depuis le mariage de Fanette, elle n'avait pas eu le cœur d'ouvrir son courrier. Une pile de lettres de même dimension, dans des enveloppes de chiffon de bonne qualité, occupait un coin de son pupitre. En y jetant un coup d'œil, elle reconnut l'écriture de Clara. D'un mouvement impulsif, elle saisit le paquet de lettres et, sans même les ouvrir, se pressa tant bien que mal vers l'âtre. Elle y mit le feu et resta long-temps ainsi, à regarder les enveloppes blanches se recroqueviller et noircir. Il lui semblait que c'était sa vie qui se réduisait peu à peu en cendres, et que le bonheur l'avait désertée pour toujours. Elle revint lentement vers son bureau. Les brouillons des articles que Fanette avait écrits à sa place se trouvaient sur l'écritoire. Si seulement ce maudit Arsène Gagnon n'avait pas découvert le pot aux roses ! Point final ne se serait jamais rendu compte du strata-gème. Elle aurait eu le temps de se rétablir et aurait pu continuer à travailler pour le journal, à se faire une place comme journaliste et, qui sait, à signer un jour ses articles de son vrai nom. Ah, si son ancien patron ne s'était pas montré aussi intransigeant... Elle secoua la tête. *Avec des si, on mettrait Paris en bouteille.* Il fallait tourner la page, avoir le courage d'aller de l'avant, même si son avenir lui semblait obscur. La seule chose qu'elle savait faire était d'écrire, il fallait donc qu'elle se remette au travail. Mais quel sujet aborder ? Serait-ce un article de journal ou un roman ? Elle n'en avait pas la moindre idée. Elle plaça une feuille vierge sur l'écritoire, saisit sa plume, la trempa dans l'encrier et contempla la page blanche. Elle se mit à tracer quelques mots :

Je dois trouver un bon sujet.

Quelques heures plus tard, elle n'avait rien écrit d'autre. Épuisée, elle appuya sa tête sur le dossier de son fauteuil et s'en-dormit. Le lendemain, elle fut réveillée par le chant d'un cardinal, qui s'égosillait sur la branche d'un sapin, faisant une tache rubis dans la clarté laiteuse du matin. Elle s'aperçut qu'elle tenait toujours sa plume à la main. Ses membres étaient engourdis par la fatigue. Berthe entra dans la pièce, un air de reproche sur le visage.

— Vous n'êtes pas raisonnable, la gronda-t-elle en hochant la tête. Il faut dormir dans votre lit !

La sonnette de la porte tinta. Berthe alla répondre. Un jeune homme lui tendit un télégramme. Berthe le prit et le porta à sa maîtresse. Madeleine, les yeux encore brouillés par le manque de sommeil, constata avec étonnement qu'il provenait de Prosper Laflèche. Un immense espoir lui gonfla la poitrine. Son ancien patron avait peut-être changé son fusil d'épaule et lui proposait de la reprendre au journal ! Elle ouvrit la dépêche avec empressement.

Je donne rendez-vous à madame Fanette Grandmont aux bureaux de L'Époque cet après-midi, à deux heures précises.
Prosper Laflèche.

Madeleine blêmit, puis ses joues devinrent brûlantes. Berthe, craignant que sa maîtresse ne fût en train de faire une crise d'apoplexie, lui saisit un bras.

— J'allions chercher le docteur Brissette de ce pas.

— Ne te donne pas cette peine, c'est un simple coup de chaleur.

Pourquoi diable Prosper Laflèche souhaite-t-il rencontrer ma nièce ? se demandait-elle. Fanette était revenue de son voyage de noces depuis quelques semaines, mais Laflèche n'était peut-être pas au courant que la jeune femme s'était mariée et n'habitait plus chez elle. Elle monta à sa chambre, fit une toilette sommaire et mit la première robe qui lui tomba sous la main. Elle dut faire appel à Berthe pour l'aider à en attacher les boutons et pour se coiffer. Cela l'humiliait, mais elle s'encouragea en se disant qu'avec un peu de patience elle finirait bien par se remettre complètement des séquelles de son accident. Après que sa servante eut posé la dernière épingle sur son chapeau, Madeleine rangea le télégramme dans son corsage et, munie de sa canne, sortit. Une chaleur humide l'assaillit. Heureusement, le logement où vivaient Fanette et son mari n'était qu'à deux pas.

XLI

Lorsque Fanette ouvrit les yeux, elle voulut se blottir dans les bras de Julien, mais la place à côté d'elle était vide. Elle trouva un mot sur l'oreiller.

> Je suis parti au palais de justice tôt ce matin. De retour en
> fin d'après-midi. Je t'aime.

La sonnette d'entrée retentit. Fanette jeta un regard à l'horloge. *Déjà huit heures !* C'était inhabituel pour elle de s'éveiller si tard, bien que cela lui arrivât plus souvent depuis quelque temps. Elle se leva prestement, enfila sa robe de chambre et sortit. La sonnette retentit de nouveau. Se demandant qui cela pouvait bien être, Fanette courut vers la porte et l'ouvrit.

— Ma tante ! Quelle bonne surprise !

Madeleine, tenant fermement sa canne, en nage et essoufflée après avoir monté l'escalier, jeta un coup d'œil dubitatif à sa nièce, qui n'était pas encore habillée et dont les longs cheveux noirs tombaient en désordre sur les épaules.

— J'espère que je ne dérange pas, dit-elle plutôt sèchement.

Un peu saisie par le ton coupant de sa parente, Fanette la fit entrer.

— Pas du tout. Vous prendrez bien un thé ? proposa-t-elle.

Madeleine secoua la tête.

— Je ne resterai pas longtemps.

Elle sortit le télégramme de son corsage et le tendit à sa nièce.

— Pour toi. Je l'ai reçu à la maison tôt ce matin.

Fanette en prit connaissance.

— Je n'y comprends rien. Pourquoi Prosper Laflèche m'envoie-t-il ce télégramme chez vous ? Que me veut-il ?

— Il n'est sûrement pas au courant du fait que tu t'es mariée et que tu habites désormais à une autre adresse.

Fanette réfléchit.

— Je n'irai pas, décida-t-elle. Pas après ce qu'il vous a fait.

— Je te suis reconnaissante de ta solidarité, ma chère nièce, mais ma curiosité est plus forte que ma rancune. Je souhaiterais que tu te rendes à ce rendez-vous et que tu passes ensuite chez moi pour m'en faire un compte rendu.

— Comme vous voudrez, ma tante. Mais c'est vraiment parce que vous me le demandez.

Madeleine l'embrassa rapidement sur la joue puis tourna les talons et marcha vers l'escalier avec une légère claudication. Fanette se précipita à sa suite.

— Laissez-moi vous aider…

— Je suis encore capable de marcher toute seule.

Fanette referma la porte, troublée par la visite de sa tante et cette convocation de Laflèche aussi étrange qu'inattendue.

❧

Une heure avant le rendez-vous, Fanette se changea et refit les tresses de Marie-Rosalie.

— Où on va, maman ?

— Au journal *L'Époque*.

La fillette battit des mains, ravie de revoir cet endroit mystérieux, avec cette immense machine qui faisait beaucoup de bruit et ces messieurs qui avaient toujours l'air pressé. Peut-être reverrait-elle monsieur Hébert, le typographe ?

Au cas où son mari reviendrait à la maison plus tôt, Fanette lui laissa un mot sur le guéridon dans l'entrée, puis sortit avec sa fille. Le Phaéton que sa tante lui avait offert comme cadeau de noces se trouvait dans une écurie, à quelques pâtés de maisons de son logement. Le palefrenier, monsieur Dicaire, un bel homme disert dont la moustache en forme de guidon était célèbre dans tout le quartier, l'accueillit avec une bonhomie un tantinet paternaliste.

— Si c'est pas notre p'tite madame Vanier ! Comment se porte monsieur votre mari ?

Monsieur Dicaire n'aimait rien autant que de parler de tout et de rien avec sa clientèle. Il connaissait le voisinage par cœur et pouvait nommer chacun par son nom. Rien de ce qui composait la vie quotidienne du quartier ne lui échappait. Il savait quand Untel allait se marier ou Unetelle était en famille, à quelle date aurait lieu le baptême du petit dernier de l'épicier du coin ou l'enterrement d'un patriarche, il connaissait le penchant du marguillier de la paroisse pour la dive bouteille… Fanette écoutait son bavardage d'une oreille distraite, réfléchissant à la raison pour laquelle le rédacteur en chef de *L'Époque* l'avait ainsi convoquée. Une hypothèse plausible commençait à prendre forme dans sa tête : Prosper Laflèche était un homme orgueilleux. Il avait peut-être pris la décision de rengager Madeleine Portelance comme reporter mais, ne voulant à aucun prix perdre la face, avait eu l'idée d'utiliser Fanette comme intermédiaire. La voix de monsieur Dicaire l'arracha à ses réflexions :

— Tenez, ma belle madame Vanier, votre Phaéton est paré pour le départ ! J'ai pris la peine de brosser votre cheval et de laver votre voiture. Vous aurez le plus bel équipage en ville !

༄

Fanette gara sa voiture dans la rue Saint-Jacques, en face de l'immeuble qui abritait les bureaux du journal. Les lettres blanches « L'Époque » se détachaient clairement au-dessus du portail. Tenant sa fille par la main, la jeune femme regarda la façade avec émotion, puis prit une grande inspiration avant de pousser la lourde porte.

La salle de rédaction était encore plus agitée que dans son souvenir. La fumée des cigares formait une sorte de brouillard que perçait à peine le halo des lampes. Les ordres du prote[3] qui examinait les compositions des typographes se mêlaient au cliquetis de la grosse presse et au bourdonnement des discussions animées. La voix un peu nasillarde d'Arsène Gagnon ressortait du lot. Fanette reconnut avec déplaisir le reporter qui avait été la cause de tous leurs ennuis, à elle et à sa tante. Tenant toujours Marie-Rosalie par la main, elle fit exprès de contourner son pupitre afin de l'éviter, mais le journaliste la repéra aussitôt et vint vers elle, les lèvres pincées sous sa moustache mince.

— Qu'est-ce que vous faites ici ? lui lança-t-il d'un ton grossier.

Fanette ne prit pas la peine de répondre et chercha du regard monsieur Hébert. Elle l'aperçut qui rangeait des lettres de plomb dans les tiroirs de casses et s'approcha de lui, entraînant la petite.

— Monsieur Hébert !

Le vieux typographe leva la tête et sourit en reconnaissant Fanette et sa fille.

— Ça fait un bail qu'on ne vous a pas vues au journal ! Quel bon vent vous amène ?

— Auriez-vous la gentillesse de surveiller Marie-Rosalie ? J'ai rendez-vous avec…

Elle faillit dire « Point final » et se ravisa.

— … monsieur Laflèche.

— Avec plaisir.

Il fit un clin d'œil à la fillette.

— Tiens, aide-moi à faire le ménage de mes tiroirs.

Marie-Rosalie sourit et se précipita vers l'artisan, qui lui montra comment ranger les lettres de plomb par ordre alphabétique. Pendant ce temps, Fanette se dirigea vers le bureau du

---

3. Chef du service de la composition dans une imprimerie ou un journal.

rédacteur en chef, sentant le regard hostile d'Arsène Gagnon dans son dos. Elle frappa à la porte. La voix rogue du patron répondit.

— Entrez !

En s'avançant dans le bureau, Fanette remarqua que Prosper Laflèche était vêtu d'un costume sombre et arborait un brassard de deuil. Son visage de vieux bouledogue était encore plus tiré que d'habitude. Le cendrier était vide et il n'y avait aucune trace de fumée dans la pièce, bien que le rédacteur tînt une pipe dans une main.

— Assoyez-vous, dit-il sans la regarder.

Fanette prit place dans une chaise droite, impressionnée malgré elle par la gravité inhabituelle de Laflèche. Après un long silence, il se mit à parler.

— J'ai enterré ma femme il y a trois jours, dit-il avec brusquerie.

— J'en suis navrée, monsieur Laflèche. Toutes mes condoléances.

— Elle avait contracté la jaunisse quand elle était enfant et en avait gardé un souffle au cœur. Je l'ai trouvée morte dans sa chaise berçante. On allait fêter nos noces d'argent. La vie tient à peu de choses.

Il sortit un mouchoir de sa poche et se moucha. C'était la première fois que Fanette le voyait aussi ému.

— Mais je ne vous ai pas fait venir ici pour vous parler de ma vie personnelle.

Il se racla la gorge.

— J'ai l'intention de publier une nouvelle chronique dans mon journal qui s'adresserait particulièrement aux femmes.

Fanette lui jeta un regard étonné. Il poursuivit, légèrement embarrassé.

— C'est mon épouse qui en a eu l'idée, quelques semaines avant son décès. Elle ne s'intéressait pas beaucoup à la politique, mais c'était une bonne mère de famille et une excellente ména-gère. Elle trouvait que mon journal ne consacrait pas assez d'espace à la vie quotidienne des femmes. La chronique paraîtrait chaque semaine et porterait sur la mode, la santé, l'éducation, la cuisine, les enfants, enfin, tout ce qui intéresse ces dames.

— Ma tante Madeleine s'est remise de son accident. Je suis certaine qu'elle se fera une joie de rédiger cette nouvelle chronique.

— Ce n'est pas à votre tante que je souhaite la confier.

Fanette le regarda, interdite.

— Je pensais à vous.

La jeune femme s'attendait si peu à cette proposition qu'elle resta muette.

— Vous avez une bonne plume. Je suis prêt à vous donner votre chance. J'ai même trouvé un titre : « Du côté des dames ». Pas mal, hein ? Vous commencerez la semaine prochaine. Votre article paraîtra tous les lundis, vous devrez donc me l'apporter deux jours à l'avance, le samedi, puisqu'on ne travaille pas le dimanche. Je suis disposé à vous laisser une certaine latitude quant au choix de vos sujets, mais je serai intraitable sur un point : vous devrez signer vos papiers avec un nom de plume masculin.

— Mais c'est absurde ! s'écria Fanette. Il s'agit d'une rubrique féminine. Les lectrices ne comprendront pas qu'un homme signe des articles qui leur sont consacrés.

— C'est à prendre ou à laisser ! Je partirai les pieds devant avant qu'une femme signe un article de son vrai nom dans mon journal. Je vous laisse choisir un pseudonyme masculin qui vous convienne. Bien entendu, vous commencerez au bas de l'échelle. Deux sous la ligne, point final.

La misogynie de Laflèche était exaspérante, et son offre monétaire, ridiculement basse, mais Fanette était prête à faire des compromis, espérant qu'à force de travail et de détermination elle réussirait un jour à convaincre le rédacteur en chef de changer d'avis.

— Avant de vous donner une réponse, je dois parler à ma tante.

Contre toute attente, Laflèche se montra conciliant.

— Revenez demain, à la même heure, pour la signature de votre contrat.

XLII

— Que te voulait Point final ? demanda Madeleine à sa nièce, sans même lui laisser le temps d'enlever son chapeau et ses gants.

Fanette se tourna vers sa fille, qui avait couru rejoindre la chienne et lui caressait la tête. Pour se donner une contenance, la jeune femme se servit un verre d'eau en puisant dans un quart que Berthe avait laissé sur le comptoir. Madeleine perdit patience.

— Cesse de me faire languir ! Que t'a-t-il dit ?

— Eh bien...

— Je gagerais ma chemise qu'il veut me reprendre, mais s'est servi de toi comme messagère pour épargner son amour-propre. N'ai-je pas raison ?

Fanette se décida à parler.

— Il m'a proposé de faire une chronique hebdomadaire sur des sujets d'intérêt féminin.

Madeleine resta interloquée.

— Une chronique ? Toi ?

S'appuyant sur sa canne, le visage blême, Madeleine prit place sur une chaise. Fanette poursuivit, malheureuse :

— J'étais convaincue qu'il voulait vous la confier. J'ai été la première à être surprise qu'il pense à moi.

— Quel culot ! Vouloir t'engager après m'avoir mise à la porte comme une moins que rien ! Tu as refusé, j'espère !

Le malaise de Fanette s'accentua. Madeleine devina à l'expression de sa nièce qu'il y avait anguille sous roche.

— Tu as l'intention d'accepter son offre, après ce qu'il m'a fait subir ?

— Je n'ai rien décidé encore. Je souhaitais d'abord vous en parler.

Madeleine lui jeta un regard dépité.

— Je te remercie de faire preuve de tant d'égards pour ta vieille tante. Mais pourquoi prendre la peine de me consulter ? C'est clair comme de l'eau de roche que tu vas dire oui.

Un pli amer s'était formé au coin de ses lèvres.

— Je te croyais loyale envers moi. Je me suis trompée.

Fanette, qui avait fait preuve de patience jusque-là, se rebella.

— Je vous ai toujours été fidèle, vous le savez mieux que personne !

Madeleine appuya sa tête sur le dossier de la chaise, le visage empreint de lassitude.

— Pardonne-moi. Les mots ont dépassé ma pensée. Toute cette histoire me bouleverse au plus haut point.

La réaction de sa parente était intempestive, mais Fanette ne pouvait la blâmer, après la façon odieuse dont Laflèche l'avait traitée. Elle prit un temps de réflexion. Il n'y avait qu'une voie à suivre, même s'il lui fallait pour cela se marcher sur le cœur.

— Vous avez raison, ma tante, dit-elle, la gorge serrée. Ce serait faire preuve de déloyauté que d'accepter cette offre.

Le simple fait de prononcer cette phrase lui avait coûté beaucoup. Elle alla se réfugier dans le jardin pour que Madeleine ne soit pas témoin de son émotion. Marie-Rosalie la rejoignit et joua avec la chienne en riant tandis que des moineaux se pourchassaient dans les branches du pommier en piaillant. Des sentiments contradictoires l'agitaient. D'un côté, elle accomplirait son devoir envers sa tante en tournant le dos à la proposition de Laflèche. De l'autre, elle sacrifierait ce qui comptait tellement à ses yeux : la chance de continuer à se frayer un chemin comme journaliste, même si l'idée d'une rubrique destinée au lectorat féminin ne l'enthousiasmait guère. Un regret lancinant l'habitait tout entière. *Il n'est pas trop tard*, lui glissait une voix intérieure. *Tu as encore jusqu'à demain pour accepter.* Une autre voix s'interposait : *Ne sois pas égoïste. Songe à tout le chagrin que tu causerais à ta tante, qui a tant fait pour toi…*

— Accepte.

Fanette tressaillit et se tourna vers sa tante, qui se tenait sur le seuil de la porte.

— Accepte l'offre de Point final. Une telle chance ne reviendra pas deux fois.

— Mais, ma tante, il a vraiment eu de graves torts envers vous.

— Tu es jeune, remplie de talent. Ce serait trop injuste que tu sacrifies ton rêve à cause de moi.

Madeleine fit quelques pas vers sa nièce, s'appuyant sur sa canne.

— On n'a qu'une vie, ma chère Fanette. Ce n'est pas ta faute si j'ai manqué la mienne. Tu réussiras peut-être là où j'ai échoué. Imagine, tu auras ta propre chronique ! Tu porteras le flambeau de toutes celles qui t'ont précédée et qui n'ont pu y parvenir.

Le regard de Fanette se brouilla.

— Ma tante, je vous dois tellement…

— L'essentiel, c'est que tu te serves de ce que je t'ai appris afin de tracer un chemin pour les femmes qui te suivront.

Pour ne pas s'attendrir, Madeleine tourna le dos à sa nièce et retourna dans la maison. Fanette resta longtemps debout au même endroit. *Tu porteras le flambeau de toutes celles qui t'ont précédée et qui n'ont pu y parvenir…* Les paroles de sa tante lui ouvraient des perspectives immenses, qui la galvanisaient et en même temps lui donnaient le vertige.

❧

Lorsqu'elle revint chez elle, accompagnée de Marie-Rosalie, Fanette vit avec joie la redingote et le chapeau de Julien, suspendus à la patère. Après avoir embrassé sa fille et l'avoir conduite dans sa chambre afin qu'elle fît sa sieste, Fanette rejoignit son mari dans une petite pièce qui lui servait de bureau. Déjà attablé à son pupitre, il prenait des notes dans un dossier. Une pile de livres et des liasses de documents étaient répandues autour de lui.

— Julien, tu ne devineras jamais ce qui m'arrive !

Le jeune avocat la regarda avec espoir. Pendant un instant, il crut que Fanette lui annoncerait qu'elle attendait un enfant, ce qui était son vœu le plus cher.

— J'aurai une chronique à moi toute seule dans le journal *L'Époque* ! Je retourne à la rédaction demain pour signer mon premier contrat professionnel.

Le visage de Fanette rayonnait de bonheur. Julien s'efforça de cacher sa déception. Bien qu'il fût un homme progressiste et n'eût rien contre le fait que sa femme travaille, il souhaitait plus que tout qu'elle devienne enceinte. Ayant été fils unique, il rêvait d'avoir une vie de famille bien remplie et d'entendre des cris d'enfants résonner dans le logement.

Il se leva, vint vers sa femme et l'enlaça tendrement.

— C'est une merveilleuse nouvelle. Je te félicite.

⁓

Le lendemain, Fanette retourna au journal à l'heure dite. Prosper Laflèche l'attendait.

— Vous êtes ponctuelle ! C'est un bon point en votre faveur.

Il déposa un document devant la jeune femme.

— Votre contrat. Signez ici.

Fanette prit la plume qu'il lui tendait et apposa sa signature. *Voilà, c'est fait, je suis officiellement une journaliste*, se dit-elle tandis que l'encre séchait.

— Avez-vous réfléchi à un pseudonyme ? lui demanda le rédacteur en chef.

À vrai dire, Fanette, emportée par le tourbillon des événements, n'avait pas pris le temps d'y penser. Une idée lui vint à l'esprit.

— Ce pourrait être Fernand. Fernand O'Brennan.

Prosper Laflèche fit la moue.

— *O'Braynanne ?* C'est imprononçable ! De quelle origine est ce nom ?

— Irlandaise, répondit Fanette, piquée. Il s'agit de mon nom de jeune fille. Et il se prononce *O-Bre-nnan*.

Il secoua la tête.

— Ce n'est pas très vendeur. Trouvez autre chose.

Devant la mine vexée de la jeune femme, il mit de l'eau dans son vin.

— Si vous y tenez à ce point, on pourrait le franciser. Ça donnerait quelque chose comme « Aubray » ou… pourquoi pas « Aubry » ? Fernand Aubry, cela sonne très bien.

Fanette réfléchit, puis haussa les épaules.

— Va pour Fernand Aubry.

Croyant l'entretien terminé, elle se leva.

— Attendez, nous n'avons pas discuté de votre premier sujet ! s'écria Laflèche. J'ai entendu à travers les branches que le grand magasin Morgan & Co. avait le projet d'installer des articles en vitrine. Du jamais vu ! Faites-moi un papier là-dessus.

— Vous m'avez pourtant dit que j'aurais le choix de mes sujets, osa faire remarquer la jeune femme.

Le rédacteur en chef la fusilla du regard.

— Combien d'années d'expérience avez-vous comme journaliste ?

Elle voulut parler, mais il l'en empêcha :

— Moi, j'en ai plus de quarante. Mon père était imprimeur et propriétaire d'un journal. J'ai passé ma vie dans des salles de rédaction. J'ai commencé au bas de l'échelle, comme simple *press boy*, et j'ai grimpé les échelons un à un, à la force de mes poignets. Il n'y a pas un poste que je n'aie occupé, de typographe à chef d'atelier en passant par homme de marbre. J'ai supervisé la parution de plus de dix mille journaux. Alors, vous m'écrirez ce papier, point final !

XLIII

Attablée devant un joli secrétaire accordéon que Julien lui avait offert pour célébrer son nouvel emploi, Fanette relut les deux paragraphes qu'elle venait d'écrire, puis hocha la tête, déçue. Pourtant, la veille, elle était allée au magasin Morgan & Co. et avait jeté un coup d'œil aux fameuses vitrines dont Prosper Laflèche lui avait parlé. Des tissus de toutes les couleurs y avaient été disposés avec élégance. Une robe de mariée côtoyait une redingote ; des accessoires de cuisine jouxtaient des meubles. Le gérant, monsieur Triggs, lui avait expliqué avec enthousiasme que « son » magasin était à la fine pointe de l'innovation dans le domaine de la vente et l'un des premiers grands magasins en Amérique du Nord à offrir autant de marchandises. Il avait guidé Fanette dans les différents départements, vantant une autre innovation extraordinaire, selon lui, celle des rayons, où les ménagères pouvaient trouver tout ce dont elles avaient besoin, mais à des étages différents : confection, bonneterie, lingerie, ameublement…

Après avoir raturé une phrase qu'elle trouvait banale, Fanette regarda par la fenêtre. Une lumière ocre couvrait le parc comme une poussière d'or. Une jolie fontaine venait tout juste d'y être installée, fréquentée par des pigeons et des moineaux. Des enfants jouaient sous le regard vigilant de leur mère. Des promeneurs baguenaudaient dans les allées tandis qu'un mendiant avait installé ses pénates sur un banc, à l'endroit où il y avait le plus de passants. Le spectacle de la vie quotidienne de son quartier lui semblait plus intéressant que la description d'un grand magasin…

— Maman, est-ce que le mot « zèbre » s'écrit avec un S ou un Z ?

Fanette se tourna vers sa fille, qui était assise à son petit pupitre, un cahier ouvert devant elle.

— Avec un Z, ma chouette.

Marie-Rosalie connaissait son alphabet et pouvait lire et écrire des phrases complètes. *Bientôt, elle ira à l'école*, songea Fanette avec un pincement au cœur. Elle pouvait déjà déceler, dans le profil de l'enfant, la jeune fille qu'elle deviendrait.

La cloche d'un aiguiseur de couteaux tinta. Fanette trempa sa plume dans l'encrier et se remit au travail. Au département de la lingerie, une jeune vendeuse lui avait vanté les mérites d'un corset dernier cri, qui « vous fera une taille de guêpe sans aucun inconfort », avait-elle affirmé avec conviction. Fanette ne put s'empêcher de sourire. Comment pourrait-on ne pas éprouver d'inconfort en portant cet instrument de torture muni de baleines et de lacets qui vous enserrent le corps comme dans un étau ? Cette idée l'amusa et elle se mit à écrire avec un peu plus d'inspiration. Bientôt, elle acheva deux feuillets. En se relisant, elle corrigea quelques tournures, mais dans l'ensemble elle était satisfaite. Tout en séchant l'encre avec un buvard, elle se mit à dessiner machinalement le fameux modèle de corset.

— Qu'est-ce que c'est, maman ? demanda Marie-Rosalie, qui avait quitté son pupitre et regardait le croquis que sa mère venait d'exécuter.

— Ça s'appelle un corset, expliqua Fanette.

— À quoi ça sert ?

— À faire croire aux femmes qu'elles ont vingt livres en moins.

Elle proposa à sa fille de l'accompagner à la rédaction du journal, ce que l'enfant accepta avec son enthousiasme habituel.

⁓

La grande salle était plutôt calme. Quelques journalistes, leurs manches de chemise roulées jusqu'aux coudes, écrivaient. Des *press feeders* plaçaient des rames de papier dans les compartiments de la presse à cylindre. Arsène Gagnon jeta un regard mauvais à la jeune femme auquel elle ne prêta pas attention.

Le rédacteur en chef accueillit Fanette avec sa brusquerie coutumière, mais celle-ci avait appris à composer avec les humeurs de son patron et même à déceler, sous son masque bougon, une certaine bonhomie. Peut-être que le deuil avait attendri le cœur de cet homme qui, toute sa vie, s'était emmuré dans une sorte de dureté pour survivre dans un monde sans pitié.

— Vous m'apportez déjà votre papier ? maugréa-t-il. Sachez qu'un article est aussi bon que le temps qu'on met à l'écrire.

Fanette déposa les feuillets devant le rédacteur. Une légère nervosité la gagna. Point final n'aurait aucun scrupule à refuser sa chronique s'il la jugeait mauvaise. Elle scruta le visage de son patron tandis qu'il lisait, mais celui-ci ne laissa rien paraître. Finalement, il leva la tête.

— Bon travail.

— Si vous le permettez, j'aurais une suggestion à vous faire, osa la jeune femme.

Laflèche fronça les sourcils. Fanette se jeta à l'eau.

— J'ai fait une esquisse qui pourrait peut-être accompagner ma chronique.

Le rédacteur en chef se rappela que la jeune journaliste avait du talent en dessin. Il avait même publié en première page de son journal le croquis d'Aimée Durand qu'elle avait exécuté, ce qui avait été fort profitable pour les ventes.

— Montrez toujours.

Fanette sortit d'un cartable une feuille qu'elle tendit au rédacteur. Ce dernier y jeta un coup d'œil. Il s'agissait du buste d'une jeune femme portant un corset. Laflèche rougit jusqu'aux yeux. Son double menton, trop serré dans son col de chemise, tremblotait.

— Vous ne croyez pas sérieusement que je vais publier une… une telle chose ? finit-il par dire, le visage congestionné.

— Ce que vous appelez « une telle chose » n'est qu'un corset, monsieur Laflèche. Vous avez déjà publié des réclames de lingerie dans votre journal.

— Ce n'est pas la même chose ! Ces annonces rapportent gros.

Au moment où Fanette allait répliquer, on frappa à la porte.

— Entrez ! tonna Laflèche.

Arsène Gagnon se profila sur le seuil.

— Je vous apporte mon papier, patron.

— Dépose-le sur mon pupitre. S'il est aussi ennuyeux que la dernière fois, je te remets aux chiens écrasés !

Le reporter contint sa rage d'être humilié devant une femme, surtout une intrigante de cette espèce, qui avait encore une fois réussi à se mettre dans les bonnes grâces du chef. Il était convaincu qu'elle avait usé de ses charmes pour parvenir à ses fins. C'est alors qu'il remarqua l'esquisse. Il eut un sourire égrillard.

— Dites donc, patron, vous ne vous ennuyez pas !

Le regard noir dont Prosper Laflèche le gratifia lui fit regretter amèrement ses paroles.

— Une autre remarque stupide de ce genre et je te flanque à la porte, Gagnon ! Avant de sortir, fais-moi le plaisir de me débarrasser de cette… cochonnerie.

Fanette voulut protester, mais Gagnon s'était emparé prestement du dessin et était sorti sans demander son reste. Laflèche remit l'article à la jeune femme.

— Allez porter votre papier au prote. Dites-lui qu'il sera en page trois.

Fanette bouillait intérieurement, mais elle comprit qu'il serait inutile de poursuivre la discussion. Elle prit les feuillets et ouvrit la porte. Des journalistes s'étaient rassemblés autour d'Arsène Gagnon et s'esclaffaient en se poussant du coude. Des exclamations et des sifflements jaillissaient. En s'approchant du cercle, Fanette se rendit compte que son dessin passait de main en main, provoquant ces réactions. Soudain, la voix tonitruante de Prosper Laflèche éclata comme le tonnerre :

— Que se passe-t-il ici ? On se croirait dans un poulailler !

Le silence se rétablit presque aussitôt. Les journalistes, les typographes, jusqu'aux *press boys* s'étaient immobilisés, comme si un vent glacial les avait soudain transformés en glaçons. Laflèche fonça comme un aigle vers le rassemblement de reporters. L'un d'eux tenait une feuille dans sa main.

— Donnez-moi ça, Leclerc !

Le journaliste, dont le visage encore enfantin était rouge comme une pivoine, obéit, les mains tremblantes.

— Tenez, patron.

Le rédacteur en chef s'empara de la feuille et reconnut le dessin de Fanette. Le reporter éclata d'un rire nerveux, qui fut interrompu par une gifle retentissante assénée par Laflèche. Le pauvre jeune homme mit une main sur sa joue, sous le regard embarrassé de ses collègues. Laflèche enfouit le dessin dans son gilet.

— Assez d'enfantillages. Remettez-vous au travail. Et que ça saute !

Puis il s'adressa au reporter.

— *Monsieur* Leclerc, venez immédiatement dans mon bureau.

Lorsque le patron appelait l'un de ses employés « monsieur », c'était soit le signe d'un renvoi, soit celui d'une promotion.

Leclerc, tenant toujours une main sur sa joue brûlante, n'en menait pas large. Il suivit le rédacteur en chef d'un pas hésitant, tel un condamné se rendant à l'échafaud. La porte claqua brusquement derrière les deux hommes. Fanette hocha la tête, indignée par le comportement tyrannique de son employeur. Les conversations reprirent timidement tandis qu'elle allait porter son article au chef d'atelier. Elle se dirigea ensuite vers le pupitre où travaillait monsieur Hébert. Marie-Rosalie s'amusait toujours à ranger les lettres de plomb, sous la supervision bienveillante du typographe. Ce dernier, observant le regard assombri de la jeune femme, lui dit gentiment :

— Le patron a un sacré caractère, mais au fond ce n'est pas un mauvais bougre.

— Un despote à deux pattes, vous voulez dire !

Elle prit sa fille par le bras.

— Viens, Marie-Rosalie, on retourne à la maison.

— Pas tout de suite, maman ! Je n'ai pas fini de ranger les petites lettres.

Il lui fallut user de tout son talent de persuasion pour convaincre sa fille de quitter le comptoir de typographie.

ॐ

Leclerc, plus mort que vif, était debout devant le pupitre du rédacteur en chef, tenant à peine sur ses jambes. Il pensait à la façon dont il allait apprendre la nouvelle de son congédiement à sa femme, qui attendait leur deuxième enfant. Déjà qu'il ne recevait pas un gros salaire et arrivait difficilement à joindre les deux bouts… Comment réussirait-il à payer le loyer, trop cher pour leurs moyens, et à mettre du pain sur la table ?

— Dites-moi, Leclerc, qu'est-ce qui vous a intéressé dans ce dessin ?

Complètement désarçonné par la question, le journaliste ne trouva rien à répondre.

— Vous avez perdu votre langue ?

Le jeune homme déglutit.

— Eh bien…

— Eh bien, quoi ? Parlez, que diable !

Le reporter essuya ses mains moites sur son pantalon.

— Je l'ai trouvé… Pour tout dire, je l'ai trouvé attirant. Je veux dire, une jolie femme, en petite tenue… Ne vous méprenez pas, je suis marié et bon père de famille, mais en tant qu'homme… Y a pas de mal à admirer la beauté, il me semble.

Il se tut, convaincu que sa dernière heure était arrivée et que le couperet allait bientôt tomber. Le visage de son patron ne laissait percer aucune émotion.

— Vous pouvez retourner à votre pupitre, Leclerc. La prochaine fois, tâchez de montrer un peu plus de discrétion dans votre enthousiasme.

N'en croyant pas ses oreilles, le journaliste balbutia des remerciements et sortit tandis que Prosper Laflèche tournait et retournait le dessin entre ses doigts boudinés, la mine songeuse.

⌘

En rentrant chez elle, Fanette donna une leçon de français à sa fille, puis commença les préparatifs du souper, encore révoltée par la façon dont Prosper Laflèche avait traité le jeune reporter. Julien, qui venait de rentrer du palais de justice, remarqua tout de suite l'agitation de sa femme. Cette dernière lui raconta la scène pénible dont elle avait été témoin.

— Le pauvre garçon n'a été qu'un bouc émissaire. Tout cela à cause d'un dessin de corset !

Julien sourit malgré lui.

— Un dessin de corset ?

Fanette lui expliqua qu'elle avait fait le croquis d'une femme portant un corset pour accompagner sa chronique.

— J'aurais bien aimé être là pour le voir ! s'écria Julien.

Fanette, mécontente, haussa les épaules.

— Je ne vois rien d'amusant dans tout cela ! Je ne serais pas surprise que Laflèche ait mis son employé à la porte.

Julien l'enlaça.

— Pardonne-moi. J'ai eu une longue journée au palais de justice. Une cause pénible.

À son tour, le jeune avocat expliqua qu'il défendait un journalier, un Irlandais qui avait immigré au Québec quelques années auparavant. L'homme, qui ne savait ni lire ni écrire, avait eu un accident de travail au chantier naval où il travaillait et son patron l'avait renvoyé sans indemnité.

— Il a une famille de sept enfants. Sa femme est atteinte de phtisie.

Fanette était devenue grave en écoutant le récit de son mari.

— Tu dois trouver mes soucis bien superficiels à côté du sort de ce pauvre homme et de sa famille.

— Il ne sert à rien de comparer une situation à une autre. Toutes sont différentes. Nous avons nos soucis, nos fardeaux à porter.

Fanette vit que le regard de son mari s'était assombri.

— S'il y avait quelque chose qui te rendait malheureux, tu me le dirais, n'est-ce pas ?

Il s'efforça de sourire.

— Bien sûr, que je te le dirais. Tu es ce que j'ai de plus précieux dans la vie.

Les deux jeunes gens s'étreignirent. Julien chercha les lèvres de sa femme. Ils s'embrassèrent longuement, avec cette passion tendre que seuls connaissent les couples heureux. Il la souleva dans ses bras et l'entraîna vers leur chambre.

— Le souper, murmura Fanette.

— Il peut bien attendre.

℘

Le lundi, à son réveil, Fanette constata que son mari était déjà parti et lui avait laissé un petit mot sur l'oreiller, comme il avait l'habitude de le faire.

Fanette porta le billet à ses lèvres, puis enfouit sa tête dans l'oreiller de Julien, encore imprégné de son odeur. La porte s'ouvrit, elle entendit de petits pas sur le plancher. Marie-Rosalie vint la rejoindre et se pelotonna contre sa mère. Fanette lui caressa les cheveux tout en se demandant s'il ne serait pas plus sage de mettre fin à cette habitude qu'avait la fillette de venir chaque matin dans leur lit. Elle avait lu avec intérêt *Émile ou De l'éducation*, de Jean-Jacques Rousseau, qui préconisait l'affection des parents pour favoriser le développement harmonieux de l'enfant, mais ne fallait-il pas aussi apprendre à Marie-Rosalie à devenir plus autonome ?

Après le déjeuner, on sonna à la porte. Fanette, qui était encore en robe de chambre, mit un peu d'ordre dans ses cheveux et alla répondre. Un messager portant une casquette et un uniforme était sur le seuil. Il rougit en voyant la jeune femme ainsi vêtue.

— Un télégramme pour vous, madame.

Intriguée, elle prit le message qu'il lui tendait, lui remit une pièce de vingt-cinq sous et referma la porte.

Venez au journal à midi tapant. Prosper Laflèche.

Le ton du télégramme était encore plus expéditif que d'habitude. À onze heures trente, Fanette se rendit en Phaéton chez Madeleine, confiant Marie-Rosalie à Berthe, qui l'accueillit avec joie. Depuis le départ de Fanette et de sa fille, la servante trouvait les journées longues et se réjouissait de pouvoir s'occuper de sa chère Vif argent.

En entrant dans la salle de rédaction, Fanette croisa des *press boys* à l'air effaré, les bras chargés de journaux. La grosse presse à cylindre faisait un tintamarre d'enfer au fond de la pièce, où s'activaient les imprimeurs sous les ordres du chef d'atelier, dont les manches étaient roulées, et les mains, tachées d'encre.

Prosper Laflèche l'attendait dans son bureau, sa pipe éteinte entre les dents. Même s'il ne fumait plus, il était incapable de se départir de ses vieilles habitudes.

— Assoyez-vous ! aboya-t-il.

Fanette obtempéra, surveillant du coin de l'œil le visage sévère de son patron, dont les bajoues tombantes lui donnaient la mine d'un vieux bouledogue. Il déposa un exemplaire de *L'Époque* devant elle.

— Jetez-y un coup d'œil.

Fanette prit le journal et le déplia. Son article se trouvait en manchette : « Les dessous des grands magasins » et arborait la signature de Fernand Aubry. Son dessin d'une jeune femme en corset avait été reproduit en grand format. Sa première réaction fut le plus parfait étonnement. Elle s'était attendue à des remontrances, et voilà que son patron publiait son article et son croquis en première page ! La surprise fut suivie par une bouffée de joie et de fierté. Bien qu'il eût qualifié son esquisse de « cochonnerie », Laflèche avait finalement surmonté ses réticences.

— Qu'est-ce qui vous a fait changer d'idée ? demanda-t-elle, curieuse.

Il haussa les épaules.

— Votre… dessin a eu l'heur de plaire à vos collègues masculins. D'après ce que j'ai pu constater, ils ne sont pas les seuls à l'avoir apprécié. Depuis ce matin, j'ai écoulé plus de dix mille copies.

Fanette n'en croyait pas ses oreilles.

— Plus de dix mille ?

— J'ai dû faire faire deux autres tirages tellement la demande était forte.

Il se pencha vers elle.

— Ce n'est surtout pas le temps de dormir sur vos lauriers, ma petite. J'espère que votre prochaine chronique sera aussi bonne. Et maintenant, ouste, j'ai du travail.

Elle quitta le bureau, tenant l'exemplaire du journal à la main. Les regards des journalistes présents, surtout celui d'Arsène Gagnon, se tournèrent vers elle, mais au lieu d'y trouver l'habituelle condescendance un tantinet paternaliste, Fanette constata qu'il y avait dans leur attitude une nuance de respect.

XLIV

Comme chaque matin, Madeleine s'installa dans son bureau et tenta d'écrire. L'inspiration ne venait pas. De toute manière, à quoi bon ? Qui la lirait ? Elle ne travaillait plus pour *L'Époque*, n'avait plus de lecteurs. Elle ne regrettait pas d'avoir finalement encouragé sa nièce à accepter l'offre de Point final, mais il n'en demeurait pas moins qu'elle avait tout perdu. Elle avait bien pensé faire des démarches dans d'autres journaux pour tenter d'obtenir une chronique ou leur proposer un feuilleton, mais une sorte d'apathie lui glaçait l'âme et l'empêchait de faire le moindre geste.

Berthe lui apporta son courrier. Madeleine y jeta un coup d'œil distrait. Elle ouvrit machinalement une enveloppe et en extirpa une lettre, dont elle reconnut aussitôt l'écriture penchée et l'encre d'un bleu clair qu'utilisait toujours Clara. Sans l'ombre d'une hésitation, elle déchira la missive sous le regard consterné de la servante, qui ramassa l'enveloppe et les morceaux de papier épars et les mit dans son tablier.

Une fois dans la cuisine, Berthe s'efforça de recoller les fragments ensemble, mais la tâche était ardue. Elle finit pourtant par y parvenir. Remettant la missive dans l'enveloppe, elle se rendit à l'écurie.

— M'sieur Alcidor, j'aurions une faveur à vous demander.

Le palefrenier, qui réparait le fer de l'un des chevaux, leva la tête vers elle.

— À vot'service, ma'me Berthe.

Elle lui montra l'enveloppe.

— Connaissez-vous cette adresse ?

Il l'examina et la déchiffra lentement. Lorsqu'il était cracheur de flammes dans un cirque ambulant, un prestidigitateur lui avait appris des rudiments d'écriture et de lecture. Il était capable de décoder des phrases simples, mais cela lui prenait du temps. Il lut à voix haute, détachant chaque syllabe.

— Quin-ze Mur-ray-Hill a-ve-nue.

— Savez-vous où ça se trouve ? s'enquit la servante.

— J'cré ben que c'est tout en haut du mont Royal. Y paraît qu'y a des maisons grandes comme des châteaux, dans ce coin-là.

— Voudriez-vous m'y conduire ?

Alcidor la regarda, intrigué. La servante soutint patiemment son regard.

— C'est pour une affaire importante, qui concerne ma'me Madeleine, se contenta-t-elle d'expliquer.

Sans poser de questions, Alcidor entreprit d'atteler la calèche. Il s'inquiétait pour sa maîtresse et aurait fait n'importe quoi pour lui être utile. Il aida la servante à s'installer dans la voiture et se hissa lestement sur le siège.

ॐ

Berthe n'avait jamais vu cette partie de la ville, à l'ouest de la montagne. Son horizon se limitait au marché Bonsecours et à la maison de Madeleine, rue Saint-Denis. Elle n'avait jamais dépassé cette frontière invisible qui sépare l'est de la ville de l'ouest. Le chemin escarpé dans lequel la calèche s'était engagée était entouré d'une forêt. La servante contempla avec une admiration presque craintive les centaines d'arbres serrés les uns contre les autres, dont les feuilles flamboyaient dans la lumière d'août, tel un feu de Bengale. L'air embaumait la résine de pin et l'herbe. Des chants d'oiseaux qu'elle ne connaissait pas s'élevaient doucement dans les futaies agitées de bruissements. À travers les branches, elle pouvait entrevoir des bribes de la ville qui s'étalait au pied de la montagne. Elle avait soudain le sentiment de se trouver dans un pays étranger.

Au faîte du chemin se trouvait une grande allée bordée de cèdres. Après l'avoir parcourue, la calèche s'immobilisa devant une élégante maison de pierre, surmontée de lucarnes et de tourelles, dont les toits de cuivre scintillaient au soleil. La servante ne descendit pas tout de suite de la voiture, intimidée qu'elle était par la beauté de l'endroit, la fraîcheur des vignes qui prenaient d'assaut les murs solides, bâtis pour durer.

— Attendez-moi ici, m'sieur Alcidor, dit-elle d'une voix mal assurée.

Serrant son châle autour de ses épaules, Berthe gravit le perron. Elle resta un moment devant la grande porte de chêne, paralysée par la timidité. Puis elle appuya sur un bouton doré qui faisait office de sonnette. Un carillon léger résonna. Après un moment, la porte s'ouvrit. Une femme d'une quarantaine d'années, portant un uniforme noir agrémenté d'un col de dentelle et d'un bonnet blancs impeccablement amidonnés et repassés, lui lança un regard interrogatif.

— *What can I do for you?*

La pauvre Berthe, qui ne connaissait pas un mot d'anglais, resta interdite. La domestique reprit en français, avec un accent prononcé :

— Pour les livraisons, passez par la cuisine, dans la cour, derrière la maison.

La servante rougit.

— J'venions pas pour une livraison, mais pour parler à madame Clara.

— Mrs. Bloomingdale ? Elle n'attend personne, aujourd'hui.

La domestique s'apprêtait à refermer la porte, mais Berthe prit son courage à deux mains et s'avança sur le seuil.

— S'il vous plaît, dites à votre maîtresse que c'est au sujet de ma'me Portelance.

La femme au bonnet blanc hésita. Une voix se fit entendre derrière elle.

— *What is the matter, Mary?*

— *There's a woman who wants to see you, mam.*

Clara Bloomingdale se haussa sur la pointe des pieds pour regarder par-dessus l'épaule de sa domestique et eut un choc en reconnaissant la servante de Madeleine.

— Laissez-la entrer, dit-elle d'une voix blanche.

Berthe fut conduite dans un immense salon, dont les murs lambrissés de miroirs réfléchissaient la lumière d'un lustre. Portant une robe d'intérieur d'un vert émeraude qui faisait ressortir la nuance cuivrée de ses cheveux, Clara invita la servante à prendre place dans un fauteuil. Cette dernière obéit, toute raide.

— Comment va Maddie? demanda la peintre, inquiète. J'espère que sa santé est bonne.

— Elle se porte beaucoup mieux, répondit la servante. Mais c'est dans sa tête que ça tourne pas rond.

— Je lui ai souvent écrit, soupira Clara en s'assoyant à son tour dans un canapé. Elle ne m'a jamais répondu.

Berthe, embarrassée, se mordit les lèvres, puis extirpa l'enveloppe d'une poche de son manteau.

— Ma'me Madeleine ne lit pas vos lettres.

Le beau visage de Clara s'assombrit tandis qu'elle prenait la missive. Elle constata que la lettre avait été déchirée et recollée.

— *I see.*

Berthe, visiblement troublée, croisa ses mains sur ses genoux.

— Je connais ma maîtresse depuis qu'elle étions toute petite. Elle est malheureuse comme les pierres.

D'une voix un peu plus assurée, la servante poursuivit, expliquant que Madeleine avait beau s'être à peu près remise de son accident, elle se languissait. Bien qu'elle n'approuvât pas leur relation, qui allait contre ses principes et sa foi, Berthe était loyale à sa maîtresse, et elle supportait mal de la voir dans cet état.

— Que puis-je faire? s'exclama Clara, portant un mouchoir à ses yeux.

— Venez lui rendre visite.

— Mais elle refusera de me recevoir ! Vous m'avez dit vous-même qu'elle ne lit pas mes lettres...

— C'est le chagrin qui la faisions agir ainsi. Peut-être qu'en vous voyant elle va chasser ses idées noires.

Clara réfléchit puis elle se leva, l'air décidé.

— Vous avez raison. J'ai été lâche. Laissez-moi le temps de me changer.

La bonne acquiesça, soulagée, osant à peine tremper les lèvres dans le thé parfumé qu'une domestique venait de verser dans une délicate tasse en porcelaine. Clara revint en coup de vent, portant un simple tailleur et un petit chapeau d'où s'échappaient des mèches rebelles.

— J'imagine que vous êtes venue ici en voiture ?

Berthe fit oui de la tête.

— Si vous le permettez, je ferai route avec vous. Mon palefrenier est en congé, et je ne veux pas perdre de temps à atteler.

Durant le trajet qui les menait chez Madeleine, les deux femmes parlèrent à peine. Berthe était encore mal à l'aise en compagnie de cette femme élégante, à la peau si blanche qu'elle en était presque diaphane et dont les mains aux longs doigts fins n'avaient visiblement jamais connu de gros travaux. Elle regrettait un peu d'avoir accompli cette démarche. Dieu, qui voyait tout, l'approuverait-il ?

⁂

Il y avait plus d'une heure que Madeleine s'acharnait sur la même phrase, la raturant, la reprenant, déchirant pratiquement le papier sous les assauts de sa plume, sans parvenir à obtenir un résultat qui lui parût du moindre intérêt. Comment avait-elle pu écrire pendant toutes ses années alors que maintenant les mots la désertaient, tels des rats qui abandonnent un navire en plein naufrage ? Elle était si absorbée dans la contemplation morose de sa page presque blanche qu'elle n'entendit pas le roulement de la calèche ni le bruit des portes qui claquaient. Aussi, lorsque

Berthe s'avança dans le salon, lui annonçant d'une voix presque tremblante qu'elle avait de la visite, leva-t-elle à peine les yeux de son écritoire.

— Je t'ai pourtant dit que je ne souhaitais voir personne.

C'est à ce moment qu'elle entrevit la silhouette mince de Clara se détachant dans la clarté diffuse d'une lampe. Elle ne fit pas un geste. Pendant un instant, elle crut même que c'était la fatigue qui lui jouait des tours et qu'elle avait tout simplement imaginé la présence de son ancienne amie. Pourtant, l'apparition fit quelques pas vers elle.

— Maddie…

Madeleine devina que sa servante avait pris l'initiative de faire venir Clara chez elle et lui jeta un regard rempli de reproches.

— Tu n'aurais pas dû.

La servante baissa la tête.

— Ne blâme pas Berthe, intervint Clara. Elle se fait du mauvais sang pour toi.

— Pars, répliqua Madeleine d'une voix éteinte.

— Écoute ce que j'ai à te dire avant de me chasser.

— À quoi bon ? Nous nous sommes déjà tout dit. Va-t'en.

Clara enleva l'épingle qui retenait son chapeau. Ses cheveux tombèrent en cascades sur ses épaules.

— Tu n'as pas lu mes lettres, la réprimanda-t-elle. Je t'expliquais tout.

— Je ne voulais pas perdre mon temps à lire tes justifications.

Berthe, se sentant de trop, quitta la pièce tandis que Clara s'assoyait dans un fauteuil en face de son amie.

— Peter était très malade.

— Je ne t'écoute pas, dit Madeleine en plaquant ses mains sur ses oreilles.

Clara lui enleva les mains, les gardant prisonnières dans les siennes.

— Il a contracté la malaria en Afrique. Il a failli mourir. Je n'avais pas le droit de l'abandonner. Tu aurais fait la même chose à ma place.

La forteresse que Madeleine avait érigée pour se protéger commençait à se lézarder. Clara, sentant qu'elle avait réussi à ébranler sa compagne, revint à la charge.

— Peter est un ami. Il m'a toujours aidée dans les moments difficiles. Je n'ai fait que lui témoigner la même solidarité.

— Mais tu ne le quitteras pas.

— Il sait que je t'aime, il l'a toujours su. Et il en a pris son parti.

Madeleine ne répondit pas.

— Je t'avais déjà offert de faire un voyage en Europe. Nous pourrions partir dès la fin de septembre.

— Et ton mari, qu'en dit-il ?

— Il sera à New York et à Boston pour un voyage d'affaires. Il ne reviendra pas avant quelques mois.

Madeleine hésita. Son amie l'attira à elle.

— Tu ne crois pas que nous avons déjà assez souffert ? Comptes-tu nous punir encore bien longtemps ?

De grosses larmes jaillirent des yeux déjà rougis de Madeleine. Clara prit un mouchoir et les essuya.

— La vie est si courte, si fragile. N'avons-nous pas droit à un peu de bonheur ?

❧

Berthe, les mains enfarinées, confectionnait une tourte à la viande lorsque Madeleine apparut dans l'embrasure de la porte.

— Tu ajouteras un couvert.

Les joues de sa maîtresse s'étaient colorées. Un sourire involontaire faisait briller ses yeux. La servante comprit qu'elle avait réussi sa mission et pria pour que le Seigneur se montre miséricordieux. N'était-il pas censé aimer toutes ses créatures, quelles que soient leurs fautes ?

XLV

Un mois plus tard
Septembre 1864

Rosalie souleva le rideau de la fenêtre du salon et jeta un coup d'œil dehors. Il pleuvait à boire debout. Cela faisait presque une semaine que le mauvais temps régnait, comme s'il était au diapason de son propre état d'âme. Car Rosalie n'était pas heureuse. Les jours s'écoulaient avec une lenteur désespérante et ne lui apportaient ni joie ni réconfort. Parfois, lasse de rester enfermée entre quatre murs, elle profitait d'une rare éclaircie pour sortir. La vue de jeunes couples qui se promenaient dans le parc en échangeant des sourires complices ou celle de jeunes mères de famille poussant un landau la remplissait de tristesse. Non pas qu'elle regrettât d'avoir mis Lucien à la porte. Pas un instant elle n'avait eu de doutes sur le bien-fondé de sa décision ni éprouvé le moindre remords. Sa tristesse tenait à autre chose : son désir d'avoir un enfant, auquel elle devait renoncer pour toujours. Depuis qu'elle avait rompu tout lien avec son mari, elle savait dans son for intérieur qu'elle ne connaîtrait plus l'amour et, au fond d'elle-même, ne le souhaitait pas. Jamais plus elle ne pourrait faire confiance à un autre homme. Elle préférait de loin la solitude à l'illusion amoureuse.

Les seuls moments qui lui apportaient un peu de bonheur étaient ses visites à Fanette. Elle s'était réjouie en apprenant que sa meilleure amie écrivait désormais sa propre chronique dans le journal *L'Époque*, dont elle se procurait sans faute une copie chaque lundi, mais elle n'arrivait pas à comprendre la raison pour laquelle le patron de Fanette l'obligeait à adopter un nom de plume masculin.

— Un jour, tu verras, grâce à ton talent, ce sera ton vrai nom qui figurera en première page !

Rosalie avait une excellente relation avec Julien, quoique ce dernier fût souvent absent de la maison à cause de son travail, mais surtout elle adorait Marie-Rosalie, qui le lui rendait bien. La jeune femme pouvait passer des heures en compagnie de la fillette, jouant à la poupée avec elle, lui faisant la lecture. Jamais elle ne se lassait d'écouter ses babillages. Parfois, elle sentait le regard songeur de Fanette posé sur elle. Son amie devinait sûrement à quel point le fait de ne pas avoir d'enfant la rongeait. Son affection pour Marie-Rosalie, bien que parfaitement sincère, était sans doute une façon de compenser ce sentiment de perte. Lors de sa dernière visite, tout en lui servant du thé, Fanette avait discrètement abordé le sujet avec elle.

— Songes-tu parfois à refaire ta vie ?

— Pour cela, il faudrait que je n'aie plus de mari.

— As-tu des nouvelles de Lucien ?

Le visage de Rosalie s'était rembruni.

— Si j'en crois la rumeur, il vit toujours avec sa concubine.

L'amertume de Rosalie, bien que cachée sous un vernis d'indifférence, n'avait pas échappé à Fanette.

— Si tu le souhaites, tu pourrais consulter Julien. Il te conseillerait à titre amical, bien entendu.

— Si tu veux parler d'un divorce, il n'en est pas question, avait répliqué Rosalie d'un ton plus coupant qu'elle l'aurait souhaité.

Fanette avait paru décontenancée.

— Pour quelle raison ? Tu pourrais invoquer l'adultère. Lucien ne pourrait pas nier qu'il vit sous le toit d'une autre femme et accepterait sans doute de t'accorder le divorce. D'après Julien, la cour pencherait en ta faveur dans de telles circonstances.

Rosalie avait compris que son amie en avait déjà discuté avec son mari. Elle en avait ressenti du dépit.

— J'y ai déjà songé, mais je préfère que les choses restent comme elles sont.

— Espères-tu que Lucien te revienne ?

— Non, et même si cela se produisait, ma porte lui resterait fermée. C'est fini entre nous.

— Alors c'est le qu'en-dira-t-on qui te dérange ?

Rosalie avait secoué la tête.

— Tu me connais suffisamment pour savoir que je n'accorde aucune importance aux ragots. N'oublie pas que j'ai fui avec Lucien et que j'ai vécu avec lui sans être mariée.

La jeune femme s'était tue et avait pris une gorgée de thé tout en observant Fanette. Elle pouvait lire en son amie comme dans un livre ouvert et devinait que celle-ci, sans la juger, ne comprenait pas son refus de se séparer légalement de Lucien. Elle ignorait elle-même pourquoi il lui répugnait tant d'accomplir cette démarche, qui lui rendrait pourtant sa liberté. D'une certaine manière, Rosalie avait pris l'habitude de se faire appeler « madame Latourelle », nom qu'elle préférait de loin à celui de Grandmont, qui lui rappelait par trop son père adoptif tant honni. Mais à bien y penser, il y avait autre chose. Peut-être le statut que lui conférait son titre de femme mariée lui apportait-il une certaine sécurité, une place dans une société qui jugeait sévèrement les femmes célibataires. Elle craignait qu'en le perdant elle ne soit condamnée à une solitude plus grande encore.

❧

Rosalie laissa tomber le rideau de la fenêtre d'un geste las. Comment en était-elle arrivée à une telle léthargie ? Sa vie lui échappait, comme du sable qui lui aurait glissé entre les doigts. Elle éprouva soudain le besoin impératif de sortir de la maison, de fuir la morosité de cette journée. Après avoir enfilé un mantelet muni d'un capuchon, elle gagna le vestibule et ouvrit la porte. Il avait cessé de pleuvoir. Un soleil pâle perçait à peine le ciel gris. Elle respira l'air chargé d'un parfum lourd de fin d'été et se mit à marcher sans destination précise. Les arbres déployaient leurs branches au feuillage déjà coloré, d'où s'écoulaient des gouttes d'eau. Elle croisa un couple poussant un landau. La tête rose d'un bébé émergeait d'une couverture. Rosalie lui sourit. Le bébé lui sourit en retour. Au lieu de ressentir l'aiguillon familier du chagrin et du regret, Rosalie éprouva de la joie devant cette vie nouvelle, remplie de promesses. Elle poursuivit sa promenade d'un pas allègre et parcourut ainsi quelques milles sans s'en rendre compte, ragaillardie par la marche et la brise légère.

Des cris d'enfants la firent s'arrêter. Elle tourna la tête et aperçut une ribambelle d'écolières qui jouaient dans une petite cour de récréation jouxtant une école de briques rouges. Une institutrice, portant un sifflet autour du cou, surveillait leurs jeux du coin de l'œil. Rosalie s'approcha de la grille qui séparait la cour de la rue et observa les fillettes, vêtues d'uniformes noirs agrémentés d'un col blanc. Un projet commença à germer dans sa tête.

Avant de rentrer chez elle, elle passa par un bureau de télégraphe et envoya un message à sa mère :

> Chère maman, j'aimerais vous rendre visite et vous parler
> d'un projet qui me tient à cœur et vous intéressera peut-être.
> Votre toute dévouée, Rosalie.

Rosalie rentra chez elle, le cœur plus léger. Il y avait longtemps qu'elle ne s'était sentie aussi sereine, comme si l'avenir ne lui apparaissait plus comme un long tunnel sombre et sans issue, mais recelait une clarté nouvelle, l'espoir d'une vie meilleure.

XLVI

Lucien Latourelle filait le parfait amour avec la jolie Mathilde, qu'il avait rencontrée dans le salon de madame Beaudry, l'épouse du maire de Montréal. Au début de sa liaison avec elle, il avait craint de se lasser rapidement de la jeune actrice, surtout depuis qu'il avait installé ses pénates chez elle, après avoir été mis à la porte par Rosalie. Mais au fil des jours, sa passion pour Mathilde s'était au contraire décuplée. Les péchés mignons de la jeune femme – son amour immodéré pour les friandises, les bijoux et les belles toilettes, ses moues boudeuses lorsqu'elle n'obtenait pas ce qu'elle voulait – l'attendrissaient. Seul son refus obstiné de lui remettre un double de la clé de l'élégant logis où elle habitait l'irritait.

— Pourquoi ne pas me donner une clé ? Ce serait tellement plus pratique ! lui reprochait-il chaque fois qu'il devait sonner à sa porte pour entrer chez elle.

— De quoi te plains-tu ? Ne suis-je pas toujours là pour t'ouvrir ? lui répondait-elle en l'enlaçant langoureusement de ses jolis bras potelés.

Il renonçait alors à toute récrimination, alangui par le parfum de roses et la douce chaleur qui émanaient de son amante. Un véritable attachement s'était développé entre les deux jeunes gens, à un point tel que Lucien ne pouvait plus imaginer sa vie sans Mathilde. L'évocation de Rosalie ne provoquait aucune émotion chez lui, sinon un vague ressentiment. Il lui en voulait de l'avoir jeté à la rue en lui donnant à peine de quoi survivre pour quelques semaines. Étant trop amoureux pour éprouver le moindre remords quant à sa propre conduite, il trouvait même le moyen de blâmer Rosalie pour son manque de cœur, alors que c'était lui qui l'avait trompée sans vergogne.

Quatre ou cinq fois par semaine, Mathilde demandait à son amant de la laisser seule pendant quelques heures, prétendant qu'il lui fallait travailler un rôle ou suivre une leçon de pose de voix, de chant et de diction avec madame Latour, une ancienne cantatrice qui avait connu ses heures de gloire. Lucien se prêtait volontiers à ce qu'il appelait avec indulgence ses « petits caprices », qui la rendaient encore plus précieuse à ses yeux. Il en profitait pour flâner ou pour rencontrer des amis – des poètes ou des journalistes sans le sou, comme lui – dans des auberges malfamées établies près du port, où ils buvaient du mauvais vin rouge tout en refaisant le monde. C'était dans l'un de ces tripots, Le Chat noir, qu'il avait fait la rencontre d'Arthur Buies, un jeune homme de vingt-quatre ans rempli de bagout, qui avait étudié quelques années à Paris puis rejoint ensuite l'armée de Garibaldi en Sicile avant de revenir au Québec après six années d'absence. Lucien pouvait écouter son nouvel ami pendant des heures, fasciné par ses discours anticléricaux et ses idées aux relents iconoclastes. Il se reconnaissait dans la révolte de Buies contre l'ordre établi, sa verve insatiable pour dénoncer le clergé et l'apathie du peuple canadien-français soumis à son autorité.

Après de longues heures de discussions, épuisé mais heureux, Lucien revenait chez sa maîtresse, qui lui ouvrait les bras et l'embrassait avec langueur, tout en se plaignant qu'il sentait le tabac et la vinasse.

— D'où viens-tu, mon chéri ? Tu vas t'abîmer la santé à force de boire du mauvais vin et de fumer ces horribles cigares.

Lucien la pressait contre lui en riant, lui parlant avec enthousiasme de la nécessité de réformes pour changer la société, présentant les idées d'Arthur Buies comme si elles avaient été les siennes. La jeune femme tâchait de l'écouter, faisant un réel effort pour s'intéresser à ces discours qui lui paraissaient ennuyeux comme la pluie, puis elle entraînait son amant vers le lit.

Lorsqu'il eut dépensé jusqu'aux derniers sous que Rosalie lui avait remis, Lucien s'en ouvrit candidement à sa maîtresse, lui confiant qu'il ne voulait pas vivre à ses crochets et était bien décidé à se chercher un emploi. La jeune femme secoua la tête en souriant.

— Pourquoi travailler ? N'as-tu donc pas tout ce qu'il te faut ici ?

Songeant avec une certaine honte qu'il avait dépendu de la dot de son épouse pour survivre, Lucien fut saisi par un sursaut de dignité.

— Ce n'est pas honorable pour un homme de se faire entretenir par une femme.

— Bah, les grands mots ! Quel mal y a-t-il à ce que je te gâte un peu ? J'ai le droit de faire ce que je veux avec mon argent.

L'argent… C'était là où le bât blessait, l'ombre au bonheur de Lucien. Le train de vie de sa maîtresse était en soi une source de tourment. Comment faisait-elle pour s'offrir un logement aussi somptueux, au cœur du quartier Saint-Antoine, réputé comme étant l'un des plus aisés de la ville ? Ce n'étaient certainement pas ses modestes cachets de figurante au théâtre Royal qui lui permettaient d'acheter ses toilettes extravagantes, d'entretenir une bonne et un palefrenier, sans oublier le landau rouge de marque Ledoux qui faisait fureur à Montréal et avait dû lui coûter les yeux de la tête. Chaque fois qu'il lui demandait qui lui prodiguait toute cette munificence, elle levait les yeux au ciel et lui faisait invariablement la même réponse :

— Que vas-tu te mettre en tête, mon chou ! Je te l'ai dit cent fois, c'est une vieille tante riche qui m'a légué son argent.

Il y avait tant de candeur dans ses beaux yeux que Lucien décidait chaque fois de la croire, mais le doute revenait le tarauder dès que Mathilde étrennait une robe ou portait un bijou qu'il ne lui avait jamais vu. Elle avait beau lui faire des déclarations d'amour enflammées, lui jurer qu'elle n'aimait que lui, il avait toujours le sentiment qu'elle menait une double vie, dont elle lui cachait soigneusement la réalité, comme un tiroir secret dans lequel on enfouit l'inavouable. Un sentiment qu'il n'avait jamais connu auparavant fit son apparition : la jalousie. C'était une émotion toute nouvelle pour lui, qu'il n'avait éprouvée à l'égard d'aucune femme avant de rencontrer Mathilde. Avec sa jeune maîtresse, il découvrait les joies de l'amour, mais aussi les affres du doute, le vertige des soupçons et des questions sans réponses. Sans aller jusqu'à la suivre, il observait ses allées et venues, surveillait ses fréquentations. Un matin, profitant du fait que Mathilde dormait à poings fermés, il n'avait pu résister à la tentation de fouiller dans ses affaires, à la recherche d'un indice qui aurait pu trahir une relation avec un autre homme. Il n'avait rien trouvé de compromettant, mais cela n'avait pas apaisé ses inquiétudes.

Ses soupçons se matérialisèrent toutefois lors d'une soirée au théâtre Royal, qui présentait *Orphée aux Enfers*, un opéra-bouffe sur une musique de Jacques Offenbach. Mathilde avait obtenu le rôle de Cupidon, ce qui l'avait rendue folle de joie.

— Je tiens enfin ma chance ! s'était-elle exclamée lorsqu'elle avait appris la nouvelle. Oh, Lucien, si tu savais comme je suis heureuse !

Ce rôle, quoique modeste, lui avait-elle expliqué, lui donnerait peut-être une chance d'être remarquée par un riche mécène ou un metteur en scène de renom. Lucien s'était d'abord réjoui pour sa maîtresse, dont le rêve le plus cher était de devenir une comédienne célèbre, et était allé assister à la première représentation en se faisant une fête de la voir sur scène. L'apparition de Mathilde, suspendue à un câble qui donnait l'illusion qu'elle flottait dans les airs, et dont les ailes couvertes de sequins étincelaient sous les feux des lampes, fit sensation. Un spectateur, un homme d'âge mûr dont les favoris abondants compensaient un crâne quasi chauve, se leva et lança un bouquet de roses rouges sur la scène en criant « bravo » d'une voix tonitruante, suscitant quelques rires moqueurs. Lucien haussa les épaules, plus amusé qu'agacé, trouvant le pauvre homme ridicule.

À l'entracte, il se rendit à la loge que partageaient les deuxièmes et troisièmes rôles ainsi que les figurantes. Un nuage de poudre de riz l'accueillit. De nombreuses lampes au kérosène dispensaient une lumière éclatante. Une rangée de costumes chatoyants pendaient à des cintres. De jeunes femmes se changeaient dans un tourbillon de tulle, de paillettes, de plumes d'autruche et de rires perlés. Un peu étourdi par toute cette activité et par les parfums capiteux qui flottaient dans l'air, Lucien s'adressa à une comédienne déguisée en nymphe.

— Mademoiselle, auriez-vous vu Mathilde ?

La « nymphe » fit un sourire mutin et pointa sa main fine vers le fond de la loge. Lucien s'y dirigea et vit Mathilde, en corset et en jupon, ses deux ailes posées sur un fauteuil, qui achevait de se remaquiller devant un miroir tandis qu'un gros homme enserrait sa taille de ses doigts boudinés.

— Pas ici, petit papa ! minauda-t-elle. Je dois retourner sur scène dans quelques minutes.

Elle aperçut le reflet de Lucien dans la glace et blêmit. Elle s'empressa de repousser le vieil homme.

— Allez, bas les pattes !

Lucien reconnut le spectateur qui avait lancé le bouquet de roses sur la scène. Hors de lui, il s'avança vers l'individu, le saisit par les épaules et l'obligea à lâcher son étreinte.

— Laissez cette jeune femme en paix !

L'homme l'écarta sans ménagement.

— Petit freluquet ! Mêlez-vous de vos oignons !

Lucien l'agrippa par le col.

— Ne vous avisez pas de la toucher de nouveau, car vous aurez affaire à moi !

Mathilde tenta de s'interposer entre eux.

— Je t'en prie, calme-toi, Lucien, lui chuchota-t-elle à l'oreille.

Quelques filles s'étaient approchées pour observer la scène, admirant la beauté de Lucien, les boucles blondes qui encadraient son visage aux traits harmonieux. Elles envièrent Mathilde, qui avait réussi à mettre le grappin sur un aussi joli garçon. Le gros homme se dégagea brusquement, soufflant comme un phoque.

— Vous ne savez pas à qui vous avez affaire ! lança-t-il à Lucien, furieux. Je suis l'un des négociants les plus riches de Montréal. J'ai le bras long !

— … et le membre court ! blagua à mi-voix l'une des figurantes.

Des gloussements moqueurs accueillirent la répartie. Lucien leur fit un sourire complice et interpella à nouveau le négociant.

— Votre richesse ne vous autorise nullement à harceler ainsi cette jeune femme. Vous êtes un mufle !

Cette fois, ce fut un rire général. Les filles échangeaient des œillades et envoyaient des baisers à Lucien. Le visage congestionné par la colère, le gros homme reprit ses gants et son chapeau, qu'il avait déposés sur un chiffonnier.

— Je ne laisserai pas un mirliflore de votre espèce me traiter de la sorte. Monsieur, retirez immédiatement vos paroles, sinon je vous attends demain matin, à cinq heures, au Champ-de-Mars, avec mon témoin.

Mathilde poussa un cri.

— Oh non ! Pas ça ! Pas un duel !

Elle agrippa le bras de Lucien.

— Je t'en prie, excuse-toi !

— Jamais ! répliqua Lucien, grisé par sa propre hardiesse.

Le gros homme dévisagea les deux jeunes gens.

— Vous vous connaissez ? demanda-t-il, le regard suspicieux.

— C'est un ami, répondit Mathilde en se mordillant les lèvres.

Le négociant toisa Lucien.

— J'attends toujours vos excuses.

— Je n'ai aucune raison de vous en faire, monsieur, puisque je pensais chaque mot de ce que je vous ai dit.

— Insolent !

Il mit son haut-de-forme et enfila ses gants d'un geste rageur.

— À demain, donc. Je fournirai les pistolets, que vous pourrez examiner vous-même, ainsi que votre second.

Il quitta la loge. Mathilde, pour se soustraire aux regards curieux des autres filles, entraîna son amant derrière un rideau.

— Qu'est-ce qui te prend ? Tu tiens absolument à te faire tuer ? dit-elle à mi-voix.

— Qui est-ce ?

— Un admirateur. Il vient voir des spectacles de temps en temps, je le connais à peine.

Fou de jalousie et de colère, il la saisit par les épaules.

— Ne me prends pas pour un imbécile ! Il te tenait par la taille, comme si tu lui appartenais ! Tu l'as même appelé « petit papa ».

— J'ai le droit d'appeler qui je veux comme je veux ! répliqua-t-elle, un pli boudeur aux lèvres. Si tu m'aimes, tu dois me croire.

Le régisseur entra dans la loge.

— Le Cupidon et les nymphes, en scène ! cria-t-il en tapant dans ses mains. Allez, allez, ouste ! Plus vite que ça, mesdemoiselles ! Le rideau s'ouvre dans deux minutes !

Mathilde, soulagée d'échapper aux questions de son amant, l'embrassa rapidement sur la bouche.

— À ce soir, mon chéri. Et oublie cette idée stupide de duel. Quel enfant tu fais, parfois !

Elle repoussa le rideau et courut vers l'entrée de la loge dans un bruissement de soie et de sequins, s'emparant de sa paire d'ailes au passage. Elle s'adressa à l'une des nymphes.

— Renée, donne-moi un coup de main ! Je n'y arriverai pas toute seule.

Lucien resta prostré dans son coin, sentant la jalousie lui étreindre la poitrine. Lorsqu'une cloche sonna la fin de l'entracte, il regagna son siège dans une corbeille d'où il avait une vue imprenable sur la scène, mais ne prit aucun plaisir à assister à la suite du spectacle. Même la jolie voix de mezzo-soprano de Mathilde et ses mouvements gracieux le laissaient indifférent. Son regard était constamment tourné vers le riche négociant, qui applaudissait comme un niais à chaque entrechat de Mathilde. Une sorte de satisfaction amère l'habitait tout entier. *Je me battrai en duel et je le tuerai.*

XLVII

Ne tenant plus en place, Lucien s'éclipsa avant la fin du spectacle et sortit du théâtre. Un crachin grisâtre avait commencé à tomber. Il se sentit soudain déprimé. La vacuité de sa vie lui apparut avec une clarté impitoyable. Il n'avait pas écrit depuis des lunes, ne possédait pas un sou vaillant, vivait avec une femme adorable, mais volage, et venait de se compromettre dans un duel insensé. Incapable de rentrer chez sa maîtresse, il décida de se rendre au cabaret du Chat noir. La vue d'Arthur Buies, qui fumait la pipe en buvant un verre de bière avec d'autres jeunes gens, le rasséréna.

— Hé, mon ami, joins-toi à nous ! lui lança Buies dans un nuage de fumée.

Lucien prit place dans la chaise que le journaliste lui avançait. Ce dernier lui jeta un coup d'œil dubitatif.

— Tu en fais, une tête ! On dirait que tu viens d'apprendre ton arrêt de mort.

— C'est à peu près ça. Je vais me battre en duel.

Les mots de Lucien provoquèrent une commotion autour de lui.

— Sans blague ? s'exclama Arthur, incrédule.

Les duels étaient rares au Canada. Arthur s'était intéressé à ce phénomène lorsqu'il était adolescent et avait lu sur la question tout ce qui lui tombait sous la main. Le dernier duel avec mort d'homme avait eu lieu au Québec en 1838, à Verdun. Un avocat du nom de Robert Sweeny, après avoir trouvé une lettre d'amour envoyée à sa femme par un militaire, avait provoqué celui-ci en duel et l'avait tué. Dix ans plus tard, George-Étienne Cartier s'était battu contre un homme qui l'avait accusé de lâcheté à la bataille de Saint-Denis, pendant la rébellion des Patriotes. Heureusement, les deux belligérants s'en étaient tirés sans une égratignure. À Paris, sous le régime du Second Empire, les duels étaient assez nombreux, mais se concluaient le plus souvent par une beuverie amicale entre les combattants dans un bistroquet de quartier.

— Ne t'en fais pas, mon vieux, renchérit Buies en riant, de nos jours, on n'en meurt pas.

Lucien fit un effort pour sourire, mais il n'était guère rassuré.

— Contre qui te battras-tu ?

Lucien se rendit compte avec stupeur qu'il ne connaissait même pas le nom de son adversaire.

— Je n'en ai pas la moindre idée. Tout ce que je sais, c'est qu'il s'agit d'un riche négociant.

Buies donna une accolade amicale à son camarade.

— Je t'approuve entièrement, mon cher. Si on pouvait passer tous les riches au fil de l'épée, notre société ne s'en porterait que mieux !

Des rires accompagnèrent sa tirade. Buies paya une tournée générale.

— À la santé du beau et brave Lucien Latourelle ! s'écria-t-il en levant son verre sous des hourras et des applaudissements nourris.

— As-tu un témoin ?

— Non, répondit Lucien, penaud.

— Je suis ton homme. Le duel aura lieu quand ?

— Demain matin, à cinq heures, au Champ-de-Mars.

— Tu peux compter sur moi.

Les jeunes gens continuèrent à bavarder et à boire jusqu'à tard dans la nuit. Il était passé quatre heures du matin lorsque l'aubergiste finit par les mettre à la porte. Lucien et Arthur, bras dessus, bras dessous, marchaient en titubant sur le trottoir de bois luisant de pluie tout en chantant avec des voix avinées :

Malbrough s'en va-t-en guerre,
Mironton, mironton, mirontaine,
Malbrough s'en va-t-en guerre,
Ne sait quand reviendra
Ne sait quand reviendra
Il reviendra z'à Pâques,
Mironton, mironton, mirontaine,
Il reviendra z'à Pâques
Ou à la Trinité.

La cloche d'une église sonna les matines. Les deux amis cessèrent brusquement de chanter. Arthur tira une montre de son gousset.

— Nom d'une pipe, il est cinq heures moins le quart ! s'écria-t-il.

Ils se regardèrent, soudain dégrisés.

— Nous avons tout juste le temps de nous rendre au Champ-de-Mars, balbutia Lucien.

Ils cherchèrent un fiacre, mais n'en trouvèrent pas et durent marcher. Toute joie avait disparu. La gravité de ce qui allait se produire pénétrait peu à peu leur conscience.

Après avoir marché rapidement sans échanger un mot, ils arrivèrent à l'esplanade du Champ-de-Mars, qui était bordée de peupliers derrière lesquels se dressaient une palissade de pierre et des clochers d'église. Buies s'arrêta et prit son ami par le bras. Ses yeux étaient chargés de gravité.

— Rien ne t'oblige à te battre. Tu peux renoncer à ce duel à tout moment.

Lucien secoua la tête.

— Jamais je ne ferai d'excuses à ce vieux butor !

— Il vaut mieux parfois marcher sur son orgueil et avoir la vie sauve plutôt que de s'obstiner à avoir raison et risquer de la perdre.

— Je ne suis pas un lâche.

— Qui te parle de lâcheté ? S'excuser n'a jamais tué personne !

— Si tu ne veux plus être mon témoin, j'en trouverai un autre, s'entêta Lucien.

— Comme tu veux, soupira son compagnon.

Ils s'avancèrent dans le parc, désert à cette heure matinale. Des lambeaux de brume flottaient çà et là, s'accrochant aux branches d'arbres telles des toiles d'araignées. Des cris âcres de corneilles s'élevaient de branches sombres qui griffaient le ciel. Lucien scruta l'horizon et finit par distinguer une voiture et quelques silhouettes à distance.

— C'est lui, dit-il d'une voix étouffée.

Il ne ressentait pas de peur, mais avait le sentiment que ses membres étaient engourdis, comme s'il se trouvait dans un songe. *Je mourrai peut-être*, pensa-t-il. Cette idée lui sembla abstraite. À vingt-cinq ans, il lui était impossible d'imaginer la fin de sa vie, qu'il croyait éternelle. Il se demanda si Mathilde le regretterait. Il l'imaginait, penchée au-dessus de sa dépouille, en larmes. Cette image lui sembla sublime. *Mourir pour les yeux d'une jolie femme, quelle fin charmante !* Il avait soudain l'impression d'être un personnage de roman, dont le destin exalté le propulsait dans un espace privilégié, hors du commun.

Les deux amis parcoururent une centaine de pieds. Le détail de l'équipage se précisait dans la lumière blême de l'aube. Deux chevaux pommelés étaient attelés à une élégante Victoria. Le négociant, portant un costume et un haut-de-forme sombres, se tenait debout près d'une petite table dressée sur des tréteaux sur laquelle une panoplie de pistolets avaient été déposés. Il était accompagné d'un homme plus jeune et d'un cocher.

— Ah, vous voilà, messieurs ! lança le marchand d'une voix sonore.

Il s'adressa à Lucien.

— Nous n'avons pas eu le temps de faire connaissance, jeune homme.

Il tendit une grosse main calleuse.

— Ronald Champoux.

— Lucien Latourelle.

Les deux se serrèrent la main. Ronald Champoux avait une poigne solide.

— Voici mon témoin : mon gendre, Benoit Côté.

— Et je vous présente le mien, monsieur Arthur Buies.

— Enchanté de vous connaître, monsieur Buies.

Après ces salutations d'usage, le marchand se tourna vers Lucien.

— Je vous laisse le choix du pistolet.

Sans être un bon tireur, Lucien s'y connaissait un peu dans le maniement des armes. À l'âge de seize ans, il avait été envoyé au régiment, à la Citadelle de Québec, par son père, qui était irrité de le voir toujours dans les jupes de sa mère et souhaitait en faire un homme. Lucien en avait gardé un souvenir épouvanté. La promiscuité avec les autres soldats dans des dortoirs mal aérés, les levers aux aurores, les entraînements exténuants sous les ordres gutturaux des officiers, les repas spartiates qui sentaient toujours le chou trop cuit, tout dans la vie de la garnison l'avait dégoûté. Après plusieurs semaines, n'en pouvant plus, il avait supplié sa mère dans une lettre désespérée de le sortir de cet enfer, allant jusqu'à menacer de mettre fin à ses jours. La missive avait eu les effets escomptés car, quelques jours plus tard, son supérieur l'avait convoqué et lui avait appris son expulsion « pour des raisons de santé ». Qui eût cru que ce séjour désastreux chez les militaires lui serait utile ?

Lucien saisit un des pistolets et l'examina. Il s'agissait d'un revolver Smith & Wesson. En ouvrant la chambre de l'arme, il constata que trois balles s'y trouvaient. *La première suffira*, se dit le poète, qui sentit tout à coup son estomac se nouer.

— Ce pistolet me convient, dit-il d'une voix légèrement défaillante.

Le gendre de Ronald Champoux se tourna vers Arthur Buies.

— Veuillez examiner le revolver à votre tour.

Le témoin s'exécuta, puis haussa les épaules en redonnant l'arme à Lucien.

— C'est bel et bien un pistolet, déclara-t-il avec une note d'ironie.

Le marchand le toisa.

— Monsieur, le moment est mal choisi pour plaisanter. Quelqu'un va peut-être mourir.

Arthur baissa les yeux. Le vieux négociant avait raison. Envahi par un mauvais pressentiment, il se tourna vers Lucien.

— Encore une fois, mon cher, il n'est pas trop tard pour faire tes excuses.

Lucien ignora la remarque et s'adressa au négociant.

— Je suis prêt.

Ronald Champoux inclina la tête.

— Fort bien, monsieur Latourelle.

Son gendre prit la parole.

— Puisque mon beau-père est l'offensé, ce sera lui qui aura le privilège de tirer en premier.

Benoit Côté se dirigea vers le centre du terrain. Les autres lui emboîtèrent le pas. Lucien, serrant le pistolet dans son poing, sentit les battements de son cœur s'accélérer. La brume qui persistait, la lumière glauque, le son de ses pas amorti par le gravier humide lui donnaient une impression d'irréalité. *Bientôt, l'un de nous ne sera plus.* Le témoin de Ronald Champoux plaça les deux duellistes dos à dos, puis leur ordonna d'une voix forte de s'éloigner de trente pas, comptant à voix haute. Arthur Buies, qui s'était placé en retrait, observait la scène avec inquiétude. L'image de Lucien de Rubempré, le héros tragique de Balzac, lui vint à l'esprit. Comme ce personnage ressemblait à son ami ! La même beauté, la même passion teintée de veulerie… Il trouva étrange que la fiction s'incarne dans les traits d'une personne réelle. *Espérons que mon ami ne connaîtra pas un sort aussi tragique*, ne put-il s'empêcher de se dire, songeant à la scène terrible dans laquelle Lucien de Rubempré, emprisonné dans la sinistre prison de la Force, était trouvé pendu dans sa cellule.

— Trente ! cria le témoin du négociant. Arrêtez-vous.

Lucien et Ronald Champoux s'immobilisèrent aussitôt.

— Retournez-vous !

Les deux hommes obéirent. Ils se faisaient maintenant face. Le visage du marchand était impassible, mis à part un tic qui agitait sa paupière gauche. Quant à Lucien, une peur sourde avait pris possession de lui, paralysant ses membres. Il se rendit compte avec terreur qu'il ne serait peut-être pas capable de soulever son arme, encore moins de mettre son adversaire en joue.

Benoit Côté s'adressa aux combattants.

— Tenez-vous prêts.

Il se tourna vers son beau-père.

— Armez votre pistolet. À mon signal, vous tirerez.

Ronald Champoux acquiesça. Un cliquetis métallique s'ensuivit. Le négociant leva son arme, visant Lucien. Un silence de plomb s'établit, ponctué seulement par le croassement d'une corneille, qui semblait scruter la scène du haut de sa branche. Arthur, les yeux fixés sur son ami, murmura une prière, non par ferveur religieuse, mais par une sorte de réflexe venu de son enfance.

— Un, deux, trois. Tirez !

Le coup de feu éclata, faisant jaillir des flammèches du canon de l'arme. Le négociant recula d'un pas sous l'impact. Pendant un instant, Lucien resta immobile, comme surpris par la violence du choc. Il mit instinctivement une main sur son cœur, puis vacilla sur ses jambes, tourna de l'œil et s'écroula. Arthur se précipita vers lui et se pencha au-dessus du corps de son ami. Ce dernier, ayant toujours la main sur la poitrine, avait les yeux clos et ne semblait plus respirer. Son visage avait la pâleur de la cire. *Mon Dieu, il est mort.*

XLVIII

Arthur Buies resta penché au-dessus de Lucien, tâchant de percevoir un signe de vie sur le beau visage, dont les traits s'étaient figés en un masque paisible. Tout semblait s'être pétrifié autour d'eux, comme un tableau. Le vent était complètement tombé. Une odeur de poudre flottait dans l'air immobile.

— Mon pauvre Lucien, murmura le journaliste.

Ronald Champoux remit son pistolet encore fumant à son gendre et s'avança d'un pas ferme vers le corps inanimé de son adversaire. Arthur leva la tête et observa le marchand qui s'approchait. Il n'y avait aucune trace de remords ni de regret sur son visage rougeaud. Le jeune homme sentit une rage froide monter en lui. Cet homme venait d'expédier son ami *ad patres* et ne montrait aucune émotion, comme si la mort d'un être humain le laissait complètement indifférent. Une légère pluie se remit à tomber. Soudain, un soupir s'éleva. Arthur se tourna de nouveau vers son ami et s'aperçut que celui-ci clignait des paupières.

— Lucien ! s'écria-t-il.

Celui-ci ouvrit les yeux et regarda autour de lui, comme s'il se demandait ce qu'il faisait là. Il lui fallut quelques secondes pour revenir à la réalité. Arthur lui saisit une main.

— Moi qui croyais que tu avais passé l'arme à gauche… Es-tu blessé ?

En prononçant ces mots, Arthur entrouvrit la redingote de Lucien. À sa grande surprise, il ne vit pas de sang, aucune plaie. Le tissu du gilet était resté parfaitement intact.

— Comment se fait-il… ? Je n'y comprends rien.

Le négociant s'arrêta à leur hauteur.

— Les cartouches étaient à blanc, expliqua-t-il.

Lucien se redressa sur les coudes.

— Mais j'ai ressenti une douleur à la poitrine ! Je me suis cru mort.

— Vous avez eu plus de peur que de mal. Le bruit de la détonation, la crainte du choc vous auront fait perdre connaissance.

Lucien se mit debout, les jambes encore flageolantes. Il se sentait humilié au plus profond de lui-même.

— Je ne suis pas un lâche. Vous n'auriez pas dû mettre de fausses balles. Je souhaitais me battre comme un homme ! protesta-t-il.

— Et moi, je ne suis pas un assassin, rétorqua le vieux négociant.

Arthur intervint.

— Dire que j'aurais pu rester tranquillement chez moi, les deux pieds bien calés sur le poêle, au lieu d'assister à cette pantalonnade !

Le marchand l'ignora et continua à s'adresser à Lucien.

— Vous m'avez insulté. Que cela vous serve de leçon, jeune homme, dit-il avec dignité.

Il tourna les talons et revint vers la Victoria, où l'attendaient son gendre et son cochet. Lucien fit un mouvement pour le rattraper, mais son ami le retint d'un geste.

— Laisse, Lucien. N'es-tu pas heureux d'être encore de ce monde ?

Arthur insista pour aller chercher un fiacre, jugeant que son camarade était encore trop faible pour rentrer chez lui à pied. Il l'aida à se hisser dans la voiture.

— Où habites-tu ?

Lucien donna l'adresse de sa maîtresse. Lorsque le fiacre s'arrêta devant le logis de Mathilde, Arthur ne put réprimer un sifflement admiratif.

— Eh bien, ta maîtresse mène grand train, mon cher !

Il lui donna une tape amicale sur l'épaule.

— Tu m'as fait une sacrée peur. Allez, tout est bien qui finit bien. À la prochaine !

Arthur remonta dans la voiture et referma la portière. Lucien regarda le fiacre s'éloigner, encore hébété par l'expérience qu'il venait de vivre. Il lui fallut quelques minutes avant de sonner à la porte. *Il faudra bien que je convainque Mathilde de me donner enfin une clé*, se dit-il, étonné lui-même de revenir si rapidement à des pensées aussi prosaïques après s'être cru mort. Mathilde lui ouvrit. Elle était ravissante dans une robe d'intérieur en mousseline blanche. Elle fut alarmée en constatant la pâleur de son amant et ses vêtements en désordre, froissés et tachés de boue et d'herbe.

— Mon chéri, que t'arrive-t-il ? Je t'ai attendu toute la nuit, j'étais morte d'inquiétude.

Elle le fit entrer et referma la porte.

— Enfin, explique-toi !

Elle pâlit.

— Dis-moi que tu ne t'es pas battu en duel ?

Lucien ressentit soudain une immense lassitude.

— J'ai besoin de dormir, se contenta-t-il de répondre.

৵

Lucien s'étendit tout habillé sur le lit et s'endormit aussitôt. Lorsqu'il se réveilla, il aperçut le visage soucieux de Mathilde penché au-dessus du sien.

— Mon pauvre Lucien, tu as dormi comme une souche !

— Quelle heure est-il ? demanda le jeune homme, le cerveau encore embrouillé par le sommeil.

— Plus de trois heures.

Lucien s'assit dans le lit et se frotta les yeux. Il avait le sentiment de porter une chape de plomb sur les épaules. Mathilde pressa son amant de questions.

— Où étais-tu passé ? Tu ne m'aimes donc plus pour me laisser ainsi me morfondre toute une nuit sans me donner de tes nouvelles ?

— Tu avais raison, je me suis battu en duel.

La jeune femme poussa une exclamation effrayée.

— Mon Dieu ! Tu es fou !

Elle entrouvrit la redingote de Lucien, mais ne vit aucune blessure ni marque de sang.

— Ne crains rien, je ne suis pas blessé, dit-il avec amertume.

Décontenancée par le ton acerbe de son amant, Mathilde garda le silence. Une question lui brûlait les lèvres, qu'elle n'osa poser. Lucien la devança.

— Ton « petit papa » se porte à merveille.

— Comme tu peux être méchant, parfois, murmura-t-elle.

Elle s'éloigna de Lucien et se rendit vers la fenêtre, dont elle ouvrit la croisée. Une légère brise agita les rideaux de satin. Regrettant ses paroles, Lucien rejoignit sa maîtresse et l'enlaça.

— Mathilde, si tu m'aimes, romps avec lui.

La jeune femme leva les yeux vers lui. Un étrange éclat durcissait ses prunelles.

— Qui paiera mes toilettes, mes bijoux, mon attelage, ma maison ?

— Je travaillerai. Tu ne manqueras de rien.

— Toi, travailler ? Que feras-tu ?

— Je ne sais pas, moi ! N'importe quoi ! Marchand de chaussures, s'il le faut ! Mais je refuse que tu te laisses entretenir comme une…

Elle lui mit un doigt sur la bouche.

— Ne le dis pas. Notre amour est pur, ne va pas le gâcher avec ton stupide orgueil.

— Ce n'est pas une question d'orgueil ! Comment appelles-tu une femme qui accepte de coucher avec un homme riche qui a trois fois son âge pour se faire payer tous ses caprices ?

— J'appelle cela une femme qui a une tête sur les épaules et un avenir à assurer.

Il poussa un soupir excédé. Elle lui entoura les épaules de ses bras doux.

— Lucien, essaie de comprendre. Cet homme est comme un père pour moi. Il me donne tout et n'exige presque rien en retour.

— Presque rien, c'est déjà trop.

La jeune femme se dégagea d'un mouvement impatient et replaça les oreillers et les draps en désordre.

— Si cet arrangement ne te convient pas, rien ne t'oblige à rester avec moi, dit-elle froidement.

— Comme tu veux, rétorqua Lucien.

Il s'empara d'une valise et commença à y empiler des vêtements. Mathilde s'élança vers son amant et se pendit à son cou.

— Mon beau Lucien, ne me quitte pas !

— Laisse-moi tranquille.

Mathilde s'agrippa à sa redingote.

— Reste, sinon j'en mourrai ! s'écria-t-elle.

De grosses larmes roulaient sur ses joues d'albâtre. Ses longs cheveux blonds étaient répandus sur ses épaules. Lucien la trouva si belle en cet instant qu'il fut tenté de céder, mais une sorte d'amour-propre le secoua. Il termina sa valise, la boucla et quitta la chambre où il avait connu tant de moments heureux.

ᥱᥣᥩ

La circulation était dense. Les roues des voitures laissaient une trace noire sur le pavé mouillé. Sa valise à la main, Lucien marchait d'un pas mécanique, ne sentant pas les gouttes de pluie qui roulaient sur son chapeau et ses épaules. Les détails de sa dispute avec Mathilde lui revenaient sans cesse. Pour la première fois, sa maîtresse lui avait avoué qu'elle était entretenue par Ronald Champoux. Le simple fait de l'imaginer dans les bras de ce vieux bouc le mettait en furie. *Ah, si j'avais eu de vraies balles et tiré en premier, ce salaud serait mort à l'heure qu'il est*, se répétait-il constamment. Sa colère fut peu à peu remplacée par un profond désarroi. Il était transi et avait l'estomac dans les talons, n'ayant pas pris une bouchée depuis la veille. Il fouilla dans ses poches, mais se rendit compte qu'il n'avait pas un sou sur lui, étant parti trop vite de chez sa maîtresse pour prendre un peu d'argent. *Quel idiot je fais*, se reprocha-t-il, s'en voulant d'avoir quitté Mathilde sur un coup de tête. Il n'avait nulle part où aller et n'avait même pas de quoi se payer un repas... Un fiacre roula dans une flaque d'eau et l'éclaboussa. Il essuya tant bien que mal son pantalon. Sa misère lui sembla complète, irrémédiable. La mort aurait été préférable à sa situation actuelle.

Ne sachant que faire, Lucien se dirigea finalement vers le Chat noir, espérant tomber sur son ami Arthur, mais le cabaret était fermé. Il poursuivit sa marche au hasard, sans savoir où ses pas le conduiraient. Le quartier lui sembla familier. Sortant de sa torpeur, il prit conscience qu'il se trouvait à quelques coins de rue de la maison de Rosalie. Il s'arrêta, indécis. L'idée saugrenue d'aller la voir lui vint à l'esprit, mais il ne pouvait s'y résoudre. Sa femme l'avait mis à la porte, il était sans doute la dernière personne qu'elle souhaitait revoir. De toute manière, après tout ce temps, elle n'habitait peut-être même plus à cette adresse.

La pluie tombait de plus belle. Lucien, à bout de forces et taraudé par la faim, se résolut à se rendre chez son épouse. Il sonna à la porte et attendit de longues minutes sur le perron avant qu'on lui réponde. La jeune bonne, Agathe, se tenait sur le seuil. Elle rougit en reconnaissant Lucien.

— M'sieur Latourelle ! Si je m'attendais...

Elle s'interrompit, mal à l'aise.

— Ce serait gentil de me laisser entrer, Agathe. Je suis trempé comme une soupe.

La servante s'empressa de reculer, rouge de confusion.

— Où est ma femme ? demanda Lucien.

— Madame Rosalie est partie à Québec pour rendre visite à sa mère.

Lucien éprouva une vive déception mêlée à une sorte de soulagement.

— Quand reviendra-t-elle ?

— Dans une semaine.

Le jeune homme resta debout dans le hall, ne sachant que faire. La bonne reprit timidement la parole.

— Venez vous sécher près du poêle, proposa-t-elle.

Lucien accepta avec empressement et la suivit jusqu'à la cuisine, où une odeur délicieuse de pot-au-feu régnait. Un poêle en fonte dégageait une bonne chaleur. L'estomac du jeune homme se noua tellement il avait faim, mais il était trop orgueilleux pour quémander un repas.

— M'sieur désire-t-il manger un morceau ?

— Avec joie ! s'exclama Lucien, trop heureux de pouvoir enfin se mettre quelque chose sous la dent.

Agathe déposa un quignon de pain et une assiette de ragoût remplie à ras bord devant son ancien patron, qui fit un effort pour ne pas avaler trop vite.

— Comment se porte madame Latourelle ? demanda Lucien après s'être rassasié.

— Très bien, m'sieur.

— Y a-t-il… A-t-elle… quelqu'un, je veux dire…

— Un cavalier ? Oh non, m'sieur. Madame Rosalie est bien solitaire.

Cette réponse candide ravit Lucien plus qu'il ne l'aurait imaginé.

— Ma chère Agathe, j'ai de petits ennuis financiers en ce moment. De méchants créanciers me courent après, et j'ai dû quitter mon logement pour leur échapper. Je souhaiterais reprendre mon ancienne chambre jusqu'au retour de ma femme.

— C'est que…, balbutia la jeune servante. Madame Rosalie…

Lucien la coupa. Son ton devint plus impérieux.

— Rosalie est encore ma femme, et je suis le maître de cette maison. Ne l'oubliez jamais, Agathe.

La bonne rougit jusqu'aux oreilles et débarrassa la table en silence. Lucien se cala sur sa chaise, satisfait. Avec la chaleur et le bon repas qu'il venait de prendre, il se sentait comme un nouvel homme et avait retrouvé son bel optimisme. Non seulement il avait gagné une semaine de répit, sous un bon toit et avec l'assurance de manger à sa faim, mais il avait conçu le projet de reconquérir le cœur de Rosalie.

XLIX

Rosalie se laissa bercer par le mouvement de la diligence qui était en route pour Montréal. Sa semaine chez sa mère s'était déroulée à merveille. Marguerite avait accueilli son projet d'ouvrir une école primaire pour les filles avec enthousiasme. Elle était même disposée à investir tous les fonds qu'il faudrait pour que le rêve de Rosalie devienne réalité.

— Jamais mon argent n'aura été dépensé à meilleur escient, avait-elle dit en serrant les mains de sa fille dans les siennes.

Pendant le reste du séjour, les deux femmes avaient discuté à bâtons rompus des tenants et aboutissants de l'entreprise.

— As-tu un bâtiment en vue qui pourrait servir d'école ?

Rosalie avait déjà réfléchi à cette question.

— Ma maison serait assez grande pour accueillir trois classes. Il y aurait moyen de l'agrandir pour ajouter deux salles supplémentaires, et le jardin pourrait être facilement transformé en une petite cour de récréation.

Marguerite avait trouvé l'idée excellente. Elle n'avait exprimé qu'une réserve, d'ordre pratique.

— Où vivras-tu ?

— Je pourrais me faire aménager un petit appartement au troisième étage, avec une salle d'eau.

— Et où prendras-tu tes repas ?

— Dans la cuisine, tout simplement. Il faudra également prévoir une autre salle d'eau au rez-de-chaussée pour les élèves.

Sa mère avait approuvé ses plans.

— Ton père connaissait un excellent architecte, à Montréal. Je lui écrirai.

Le visage de Rosalie s'était rembruni à l'évocation du notaire Grandmont. Le passage du temps n'avait pas adouci son ressentiment envers cet homme qui l'avait tant fait souffrir. Marguerite s'en était rendu compte.

— Malgré ses défauts, ton père avait une réelle affection pour toi.

— C'est par affection qu'il a voulu m'enfermer dans un couvent ?

— C'était d'abord lui-même qu'il jugeait à travers toi. Il n'a pas appris à aimer et n'a pu donner que le peu qu'il en savait.

— Je n'ai pas votre indulgence. Je me sens incapable de lui pardonner le mal qu'il m'a fait. Et vous, lui avez-vous pardonné ?

— Je ne ressens aucune haine à son égard et, parfois, j'éprouve même une certaine compassion.

Rosalie avait été troublée par les paroles de sa mère. Comme elle aurait voulu posséder sa magnanimité ! Elle sentait confusément que le pardon l'aurait déchargée d'un lourd fardeau, mais elle ne pouvait renoncer à sa haine. Celle-ci faisait partie d'elle-même ; l'abandonner aurait laissé un trop grand vide.

La diligence fit un arrêt aux Trois-Rivières. Rosalie passa la nuit à l'auberge du relais, puis reprit place dans la voiture. Elle n'avait qu'une hâte : arriver enfin à Montréal afin d'entreprendre ses premières démarches. Il lui faudrait d'abord obtenir un permis de la Ville de Montréal pour transformer sa maison en école. Les travaux de construction et de rénovation prendraient sans doute des mois. Elle comptait ouvrir son école pour la rentrée de l'automne suivant. Cet objectif ambitieux, au lieu de la rendre anxieuse, lui donnait des ailes. Le sentiment d'ennui et de vacuité, qu'elle traînait depuis sa rupture avec Lucien, avait fait place à une expectative heureuse.

Une fois parvenue à Montréal, Rosalie héla un fiacre. Lorsqu'elle en descendit, sa valise à la main, elle leva machinalement les yeux vers la façade de sa maison et s'aperçut avec étonnement que toutes les fenêtres étaient brillamment éclairées. Pourtant, sa servante Agathe était seule. Pourquoi avait-elle laissé autant de lampes allumées ?

Rosalie prit sa clé et l'inséra dans la serrure, mais elle se rendit compte que la porte n'était pas verrouillée. L'inquiétude la gagna. Se pouvait-il qu'un voleur se fût introduit chez elle ? Mais alors, pourquoi toute cette lumière, qui risquait d'attirer l'attention du voisinage ? Elle pénétra dans le vestibule. Le plafonnier était allumé, révélant un désordre inhabituel. Un haut-de-forme et une écharpe en soie traînaient sur une chaise. Plusieurs paires de bottes en cuir fin encombraient l'entrée. Une redingote avait été négligemment jetée sur le dossier d'un fauteuil. Rosalie crut comprendre. Agathe avait laissé un « cavalier » entrer chez elle. Mécontente, elle déposa ses bagages par terre et fit quelques pas dans la pièce.

— Agathe ?

Sa voix résonna étrangement dans la maison. La silhouette de la servante apparut soudain entre les portes vitrées qui séparaient le salon de la salle à manger. La jeune femme croisait nerveusement ses mains et son visage reflétait la nervosité.

— Agathe, que se passe-t-il ? Que signifient toutes ces lumières ? Comment avez-vous osé inviter un homme dans ma maison ?

La bonne garda un silence embarrassé. Une voix masculine se fit entendre.

— Laisse la pauvre Agathe en dehors de cela. Ce n'est pas sa faute.

Rosalie tressaillit et tourna la tête vers l'escalier. Lucien s'appuyait à la balustrade avec une nonchalance étudiée. Ses boucles blondes tombaient librement sur son col de chemise entrouvert. Ses yeux semblaient encore plus bleus dans la lumière vive d'une lampe torchère. La surprise et la colère se succédaient dans le cœur de Rosalie. Elle voulut parler, mais Lucien la devança.

— Je comprends ton étonnement. J'aimerais que tu me laisses la chance de m'expliquer.

Il descendit les marches et s'adressa à la servante :

— Agathe, soyez gentille et préparez-nous du thé.

La servante obéit, ce qui irrita Rosalie. De quel droit donnait-il encore des ordres à sa domestique ? Elle attendit que la jeune femme soit sortie pour parler.

— Comment es-tu entré ici ?

— Notre chère Agathe m'a ouvert.

— Elle n'aurait pas dû.

— Cette maison a déjà été la mienne.

— Plus maintenant.

Lucien fit quelques pas vers elle.

— J'ai eu bien des torts envers toi, je le sais.

— Que veux-tu ? répliqua Rosalie en reculant légèrement.

— Te demander pardon.

Les mots avaient été prononcés sans pathos, avec une simplicité désarmante. Elle repensa à la conversation qu'elle avait eue avec sa mère sur le pardon, l'indulgence dont cette dernière avait fait preuve pour le notaire Grandmont, quelles qu'aient été ses fautes, et elle sentit sa volonté vaciller.

— Ce que tu m'as fait est impardonnable.

— Aussi, je te fais mon *mea culpa*. J'ai agi de façon ignoble, et je le regrette de toute mon âme.

Lucien ne l'avait pas quittée du regard. *Ah, ces yeux d'un bleu de Delphes, qui m'ont si souvent fait battre le cœur*, songea Rosalie. Elle chassa aussitôt cette pensée. Ces mêmes yeux l'avaient si souvent trahie !

— Il est trop tard pour les regrets. J'ai définitivement tourné la page.

— Mais moi, je ne l'ai pas tournée ! s'écria le jeune homme.

Il s'enhardit et saisit les mains de Rosalie, qui tenta de les retirer, mais il les retint. Elle sentit la chaleur des paumes de Lucien sur sa peau. Il y avait si longtemps que quelqu'un ne l'avait touchée ! Un frisson délicieux lui parcourut l'échine. Comme s'il avait deviné une faiblesse dans l'armure de Rosalie, Lucien poursuivit d'un ton passionné :

— Écoute-moi jusqu'au bout, au nom de l'amour que nous avons l'un pour l'autre.

— L'amour que *nous avons eu*. Il est chose du passé.

D'un mouvement impulsif, Lucien attira la jeune femme à lui.

— Je t'aime encore ! Ma chérie, laisse-moi une dernière chance, je t'en supplie ! Je te promets d'être digne de ta bonté. Je n'aurai pas assez de chaque jour, de chaque heure pour te prouver ma constance. J'ai mûri, je ne suis plus le même homme.

Ce furent les mots « je ne suis plus le même homme » qui ramenèrent Rosalie à la réalité. Lucien les avait si souvent prononcés, et chaque fois il était retombé dans ses pires habitudes, ses petites et grandes tromperies.

— Je ne t'aime plus.

Il avait fallu tout son courage à Rosalie pour prononcer ce « Je ne t'aime plus », car en vérité elle éprouvait encore des sentiments pour Lucien. Était-ce de l'attirance, de l'amour, de la compassion, de la haine ? Elle n'aurait su le dire, mais ils existaient toujours. Lucien sembla pris au dépourvu par l'assurance de sa femme. Il avait vraiment cru avoir réussi à l'atteindre dans sa chair et son cœur, s'était lui-même pris au jeu et convaincu de sa propre sincérité. Il relâcha son étreinte pour mieux observer le visage de Rosalie, en détecter la moindre hésitation ou faiblesse.

— Tu le penses vraiment ? demanda-t-il, son regard rivé au sien. Tu ne m'aimes plus ?

— Je le pense vraiment.

Le ton ferme de la jeune femme le décontenança. Il sentit qu'il avait perdu son ascendant sur elle, mais fit une dernière tentative pour renverser la vapeur.

— Rosalie, ne prends pas de décision trop hâtive. Laisse-moi au moins une chance de faire amende honorable…

— C'est tout réfléchi. Il n'y a plus rien entre nous. Autant ne pas prolonger l'illusion.

Agathe entra sur ces entrefaites, apportant un plateau.

— Déposez-le sur la table, Agathe, et reconduisez monsieur à la porte.

— Laisse-moi au moins prendre mes affaires ! protesta Lucien.

— Je te les ferai envoyer chez toi par un fiacre.

— Je n'ai même plus de chez-moi ! s'exclama-t-il avec un réel désespoir dans la voix.

Rosalie en déduisit que son mari avait quitté sa maîtresse. Ou peut-être était-ce celle-ci qui l'avait mis à la porte ? Un reste de pitié s'insinua en elle, mais elle y résista de toutes ses forces.

— Quand tu auras un pied-à-terre, fais-le-moi savoir, je te ferai parvenir tes effets aussitôt.

— Tu n'as pas de cœur ! lança Lucien, furieux.

La jeune servante assistait à la dispute, tenant toujours son plateau devant elle, ne sachant que faire. Rosalie s'adressa de nouveau à elle, avec une autorité nouvelle :

— Faites ce que je vous demande, Agathe.

La bonne obtempéra. Lucien pinça les lèvres, enfila sa redingote, ses bottes et son chapeau, et il sortit. Rosalie entendit la porte claquer, comme un glas qui sonnait la fin de sa vie amoureuse.

⁓

Lucien s'éloigna sur le trottoir, les poings serrés dans ses poches. La colère et l'humiliation lui faisaient battre les tempes. Il avait eu une telle certitude que Rosalie céderait à ses arguments et le reprendrait qu'il n'arrivait pas à accepter son échec. Il constata avec aigreur qu'elle n'était plus la femme candide et dévouée qu'il avait connue et appris à aimer. Sa dureté lui apparut comme le résultat d'une vie sans amour, aggravée par la solitude. Mais bientôt des considérations plus terre à terre l'accaparèrent. *Où aller ?* Il se retrouvait exactement à la case départ, comme lorsqu'il avait quitté Mathilde. L'idée de retourner chez son ancienne maîtresse lui passa par la tête, mais il craignait trop d'y voir le vieux négociant, ce qui aurait été au-dessus de ses forces.

La tête remplie de pensées noires, il marchait sans but. Un désespoir morne l'avait envahi tout entier. Il buta soudain contre quelqu'un.

— Vous ne pouvez pas regarder où vous mettez les pieds ? maugréa-t-il, de mauvaise humeur.

— Tu parles d'une façon de s'adresser à un ami !

Lucien leva les yeux et reconnut avec joie Arthur Buies. Ce dernier lui mit une main sur l'épaule.

— Il y a des lustres que je ne t'ai pas vu au Chat noir ! Où diable étais-tu passé ?

Lucien haussa les épaules.

— J'ai quitté Mathilde.

— À la bonne heure ! Cela t'évitera de te battre à nouveau en duel, répliqua Arthur avec son sens de la répartie habituel. Ainsi, je te garderai plus longtemps comme ami.

Lucien ne sourit pas. Arthur s'en aperçut et entreprit de le consoler.

— Allons, mon vieux ! Une de perdue, dix de retrouvées, comme le dit l'adage.

Le jeune poète expliqua alors à son ami sa tentative de réconciliation ratée avec sa femme.

— Bon, deux de perdues, tu ne t'en porteras pas plus mal.

— Je n'ai plus nulle part où aller, avoua Lucien, penaud.

— Qu'à cela ne tienne ! J'habite à deux pas d'ici. C'est une garçonnière, pas très confortable, mais c'est mieux que de dormir à la belle étoile !

— Tu es certain que cela ne te dérange pas ?

Arthur Buies regarda le jeune homme avec gravité.

— S'il y a une chose à laquelle j'accorde du prix, c'est l'amitié. Tu es le bienvenu chez moi tout le temps qu'il te faudra.

Lucien n'en revenait pas de sa chance. Il faisait partie de ces gens à qui la fortune sourit toujours dans les moments les plus sombres.

— Je ne sais pas comment te remercier.

— Tous pour un, un pour tous, parbleu !

Les deux amis se remirent à marcher côte à côte. Lucien avait retrouvé sa joie de vivre, sans se soucier du lendemain, comme la cigale de la fable.

L

Montréal
Fin de septembre 1864

Fourbue, Berthe s'assit sur l'une des nombreuses malles qui encombraient le hall. Cela faisait plusieurs jours que la servante aidait sa maîtresse à préparer ses bagages en vue du voyage de deux mois que cette dernière s'apprêtait à entreprendre dans les vieux pays. Berthe avait vaguement entendu parler de l'Europe, connaissait l'existence de la France et de l'Italie, dont madame Portelance lui parlait parfois, et savait qu'il fallait traverser un océan pour y parvenir, mais elle n'aurait pas pu les situer sur une carte géographique. La voix de Madeleine retentit soudain dans l'escalier.

— Berthe, où est ma capeline ? Je ne la trouve pas !

La bonne leva les yeux au ciel.

— Regardez comme il faut, ma'me Portelance. Je l'ai placée dans un carton à chapeaux, avec les autres.

— Je ne la vois pas !

Poussant un soupir, la servante se remit debout et s'engagea dans l'escalier. Sa maîtresse, qui avait déjà un caractère difficile, était devenue carrément impossible. Il est vrai que la préparation d'un aussi long voyage n'était pas une mince affaire. Il fallait prévoir des vêtements pour le début de l'automne, des robes de soirée, des tailleurs pour tous les jours, des manteaux, des châles, des camisoles et des jupons, des corsets et des bas, sans compter les chapeaux, les chaussures pour toutes les occasions, les objets de toilette – la liste n'en finissait plus.

La chambre de Madeleine était dans un désordre effroyable lorsque Berthe y entra. Sans se laisser décourager, la bonne trouva le carton à chapeaux sur le lit et le montra à sa patronne, triomphante.

— La voilà, votre capeline ! Un peu plus et elle vous aurions mangée !

— Comment pouvais-je la trouver, dans tout ce fatras !

La dernière valise fut enfin bouclée et descendue au rez-de-chaussée. En voyant l'amas de bagages, Madeleine resta interdite.

— J'en ai peut-être emporté un peu trop.

Il fallut une bonne demi-heure au brave Alcidor pour hisser les malles et les valises dans un chariot qu'il avait loué à un carrossier du voisinage et attaché à la calèche. Madeleine, vêtue de sa redingote de voyage, fit ses adieux à sa servante puis, avant de monter dans la voiture, se pencha vers sa chienne George, qui la regardait avec ses grands yeux mélancoliques. Elle embrassa son museau humide, retenant ses larmes.

— Sois sage, ma jolie. Ne fais pas trop courir la pauvre Berthe.

Madeleine se redressa et se tamponna prestement les yeux avec un mouchoir. Elle avait songé à emmener sa chienne basset en voyage, mais Clara s'y était fermement opposée.

— Imagines-tu, traîner ce pauvre animal partout, dans des cabines de bateaux étroites, des chambres d'hôtel, des diligences inconfortables, des fiacres de location… Ce serait injuste pour elle et infernal pour nous, avait-elle plaidé.

Madeleine avait fini par se ranger aux arguments de son amie, mais l'idée de se séparer de George pendant deux longs mois la bouleversait. Depuis le mariage de Fanette, la chienne avait été une compagne fidèle, la consolant du départ de sa nièce et de sa petite-nièce, qui avait laissé la maison bien vide. Quoique Fanette lui rendît régulièrement visite, amenant souvent sa fille, rien ne pouvait remplacer leur présence quotidienne. Les conversations à bâtons rompus avec sa nièce, les rires joyeux de la fillette lui manquaient cruellement.

— Prends bien soin de George, dit-elle à sa servante, la gorge serrée. N'oublie pas de lui faire faire sa promenade trois fois par jour. Si jamais elle tombe malade, n'hésite pas un instant à faire venir le docteur Brissette. Il sait bien soigner les humains, il sera tout aussi efficace avec un animal à quatre pattes...

Après avoir caressé son basset une dernière fois, la voyageuse se hissa à l'intérieur de la calèche tandis qu'Alcidor prenait place sur le siège du conducteur. Avant que Berthe referme la portière, Madeleine poussa une exclamation.

— Attends, Alcidor ! J'ai oublié quelque chose de très important.

Elle sortit de la voiture, rentra dans la maison et se rendit dans son bureau. Elle trouva rapidement ce qu'elle cherchait : une lettre que la célèbre George Sand lui avait écrite, en réponse à la sienne. Madeleine l'avait lue si souvent qu'elle la connaissait par cœur, mais elle tenait à l'emporter pour ce long voyage.

Nohant, le 13 septembre 1864

Chère madame Portelance,

Quelle charmante surprise que de recevoir votre lettre d'aussi loin que le Canada ! Je n'ai jamais eu la chance de visiter ce beau pays, mais j'ai pu le connaître quelque peu à travers le merveilleux *Voyage en Amérique* de Chateaubriand. Avec quelle éloquence raconte-t-il le Nouveau Monde, la magnificence des paysages, la rudesse et les contrastes du climat, avec ses étés torrides, ses printemps pluvieux, ses hivers glaciaux et ses automnes aux couleurs somptueuses ! Je n'ai jamais pu oublier ses descriptions des longs et froids hivers, ces étendues blanches à perte de vue... Le grand écrivain analyse avec lucidité et compassion les menaces qui pèsent sur les peuples indigènes et s'inquiète des effets délétères de la colonisation sur ces populations déjà affaiblies par la maladie et la perte de leurs coutumes ancestrales. Il préconise aussi l'indépendance du Canada par rapport à l'Empire britannique, croyant que ces liens de sujétion nuisent à son développement. Mais je compte bien entendu sur vous pour me parler de vive voix de ces questions et m'éclairer sur les mystères du Canada lors de votre visite.

Ce sera donc avec joie que je vous accueillerai à Nohant. Quoique rien ne me plaise davantage que la vie à la campagne, surtout dans le Berry qui m'a vue naître et auquel je suis profondément attachée, je m'y trouve parfois bien solitaire. Votre visite me distraira de ces petits tracas quotidiens qui font office d'événements dans la vie paisible d'une vieille femme qui a renoncé aux artifices et aux vanités du monde.

De tout cœur,

George Sand

Madeleine replia la précieuse missive, la rangea dans une poche de sa redingote de voyage et retourna à l'écurie.

— On peut partir, Alcidor, lança-t-elle en montant dans la voiture avec l'aide de son serviteur. Je crois que je n'ai rien oublié d'autre.

Berthe referma la portière, prenant un air revêche pour cacher son émotion.

— Soyez prudente ! marmonna-t-elle, tenant un mouchoir serré dans son poing. Les *étranges* n'ont pas les mêmes manières que nous autres.

— Les « étranges », comme tu dis, marchent sur deux pattes, rient et pleurent, sont heureux et malheureux, tout comme nous, ma chère Berthe.

Lorsque la calèche parvint au port, Madeleine aperçut avec stupeur un immense paquebot à vapeur, dont les cinq cheminées et les six mâts se dressaient dans une brume légère que dissipait déjà la lumière matinale.

— Le *Great Eastern* ! s'exclama-t-elle, émerveillée.

Conçu par un ingénieur visionnaire, Isambard Kingdom Brunel, ce bateau avait déjà beaucoup fait parler de lui. On disait que c'était le plus grand transatlantique jamais construit. D'après un article que Madeleine avait lu dans le *Illustrated London News*, le paquebot pouvait contenir jusqu'à cinq mille passagers et n'avait pas besoin de se réapprovisionner en charbon pendant toute la traversée de l'Atlantique. Le bruit avait couru toutefois que les premiers voyages effectués à bord de ce navire n'avaient pas été de tout repos et que plusieurs avaries et incidents s'y étaient produits, qui avaient fortement incommodé les passagers, mais cela n'enlevait rien à l'excitation de Madeleine. Pour la première fois de son existence, elle monterait à bord d'un transatlantique, franchirait un océan et mettrait les pieds sur le continent européen, qu'elle connaissait par ses lectures, mais qu'elle n'avait jamais eu la chance de visiter. Le fait qu'elle allait vivre cette expérience avec Clara ne la rendait que plus extraordinaire. Cette dernière, qui avait déjà séjourné à Londres pour y étudier la peinture, avait soigneusement planifié leur itinéraire. Le *Great Eastern* devait se rendre jusqu'à Liverpool. De là, Clara et Madeleine iraient en diligence à Londres, où elles resteraient deux semaines, puis elles embarqueraient dans un vapeur qui faisait la navette entre Londres et Paris, la fameuse Ville lumière, *The City of Lights*, comme l'avaient surnommée les touristes britanniques en admirant les myriades de becs de gaz qui illuminaient la cité, le soir. De Paris, elles prendraient ensuite un train jusqu'à la ville de Châteauroux, au cœur du Berry, d'où elles loueraient une voiture pour faire le trajet jusqu'au domaine de Nohant, où habitait la célèbre romancière.

Avant le grand départ, Madeleine avait consulté une carte géographique de l'Europe et tâchait d'imaginer, à travers les méandres des routes et des reliefs sur papier, la réalité des villes et des paysages, la couleur du ciel, la rugosité de la pierre des maisons et des monuments, le parfum suave des jardins publics.

— Ma tante !

Madeleine aperçut Fanette. Debout près du débarcadère, sa nièce, accompagnée par Marie-Rosalie, agitait un mouchoir afin d'attirer son attention. Madeleine s'empressa de descendre de la calèche et embrassa sa nièce et sa petite-nièce avec sa fougue habituelle.

— Ah, mes enfants, que c'est gentil à vous d'être venues me dire au revoir !

Marie-Rosalie lui tendit une feuille de papier pliée en deux.

— Pour vous, ma tante.

Madeleine déplia la feuille. La fillette avait dessiné un bateau, muni d'une cheminée d'où sortait un panache de fumée. Une femme portant une robe et un haut-de-forme s'appuyait au bastingage. Les mots « Tante Madeleine en voyage » avaient été maladroitement inscrits sous le dessin. Les yeux de la feuilletoniste se remplirent d'eau.

— Ma chère petite, comme c'est joli ! Tu es douée en dessin, comme ta mère.

Elle serra l'enfant dans ses bras. Des cloches annoncèrent le départ imminent du bateau. Madeleine jeta un regard anxieux vers le paquebot. Une longue file de passagers s'était déjà formée devant la passerelle. Elle tenta d'apercevoir Clara dans la foule, en vain. Elle embrassa la fillette une dernière fois, puis se tourna vers sa nièce.

— Adieu, ma chère Fanette. Tu vas me manquer...

— Promettez de nous écrire souvent.

— Promis.

Pour couper court à l'émotion qui l'étreignait, Madeleine se détourna et se mit à marcher d'un pas ferme vers la passerelle. Alcidor la suivit en calèche, avançant lentement à cause de la foule qui s'était agglutinée le long des quais. Madeleine cherchait toujours Clara des yeux. Cette dernière n'était pas visible. Une crainte irraisonnée s'empara d'elle. Était-il possible que sa compagne ait changé d'idée et décidé de ne plus entreprendre ce voyage ? Son imagination courait. Son mari était peut-être revenu de voyage et l'avait empêchée de partir, ou bien il avait eu une rechute et Clara s'était de nouveau sacrifiée pour être à ses côtés... En s'approchant du bateau, elle crut entendre son prénom.

— Maddie !

Elle leva les yeux et vit Clara, debout sur le pont du navire, qui lui faisait de grands signes de la main. Soulagée, Madeleine agita le bras à son tour et pressa le pas autant que la foule le lui permettait, jusqu'à ce qu'elle parvienne à la file de passagers qui avançait lentement vers la passerelle.

— Te voilà enfin ! cria-t-elle. J'avais peur que tu n'arrives pas à temps !

— Quelle cohue ! s'exclama Clara.

Une sorte de mugissement s'éleva dans l'air chargé d'une odeur de charbon et d'embruns. La sirène du bateau signalait le départ. Des marins s'activaient sur le pont tandis que d'autres chargeaient les derniers bagages à bord. La passerelle fut enlevée. Le *Great Eastern* s'ébranla et fendit les eaux sombres du fleuve, ressemblant à un immense cachalot. Madeleine, clignant des yeux à cause de la lumière, tâcha de repérer Fanette et Marie-Rosalie. Elle crut les distinguer à travers une mer de mouchoirs et de visages.

— Adieu, mes chères petites ! fit-elle, sentant l'émotion l'étreindre.

☙

Après le départ du bateau, Clara guida sa compagne vers les deux cabines de première classe qu'elle avait réservées du côté de l'entrepont. Celles-ci, petites mais confortables, lambrissées de chêne, étaient munies de hublots, d'un lit, d'une charmante table de toilette et d'une penderie. Madeleine s'extasia sur le luxe des cabines, mais se récria ensuite sur leur coût, qui devait être prohibitif, et insista pour payer sa part. Clara sourit.

— Tout a été réglé d'avance. Tu n'as pas d'autre choix que de te laisser gâter.

Madeleine s'assit sur son lit. Clara vint la rejoindre.

— C'est comme un rêve, murmura Madeleine. Je n'arrive pas à croire que nous sommes ici, ensemble, en route pour l'Angleterre.

— Et pourtant, c'est vrai. Nous sommes ensemble, enfin. Je t'aime, Maddie.

Les deux femmes s'embrassèrent, bercées par la houle.

☙

La traversée ne fut pas de tout repos. Une sorte de crachin vert-de-gris tombait presque sans arrêt. Des vagues courtes et brusques se fracassaient contre les parois du navire, qui roulait et tanguait constamment, sans donner de répit aux passagers, dont la plupart souffraient de mal de mer. Madeleine était du lot. En proie à d'infernales nausées, elle passa la plus grande partie du trajet dans sa cabine. Le simple fait de voir l'eau gicler sur le hublot accentuait son haut-le-cœur. Elle restait allongée, un récipient en fer-blanc à portée de la main. De temps en temps, elle faisait l'effort de se traîner jusqu'au pont, s'agrippait à la rambarde et prenait de grandes inspirations en espérant que l'air marin calmerait ses nausées, mais la houle qui soulevait le navire aggravait son état et elle retournait piteusement à sa chambre. Clara, pour sa part, n'avait aucun problème et passait le plus clair de son temps sur le pont à contempler la mer, dont les teintes grises et bleues se confondaient avec le ciel pour ne former qu'une vaste étendue sans fin. Souvent, elle apportait son carnet de croquis et dessinait, tentant de capter la beauté du mouvement perpétuel des vagues. Sa fascination pour la mer ne l'empêchait pas d'aller voir régulièrement la pauvre Madeleine pour lui apporter un repas.

— Il faut manger, Maddie. C'est le seul remède efficace contre le mal de mer.

Parfois, Clara lui faisait la lecture ou lui tenait longuement la main en lui disant des mots doux. Un soir, alors que Clara avait réussi à convaincre sa compagne de se rendre à la salle à manger où se trouvaient déjà quelques dizaines de passagers qui avaient décidé de braver le mauvais temps, la houle fut plus forte que d'habitude. Les lustres suspendus au plafond se mirent à trembler, faisant cliqueter les pendeloques de verre. Les garçons de table, munis de leurs plateaux, tentaient de garder un équilibre précaire et devaient parfois se tenir aux tables pour ne pas tomber, tout en maintenant un sourire de façade afin de rassurer les convives. Une secousse plus forte fit trembler le navire. Le piano à queue, installé au bout de la grande salle, commença à se déplacer, comme mû par une force invisible. Un vaisselier s'écroula dans un tintamarre de porcelaine brisée. Des miroirs taillés en biseau se fendirent et les morceaux s'éparpillèrent, blessant un homme qui reçut un éclat près d'un œil. Une panique indescriptible s'empara des passagers, qui s'agrippaient aux tables et aux chaises pour ne pas tomber. Clara, qui avait gardé tout son sang-froid, prit Madeleine par le bras et l'entraîna vers l'une des sorties. La pauvre femme, pâle comme un drap, se laissa faire. La cohue dans le reste du bateau était inouïe. Des employés tentaient de calmer la foule qui se bousculait dans les coursives et sur le pont, mais ils étaient visiblement dépassés par les événements. En levant les yeux, Clara aperçut le capitaine du *Great Eastern* qui, installé dans sa cabine, un verre à la main, devisait tranquillement avec ses officiers.

— On pourrait faire naufrage, *you wouldn't give a damn* ! leur cria-t-elle, frustrée devant leur indifférence face au sort des passagers.

Les deux femmes parvinrent de peine et de misère à leurs cabines. Clara étendit la pauvre Madeleine dans son lit, lui enleva ses bottines, lui rafraîchit le visage avec un linge et la borda, comme elle l'aurait fait avec un enfant, puis lui tint la main jusqu'à ce qu'elle s'endorme.

Après huit jours et demi de navigation, les côtes anglaises apparurent enfin dans la clarté blafarde de l'aube.

LI

À leur arrivée à Londres, les deux voyageuses furent accueillies par un épais brouillard. Clara avait loué un bel appartement dans Bloomsbury, un quartier situé au cœur de Londres, réputé pour sa vie culturelle effervescente. Il pleuvait tous les jours, une pluie froide et incessante, accompagnée d'une brume qui entourait les maisons et les passants d'un halo blanchâtre, mais les amoureuses n'en avaient cure. Parapluie en main, elles faisaient fi du mauvais temps et sortaient quotidiennement, visitant les musées, allant au théâtre, marchant sans se lasser dans les rues encombrées de voitures ou arpentant les allées des immenses parcs. Le soir, elles rentraient, fourbues mais heureuses, et parlaient pendant des heures, étendues sur un canapé devant le poêle, enroulées dans une couverture.

Lors de l'une de ces soirées, alors qu'une forte pluie battait les vitres, Madeleine se confia à sa compagne.

— J'ai eu un enfant.

Clara resta interdite.

— Il y a longtemps de cela, poursuivit Madeleine. J'étais tombée amoureuse d'un avocat marié pour lequel je travaillais. Il était tout pour moi. Je suis tombée enceinte. Il m'a renvoyée.

— Le méchant homme ! s'indigna Clara.

— J'ai accouché dans un refuge pour « filles tombées », comme on les appelait. J'ai failli mourir au bout de mon sang.

— Qu'est-il advenu du bébé ? demanda Clara, la gorge nouée par l'émotion.

— Il est mort à la naissance.

— Oh, Maddie… Ma pauvre chérie…

Elle enlaça son amante, lécha les larmes qui roulaient sur ses joues.

— Toi et ton… mari, n'avez-vous jamais désiré avoir des enfants ?

Madeleine avait fait un effort pour garder un ton neutre, mais Clara perçut une pointe de jalousie.

— Oui, bien sûr, répondit-elle avec franchise. Mais ça n'a pas marché.

— Tu continues à faire l'amour avec lui ?

— Parfois. Mais c'est surtout l'amitié qui nous lie.

Le visage de Madeleine s'assombrit.

— Maddie, les relations entre les humains sont complexes, tu es la première à le savoir. Peter me laisse libre de mener ma vie amoureuse comme je l'entends, et moi je fais de même avec lui. Ça n'empêche pas l'affection, et oui, il nous arrive de faire l'amour. Ça ne t'enlève rien.

— Il n'y a personne d'autre que toi dans ma vie ! s'écria Madeleine.

— Oh si.

Madeleine la regarda sans comprendre.

— Tu as ta nièce, Fanette, et ta petite-nièce, Marie-Rosalie.

— Ce n'est pas du tout la même chose !

— L'amour a différentes facettes. Mais c'est de l'amour quand même.

Cette nuit-là, elles s'aimèrent avec passion, comme si ces aveux les avaient libérées d'un poids et les avaient révélées à elles-mêmes.

༄

Le jour du départ pour Paris, Madeleine s'était levée à l'aube et avait fait ses bagages. Un fiacre devait les mener au port, d'où un vapeur faisait le trajet jusqu'à Paris.

Lorsqu'elles y parvinrent, Madeleine s'exclama, dans un élan d'exaltation qui fit sourire Clara :

— À nous deux, Paris !

Madeleine succomba tout de suite aux charmes de la Ville lumière. Tout l'étonna, l'émerveilla : les avenues bordées de platanes et de marronniers, les immeubles ceints de balcons ouvragés, et ces terrasses d'où l'on pouvait observer le spectacle sans cesse changeant de la rue. Elle avait l'impression d'avoir vécu à Paris toute sa vie, l'ayant connue à travers le regard de ses écrivains préférés, les Balzac, Sand, Hugo, dont les œuvres évoquaient la ville avec tant d'éloquence.

Sa première promenade avec Clara fut dans les jardins du Luxembourg. Les deux compagnes, ayant remarqué que d'autres femmes se tenaient familièrement par le bras, les imitèrent. Jamais Madeleine n'avait été aussi heureuse. Marcher dans Paris, au bras de la femme qu'elle aimait, quel bonheur !

Elles prirent place sur un banc devant la fontaine que Marie de Médicis, la veuve du roi Henri IV, avait fait construire en souvenir des jardins de Boboli, qui avaient bercé son enfance. Une cascade claire coulait entre les pierres et les statues couvertes de mousse et de vigne, jetant des éclaboussures vertes dans un étang rectangulaire qu'effleuraient des hirondelles avant de s'envoler à tire-d'aile. Des étourneaux sansonnets piaillaient dans un bosquet de buis. Des branches de chênes ployaient gracieusement sous la brise, formant un toit feuillu au-dessus de la fontaine. Madeleine ne put s'empêcher de verser quelques larmes devant la grâce surannée de l'endroit, qui avait depuis des siècles été témoin de tant de murmures amoureux, de ruptures, de réconciliations, de conciliabules secrets... Une part d'elle-même appartenait à ces pierres noircies par le passage du temps, au parfum âpre du buis, au vol gracieux des oiseaux, aux reflets de lumière qui pailletaient l'étang. Mais tout cela, déjà extraordinaire, n'était qu'une entrée en matière à sa rencontre avec George Sand. Elle l'avait admirée sur d'innombrables portraits, qui la montraient à des âges différents ; elle avait lu toute son œuvre, y compris une partie de sa correspondance, qui était considérable. Mais de la voir en chair et en os, de pouvoir lui parler en tête à tête, en toute intimité, serait un moment unique, qui resterait gravé dans sa mémoire jusqu'à son dernier souffle. Clara avait d'ailleurs insisté pour que Madeleine rencontrât son idole sans elle.

— Ce moment t'appartient.

— Mais que feras-tu pendant ce temps ?

— Je me promènerai dans les jardins qui entourent le domaine de Nohant. Il paraît qu'ils sont de toute beauté.

C'était donc avec une expectative grandissante que Madeleine attendait le grand jour.

☙

Le voyage en train, qui prenait son départ de la gare d'Orléans, se déroula sans encombre. Madeleine profita du trajet, qui durait plus de six heures, pour relire quelques romans de Sand qu'elle avait apportés dans sa valise déjà pleine à craquer.

— Ce n'est pas tous les jours qu'on a la chance de rencontrer l'un des plus grands écrivains de sa génération, expliquait-elle à Clara. Je dois être à la hauteur.

— Je suis certaine que cette femme, aussi grand écrivain soit-elle, sera gentille et simple comme tout.

Une gare se dessina au loin. La locomotive siffla.

— Arrêt de dix minutes à Châteauroux ! lança un conducteur qui circulait dans l'allée en s'accrochant aux dossiers des bancs pour garder l'équilibre.

Après une nuit passée dans une charmante auberge située à proximité de la gare, les deux femmes louèrent un fiacre. Tout en conduisant, Madeleine admirait la campagne paisible qui défilait des deux côtés de la route de l'Indre. Elle comprenait mieux d'où venait l'inspiration de Sand, qui avait parcouru cette même route si souvent, avait observé ce ciel festonné de nuages blancs, ces ballots de foin qui se succédaient de loin en loin, faisant des taches mordorées dans les champs marron entourés de peupliers et de saules. Une odeur de paille et d'engrais se mêlait à celle de la terre remuée. Paris lui semblait déjà aussi lointaine qu'un songe. *Dans une demi-heure, nous y serons*, se dit-elle.

Son cœur battait déjà la chamade à la perspective de rencontrer la grande dame.

Un soubresaut de la voiture la projeta soudain en avant. Elle évita la chute en s'agrippant au rebord du fiacre, qui vacilla et s'immobilisa en grinçant. La portière s'entrouvrit. La tête de Clara apparut dans l'embrasure.

— Que s'est-il passé ? demanda-t-elle, le visage blême.

Madeleine descendit de la voiture et l'examina. Elle constata que la roue droite était coincée dans une ornière boueuse.

— Il ne manquait plus que ça !

Une vive anxiété la gagna. Elle ne voulait surtout pas arriver en retard au rendez-vous ! Elle entreprit de pousser sur la roue, mais rien ne bougea. Elle n'aurait jamais la force de sortir la voiture de l'ornière toute seule.

— Clara, j'ai besoin d'un coup de main !

Sa compagne la rejoignit. Madeleine lui expliqua la situation. Elles se mirent côte à côte et se donnèrent un élan. La voiture bougea un peu, mais Madeleine entendit un craquement. Le moyeu de la roue venait de se fendre.

— Nom de Dieu ! jura-t-elle.

Que faire, maintenant ? Elle pensa parcourir le chemin à pied jusqu'au domaine de Nohant, mais il lui faudrait au moins une bonne heure pour y parvenir. C'était hors de question. Elle jeta un coup d'œil désespéré à la ronde. Quelques vaches paissaient dans un pré, de l'autre côté d'une mare, derrière laquelle se profilaient les toits orangés d'une ferme. Un chemin droit bordé de peupliers y menait.

— Je pourrais me rendre à la ferme à pied pour demander de l'aide, suggéra Clara.

— Je t'accompagne, décréta Madeleine.

Les voyageuses entreprirent de marcher en direction de la maison. Une brise douce faisait bruisser les feuilles des arbres, dont le vert émeraude brillait dans la lumière vaporeuse. Un ruisselet coulait paresseusement dans les ravines qui avaient été creusées des deux côtés du chemin afin de drainer les eaux de pluie. L'air embaumait l'herbe fraîche. N'eût été les circonstances, Madeleine aurait aimé la promenade, mais une nervosité croissante en gâchait le plaisir.

Il leur fallut une trentaine de minutes pour parvenir à la maison principale, entourée de piquets de clôture. Quelques poules se promenaient en liberté dans une cour boueuse, picorant çà et là. Un chien les accueillit avec des aboiements frénétiques. Madeleine s'approcha de l'animal.

— En voilà, un bon gardien, dit-elle en lui flattant la tête.

Le chien se calma tout de suite. Un garçonnet, un pouce dans la bouche, les observait à distance, vacillant sur ses petites jambes aux pieds nus et sales. Madeleine eut l'impression de voir surgir François le Champi, le personnage du roman éponyme de George Sand.

— Bonjour ! dit-elle. Ta maman et ton papa sont-ils à la maison ?

Le garçon ne répondit pas, ses grands yeux clairs fixés sur les deux étrangères aux drôles d'habits. Une jeune femme sortit d'un poulailler. Elle portait un bonnet blanc à pointes, une jupe ample sous un tablier muni de larges poches, et était chaussée de sabots. Son visage avenant était bruni par le soleil. Elle jeta un regard méfiant aux nouvelles venues, s'attardant sur Madeleine, qui ne payait pas de mine avec sa robe salie par la gadoue et sa coiffe en désordre. Madeleine lui sourit.

— Bonjour, madame. Notre voiture s'est brisée en route, tout près d'ici, nous aurions besoin d'aide.

— C'est que mon mari étions aux champs...

— J'ai rendez-vous avec George Sand, plaida Madeleine. Je ne voudrais surtout pas arriver en retard.

Le visage de la fermière s'éclaira.

— Ah, la bonne dame de Nohant ! J'm'en vas quérir mon mari de suite.

C'est ainsi que les habitants de la région surnommaient affectueusement la romancière, dont les manières simples et affables étaient appréciées des paysans. La jeune fermière s'adressa à l'enfant.

— François, reste avec les dames, je serions pas longue.

Madeleine sourit en entendant le prénom du garçon, le même que celui du personnage du roman. Cette coïncidence l'amusait et l'émouvait en même temps. La fermière partit et revint au bout d'une dizaine de minutes, accompagnée d'un homme de bonne stature, vêtu d'un gilet et d'un pantalon en lin. Un large chapeau de paille ombrageait son visage. Il l'enleva et salua timidement Madeleine et sa compagne en inclinant la tête.

— Ma femme me disions que votre *cherrette* étions brisée.

Les deux amies échangèrent un regard amusé. Dans le patois berrichon, *cherrette* signifiait sûrement « charrette ».

— Oui, exactement, ma voiture est coincée. Le moyeu s'est fendu.

— J'm'en vas y jeter un œil.

Il leur proposa de monter avec lui dans sa propre charrette. Madeleine et Clara acceptèrent avec reconnaissance et grimpèrent dans la voiture, dont les planches grossièrement équarries étaient couvertes de foin. L'étrange convoi s'ébranla et s'engagea sur le chemin de terre. Il fallut un quart d'heure avant que la charrette parvienne au fiacre. Après avoir mis pied à terre, le fermier examina l'essieu sous le regard anxieux de Madeleine, puis il se redressa, ôta son chapeau et se gratta la tête.

— M'est avis que j'vas devoir quérir le *cherretier*, dit-il dans son patois berrichon. J'avions pas le nécessaire pour la réparer.

— Le *cherretier*? demanda Madeleine, qui avait de la difficulté à comprendre le langage du brave homme.

— *L'houm* qui réparons les *cherrettes*.

Madeleine finit par saisir.

— Où habite-t-il? demanda-t-elle.

— Dans une *maion*, à que'ques lieux d'ici, en face d'un *rin*. Je vous y *emmerrai*.

Madeleine faisait des efforts désespérés pour décoder ce que le cultivateur lui disait.

— Dans une *mailhon* ? répéta-t-elle.

L'homme désigna une maison d'un doigt.

— Ah, une maison !

— Je vous *emmerrai* à la *maion* du *cherretier*. C't'un bon *houm*.

Madeleine soupira. Le temps de se rendre chez le charron, de revenir, de faire réparer le landau, Clara et elle ne seraient pas chez George Sand avant encore trois ou quatre heures.

— Mon rendez-vous avec madame Sand est prévu pour le début de l'après-midi ! Mon Dieu, quelle catastrophe !

Le fermier croisa les bras, ne sachant que faire pour accommoder la dame. Une idée vint à Madeleine.

— Monsieur, auriez-vous la bonté de nous conduire au domaine de Nohant ? Je vous payerai une bonne somme pour ce service.

Le fermier hésita. Il lui fallait profiter du beau temps pour terminer ses récoltes et les engranger, mais il eut pitié des étrangères, et surtout pour rien au monde il n'aurait souhaité causer un désagrément à la bonne dame de Nohant, qui lui achetait régulièrement des œufs, ainsi que des fruits et légumes de son potager. Il accepta donc de les emmener au domaine et proposa même d'envoyer un de ses garçons chercher le charretier afin que celui-ci répare l'essieu durant leur absence. Madeleine remercia profusément le brave homme et voulut lui offrir de l'argent, mais il refusa net. Ils repassèrent à la ferme où la maîtresse de maison, les joues rougissantes, suggéra à Madeleine de lui prêter une tenue propre. Celle-ci accepta avec reconnaissance. Elle ne pouvait se présenter devant son idole dans une robe tachée de boue ! Clara ne put s'empêcher de sourire lorsqu'elle vit sa compagne transformée en fermière berrichonne, avec une jupe de lin du pays et une coiffe blanche à pointes…

꙰

Après une demi-heure de route, la charrette franchit l'entrée du domaine de Nohant, dont les deux grilles de fer forgé étaient ouvertes, et roula dans une large allée de gravier fin qui menait à un cercle au milieu duquel une magnifique plate-bande de vivaces avait été aménagée, à l'anglaise. Un grand ormeau l'ombrageait. Des bosquets de roses et de verges d'or faisaient des taches vives parmi les massifs de buis et de chèvrefeuille. La voiture passa à côté de grandes écuries, dont les murs étaient couverts de lierre, puis s'arrêta devant une élégante demeure de pierre. Le fermier aida Madeleine et Clara à descendre et repartit, refusant encore une fois l'argent que Madeleine voulait lui donner pour sa peine.

Tandis que la charrette s'éloignait, Madeleine leva les yeux vers la façade de la maison, qu'elle contempla avec émotion. C'était à l'intérieur de ces murs que George Sand était née, avait grandi et avait écrit parmi ses plus grandes œuvres; c'était ce chêne et ces fleurs qu'elle regardait de sa fenêtre lorsqu'elle s'attablait à son pupitre, sa plume à la main. Dire que, dans quelques instants, elle serrerait la main de cette femme hors du commun !

Clara aida sa compagne à mettre un peu d'ordre dans sa tenue.

— Je n'ai pas l'air trop ridicule ? demanda Madeleine, anxieuse. Mon Dieu, que pensera-t-elle de moi, attifée de la sorte !

— Elle pensera que tu es une femme intelligente et sympathique, qui a fait un long voyage pour lui rendre visite.

À demi rassurée, Madeleine s'approcha de la porte et sonna. Une bonne, vêtue d'un bonnet et d'un tablier immaculés, lui ouvrit et lui jeta un regard perplexe. Madeleine s'empressa de se présenter.

— Je suis Madeleine Portelance. Madame Sand m'attend.

La servante hocha la tête puis laissa Madeleine pénétrer dans le hall, couvert de carreaux blanc et noir d'une propreté irréprochable. La journaliste s'avança en retenant son souffle, tâchant d'absorber le moindre détail : un guéridon sur lequel trônait un vase rempli de marguerites, les murs tapissés de papier aux motifs délicats, un fauteuil de velours grenat sur lequel tombait un rayon provenant d'une fenêtre dont la croisée était ouverte. La domestique lui fit signe de la suivre dans un couloir qui menait vers une vaste salle à manger, où se trouvait une table de chêne qui pouvait facilement accommoder une vingtaine d'invités. Madeleine imagina George Sand, trônant au bout de la table, devisant avec Chopin, Liszt, madame d'Agoult, Balzac, Flaubert… Elle aurait tout donné pour être témoin d'une telle soirée, écouter les conversations à bâtons rompus, le son du piano dont les dernières notes s'égrenaient dans la clarté des lampes…

— Hum, fit la domestique.

Madeleine pénétra dans un salon dont les croisées ouvertes, bordées de draperies damassées, laissaient entrer des flots de lumière. Le plancher en marqueterie de chêne blond craquait légèrement sous ses pas. En promenant son regard sur la pièce, elle admira les tableaux qui couvraient les murs tapissés de papier peint aux motifs floraux. Elle reconnut Liszt sur une toile surmontant une fausse cheminée et Chopin sur une autre. Dire que ces pianistes de génie avaient foulé ce sol, arpenté les allées du jardin qui s'étendait à des milles à la ronde, avaient pris place dans l'un de ces fauteuils cannés de style Louis XV ! Mais son émotion fut à son comble lorsqu'elle aperçut une femme à demi allongée sur un récamier, un bras reposant sur l'accoudoir. C'était George Sand. Le célèbre écrivain portait une tunique et une jupe amples finement rayées. Ses cheveux noirs à peine grisonnants étaient coiffés en bandeaux sobres qui mettaient en valeur son teint pâle. Un pendentif et des boucles d'oreilles donnaient une touche gaie à sa tenue. Jamais Madeleine ne lui aurait donné ses soixante ans. Elle s'avança timidement vers son idole, osant à peine respirer. Comme si elle avait senti une présence, George Sand tourna la tête vers la nouvelle venue.

— Madame Portelance ? Entrez, venez, venez vous asseoir près de moi, que l'on fasse plus ample connaissance.

L'écrivain avait un accent berrichon à peine perceptible.

— Pardonnez ma tenue, s'excusa Madeleine, qui lui expliqua sa mésaventure.

George Sand sourit avec indulgence.

— J'ai moi-même vécu de ces aventures désagréables, dont on finit par rire et qui donnent ensuite matière à nos romans…

Madeleine trouva la romancière d'une simplicité désarmante. Il n'y avait aucune ostentation dans ses manières, pas la moindre trace de prétention ou de hauteur dans son attitude. Elle comprenait mieux pourquoi les paysans l'appelaient « la bonne dame de Nohant ».

— Ainsi, vous êtes écrivain, poursuivit Sand en l'invitant de nouveau à s'asseoir. Quel genre de romans écrivez-vous ?

— Oh, ce ne sont que de petits gribouillis sans importance.

George Sand la regarda avec gravité.

— Ne dénigrez jamais votre travail. Tant d'autres s'en chargeront à votre place !

Elle demanda à la servante d'apporter du thé.

— J'ai été toute ma vie en proie à des injures et à des critiques haineuses. On m'a traitée de vache à romans, de perroquet socialiste, de goule, de bas-bleu, de dévoreuse d'hommes, de fausse dévote, de fausse moustache, et j'en passe ! Baudelaire a écrit les pires horreurs sur moi.

Elle se mit à réciter sur un ton un peu théâtral :

— « Elle est bête, elle est lourde, elle est bavarde. Elle a, dans les idées morales, la même profondeur de jugement et la même délicatesse de sentiment que les concierges et les filles entretenues. » Même ceux que je considérais comme mes amis, Balzac, Hugo, ne m'ont pas épargnée. Zola, pour lequel j'ai par ailleurs le plus grand respect, croyait que mon talent avait besoin d'un soutien masculin. S'il avait fallu que j'accorde trop d'importance à ces bêtises, j'aurais cessé d'écrire.

Madeleine fut frappée par le fait que Sand, tout en affirmant ne pas accorder d'importance à ces critiques, les avait retenues, au point de pouvoir les réciter par cœur. Pourtant, aucune femme n'avait été plus célébrée qu'elle en son temps. Ses amours avec Alfred de Musset et, plus tard, avec Chopin avaient défrayé la chronique, et sa notoriété s'était étendue à tout l'Occident. Le fait qu'elle eût adopté un pseudonyme et une tenue masculine avait provoqué le scandale, mais également suscité l'admiration et conduit d'autres femmes à l'imiter.

Tandis que la servante revenait avec un plateau, Sand dit avec une note d'humour :

— Vous savez, même les romans médiocres sont difficiles à écrire.

Les deux femmes échangèrent un sourire complice. Le reste de la conversation se déroula dans une atmosphère détendue et amicale. Sand aborda le sujet de l'amour.

— Je n'ai pas aimé mon premier mari, c'est le moins qu'on puisse dire. C'était un homme renfrogné, despotique, qui m'a rendue bien malheureuse. Mais j'étais si jeune ! J'ignorais que le mariage pouvait devenir une prison.

Elle se confia sur ses amours avec Alfred de Musset, qui avait tant fait couler d'encre.

— On m'a jugée bien sévèrement pour m'être séparée de lui. Pourtant, Dieu sait que j'ai tout fait pour l'aider à s'en sortir ! C'était un être à la fois attachant et impossible. Un jour, il pouvait se montrer d'une tendresse exquise, le lendemain, d'une cruauté sans nom. Avec lui, j'ai vécu l'ivresse de l'amour et les affres de l'abandon.

Le regard songeur, elle ajouta :

— La véritable liberté, c'est aimer sans enchaîner l'autre et se laisser aimer sans avoir peur de l'être. Il nous faut toute notre vie pour l'apprendre, et lorsqu'on le comprend enfin, il est trop tard.

Après l'entretien, Sand fit promettre à Madeleine de revenir la voir, si jamais elle visitait de nouveau la région.

— Mais ne tardez pas trop. La vie est si courte. Plusieurs de mes amis m'ont déjà quittée pour l'ultime voyage. J'ai peine à croire qu'à leur mort on perd à jamais les êtres que l'on a tant aimés. À quoi bon tant d'amour s'il fallait ne plus jamais se revoir ?

Les paroles de l'écrivain remuèrent Madeleine. Elle avait perdu depuis longtemps la foi naïve de son enfance et ne croyait plus en un Dieu omnipotent, qui règne sur toutes ses créatures, mais plutôt à une force indéfinissable qui nous habite et guide parfois nos gestes.

— Nous nous reverrons. Je vous le promets, dit-elle avec ferveur.

Au fond d'elle-même, Madeleine, en regardant longuement le profil de George Sand qui se dessinait clairement dans la lumière mordorée de cette belle fin d'après-midi, eut le pressentiment que plus jamais leurs chemins ne se croiseraient.

LII

Italie

Après un court séjour à Bourges, où elles visitèrent le château
que Jacques Cœur, le célèbre argentier de Charles VII, avait fait
bâtir, Madeleine et Clara entreprirent leur voyage vers l'Italie en
prenant la route du Mont-Cenis, un ancien col glaciaire qui avait
été transformé en chemin carrossable au début du XIXe siècle afin
de faciliter le commerce entre la France et l'Italie. La voie, qui avait
été construite par des ouvriers piémontais sous la supervision d'un
architecte français, traversait les Alpes jusqu'au Piémont, dans le
nord de l'Italie. Madeleine et Clara avaient loué une *cediole*, sorte
de landau attelé à deux chevaux. La voiture était confortable, mais
le conducteur, un jeune Piémontais appelé Lorenzo, aux cheveux
et aux yeux de jais, conduisait trop vite au goût de Madeleine, qui
fermait les yeux lorsque la voiture prenait un virage serré dans les
cols escarpés donnant sur des ravins ou dépassait une autre voiture
dans un tournant. De temps en temps, Lorenzo se retournait et
éclatait de rire en voyant le visage blême de sa passagère.

— *Non e pericoloso, signora*, criait-il pour couvrir le roulement
de la voiture. *Sono* une très bon conducteur ! ajoutait-il dans un
français approximatif.

Il faisait un clin d'œil à Clara pour la prendre à témoin. Cette
dernière, qui parlait assez couramment l'italien, riait à son tour,
au grand dam de Madeleine.

— Ce jeune homme va nous tuer, et cela te fait rigoler !

— Les Italiens sont les meilleurs conducteurs du monde.
Toi-même, tu aimes conduire vite.

— Peut-être, mais je suis prudente. Nous aurons de la chance de sortir vivantes de cette aventure, maugréait Madeleine.

La *cediole* s'arrêtait de temps en temps à un relais. Tandis que le jeune cocher allait nourrir ses chevaux et prenait son repas avec les palefreniers tout en faisant des œillades aux jolies serveuses, Madeleine et Clara s'installaient à une table et mangeaient avec appétit l'excellente nourriture qui leur était servie : olives grillées, veau de lait, pâtes aux truffes… La gentillesse des habitants, la beauté des paysages, la bonne chère et le vin Barolo achevèrent la conquête de Madeleine. Même la façon de conduire de Lorenzo ne l'irritait plus autant.

À Milan, les deux compagnes purent admirer la cathédrale Duomo di Milano située au cœur de la vieille ville historique, dont les innombrables flèches blanches ciselaient le ciel bleu, puis elles se rendirent à Venise. Aussitôt qu'elles furent parvenues à la cité des Doges, comme on la surnommait, Clara entraîna sa compagne vers une *gondola* et demanda au conducteur de les mener en face de la Dogana, la maison de la douane, derrière laquelle se dessinaient les coupoles de l'église Santa Maria della Salute, que le peintre William Turner avait immortalisée dans son célèbre tableau. Clara avait eu la chance de voir l'œuvre au Royal Academy of Arts, lors d'un voyage qu'elle avait fait à Londres avec ses parents en 1843. C'était en contemplant cette peinture qu'elle avait compris sa destinée : elle serait peintre. Son père s'était violemment opposé à son projet, qu'il ne trouvait pas approprié pour une jeune fille de bonne famille, mais sa mère avait appuyé Clara avec la patience et l'entêtement qui la caractérisaient. Finalement, son père avait cédé en lui coupant toutefois les vivres. Clara avait accompli son rêve, mais il lui avait fallu sacrifier une partie de sa liberté en acceptant de se marier avec son mécène et ami, Peter Newton, ce qui avait provoqué sa douloureuse rupture avec Madeleine.

— Regarde ! s'exclama Clara en désignant d'un doigt l'autre côté de la lagune. C'est exactement la vue que Turner a peinte sur son tableau !

Madeleine leva les yeux dans la direction indiquée par son amie. Une brume légère irisée par une lumière opalescente nimbait les contours des édifices, qui se reflétaient dans l'eau vaporeuse. Les deux femmes se prirent par la main, émues et silencieuses devant tant de beauté.

Après leur excursion en bateau, elles se perdirent dans les venelles sinueuses de la ville et arrivèrent à la piazza san Marco, où se dressaient à l'est le palais des Doges, la basilique et le campanile de Saint-Marc, et au nord la tour de l'horloge. Étourdies par la magnificence de la place, elles s'assirent sur un banc de pierre, parmi les pigeons qui picoraient çà et là.

— Regrettes-tu notre voyage ? demanda Clara, un sourire malicieux aux lèvres.

— Je n'ai jamais été aussi heureuse de toute ma vie.

Clara garda le silence un court instant.

— M'en veux-tu encore d'avoir épousé Peter ?

— Je te pardonne, répondit Madeleine.

Clara regarda son amie du coin de l'œil, ne sachant comment interpréter sa remarque sibylline.

⦚

Il faisait un temps radieux. La route de terre qui menait à Florence montait et descendait en lacets sinueux dans les collines serties de cyprès. Les vignobles et les oliveraies se succédaient de loin en loin, traversés de champs jaune et violet. Les stridulations des cigales devenaient presque assourdissantes dans l'air figé par la chaleur. Lorsque les rayons de soleil étaient trop ardents, Lorenzo relevait le toit de la voiture pour que les voyageuses restent au frais. Le conducteur connaissait bien la région toscane et se révéla, en fin de compte, un excellent *cicerone*.

Une fois à Florence, Lorenzo conduisit les deux voyageuses dans un ancien palais transformé en *pensione*, qui avait une vue magnifique sur le fleuve Arno. Du balcon orné de colonnes de pierre, on pouvait voir le Ponte Vecchio. La coupole orangée du Duomo se profilait au nord, dominant les collines verdoyantes. L'arrière de la pension donnait sur les magnifiques jardins de Boboli, ceux-là mêmes qui avaient inspiré la fontaine de Médicis.

À peine leurs bagages déposés dans leurs chambres respectives, Madeleine et Clara, accompagnées de Lorenzo, entreprirent de visiter la ville. Déjà éblouies par la beauté éthérée de Venise, elles furent transportées par la somptuosité des monuments florentins, construits et décorés par les plus grands artistes de la Renaissance. En entrant dans la basilique de Santa Croce, où reposaient Michel-Ange, Machiavel et Galilée, entre autres personnages illustres, Madeleine récita à mi-voix le passage du récit de voyage que Stendhal avait écrit après avoir visité cette église :

— « J'étais arrivé à ce point d'émotion où se rencontrent les sensations célestes données par les Beaux Arts et les sentiments passionnés. En sortant de Santa Croce, j'avais un battement de cœur, la vie était épuisée chez moi, je marchais avec la crainte de tomber. »

Clara lui jeta un regard inquiet.

— Te sens-tu bien ?

— Trop de beauté, soupira Madeleine.

Elles revinrent à la *pensione*, à la fois exaltées et éreintées par leurs déambulations dans la ville. Le patron de l'auberge les accueillit avec un sourire où perçait un léger malaise.

— *Signora*, dit-il à Clara, *un signore* désire vous voir.

Clara haussa un sourcil, intriguée. Elle ne connaissait personne à Florence.

— De qui s'agit-il ?

Le gérant de la pension n'eut pas le temps de répondre. Une grande silhouette s'avança vers elles. Clara reconnut avec stupéfaction son mari.

LIII

— Peter, mais que fais-tu ici ? Je croyais que tu étais à New York.

Clara avait parlé à son époux en français par réflexe, étant donné qu'elle s'adressait toujours à Madeleine dans cette langue.

— J'y étais, en effet, répondit-il dans un français un peu hésitant, mais mes affaires se sont réglées plus rapidement que je croyais.

Madeleine était devenue blanche comme un drap. Sans jeter un regard au mari de Clara, elle s'adressa à cette dernière d'une voix tremblante :

— Tu lui as appris où nous étions, n'est-ce pas ? Tu lui as demandé de venir nous rejoindre ici ?

— Bien sûr, que je lui ai appris où nous étions ! se défendit Clara à mi-voix. Mais je suis aussi étonnée que toi de sa présence ici.

Sans ajouter quoi que ce soit, Madeleine lui tourna le dos et se dirigea d'un pas chancelant vers l'escalier de pierre qui menait aux chambres. Le directeur de la pension, craignant une scène conjugale, intervint d'une voix mielleuse :

— *Tutto va bene, signora ?*

— *Si si, tutto va bene, grazie.*

Clara prit son mari par le bras et l'entraîna vers le balcon de pierre ouvragée qui longeait l'édifice.

— *Peter, what are you doing here ?*

— Quel accueil ! répliqua-t-il en français avec un sourire flegmatique. Comme tu me manquais et que j'avais besoin de vacances, j'ai eu l'idée de te rejoindre en Italie.

— Tu n'aurais pas dû.

Clara courut vers l'escalier, qu'elle gravit quatre à quatre. Le cœur battant, elle parvint au premier étage et frappa à la porte de la chambre qu'occupait Madeleine.

— Maddie, ouvre-moi.

Silence. Clara tourna la poignée de la porte, mais celle-ci était verrouillée de l'intérieur.

— Je t'en supplie, laisse-moi entrer. Je te jure sur la tête de ma mère que je n'ai pas demandé à Peter de venir ici. Crois-tu que j'aurais été malhonnête au point de te cacher une chose pareille ?

Il n'y eut pas un son pendant quelques instants, puis Clara, tendant l'oreille, entendit un claquement de talons sur le plancher de céramique. La porte s'entrouvrit. Le visage de Madeleine, pâle et ruisselant de larmes, apparut dans l'embrasure.

— Va-t'en. Je veux être seule.

— Laisse-moi au moins m'expliquer.

Après une hésitation, Madeleine recula de quelques pas. Clara entra dans la pièce et aperçut tout de suite une valise ouverte sur le lit. Des vêtements s'y entassaient pêle-mêle.

— Ne pars pas sur un coup de tête. Tu dois me faire confiance.

— Comment expliques-tu la présence de ton mari à Florence, si ce n'est pas toi qui lui as demandé de nous y retrouver ?

— Peter a décidé de faire le voyage de son propre chef.

Madeleine secoua la tête.

— Tu l'aimes encore, mais tu refuses de l'admettre.

— Je l'ai quitté pour toi !

— Pour lui revenir au premier prétexte !

— Tu es injuste, Maddie ! Peter était malade, c'était mon devoir de le soigner.

— Notre relation n'a été qu'une chimère, depuis le début. Il faut en finir.

Madeleine saisit une robe qu'elle jeta dans la valise. Une voix s'éleva derrière elle.

— Tout cela n'est qu'un malheureux malentendu, madame Portelance.

Les deux femmes se tournèrent vers la porte. La longue silhouette du mari de Clara se dressait sur le seuil.

— Je suis navré que mon arrivée impromptue vous ait bouleversée à ce point. Puis-je m'entretenir seul à seule avec vous ?

Madeleine s'attendait si peu à cette demande qu'elle ne trouva rien à répondre. Peter Newton renchérit.

— Comme le dit l'adage, qui ne dit mot consent. Je vous attends dans le *lobby*.

Il inclina poliment la tête et partit. Madeleine resta silencieuse puis ferma la valise d'un mouvement brusque.

— Je n'irai pas.

∽

Peter Newton, installé dans un divan près de l'escalier qui donnait sur le hall, fumait un cigare tout en faisant un effort pour se concentrer sur la lecture d'un journal anglais qu'il avait trouvé sur une table à café, parmi des gazettes italiennes. Son calme n'était qu'apparent. Il aurait dû avoir une explication avec la maîtresse de sa femme depuis bien longtemps, mais jusqu'à présent il n'en avait pas trouvé le courage. Il craignait les affrontements comme la peste et privilégiait la fuite, quitte à laisser pourrir les conflits ou prolonger les méprises. C'était un trait de son caractère qui le désolait, mais il en avait été ainsi depuis sa plus tendre enfance. Même lorsque son frère aîné le tyrannisait et le couvrait de sarcasmes, il subissait les mauvais traitements en silence, sans se plaindre. Car il avait appris sa leçon. La seule fois où il avait rapporté à sa mère les sévices dont il était victime, alors qu'il avait sept ans, son frère le lui avait fait payer chèrement en l'enfermant dans le cabinet de toilette durant toute une nuit, sans lanterne, sachant que son petit frère avait la phobie de la noirceur.

— *You do not rat on people*, lui avait-il sifflé à l'oreille avant de verrouiller la porte.

Peter était resté recroquevillé dans un coin de la pièce sombre, pleurant en silence. C'était la bonne qui l'avait délivré le lendemain matin en voulant entrer dans le cabinet pour y faire le ménage. Constatant que la porte était verrouillée, elle avait frappé puis, n'ayant pas de réponse, avait utilisé sa clé passe-partout. En apercevant l'enfant couché à même le sol en position fœtale, elle avait poussé un cri, croyant qu'il était mort. La mère de Peter, alertée par le bruit, était accourue et avait pressé son fils de questions, mais il s'était contenté de répondre qu'il avait perdu connaissance. La bonne avait hoché la tête, affirmant que la porte était verrouillée de l'extérieur et que l'enfant n'avait pu s'enfermer là tout seul, mais Peter avait refusé d'en dire plus, ne voulant pas s'attirer la vengeance de son frère en jouant de nouveau les délateurs. Cette nuit-là, il avait compris qu'il était seul au monde et qu'il n'avait rien à attendre de personne, pas même de ses parents. C'était néanmoins avec un réel soulagement qu'il avait appris leur décision de l'envoyer en pension au collège. Il espérait que, loin de son frère, sa situation changerait du tout au tout. Le contraire s'était produit. On aurait dit que les élèves avaient senti qu'il était différent des autres, comme une meute qui repère tout de suite l'animal le plus faible. Pas une journée ne passait sans qu'il fît l'objet d'un mauvais tour. Parfois, quelques brutes parmi les collégiens les plus âgés l'attendaient dans la cour de récréation et profitaient du fait que le surveillant avait le dos tourné pour le battre. Quand un professeur remarquait ses ecchymoses et lui en demandait la cause, il répondait invariablement qu'il s'était fait mal en tombant.

Avec le temps, sans s'habituer à la cruauté des êtres humains, il avait trouvé le moyen de s'y soustraire. Sa réussite dans le monde retors et sans pitié des marchands d'art s'expliquait sans doute par l'expérience de la souffrance qu'il avait acquise et le détachement feint qu'il avait pratiqué toute sa vie, tel un acteur répétant inlassablement son rôle.

Le son d'une clochette lui fit lever les yeux. Un jeune chasseur vêtu d'un uniforme rouge galonné d'or se précipitait vers l'escalier pour aider une femme à porter ses bagages. C'était Madeleine Portelance. Peter n'eut pas le loisir de s'attarder sur la beauté du garçon, dont le képi écarlate faisait ressortir ses cheveux blonds et bouclés. Il déposa son cigare dans un cendrier, laissa le journal sur son fauteuil et alla à la rencontre de l'amante de sa femme, affichant un sourire courtois.

— Madame Portelance !

— Adieu, monsieur Newton, lui lança-t-elle froidement.

Il remarqua que les yeux de la maîtresse de sa femme étaient encore rouges et gonflés.

— Ne partez pas sans que j'aie pu avoir une conversation avec vous.

— Vous m'excuserez, mais je n'ai ni le temps ni l'envie de vous parler.

Madeleine s'avança dans le hall, mais il la retint d'un geste.

— Permettez-moi d'insister. Je suis convaincu que vous ne regretterez pas notre tête-à-tête.

— Vous êtes tenace, soupira Madeleine. Je vous avertis, je n'ai que quelques minutes.

— Ne restons pas ici. Allons nous promener. Les jardins de Boboli seront magnifiques dans la lumière de cette belle fin d'après-midi.

Le visage du mari de Clara semblait empreint de sincérité. Madeleine céda.

— Très bien, mais faites vite. Je tiens à partir avant la tombée de la nuit.

⌒

Peter et Madeleine marchaient dans la Cerchieta, une longue allée bordée de chênes verts qui formaient une arche gracieuse à travers laquelle filtraient des rayons de soleil. Les bruits de la ville leur parvenaient de loin, étouffés par les arbres et les bosquets. Peter désigna un banc de pierre de sa canne.

— Je vous en prie.

Madeleine prit place. Le mari de Clara l'imita, tout en maintenant une certaine distance entre lui et la compagne de sa femme. Un pigeon s'approcha d'eux, picorant le sol sablonneux.

— Ces jardins sont fabuleux, n'est-ce pas ?

— Si vous en veniez au fait, monsieur Newton ?

— Encore une fois, je souhaiterais vous présenter mes excuses pour mon arrivée inopportune.

Madeleine garda un silence circonspect tandis que le marchand d'art observait le chatoiement d'ombre et de lumière sur les feuilles qui bruissaient doucement dans la brise.

— Mon lien avec Clara est un lien d'affection, renchérit-il. Je la considère comme une sœur.

— Une sœur qui partage votre lit, répliqua Madeleine avec dépit, et avec laquelle il vous arrive encore de coucher. N'essayez pas de le nier, Clara me l'a dit !

Il eut un sourire en coin.

— Nous sommes mariés, il est naturel que nous ayons une relation… charnelle de temps en temps.

Madeleine sentit la jalousie l'étouffer. Elle aurait voulu lui crier : « Vous n'avez pas le droit de toucher à ma Clara ! », mais elle voyait bien à quel point cela aurait été absurde. Il poursuivit d'une voix calme :

— Je suis davantage… *attracted*, attiré par… *How should I put it ?*… par la gent masculine.

Il fallut quelques secondes à Madeleine pour comprendre la portée des mots que le mari de Clara avait prononcés.

— Vous êtes…

Elle s'interrompit, embarrassée. Il fit quelques ronds dans le sable avec sa canne.

— Je suis homosexuel. Ou si vous préférez, *a fairy, a queer, as people used to call me in my college days.*

Il y avait une trace d'amertume et de souffrance dans le ton du marchand d'art qui n'échappa pas à Madeleine. Elle réfléchit à l'aveu qu'elle venait d'entendre. Ainsi, Clara lui avait dit la vérité. Son mariage était bâti surtout sur l'amitié et la sécurité. Comme s'il avait deviné ses pensées, il enchaîna :

— J'aime Clara, à ma façon. Je l'ai épousée par affection, mais aussi pour la soutenir financièrement, afin qu'elle puisse continuer à peindre. Je souhaitais également la protéger des ragots et des mauvaises langues. *Do you understand ?*

— Pourquoi ne m'en avez-vous jamais rien dit avant aujourd'hui ?

— C'est une longue histoire, madame Portelance. Trop ennuyeuse et triste pour qu'elle vous soit d'aucun intérêt.

Il tourna la tête vers elle. Ses yeux bruns avaient pris un éclat ambré.

— Tout ce qui m'importe, c'est le bonheur de Clara. Elle vous aime sincèrement, et elle est très attachée à moi. Sachant cela, n'y aurait-il pas moyen que nous vivions tous les trois en bon ménage ?

Madeleine, touchée par le franc-parler du mari de Clara, lui tendit la main.

— Amis ?

Un sourire éclaira le visage habituellement réservé de Peter Newton. Il saisit la main de Madeleine.

— Amis.

LIV

Paris, prison de la Force, septembre 1864

Le grincement des verrous réveilla Auguste Lenoir. Un filet de lumière grisâtre filtrait par une meurtrière munie de barreaux. Il ne gardait la notion du temps que grâce à une marque qu'il traçait chaque jour sur un mur de sa geôle avec un bout de craie qu'il avait trouvé sous son grabat de paille. Mais ces dernières semaines, il avait cessé de le faire. À quoi bon mesurer les jours, alors que ceux-ci s'égrenaient avec la même désespérante lenteur, sans qu'il en vît jamais la clarté, sinon entre les grilles de son étroite fenêtre ? Le seul air qu'il respirait était celui, confiné, de sa geôle, avec pour tout horizon ses murs sombres et humides. Il avait perdu jusqu'au souvenir du parfum des arbres, du bruissement de leurs feuilles, du vert vibrant de leurs ramures. Dans ses rares sorties dans le préau, c'est à peine s'il pouvait apercevoir des bribes de ciel.

Il ne conservait qu'une vague réminiscence des événements qui avaient suivi son extradition. Le transport de la prison en fourgon cellulaire du Pied-du-Courant jusqu'au port de Montréal, l'embarquement dans un grand bateau à vapeur et son enfermement dans une cale ténébreuse, la traversée de l'Atlantique, l'arrivée au port de Calais... tout cela avait formé une sorte de magma informe, qu'il avait vécu dans un état d'hébétude, comme si sa conscience s'était éteinte pour lui épargner une trop grande souffrance. En débarquant du bateau, il lui avait fallu se couvrir les yeux tellement la lumière du jour était aveuglante, après trois semaines passées claustré dans la pénombre. Il se rappelait à peine le trajet dans une autre voiture, grillagée comme la cage d'un fauve, dans laquelle il avait été enfourné aussitôt le bateau amarré. Le trajet de Calais à Paris avait été interminable, interrompu par des arrêts rapides pour manger un repas frugal ou se soulager dans un seau d'aisance. Parfois, il réussissait à dormir dans la voiture, si « dormir » est un mot adéquat lorsqu'on est installé sur un banc de bois et qu'on a les pieds et les mains enchaînés.

Le fourgon s'était finalement arrêté à la nuit tombée devant un édifice aux toits mansardés. Lenoir avait été tiré hors de la voiture et traîné vers de lourdes portes éclairées par des lampes torchères qui jetaient des ombres lugubres sur le pavé. À la vue de la guérite et des murs de pierre rongés par le salpêtre, le prisonnier avait senti une main glacée lui broyer l'estomac. Il avait reconnu la prison de la Force, dont le seul nom évoquait la terreur. Ancien hôtel particulier, la Force, située rue Saint-Antoine, avait été transformée en prison sous le règne de Louis XVI. Durant la Révolution française, un tribunal populaire y avait été institué. Parmi les quatre cent huit détenus sommairement traduits en procès, cent soixante-neuf furent exécutés. La princesse de Lamballe, proche amie de Marie-Antoinette, fut massacrée par la foule, et sa tête, brandie au bout d'une pique, transportée dans les rues de la ville. Alors que Lenoir était chef adjoint de la Sûreté de Paris, combien de fois avait-il dû franchir la sinistre guérite pour interroger des prisonniers transis de froid et de peur ? Chaque fois, les souvenirs atroces du bagne de Brest le prenaient d'assaut, tels des rats affamés. Il redevenait pendant quelques instants l'ancien forçat perclus de crainte et de haine. Il lui fallait toute sa volonté pour se rappeler qu'il était de l'autre côté de la barrière, du côté de la loi et de l'ordre, de ceux qui arrêtaient les criminels et les jetaient en prison. Et voilà qu'il était de retour à la Force, cette fois en tant que détenu, les mains et les pieds enchaînés. Il avait tenté de fouiller dans la poche de son pantalon de lin grossier dans le vain espoir d'y trouver un couteau, mais il n'avait pu faire un geste, à cause de ses poignets entravés. Ses vieilles terreurs avaient resurgi. Un voile noir avait couvert son regard et il s'était écroulé dans le préau.

୧ℴ

Une voix brutale s'éleva.

— Lescault ! Debout !

Lenoir se redressa sur ses coudes. Il faisait encore sombre. Pourquoi le réveillait-on en pleine nuit ? La porte de sa geôle s'ouvrit en chuintant. L'ombre massive d'un geôlier se profila sur le seuil. Lenoir reconnut le Balafré, surnom qui avait été donné par les prisonniers au garde-chiourme parce qu'il portait une vilaine cicatrice sur la joue droite. C'était l'un des pires gardiens de la prison. Vicieux et cruel, il se faisait un malin plaisir de déposséder les hommes du peu qu'ils avaient, leur confisquant un colis ou une lettre, raccourcissant leur sortie dans le préau, les dénonçant pour un oui ou pour un non au directeur, qui les privait alors par représailles de leurs droits de visite ou, pire, les faisait jeter au « trou » pour les punir, un endroit infâme et puant, sans ouverture d'aucune sorte, où un détenu pouvait devenir fou en quelques jours.

— Habille-toi, Lescault ! Ton heure est venue, dit le gardien en traçant un signe sur sa gorge en guise de couperet.

Le Balafré jeta un paquet sur le lit, puis referma la porte en ricanant. Lenoir se leva, réprimant une grimace tant ses membres étaient endoloris. Le froid et l'humidité étaient si pénétrants dans sa cellule qu'il était gelé jusqu'aux os et n'arrivait jamais à se réchauffer. Il prit le paquet et le déplia. C'était un habit noir. « Ton heure est venue », avait dit le Balafré. Que voulait-il dire par là ? Se pourrait-il qu'il soit exécuté, sans autre forme de procès ? Le fait qu'il fît encore nuit rendait l'hypothèse plausible. Pourtant, le prisonnier avait réclamé à cor et à cri une audition avec le procureur Ernest Pinard, le bras droit de l'empereur Napoléon III, et demandé à répétition quelles charges étaient retenues contre lui, en vain. Il savait, pour en avoir été témoin du temps où il était directeur adjoint de la Sûreté, que la justice était un caméléon qui se transformait au gré des humeurs des grands de ce monde. Une strophe d'un pamphlet que Victor Hugo avait écrit contre l'empereur et qu'il avait intitulé « Napoléon le Petit » lui revint en mémoire :

Il a des caprices, il faut qu'il les satisfasse.
Quand on mesure l'homme et qu'on le trouve si petit
et qu'ensuite on mesure le succès et qu'on le trouve énorme,
il est impossible que l'esprit n'éprouve pas quelque surprise.

Depuis le complot manqué contre le roi Louis-Philippe, qui l'avait obligé à fuir la France et à trouver refuge à Montréal sous une autre identité, Lenoir savait qu'il était recherché par la police impériale pour une raison simple : il en savait trop. Déjà, Loïc Perrec avait tenté de le tuer. Il n'avait aucun doute sur le fait que c'était l'empereur, ou l'un de ses sbires, qui en avait donné l'ordre.

Lenoir enleva son habit de prisonnier et revêtit le costume noir, qui était trop grand pour lui et lustré sur les coudes. Il pouvait déjà imaginer la scène : il serait emmené dans un coin isolé du préau. Un peloton d'exécution composé de quelques soldats le mettrait en joue, et il serait fusillé, transporté ensuite dans un tombereau et jeté dans une fosse commune. Étrangement, la pensée de la mort ne le tourmentait pas outre mesure. Il la préférait de loin à la perspective de croupir dans cette geôle jusqu'à la fin de ses jours. L'idée du suicide lui était souvent venue, mais il n'y avait pas de chaise dans sa cellule, ni d'anneau ou de poutre où il aurait pu accrocher de quoi se pendre.

Après quelques minutes, le Balafré revint. Il lui enchaîna les poignets et les pieds tandis qu'un autre gardien se tenait près de la porte.

— Allez, dépêche-toi, éructa le garde-chiourme en poussant le prisonnier dans le dos.

— Où m'emmenez-vous ? demanda Lenoir, la rage au cœur.

Le Balafré fit un rictus.

— Tu le sauras bien assez vite.

Il l'entraîna hors de la geôle. Les chaînes bruissaient tandis que Lenoir marchait dans le couloir, escorté par les deux hommes. Lorsqu'ils parvinrent au préau, Lenoir se rendit compte qu'il pleuvait. Une voiture fermée attendait devant l'entrée. Aucun soldat d'armes n'était visible. *Je ne mourrai donc pas aujourd'hui*, songea-t-il avec un soulagement qui le surprit lui-même. Il tenait davantage à la vie qu'il ne l'avait cru. Le Balafré saisit le prisonnier par les épaules et le jeta sans ménagement dans le fourgon. Un policier armé d'un pistolet s'y trouvait déjà. La portière se referma avec un claquement sec et la voiture s'ébranla. *Où m'emmène-t-on ?* se demanda de nouveau Lenoir, rongé par l'angoisse.

కౌ

La voiture franchit un portail dont les grilles étaient ouvertes, puis roula dans une vaste cour intérieure dallée de pierres pour s'arrêter devant un portillon où deux soldats montaient la garde. Le policier aida le prisonnier à descendre. En regardant autour de lui, Lenoir comprit qu'il se trouvait dans l'un des préaux du palais de justice appelé la « cour de Mai ». C'était à cet endroit que les prisonniers, sous le régime de la Terreur, étaient transportés dans des charrettes et condamnés à mort par un tribunal révolutionnaire expéditif. *C'est peut-être le sort qui m'attend*. Certes, le Second Empire avait chassé les derniers vestiges de la Révolution, mais la justice ne régnait pas pour autant. Un frisson glacé le traversa. Escorté par les gardiens, il dut se pencher pour entrer par la petite porte. On le conduisit à travers plusieurs couloirs et escaliers jusqu'à une pièce plongée dans une demi-obscurité. Lenoir distingua, dans le halo d'une lampe, une silhouette derrière un pupitre. L'homme, dont le front large et dégarni était incliné au-dessus d'un document, écrivait. Il ne leva pas la tête lorsque le prisonnier fit son entrée et continua à griffonner pendant de longues minutes. Puis il déposa sa plume dans un socle et se redressa. Son visage rond, sa moustache entourant une bouche charnue lui conféraient une certaine bonhomie, que contredisait un regard dur.

Lenoir reconnut Casimir Joseph-Boittelle, un ancien lieutenant de cavalerie qui était sous-préfet de la ville d'Angers à l'époque où lui-même avait été arrêté pour vol et incarcéré à Brest. Boittelle était connu pour son aversion pour les petits criminels qui, selon lui, dénaturaient sa bonne ville, et il se montrait impitoyable à leur égard, les traquant sans relâche, même pour le vol d'un pain. Il avait pour coutume de dire : « Qui vole un œuf vole un bœuf. » Une haine sourde fit battre le cœur du prisonnier. Que faisait cet homme à Paris ? Pourquoi l'avait-il convoqué dans une pièce austère du palais de justice ?

L'homme de loi considéra longuement le détenu, serrant les lèvres.

— Monsieur Lescault. Il y avait longtemps que je n'avais eu le plaisir de vous revoir.

Ses yeux ne trahissaient aucune émotion. Il s'adressa aux gardes :

— Laissez-nous seuls, je vous prie. Attendez derrière la porte.

Les deux hommes obéirent. Des gouttes de sueur couvraient le front et le dos de Lenoir, bien qu'il fît froid dans le bureau, dont le feu dans l'âtre s'était éteint.

— Bien de l'eau a coulé sous les ponts depuis notre dernière rencontre. Au cas où vous seriez curieux de l'apprendre, je suis préfet de la police de Paris depuis 1858.

Sa voix était calme, presque douce, ce qui ne la rendait pas moins inquiétante. Il déposa un document devant Lenoir.

— Voici un sauf-conduit, sous une nouvelle identité. Vous êtes libre.

Libre ? Lenoir regarda le préfet sans dire un mot, n'arrivant pas à croire ce qu'il venait d'entendre. Pourquoi le gouvernement impérial se serait-il donné la peine d'obtenir son extradition du Canada pour ensuite le relâcher bêtement dans la nature ?

— Vous êtes libre, poursuivit l'homme de loi, à la condition que vous quittiez la France pour de bon et que vous n'y remettiez plus jamais les pieds. Sinon, gare à vous. Un accident est si vite arrivé.

Ainsi, on lui offrait la liberté en échange de son exil. Mais pourquoi donc le gouvernement français avait-il demandé son extradition ? Il n'y comprenait rien.

— Alors, monsieur Lescault ? s'impatienta le préfet. À moins que vous ne préfériez le confort de votre cellule…

Lenoir saisit le document d'une main tremblante. Le préfet de Napoléon III ne lui avait pas menti : il s'agissait bel et bien d'un sauf-conduit, signé de la main de Casimir Joseph-Boittelle. Sa nouvelle identité était Gérard Tourrais, originaire de la région du Poitou-Charentes.

Boittelle lui remit une enveloppe.

— Voici cinq cents francs, pour vous permettre de voir venir.

Lenoir s'empressa d'enfouir l'argent et le sauf-conduit dans une poche de son habit.

— Adieu, monsieur Lescault, ou plutôt monsieur Tourrais, ajouta le préfet avec un sourire mince.

Lorsque Lenoir sortit à l'air libre, sans escorte, il ressentit une joie sauvage, accompagnée d'une angoisse sourde. Il avait de la difficulté à croire qu'après des mois d'incarcération il s'en sortait à si bon compte. Il franchit la guérite sans être inquiété et s'engagea dans la rue Saint-Antoine, ne pouvant s'empêcher de regarder par-dessus son épaule pour s'assurer que personne ne le suivait. Un plan commençait à s'échafauder dans sa tête. Il lui faudrait quitter Paris le plus rapidement possible. L'avertissement du préfet avait été des plus limpides : « Vous êtes libre, à la condition que vous quittiez la France pour de bon et que vous n'y remettiez plus jamais les pieds. Sinon, gare à vous. Un accident est si vite arrivé. » Il savait pertinemment que Boittelle n'hésiterait pas une seconde à le faire abattre s'il s'attardait un peu trop à Paris. Pour l'avoir lui-même pratiqué alors qu'il était chef adjoint de la Sûreté, il savait qu'il valait toujours mieux éliminer discrètement un témoin gênant, sans qu'il y ait la moindre trace de sa disparition dans les archives de la police. Et puis

Boittelle n'aurait jamais pris le risque de le faire assassiner en prison : cela aurait été beaucoup trop compromettant. Aussi, son intention était de se réfugier en Martinique et de tenter de s'y faire oublier pendant quelque temps. Mais d'abord, il se devait d'accomplir une démarche, quitte à mettre sa vie en danger : il voulait revoir sa femme et sa fille. Seize longues années s'étaient écoulées depuis le jour où il avait fui Paris. Qu'étaient-elles devenues ? La crainte qu'elles n'étaient peut-être plus de ce monde lui serra la poitrine.

LV

Montréal, au même moment

Fanette trempa sa plume dans l'encrier. Julien avait quitté leur logement dès cinq heures du matin pour se rendre au palais de justice et elle s'était levée peu après lui, profitant du calme qui régnait dans la maison pour écrire. Elle aimait l'aube. Le temps semblait suspendu, comme s'il était entre parenthèses. Les contours du monde extérieur s'estompaient dans la grisaille peu à peu percée par la lumière matinale, prédisposant la jeune femme à l'écriture. Elle laissait la croisée ouverte afin de profiter d'une brise un peu plus fraîche, car une canicule s'était abattue depuis quelques jours sur la ville, faisant régner une chaleur étonnante pour ce début d'automne.

Son nouvel article portait sur un asile fondé par Victor Rousselot, un sulpicien qui avait convaincu les sœurs grises d'accueillir les filles et fils d'ouvriers durant la journée dans l'hospice Saint-Joseph, situé dans le quartier Saint-Antoine, afin que ces derniers puissent aller travailler. Prosper Laflèche s'était d'abord montré réticent, prétendant que le sujet n'avait guère d'intérêt, surtout pour ses lecteurs masculins, mais Fanette lui avait fait valoir qu'il l'avait justement engagée pour écrire des chroniques s'adressant plus spécifiquement aux femmes. Le rédacteur en chef avait finalement cédé. Ce n'était pas tant par ouverture d'esprit que par intérêt. Le premier article de Fanette sur les grands magasins avait connu beaucoup de succès, triplant presque le tirage du journal en une seule journée, ce qui avait valu à la journaliste une petite augmentation d'un sou la ligne et des compliments empoisonnés de la part d'Arsène Gagnon, qui ne digérait pas qu'une femme puisse gagner à peu près le même salaire qu'un homme :

— Si ça continue, les femmes vont avoir le droit de voter aux élections ! s'était-il exclamé d'un ton sarcastique, cherchant l'approbation de ses collègues.

— Et ce sera une bonne chose, avait répliqué Fanette, dont l'enfance avait été bercée par les critiques de sa mère sur l'injustice du système électoral qui empêchait la moitié de la population d'exercer son droit de vote sous prétexte qu'elle était du « sexe faible ».

La veille, Fanette avait visité en compagnie de Marie-Rosalie la grande salle de l'hospice qui avait été construite en 1858 et inaugurée par monseigneur Bourget en personne. Les enfants y étaient rassemblés dans des gradins, les fillettes d'un côté et les garçons de l'autre. Les religieuses leur enseignaient le français, la géographie et l'arithmétique à l'aide de mappemondes, de tableaux et de bouliers compteurs. Une des sœurs, une jeune femme dynamique et souriante, dotée d'une jolie voix, leur apprenait des chants en s'accompagnant à l'harmonium. Pendant les pauses, lorsqu'il faisait beau, les enfants allaient jouer dans la cour de récréation abritée par de grands arbres. Par mauvais temps, ils restaient à l'intérieur, coloriant des images, jouant à colin-maillard ou sautant à la corde. Fanette avait été fascinée par la discipline et la politesse de ces filles et fils d'ouvriers, qui appréciaient sans doute les soupanes chaudes servies en bonne quantité et le dévouement des religieuses. Quant à Marie-Rosalie, elle s'était jointe aux autres enfants et s'était amusée comme une petite folle, au point où sa mère avait eu de la difficulté à l'arracher à ses jeux.

Après avoir terminé son article, Fanette glissa les feuillets dans une enveloppe. Accompagnée de sa fille, elle alla porter son article au journal puis se rendit au marché Bonsecours afin de faire les emplettes. Son cœur se serrait chaque fois qu'elle y retournait tant les souvenirs pénibles de l'enlèvement de Marie-

Rosalie l'avaient marquée. La petite semblait cependant avoir complètement oublié les terribles événements et gambadait dans les allées comme si de rien n'était. Encore une fois, Fanette fut fascinée par la résilience des enfants, leur pouvoir d'effacer les meurtrissures ou, à tout le moins, de les enfouir au plus profond d'eux-mêmes, comme elle l'avait fait elle-même lorsqu'elle habitait chez les Cloutier. Elle pensa à Amanda. *Comme le temps passe vite !* Elle se promit de lui rendre visite bientôt.

Pendant le souper, Fanette fut prise d'un malaise et dut sortir de table. Julien, inquiet, la rejoignit aussitôt dans leur chambre. La jeune femme, toute pâle, épongeait son visage avec un linge.

— Ce n'est rien, un simple étourdissement, expliqua-t-elle. Sans doute la chaleur.

Le lendemain matin, le même malaise se manifesta. Fanette dut avouer à son mari que cela lui était arrivé à plusieurs reprises. Ce dernier insista pour que sa femme consulte un médecin. Il n'y avait pas d'audience prévue à la cour, il lui proposa donc de s'occuper de Marie-Rosalie pendant son absence.

❦

Le docteur Brissette s'apprêtait à faire sa tournée de patients lorsqu'on sonna à sa porte. Il fut surpris et ému de voir Fanette sur le seuil, puis inquiet en constatant sa pâleur. La jeune femme eut tôt fait de lui expliquer les symptômes dont elle souffrait. Le matin même, elle n'avait pu garder son repas. Le médecin l'installa dans son cabinet et déposa une large blouse sur le dos d'une chaise.

— Auriez-vous l'amabilité d'enlever votre robe et de revêtir cette blouse ? Je reviens dans quelques minutes, dit-il en rougissant.

Fanette fit ce que le docteur Brissette lui demandait. Ce dernier frappa à la porte et entra. Il fit asseoir la jeune femme sur la table d'examen et l'ausculta soigneusement. Au début, les épaules blanches et soyeuses de Fanette, le parfum délicat qui émanait d'elle le troublèrent, mais il réussit à mettre de côté son attirance et recouvra la neutralité nécessaire à son travail.

— Depuis combien de temps éprouvez-vous ces symptômes ?

— Deux ou trois semaines.

Il se racla la gorge avant de poser la prochaine question :

— Quelle est la dernière fois où vous avez été… indisposée ?

Fanette réfléchit.

— À bien y penser, j'aurais dû avoir mes règles il y a environ deux semaines.

Le docteur Brissette hocha la tête.

— Cela ne me surprend pas.

La jeune femme lui jeta un coup d'œil interrogatif.

— Je crois pouvoir affirmer que vous êtes enceinte. Toutes mes félicitations, ajouta-t-il, cramoisi.

Cette annonce prit Fanette par surprise. Les étourdissements, les nausées, le retard dans ses règles auraient dû lui mettre la puce à l'oreille, mais pas un instant l'hypothèse d'une grossesse ne lui était venue à l'esprit.

— Je connais un excellent médecin qui pourrait vous prendre en charge, poursuivit le docteur Brissette.

Il inscrivit les coordonnées de son collègue sur une feuille, qu'il remit à Fanette. Cette dernière se doutait que les sentiments du jeune homme à son égard n'avaient pas changé depuis sa demande en mariage, et elle comprenait qu'il préfère ne pas l'assister dans ces circonstances. Elle murmura des remerciements et partit.

Toute à ses réflexions, Fanette regagna lentement sa voiture. La nouvelle de sa grossesse la réjouissait, mais la plongeait en même temps dans un profond désarroi. Julien et elle étaient mariés depuis quelques mois à peine. Son travail de journaliste à *L'Époque* la passionnait plus que jamais, malgré le comportement autoritaire de son patron et les remarques désobligeantes d'Arsène Gagnon. Et voilà qu'elle attendait un enfant !

Une fois parvenue au carré Saint-Louis, Fanette gara le Phaéton dans l'écurie de monsieur Dicaire. Heureusement, celui-ci s'occupait d'un client et ne l'assaillit pas de ses bavardages, qui l'amusaient d'ordinaire, mais qu'elle n'avait pas le courage d'entendre dans l'état où elle était.

Éprouvée par la chaleur accablante, Fanette s'installa sur un banc du parc, dans l'ombre bienfaisante d'un érable. Avant de rentrer à la maison, elle avait besoin de réfléchir aux répercussions qu'aurait sa grossesse sur sa vie et celle de son entourage. Une femme enceinte ne pouvait pas travailler, encore moins côtoyer des hommes dans une salle de rédaction. Cette perspective la bouleversait. Elle pouvait déjà imaginer le ravissement de son rival, Arsène Gagnon, lorsqu'il apprendrait son départ. Cette seule idée la mettait hors d'elle. Son autre inquiétude concernait Marie-Rosalie. La fillette avait de bonnes relations avec son beau-père, qui était attentionné et affectueux à son égard. Mais comment réagirait-elle au fait que sa mère attendait un enfant ? Se sentirait-elle menacée par l'arrivée d'un nouveau venu dans la famille ? Craindrait-elle d'être reléguée au second rang dans le cœur de sa mère ?

Agitée par ces pensées, Fanette se décida finalement à remonter à son logement. Julien l'attendait avec anxiété.

— Tu t'es absentée longtemps, je commençais à m'inquiéter.

Il l'enlaça tendrement.

— Que t'a dit le médecin ?

— Je suis en parfaite santé.

Le soulagement de Julien fut indicible.

— Dieu merci !

Il observa sa femme et sut tout de suite qu'elle ne lui avait pas tout dit.

— J'attends un enfant, dit-elle, la gorge nouée.

Julien fut si ému qu'il en resta muet. Puis il prit son épouse dans ses bras et la serra contre lui à l'étouffer.

— Tu es enceinte ! Rien au monde n'aurait pu me rendre plus heureux.

Le bonheur sans partage de Julien, le sourire radieux qui illuminait son beau visage chassèrent les doutes de Fanette. Elle songea à George Sand, qui avait réussi à concilier sa vie de mère de famille et une carrière de journaliste et de romancière. Pour quelle raison renoncerait-elle à un métier qu'elle aimait tant, sinon à cause de conventions rigides et dépassées ? De toute manière, rien ne l'obligeait à faire part de son état à Prosper Laflèche. Lorsque sa grossesse serait plus avancée, elle trouverait un moyen de lui faire parvenir ses chroniques sans se rendre en personne au journal. Après, elle aurait le temps d'aviser…

— À quoi penses-tu, ma chérie ?

— À nous deux, à notre enfant, à notre avenir.

— Rien que ça !

Ils échangèrent un regard complice.

— Je t'aime, Fanette. Jamais je n'aurais pu rêver d'un tel bonheur.

La jeune femme perçut une étrange tristesse dans le regard de Julien.

— Quelque chose te tracasse ?

Il hésita, puis secoua la tête.

— Rien, ce n'est rien.

LVI

Auguste Lenoir marchait d'un pas assuré, mais jetait de temps en temps un coup d'œil à la ronde pour s'assurer qu'il n'était pas suivi. Il connaissait les rues de Paris par cœur pour les avoir arpentées si souvent, de jour comme de nuit, lorsqu'il était informateur et, par la suite, chef adjoint de la Sûreté. Le logement où il avait vécu les années les plus heureuses de sa vie était situé rue Maître-Albert, dans le 5e arrondissement, au troisième étage d'un immeuble de pierre de construction assez récente, dont le rez-de-chaussée était occupé par un commerce de vins et de produits du terroir, appelé Au rendez-vous des Limousins. Après leur mariage, Clotilde et lui avaient emménagé dans cet appartement confortable et aéré, muni d'un poêle moderne, d'une cheminée et même d'une salle d'eau, grâce au père de sa femme, un drapier tenant un commerce prospère dans le 7e arrondissement, qui le leur avait offert en guise de cadeau de noces.

Lenoir parvint au coin de la rue Maître-Albert et reconnut avec émotion l'enseigne du Rendez-vous des Limousins, surmontée d'un bec de gaz. Rien n'avait changé, sinon que la rue était maintenant entièrement pavée. Le cœur battant, il marcha sur l'étroit trottoir de pierre, les yeux rivés sur les façades des maisons serrées les unes contre les autres. Lorsqu'il arriva à la hauteur de l'immeuble où il avait habité, il leva la tête et aperçut des pots de géraniums placés sur le rebord de la fenêtre du troisième étage. *Des géraniums...* C'était les fleurs préférées de sa femme, qui les appelait ses « soleils rouges ». Un espoir fou le souleva. Il évoqua le visage rond et tendre de Clotilde, son rire sonore et joyeux qui résonnait dans le logement, son épaisse chevelure sombre, qu'elle nouait parfois dans un chignon sévère pour faire plus « convenable » lorsque son père leur rendait visite. Ce dernier, veuf depuis quelques années, était un homme bon, mais pétri de conventions.

Faustin Lescault avait rencontré Clotilde en entrant dans le magasin de son père, à la recherche de drap pour son nouvel uniforme de policier. La jeune fille, debout derrière un comptoir de chêne poli par l'usage, lui avait souri. Il avait tout de suite été conquis par son regard clair, par ses manières simples et sans apprêt. Il l'avait revue ensuite à plusieurs reprises, prétextant l'achat d'un mouchoir ou de linge de maison pour avoir le bonheur de l'apercevoir, ne serait-ce que quelques brèves minutes. Un jour, profitant du fait que le père Letellier faisait des comptes dans l'arrière-boutique, il avait offert à Clotilde de l'accompagner à un bal musette, qui se donnait le soir dans le quartier. Elle avait accepté en rougissant, à la condition, bien entendu, que son père soit d'accord. Celui-ci s'était fait tirer l'oreille, mais à force d'insister sa fille avait réussi à le convaincre.

— Monsieur Lescault fait partie de la Sûreté de Paris, lui avait-elle dit un peu naïvement. Je ne cours aucun danger avec lui !

Peu à peu, Lescault avait gagné la confiance du père de Clotilde, qui avait fini par s'attacher à ce « garçon un peu taciturne, mais au bon cœur ». Bien entendu, il ignorait tout du sombre passé de son futur gendre. Celui-ci avait gardé son secret enfoui au plus profond de lui-même, sachant que jamais le père Letellier n'aurait voulu que sa fille épouse un ancien bagnard.

Un bon matin, Lescault s'était rendu au commerce du drapier un peu avant l'ouverture et avait demandé au marchand la main de sa fille. Letellier avait renâclé. Il aurait souhaité un meilleur mariage pour sa fille, qu'il adorait, mais avait quand même donné son accord.

Clotilde se contentait de peu, heureuse d'un coin de ciel bleu ou de la beauté d'une blouse de soie qu'elle venait d'acheter à bon prix. Sa douceur, sa joie de vivre étaient contagieuses. Les blessures du passé de Lescault s'étaient peu à peu cicatrisées au fil du bonheur conjugal. Bien qu'il continuât à côtoyer la misère et la brutalité dans son travail de policier, il était maintenant du côté de la loi et de l'ordre, du côté de ceux qui l'avaient broyé, qui avaient brisé sa vie, et il en éprouvait une satisfaction amère. Mais lorsqu'il rentrait chez lui, qu'il serrait sa femme dans ses bras et respirait le parfum de ses cheveux, qu'il entendait le babillage joyeux de leur petite fille, Charlotte, les visions de violence, les scènes de misère s'évanouissaient, comme si elles faisaient partie d'une autre vie.

⤫

Lenoir contemplait toujours les géraniums, qui tachetaient de rouge la grisaille des murs.

— Ma Clotilde chérie, ma petite Charlotte, murmura-t-il.

Il entra dans l'immeuble et perçut l'odeur d'encaustique et de cire, qu'il avait respirée si souvent. La balustrade de l'escalier et le parquet luisaient de propreté. Il s'approcha de la porte de la loge et y frappa. Il attendit, la poitrine serrée dans un étau. La porte s'entrebâilla, laissant entrevoir le visage chiffonné d'une vieille dame, dont les frêles épaules étaient entourées d'un châle épais.

— Madame Beauvais ! s'écria Lenoir d'une voix que l'émotion étouffait.

Il avait reconnu la concierge au premier coup d'œil, quoiqu'elle eût beaucoup vieilli et que ses cheveux, autrefois poivre et sel, fussent complètement blancs. Elle le regarda, la mine incertaine, clignant des yeux comme si elle tâchait de mieux distinguer l'homme qui était sur le seuil et dont le visage n'était que partiellement éclairé par la clarté fumeuse d'une lampe.

— Monsieur Lescault ! lança-t-elle, l'air effaré. Si je m'attendais… après toutes ces années…

Il mit un doigt sur sa bouche pour l'enjoindre de baisser la voix.

— Puis-je entrer ?

Elle acquiesça.

— Bien sûr, monsieur Lescault. Quelle surprise ! répéta-t-elle en refermant la porte.

Lenoir fit quelques pas dans la loge étroite, dont le plafond noir de suie était si bas qu'il lui fallait se courber un peu pour ne pas se cogner la tête. Madame Beauvais voulut lui offrir du thé, mais il refusa poliment.

— J'ai dû m'absenter de longues années pour affaires, expliqua-t-il en restant volontairement imprécis. Je me demandais si ma femme et ma fille habitaient toujours ici.

Le visage de la concierge se rembrunit.

— Comment, vous n'êtes pas au courant ? Ah, mon pauvre monsieur…

Lenoir lui saisit un bras.

— Que s'est-il passé ? Où sont-elles ?

Madame Beauvais poussa un soupir.

— J'ai bien peur que votre femme soit morte.

L'agent de renseignement blêmit.

— Morte ? réussit-il à articuler.

— Trois ans après votre départ. Une pneumonie foudroyante. La pauvre a rendu l'âme en à peine quelques jours.

La douleur de Lenoir était si profonde qu'il en fut ravagé jusqu'aux os. Il dut s'appuyer sur un mur pour ne pas s'affaisser, telle une marionnette dont on aurait coupé les fils.

— Et ma fille ? Ma petite Charlotte ?

La concierge se mordit les lèvres.

— Comme personne ne savait où vous étiez, alors monsieur Letellier l'a prise chez lui.

Cette nouvelle mit un peu de baume sur sa plaie vive. *Au moins, Charlotte n'est pas morte…* Et de savoir que son beau-père l'avait recueillie lui était d'un certain réconfort.

Le commerce du père Letellier se trouvait rue d'Iéna, dans le 7ᵉ arrondissement. Lenoir décida de s'y rendre. C'était son dernier espoir d'avoir des nouvelles de sa fille. Il remercia madame Beauvais et s'en alla, le cœur en charpie.

ﻬ

Le fiacre s'arrêta devant un immeuble de cinq étages. Lenoir descendit de la voiture et paya le cocher, qui repartit en fouettant son cheval. Il eut peine à reconnaître l'endroit. L'enseigne de la Maison Letellier, autrefois pimpante et toujours repeinte à neuf, s'écaillait. Quelques lettres étaient effacées. Les vitrines du magasin, poussiéreuses et sombres, ressemblaient à des lunettes d'aveugle. Rempli d'appréhension, Lenoir entra dans le commerce. Une clochette tinta tristement dans la grande pièce plongée dans l'obscurité, même en plein jour. Une forte odeur d'humidité et de poussière imprégnait l'air. Lenoir distingua des étoffes empilées en désordre sur une longue table, puis le comptoir de chêne derrière lequel Clotilde l'avait si souvent servi. Un regret lancinant lui serra le ventre. Clotilde était morte par sa faute. S'il ne s'était pas laissé entraîner dans cette maudite conspiration, il n'aurait pas été contraint de l'abandonner à son sort, et elle serait encore en vie aujourd'hui. Une voix chevrotante s'éleva.

— Qui va là ?

Lenoir entrevit une silhouette fantomatique devant le rideau qui séparait l'arrière-boutique du magasin. Un vieillard, portant une longue barbe blanche, une lanterne à la main, fit quelques pas vers lui. De profondes rides sillonnaient son visage d'une pâleur de cire. Il fallut à Lenoir quelques secondes pour se rendre compte que cet homme au dos courbé, aux membres perclus de rhumatismes, aux yeux à demi cachés par des bésicles était son beau-père.

— Monsieur Letellier ?

— Qui êtes-vous ? demanda le vieil homme d'une voix un peu plus ferme.

Lenoir hésita.

— Je suis Faustin. Faustin Lescault, votre gendre.

Le commerçant le dévisagea sans rien dire. Puis ses traits se crispèrent, l'indignation fit trembler ses joues.

— Comment oses-tu revenir ici, après tout le mal que tu as fait ! Ma fille est morte par ta faute !

Il avait la voix rageuse d'un vieux bouledogue. Lenoir ne tenta pas de se justifier, il acceptait d'avance tous les reproches.

— Je ne suis pas venu quémander votre pardon. Je souhaite prendre des nouvelles de ma fille.

— Ta fille ?

Le vieillard eut un ricanement bref. Une lueur mauvaise brilla dans ses yeux. Pendant un moment, Lenoir crut que son beau-père n'avait plus toute sa tête.

— Où étais-tu lorsqu'elle pleurait, la nuit, après un mauvais rêve, hein ? Qui l'a soignée, dorlotée, aimée pendant toutes ces années ? C'est toi, peut-être ?

— Je vous suis reconnaissant de l'avoir recueillie, mais je veux savoir ce qu'elle est devenue.

Le drapier resta silencieux. La lampe qu'il tenait oscillait doucement sous sa main tremblante, projetant des ombres étranges sur les murs dénudés.

— Elle m'a abandonné, après tout ce que j'ai fait pour elle.

— Que voulez-vous dire ?

Le vieillard leva des yeux rougis vers son gendre, puis désigna de sa main libre un point distant, au-delà des vitrines de son magasin.

— Là-bas.

— Quoi, là-bas ? s'impatienta Lenoir.

— Ils m'ont tué, ils ont étouffé tous les commerçants du quartier.

Ses membres s'agitaient tandis qu'il parlait, comme s'il avait été atteint de la danse de saint Guy. Cette fois, l'agent de renseignement fut convaincu que son beau-père était devenu fou.

— De qui parlez-vous à la fin ?

Soudain rempli de lassitude, le vieux drapier tâtonna autour de lui, cherchant un appui. Il s'agrippa au comptoir de sa longue main aux veines saillantes.

— Du Bonheur des Dames, pardi ! Depuis qu'ils ont décidé d'agrandir le magasin, les clientes nous ont désertés. Nos boutiques ferment les unes après les autres. Si je tiens encore, c'est par un fil.

Il eut un autre rire bref, dont l'écho sinistre se perdit dans les ténèbres de la pièce. Lenoir commençait à comprendre le désarroi du vieil homme, mais il n'avait toujours pas de réponse sur le sort de sa fille.

— Où est Charlotte ? demanda-t-il d'un ton plus brusque.

Le vieux commerçant branla la tête.

— C'était ma meilleure vendeuse. Les clientes ne juraient que par elle, mais les affaires n'étant plus ce qu'elles étaient... Elle m'a quitté.

Sa voix s'éteignit. Lenoir revint à la charge :

— Où est-elle allée ?

Le vieillard souleva un bras, qu'il laissa retomber d'un geste las.

— Tu n'as pas encore compris ? Elle est devenue vendeuse au Bonheur des Dames.

Il haussa les épaules.

— Je ne peux pas la blâmer. Elle est nourrie, logée. Oh, bien mal, mais c'est mieux que rien. Elle survivra peut-être, à moins que le monstre n'en fasse qu'une bouchée.

Lenoir avait appris ce qu'il voulait savoir. Il fouilla dans sa poche, en retira quelques billets, qu'il déposa sur le comptoir. Le drapier fronça ses gros sourcils blancs.

— Garde ton argent. Si tu crois acheter ton pardon avec quelques billets !

Lenoir sortit sans répondre. La porte se referma lourdement. Il eut un dernier regard pour le magasin, dont la façade décrépite affichait la déchéance. Il détourna la tête et se mit à marcher rapidement, comme pour échapper à son passé qui gisait entre ces murs, tels les décombres d'une maison incendiée.

∾

Après avoir traversé la rue presque déserte, Lenoir s'adressa à une passante, qui portait un bonnet blanc et tenait un gros panier sous son bras.

— Pardon, madame, savez-vous où se trouve le magasin Au Bonheur des Dames ?

Elle secoua la tête, se demandant d'où venait cet énergumène pour ignorer une chose pareille.

— Un peu plus et il vous mangerait ! C'est à deux pas d'ici, rue de Sèvres, à l'angle de la rue de Babylone et de la rue du Bac.

— Merci.

La ménagère l'avait bien renseigné. Le grand magasin se dressait dans le ciel gris, ressemblant à un paquebot. L'immense devanture de vitre était illuminée par de nombreux becs de gaz. Une foule se pressait aux portes, surmontées d'un dôme en lattes de verre au sommet duquel trônaient les mots « Au Bonheur des Dames », qui scintillaient comme des lucioles. Lenoir se laissa entraîner par le mouvement des badauds. Une fois à l'intérieur, il eut les yeux éblouis par la lumière qui giclait des lampes comme des feux de Bengale. Une multitude de clientes se bousculaient dans les allées, qui regorgeaient de marchandises de toutes sortes. Des escaliers et des ponts suspendus formaient une sorte de toile d'araignée métallique entre les différents paliers du magasin. Se sentant soudain étouffé par ce mouvement, aveuglé par cette clarté blanche, Lenoir trouva refuge près d'une salle d'essayage tapissée de miroirs sans tain. Il reprit lentement son souffle, tâchant de mettre de l'ordre dans ses idées. Le père Letellier n'avait pas précisé dans quel rayon Charlotte travaillait. Il vit passer une jeune femme dans un froufrou de jupe et l'aborda.

— Pardon, mademoiselle, je cherche une jeune fille, Charlotte Lescault. Elle travaille ici comme vendeuse.

La jeune femme, qui portait un crayon derrière l'oreille et avait l'air pressé, haussa les épaules.

— Nous sommes près de deux mille vendeurs à travailler ici, monsieur. Autant chercher une aiguille dans une botte de foin.

Elle s'éloigna dans un claquement de talons. Lenoir fut tenté d'abandonner sa recherche. À quoi bon revoir sa fille ? Elle ne le reconnaîtrait sans doute pas, ou pire, elle lui en voudrait de les avoir abandonnées, elle et sa mère. La simple idée de déceler le blâme ou même la haine sur les traits de Charlotte le faisait frémir. Il songea à revenir sur ses pas et à fuir l'endroit, mais son désir de retrouver son enfant fut le plus fort. Il alla de rayon en rayon, posant toujours la même question et recevant toujours la même réponse. Il fit ainsi le tour du magasin, passant des dentelles à la lingerie, de la confection aux draperies. Épuisé, le front en sueur, il fut sur le point de renoncer jusqu'à ce qu'il arrive au rayon de la ganterie. Des gants de toutes les couleurs et de formes variées étaient exposés dans des compartiments vitrés. Une jeune femme, vêtue d'une robe noire en percale, dont le col et les manches étaient bordés de dentelle blanche, ses lourds cheveux noirs coiffés en chignon, servait une cliente. Lenoir eut un choc en l'apercevant. Le visage rond et doux, les yeux bruns et tendres, la chevelure sombre et luxuriante, tout lui rappelait Clotilde. Il s'approcha du comptoir et attendit que la cliente soit partie pour s'adresser à elle.

— Vous ressemblez beaucoup à… à une personne que j'ai connue.

Sa voix sortait difficilement de sa gorge. La vendeuse lui sourit.

— On me dit souvent cela. Que puis-je faire pour votre bonheur ?

C'était sans doute une expression que le grand magasin imposait aux vendeurs afin de plaire à la clientèle, tout en rappelant le nom du commerce. Lenoir eut l'impulsion de crier « Je suis ton père ! » mais il se retint.

— Je cherche des gants.

Cette fois, elle rit franchement. C'était le rire de Clotilde, la même intonation légère et cristalline.

— Alors vous êtes au bon rayon, dit-elle avec gentillesse. Avez-vous une idée de la sorte de gants que vous cherchez ? Pour tous les jours ? Pour une occasion spéciale ? Nous avons tout ce qu'il vous faut.

Il hésita, cherchant ses mots.

— Votre nom serait-il Charlotte Lescault, par hasard ?

Elle lui jeta un regard surpris.

— Mon prénom est Charlotte, mais mon nom de famille est Letellier.

Letellier. Une douleur sourde le traversa. Ainsi, sa fille ne portait plus son nom. Même cela lui avait été enlevé.

— Monsieur ? Vous êtes bien pâle. Êtes-vous souffrant ? s'inquiéta la jeune femme.

— Votre mère s'appelait Clotilde, n'est-ce pas ?

Cette fois, ce fut elle qui pâlit.

— Oui. Comment savez-vous cela ?

Il aurait voulu répondre : « Clotilde était ma femme, je l'aimais ! » mais il ne pouvait se résoudre à révéler son identité à sa fille. Sa situation était trop précaire. Et puis Charlotte était si jeune lorsqu'il avait quitté la France ! Elle n'avait probablement gardé aucun souvenir de lui.

— Je l'ai connue, il y a longtemps.

Une femme maigre, au regard aigu, s'adressa à la vendeuse d'un ton sec.

— Charlotte, vous n'êtes pas payée pour bavarder.

La jeune femme contint un soupir. Elle semblait avoir l'habitude de recevoir ce genre de réprimandes.

— Bien, madame Leverdier.

Voyant que la gérante du rayon s'éloignait, elle reprit à mi-voix :

— Vous dites que vous avez connu ma mère ?

— J'étais… un ami de la famille.

Les yeux de Charlotte se brouillèrent.

— Ma mère est morte lorsque j'avais sept ans. Je l'aimais beaucoup. Elle était si gaie, si douce… Après sa mort, mon grand-père m'a recueillie chez lui et a décidé de m'adopter. Sans lui, je ne sais pas ce que je serais devenue.

— Et votre père ? demanda Lenoir, la voix étranglée.

— Il est mort.

— Mort ?

Elle acquiesça.

— Un accident de train. J'avais à peine quatre ans, je n'ai gardé aucun souvenir de lui, mais ma mère m'en parlait souvent. Elle avait placé la photo de leur mariage sur sa table de chevet. Je l'ai conservée. C'est tout ce qu'il me reste de mon père.

La dernière phrase remua Lenoir au plus profond de lui-même.

— Charlotte, ma petite…

Cette fois, l'expression de la jeune femme devint plus grave. Elle examina de plus près cet homme étrange, qui lui posait tant de questions sur sa mère. Il lui sembla que son visage lui était familier. Elle sentit le regard réprobateur de madame Leverdier sur elle, mais décida de ne pas s'en préoccuper.

— Puis-je savoir votre nom, monsieur ?

Lenoir se troubla.

— Je suis désolé d'avoir pris de votre temps, mademoiselle. Vous ne pouvez pas savoir à quel point j'ai été heureux de vous rencontrer.

Il se détourna et fendit la foule en direction de la sortie, réprimant un sanglot. Il aurait donné son âme pour prendre sa fille dans ses bras, lui dire qu'il l'aimait, qu'il avait été contraint de l'abandonner. Mais il était trop tard pour les regrets. Il était la cible de l'empereur, il devait encore une fois s'enfuir et mener l'existence d'un paria. Il se retourna une dernière fois. Charlotte, immobile, avait les yeux fixés sur lui.

— Adieu, murmura-t-il.

Il disparut dans la foule.

❧

Auguste Lenoir marchait d'un pas d'automate, sans but, n'ayant pour seule pensée sa fille. La joie de l'avoir revue, même brièvement, s'accompagnait de la souffrance de l'avoir déjà perdue. Mille fois, il fut tenté de revenir sur ses pas, de courir vers le rayon de la ganterie, de dire la vérité à Charlotte, mais chaque fois il y renonçait. Sa fille semblait mener une vie sinon heureuse, du moins paisible et honnête. Elle portait le nom de son grand-père, cela signifiait donc qu'elle n'était pas encore mariée. Quel besoin avait-elle d'un père proscrit, qui l'avait abandonnée et avait mené une existence de filou pendant son exil au Canada ? Mieux valait qu'elle le crût mort.

Une cloche sonna les vêpres. Il leva les yeux et reconnut l'église Saint-Séverin. Il avait traversé une bonne partie de la ville sans s'en rendre compte. Une légère pluie se mit à tomber. Il se réfugia dans l'église, non tant pour se protéger de l'ondée que pour essayer de mettre de l'ordre dans ses idées. Son plan initial avait été d'aller en Martinique avec l'argent et le sauf-conduit que Boittelle lui avait remis, mais s'il quittait Paris il ne reverrait plus jamais Charlotte. Le seul bonheur qu'il avait connu en ce monde disparaîtrait à jamais. Mais le préfet de Napoléon III ne lui avait laissé aucun choix : c'était l'exil ou une mort certaine. Soudain, la perspective de mourir ne lui apparut plus comme une menace. Sa femme bien-aimée était décédée, sa fille le croyait mort, il n'avait plus aucune raison de vivre. Même ses désirs de vengeance s'étaient dissipés dans l'atmosphère apaisante de l'église.

Lorsque Lenoir sortit, la pluie s'était transformée en bruine grise. Le jour tombait déjà. Un allumeur de réverbères, grimpé sur une échelle, s'activait à nettoyer une lampe avant de l'allumer. Les mains dans les poches, Lenoir alla du côté de la Seine. Il ne vit pas l'ombre qui se dissimulait derrière une porte cochère et lui emboîtait le pas. Bientôt, il parvint aux quais et distingua les contours de l'île Saint-Louis, située entre les deux berges du fleuve. Le pont de la Tournelle l'enjambait à partir de la Rive gauche.

Le soleil apparut derrière les nuages, éclaboussant les maisons d'éclats fauves, puis s'enfonça lentement dans l'eau rougeoyante, tel du métal en fusion. Des lumières commençaient à scintiller dans les fenêtres des façades, se reflétant dans la Seine en lignes sinueuses et mouvantes. Lenoir descendit les marches qui menaient à la berge. Il se sentait étrangement calme, comme s'il avait fait la paix avec lui-même et avec son passé. *C'est peut-être la dernière image que je verrai*, songea-t-il en contemplant les derniers rayons du soleil disparaître à l'horizon. Il longea la rive en direction est, jusqu'à ce qu'il ait dépassé l'île Saint-Louis. Le sable crissait sous la semelle de ses souliers. La ville, d'habitude animée et bruyante, était devenue soudain silencieuse. Seuls le clapotis de l'eau et le roulement lointain d'une voiture lui parvenaient à distance. Il s'arrêta près d'une encoignure obscure, chercha des cailloux, qu'il enfouit dans ses poches. L'idée d'en finir lui était venue dans l'église, tandis qu'il regardait sans les voir les vitraux qui surplombaient la nef. La mort lui redonnerait sa liberté. Plus personne n'aurait de prise sur lui, ni le préfet de police, ni son passé tumultueux, ni même sa femme et sa fille, qu'il avait tant aimées et perdues par sa faute. C'était la meilleure des fuites. Il n'aurait plus rien à craindre, plus rien à espérer.

Après avoir rempli ses poches, il s'avança vers la Seine, qui coulait à gros bouillons sombres. Au moment où il s'apprêtait à entrer dans l'eau, il entendit un son sec, ressemblant à un cliquetis de clés. Il se retourna vivement, mais ne vit rien. Tous ses sens étaient maintenant en alerte. Par un vieux réflexe, il glissa une main dans sa redingote pour y trouver un pistolet, mais il n'était évidemment pas armé. Soudain, une forme jaillit des ténèbres et se jeta sur lui. Des bras puissants l'empoignèrent. Lenoir, alourdi par les cailloux qu'il avait mis dans ses poches, tenta de se dégager, mais l'étau se resserra. Le visage de son assaillant était plongé dans l'obscurité, mais l'agent de renseignement sentait son souffle chaud, son corps robuste et musclé contre le sien. Dans leur lutte, les deux hommes se déplacèrent, les pieds enfoncés dans le sable caillouteux. Un faisceau provenant d'un lampadaire les éclaira. Lenoir reconnut son agresseur. C'était Loïc Perrec. Il avait donc vu juste : Perrec était bel et bien l'émissaire du préfet et il avait toujours pour mission de l'éliminer, comme il avait essayé de le faire à Montréal.

Mû par son instinct de survie, Lenoir voulut se défaire de l'étreinte de son assaillant, mais ce dernier ne lâchait pas prise.

Il sentit une douleur aiguë à la poitrine. *La lame d'un couteau.* Dans un effort désespéré, il donna un coup de genou aux parties génitales de Perrec, qui poussa un gémissement sourd et relâcha son étreinte. Profitant de ce répit, Lenoir lui saisit le poignet et le tordit férocement. L'homme hurla et laissa choir son couteau, qui tomba dans le sable. Sans réfléchir, concentré uniquement sur le moment présent, Lenoir se pencha, s'empara de l'arme et se lança sur Perrec, qu'il poignarda à plusieurs reprises avec une force décuplée par la rage. Ce dernier tenta d'échapper à son assaillant, mais les coups pleuvaient. Il finit par s'affaisser sur les genoux et tomba comme une masse, la face contre le sable.

Lenoir resta debout quelques secondes, haletant, serrant encore le manche du couteau dans son poing, puis il se pencha au-dessus du corps immobile et le retourna. De larges taches noirâtres s'étendaient sur sa poitrine. Lenoir lava le couteau dans l'eau du fleuve et le glissa dans sa ceinture après avoir essuyé la lame sur le pantalon de Perrec. Il vida ensuite ses poches et enfouit les cailloux dans celles du cadavre puis, dans un ultime effort, roula le corps vers le rivage et lui donna une vigoureuse poussée. Le cadavre fut entraîné par le courant, flotta un moment à la surface de l'eau et s'enfonça lentement en faisant des bulles. Lenoir attendit que le corps soit complètement englouti avant de se diriger vers l'escalier de pierre qui menait aux quais. Le pont de la Tournelle traçait un arc sombre dans le ciel.

À la fois épuisé et exalté par la lutte, Lenoir regarda autour de lui et aperçut un fiacre garé dans la rue. Il s'en approcha. Le banc du conducteur était inoccupé. Le cocher avait dû aller prendre un pot à un bistroquet. Lenoir sauta sur le marchepied, s'empara des guides et les secoua. Le meurtre de Perrec lui avait enlevé toute velléité de mourir. L'attendrissement provoqué par la vue de sa fille avait été anéanti dans la violence et le sang. L'image de Charlotte – ses traits purs, son regard clair – lui apparut brièvement, puis se fondit dans les ombres de la nuit.

Quatrième partie

Le secret de Jo Barrette

LVII

Montréal, quelques mois plus tard
Décembre 1864

Fanette écrivait depuis le début de la matinée. Elle posa sa plume et leva les yeux vers la fenêtre, en tournant pensivement entre ses doigts le pendentif de jade que sa sœur Amanda lui avait offert. Une neige dense tombait depuis plusieurs heures, couvrant les trottoirs et le parc d'une épaisse couche blanche. Quelques garçons s'amusaient à se lancer des boules de neige. Elle sentit un mouvement dans son ventre. Le bébé bougeait. Cela arrivait surtout le matin et le soir, juste avant de dormir, comme si l'enfant souhaitait signaler sa présence au réveil et avant la nuit. Julien n'aimait rien autant que de poser sa tête sur le ventre de sa femme en espérant sentir le bébé remuer. La perspective de devenir père le ravissait, mais cette réalité était demeurée abstraite jusqu'à ce qu'il perçoive pour la première fois un petit coup de pied que le bébé avait donné.

— Je l'ai senti ! Il bouge ! avait-il murmuré, ému aux larmes.

Suivant les conseils d'Armand Brissette, Fanette avait consulté le docteur Moreau, un jeune homme plutôt imbu de lui-même et un tantinet paternaliste, mais il semblait compétent et elle avait décidé de le garder. De toute manière, la grossesse s'annonçait plutôt bien. Les premiers temps, elle avait souffert de nausées fort incommodantes, mais celles-ci avaient complètement cessé. Le médecin avait décelé chez elle un peu d'hypertension, mais rien d'inquiétant.

Un des enfants dans le parc reçut une balle de neige en plein visage et se mit à pleurer. Fanette l'observa, touchée, se demandant si elle attendait une fille ou un garçon. Marie-Rosalie lui avait posé beaucoup de questions sur ce mystérieux être qui avait choisi de loger ainsi dans le ventre de sa mère.

— Comment est-il arrivé là ? avait-elle demandé, perplexe.

Elle eut une pensée tendre pour sa fille, que Madeleine avait souvent prise chez elle au cours des dernières semaines afin d'alléger ses tâches quotidiennes. Depuis son retour de voyage, Madeleine semblait filer le parfait bonheur. Clara habitait chez elle, mais retournait régulièrement à son atelier, dans la grande maison de son mari, afin de peindre plus à l'aise. Sa tante lui avait confié qu'elle avait appris à accepter l'époux de son amoureuse, bien que la jalousie prît le dessus de temps à autre, d'autant plus que Clara ne parlait plus de divorce. Par chance, Peter s'absentait souvent pour ses affaires, ce qui rendait la situation plus facile.

Durant son voyage en Europe, Madeleine lui avait souvent écrit. Fanette avait été particulièrement frappée par la description que sa tante avait faite de sa rencontre avec la grande George Sand.

> Cette femme célèbre, qui a fréquenté les plus grands artistes, a aimé Alfred de Musset et Chopin, et été aimée par eux, aurait toutes les raisons d'être prétentieuse. Or, elle est la simplicité incarnée. Elle m'a accueillie dans son château avec chaleur et amitié, comme une vieille connaissance. Elle ressemble en fin de compte à son œuvre, où se côtoient sagesse, expérience et humanité.

Madeleine avait poursuivi sa lettre en racontant l'arrivée impromptue de Peter Newton, le mari de Clara, à Florence.

> Inutile de te dire que j'étais dans tous mes états, mais ce monsieur Newton s'est montré en fin de compte d'une politesse et d'une discrétion qui sont tout à son honneur.

Fanette avait compris entre les lignes que le mari de Clara Bloomingdale avait dû faire preuve de beaucoup de diplomatie et de doigté pour gagner les faveurs de sa tante. La dernière phrase avait confirmé son hypothèse et l'avait fait sourire :

> On dit que les voyages forment la jeunesse. Eh bien, dans mon cas, ils transforment la vieille pimbêche que je suis en une femme à peu près fréquentable.
>
> Avec toute mon affection, ta tante Madeleine
>
> P.-S. Embrasse très fort Marie-Rosalie de ma part.

Après avoir terminé un feuillet, Fanette se leva pour faire du thé. En passant devant un miroir, elle aperçut son reflet. Un renflement visible soulevait sa robe. Jusqu'à présent, elle avait réussi à masquer sa grossesse, surtout avec l'arrivée de la saison froide, qui lui permettait de porter des manteaux amples, la couvrant entièrement, mais plus les semaines passaient, plus il devenait difficile de la dissimuler. *Il faut mettre Prosper Laflèche au courant,* se dit-elle pour la millième fois. Ses rapports avec son patron étaient devenus presque cordiaux. Ce dernier semblait même avoir développé une certaine affection pour la journaliste, qu'il continuait d'appeler « ma petite », mais avec une nuance de respect indéniable. Un réel lien de confiance s'était établi entre eux. Fanette ne pouvait garder le silence plus longtemps sur un événement aussi important. Elle prit une gorgée de thé, ce qui la réconforta. En fin d'après-midi, elle irait porter sa chronique au journal et parlerait au rédacteur en chef.

❧

Déjà décembre, songea Lucien en jetant un coup d'œil à la fenêtre couverte de givre. Cela faisait près de trois mois qu'il partageait le logement d'Arthur Buies, et il n'avait toujours pas trouvé de travail. Sur les conseils de son ami, il s'était pourtant présenté à plusieurs rédactions de journaux, mais en revenait toujours bredouille. Arthur ne lui faisait aucun reproche, mais Lucien commençait à ressentir un profond malaise à dépendre ainsi de son camarade pour le gîte et la nourriture.

Un après-midi, après une autre démarche infructueuse, il décida d'avoir une explication avec lui.

— J'ai fait le tour de tous les journaux possibles et imaginables, personne ne veut de moi. Les rédacteurs prétendent que je n'ai pas d'expérience. J'ai beau leur dire qu'il faut bien commencer quelque part, ils ne veulent rien entendre.

— Ne te fais pas de mauvais sang, mon vieux. Je te le répète : un pour tous, tous pour un.

— J'ai quitté Mathilde parce que je refusais de me faire entretenir. Je ne veux pas vivre à tes crochets, répliqua Lucien.

Buies fut touché par les scrupules du jeune homme.

— Ne m'as-tu pas dit que tu écrivais de la poésie ?

Lucien fit une moue ironique.

— Ce sont des rimettes sans valeur. J'ai déjà tenté de les faire publier, ces poèmes, sans succès.

— Allons, ne sois pas si dur envers toi-même ! J'aimerais bien les lire.

Lucien hésita. Il avait le plus grand respect pour l'envergure intellectuelle de son ami et craignait que ce dernier ne porte un jugement sévère sur son œuvre, mais finalement il se décida.

— Je t'avertis, lui dit-il en lui tendant ses textes, ce sont des poèmes de jeunesse. Ils sont vraiment médiocres.

— Ah ça, c'est à moi d'en juger, mon cher ! Et puis, tu n'es pas si vieux, à moins que tu ne les aies écrits au berceau, ajouta-t-il en riant.

Il examina la page de garde, qui portait le titre *Petite fleur et autres poèmes*, et hocha la tête en souriant. Lucien, qui guettait sa réaction, s'écria :

— Qu'est-ce que je te disais ! Je vois déjà à ton air moqueur que tu vas mépriser mon œuvre.

— Je n'ai même pas commencé ma lecture ! protesta Arthur. Je trouve ton titre un peu naïf, ce n'est pas un mal !

Incapable de rester dans la pièce pendant que son ami lisait, Lucien sortit. Il neigeait toujours. Les flocons scintillaient dans le halo argenté des réverbères. Remontant le col de son manteau pour se protéger du froid, il continua à marcher. Des lumières brillaient aux fenêtres des maisons. Lucien leva la tête et aperçut une jeune femme derrière une croisée. Elle tenait un bébé dans ses bras et le berçait. Le cœur de Lucien se contracta au souvenir de son fils mort-né. *Il aurait deux ans et demi.* L'image du petit corps reposant dans la terre glacée le bouleversa. Il envia soudain cette mère de famille qui serrait son bambin dans ses bras, à l'abri du froid et du doute, dans le confort de ses certitudes.

Sa pensée s'attarda à Rosalie. Il fut saisi d'un profond désir de la revoir. Après tout, plusieurs mois s'étaient écoulés depuis leur dernière rencontre. Les sentiments de sa femme à son égard s'étaient peut-être adoucis. La tentation de lui rendre visite fut si forte qu'il dirigea ses pas vers son ancienne demeure. Lorsqu'il y parvint, il eut peine à la reconnaître. La maison était entourée d'échafaudages couverts de bâches pour la protéger contre le froid et la neige. Une rallonge avait été construite sur un côté, et la cour avait été entièrement réaménagée et ceinte par une clôture.

Ne comprenant rien à ces changements, Lucien s'approcha de la maison, éclairée par un bec de gaz. Une plaque avait été apposée sur la porte d'entrée. Elle était en partie masquée par la neige. Le jeune homme enleva le frimas d'une main gantée et dévoila une inscription gravée dans du cuivre :

École pour jeunes filles Rosalie Latourelle

Ainsi, sa femme avait décidé de fonder une école. Peut-être avait-elle déjà cette idée en tête lorsqu'elle était revenue de Québec. Il ressentit de l'admiration pour elle, mêlée à un sentiment d'envie. Sa femme avait un projet, elle faisait quelque chose d'utile, tandis que lui se laissait aller à la dérive, sans but, sans horizon. Il s'éloigna, en proie à un maelström de pensées sombres.

Après avoir marché au hasard des rues pendant plusieurs heures, Lucien, complètement trempé et épuisé, se résigna à rentrer chez son ami. Lorsqu'il pénétra dans le logis, il vit Arthur penché sur son manuscrit, dont des feuillets étaient répandus en désordre sur le secrétaire. Le jeune homme griffonnait rapidement dans la marge, de son écriture serrée et ferme. Lucien s'approcha de lui et remarqua les innombrables notes et ratures. Il pâlit.

— Mon Dieu, c'est si mauvais que cela ? murmura-t-il.

Arthur continua à travailler.

— J'ai fait quelques retouches. Rien de majeur. Je dirais même que ton manuscrit est publiable.

— Publiable ! s'écria Lucien avec dépit.

— Ce que tu es susceptible, mon pauvre vieux ! Dans ma bouche, c'est un compliment !

Lucien rassembla les feuilles éparses du manuscrit.

— Mon titre ! Tu l'as changé, dit-il d'une voix blanche.

Sur la page de garde, le titre de son recueil, *Petite fleur et autres poèmes*, avait été biffé et un autre avait été ajouté à la main : *Fleurs noires*.

— Ce n'est qu'une suggestion, comme tout le reste, d'ailleurs. Tu as du talent, Lucien, mais le talent ne suffit pas. Comme l'écrivait notre ami Boileau :

> *Hâtez-vous lentement, et sans perdre courage,*
> *Vingt fois sur le métier remettez votre ouvrage,*
> *Polissez-le sans cesse, et le repolissez,*
> *Ajoutez quelquefois, et souvent effacez.*

Arthur se leva et mit un vieux pardessus et une écharpe.

— Je t'attends au Chat noir.

Resté seul, le jeune poète prit place dans un vieux fauteuil et parcourut les pages noircies par les ratures et les corrections. Pas un seul vers qui n'eût été modifié : un mot ajouté ici, un autre raturé là, mais chaque changement, aussi subtil fût-il, rendait ses poèmes plus incisifs et ses métaphores plus évocatrices. Force lui était d'admettre qu'Arthur avait fait un travail remarquable. Tout en préservant la fraîcheur de ses poèmes, il avait réussi à leur enlever leur accent parfois puéril. *Ce n'est pas moi qui ai du talent, c'est Arthur*, ne put s'empêcher de penser Lucien, aiguillonné par la jalousie.

Après avoir terminé sa lecture, il remit son manteau et alla rejoindre son ami au Chat noir. Le cabaret était rempli à craquer. Les rires et les plaisanteries fusaient de partout. Arthur l'attendait à sa table habituelle.

— Alors ? demanda-t-il avec une note d'anxiété.

— Tu as fait un excellent travail.

Arthur haussa les épaules.

— Tout était déjà là, dit-il avec modestie. Je n'ai que poli le diamant brut.

— Et maintenant, que me conseilles-tu de faire ?

— Recopie ton manuscrit et envoie-le à des imprimeurs-éditeurs. J'en connais plusieurs qui sont excellents. Je te donnerai leur nom.

— Tu crois que j'ai une chance ?

— Il ne faut jamais renoncer, mon ami. Les plus grands écrivains ont parfois vu leurs œuvres refusées un nombre incalculable de fois et n'ont pas perdu courage pour autant.

— Quand bien même je réussirais à me faire publier, ce n'est pas cela qui mettra du beurre sur notre pain, observa Lucien avec une lucidité qui ne lui était pas coutumière.

— Je te l'accorde, mais ce sera une excellente carte de visite. Une publication suscite à tout coup du respect, voire de l'admiration.

Lucien regarda son ami, dont les yeux brillaient d'intelligence et de bonne volonté. Il fit un effort pour surmonter son défaitisme.

— Je ferai ce que tu me suggères. Je ne sais comment te remercier.

— Ma récompense sera de voir ton œuvre publiée.

☙

Prosper Laflèche corrigeait un article à coups de plume impatients lorsque Fanette entra dans son bureau. Il sourit en la voyant.

— Ah, ma petite, vous êtes ponctuelle, comme toujours. Allons, montrez-moi votre chronique. Je n'ai pas grand-chose à me mettre sous la dent pour l'édition de lundi. J'espère que vous m'avez pondu un bon papier !

Fanette déposa une enveloppe devant son patron.

— À vous d'en juger, monsieur Laflèche.

Fanette remarqua que le rédacteur en chef portait toujours son brassard de deuil et pensa à la solitude de cet homme, qui vouait sa vie entière au travail pour oublier la perte de sa femme, mais rentrait chaque soir dans une maison vide. Laflèche déchira l'enveloppe et parcourut l'article.

— Excellent. L'entrée en matière est un peu longuette, mais le reste me convient. Vous faites du progrès, ma chère enfant.

Il vit qu'elle avait gardé son manteau.

— Je vous en prie, mettez-vous à l'aise.

Se rendant compte qu'il faisait un peu froid dans son bureau, le rédacteur en chef se leva et jeta une bûche dans la truie de fonte pour entretenir le feu, qui s'était presque éteint.

— Tenez, ainsi, vous serez bien au chaud, dit-il avec une amabilité qui ne lui était pas coutumière.

C'est alors qu'il aperçut le ventre arrondi de la jeune femme. Son visage s'empourpra.

— Vous êtes… vous êtes…

Il fut incapable de prononcer le mot.

— Cela faisait un moment que je souhaitais vous en faire part.

Prosper Laflèche se rassit à son pupitre. Son visage était devenu de marbre.

— Pourquoi ne m'en avez-vous pas parlé avant ?

Fanette prit le parti de la franchise.

— Je craignais votre réaction.

— Pour quelle raison ? N'est-ce pas une chose naturelle pour une femme que d'avoir des enfants ?

Il se remit au travail, fronçant ses gros sourcils. Fanette l'observa, ne sachant pas comment interpréter son attitude.

— Ainsi, vous n'avez pas d'objection à ce que je continue à travailler pour vous ? dit-elle après une hésitation.

Il leva la tête et la toisa avec sévérité.

— Voyez-vous ça d'ici, une femme dans... dans votre état, entrer dans une salle de rédaction ?

— J'écris les articles de chez moi. Durant le reste de ma grossesse, j'enverrai un messager les apporter au journal.

— La place d'une mère est dans son foyer, pas à l'emploi d'un journal. Votre mari sera le premier à vous le rappeler ! Maintenant, laissez-moi travailler.

Fanette s'entêta.

— Mon mari est ouvert d'esprit et comprend tout à fait mon désir de travailler. Mettre un enfant au monde est un phénomène naturel, pas une anomalie qu'il faut cacher !

Laflèche se leva d'un mouvement brusque, faisant valser sa chaise.

— J'aurais dû me douter que cela arriverait un jour. Ça m'apprendra à engager une femme ! Maintenant, faites-moi la faveur de rentrer chez vous. Vous transmettrez mes plus sincères félicitations à votre époux.

Voyant qu'aucun argument ne ferait plier son patron, Fanette sentit la colère bouillonner en elle.

— Un jour, les choses changeront, monsieur Laflèche. Les femmes seront libres de travailler *et* d'élever une famille !

Elle sortit en claquant la porte. Resté seul, le rédacteur en chef donna un coup de poing sur son pupitre. Ce n'était pas tant la déclaration de Fanette qui l'avait rendu furieux, mais le fait qu'il avait perdu la meilleure de tous ses employés.

En traversant la salle de rédaction, Fanette croisa Arsène Gagnon. Ce dernier s'apprêtait à la saluer lorsqu'elle le rembarra.

— Oh vous, taisez-vous !

De retour chez elle, Fanette voulut se rendre dans la cuisine pour rincer ses yeux rougis, mais Julien, qui était rentré plus tôt que prévu du palais de justice, alla à sa rencontre.

— Fanette ! Je me demandais où tu étais passée. Où es-tu allée par un temps pareil ?

— Au journal.

Il se rendit compte qu'elle avait mauvaise mine.

— Que s'est-il passé ?

— Point final m'a renvoyée. Il paraît qu'une femme enceinte n'a pas le droit de travailler.

— J'en suis navré.

Il voulut la prendre dans ses bras, mais elle se dégagea. Des larmes de ressentiment lui virent aux yeux.

— Je crois au contraire que tu es soulagé que je reste à la maison et que je consacre tout mon temps à notre famille.

— La déception te rend injuste.

Sentant la colère l'étouffer, Fanette se détourna et gagna sa chambre. Julien voulut la rejoindre, puis se ravisa. Sa femme n'avait pas entièrement tort. Il était sincèrement désolé du fait qu'elle ait perdu un emploi qui lui tenait à cœur, mais une part de lui-même souhaitait qu'elle reste à la maison, sans autres soucis que ceux de leur ménage.

LVIII

Montréal
Fin de février 1865

Oscar fut réveillé par un cahot et se frotta les yeux. Une neige mouillée fouettait la vitre de la diligence en y laissant des traînées blanchâtres. Il consulta une vieille montre de gousset qu'il s'était procurée dans un marché aux puces. Il était cinq heures du matin. *Dans une heure, nous serons à destination*, se dit-il, à la fois soulagé et malheureux. Lorsque son patron lui avait confié un reportage qui l'obligerait à se rendre à Montréal, le journaliste avait d'abord refusé, prétextant qu'il couvait un mauvais rhume et ne se sentait pas assez bien pour entreprendre le voyage, mais Ludovic Savard avait insisté :

— D'énormes embâcles se sont formés sur le fleuve Saint-Laurent, en face de la rue des Commissaires. La ville risque d'être inondée, comme chaque année, avec la fonte des glaces. Nos lecteurs raffolent de ce genre de catastrophe.

Dire qu'il n'y a pas si longtemps il s'était fait une joie de venir à Montréal ! Mais depuis sa déconvenue amoureuse avec Joséphine Barrette, la perspective de revoir la grande ville le rebutait. À plusieurs reprises, il avait été tenté de s'arrêter à un relais et de retourner à Québec par la prochaine diligence, mais il se raisonnait et restait assis sur la banquette inconfortable.

La voiture fit une embardée et s'arrêta brusquement. Oscar fut projeté contre d'autres voyageurs, qui protestèrent.

— Pardon, murmura-t-il, rouge de confusion.

Des valises s'étaient détachées du porte-bagages. Le conducteur, avec l'aide de son équipier, les récupéra dans la boue du chemin et les remit à leur place en pestant. Heureusement, il ne restait que quelques milles à parcourir avant l'arrivée à Montréal.

La voiture se gara devant l'hôtel Rasco dans un grincement de roues et un giclement d'eau noirâtre. Oscar en descendit, les jambes raides à cause du trajet, et il récupéra sa valise, dont l'un des côtés de carton bouilli était déchiré et taché de gadoue.

— C'est bien ma veine, marmonna le journaliste, d'humeur maussade.

Il aperçut avec étonnement un camion d'incendie de l'autre côté de la rue. Une douzaine de policiers s'activaient autour de la pompe. Sa valise à la main, il s'approcha du groupe.

— Y a-t-il un incendie, messieurs ? leur demanda-t-il.

L'un des gendarmes hocha la tête, trouvant Oscar un peu demeuré.

— C'est plutôt le contraire ! Le lit du fleuve a débordé, à cause des embâcles. La vieille ville est inondée sans bon sens, de la rue des Commissaires jusqu'à Saint-Paul. L'eau a même monté jusqu'à la place Royale !

— Mais alors, pourquoi le camion d'incendie ?

— Pour pomper l'eau, c't'affaire !

Un homme souleva un tuyau qui était relié à une immense bombonne et commença à le dérouler. Le reporter décida de se rendre rue Saint-Paul afin de constater *de visu* l'étendue du débordement. Ensuite, il irait chez son oncle Victor.

Après avoir parcouru quelques coins de rue vers le sud, en direction du port, Oscar fut stupéfait de découvrir une immense étendue d'eau qui couvrait la rue Saint-Paul, tel un lac. Des hommes en redingote et chapeau melon étaient à bord de chaloupes tandis que des ouvriers se déplaçaient sur des radeaux improvisés. Un excentrique avait installé une chaise sur une porte convertie en barque et lisait son journal comme si de rien n'était. Curieusement, la bonne humeur semblait régner, comme si la catastrophe avait sorti les citadins de la monotonie de leur vie quotidienne et apportait soudain un vent de changement.

Oscar s'avança jusqu'au bord de l'eau et s'adressa à l'un des hommes en redingote.

— Bonjour, monsieur ! Où allez-vous comme ça ?

— À la banque ! répliqua l'homme en souriant. J'y travaille comme commis. Je suis en retard, d'ailleurs. Je ne m'attendais pas à devoir m'y rendre en chaloupe !

Oscar sortit son sempiternel carnet et nota la répartie du passant. C'était le genre de détail « croqué sur le vif » qui plaisait aux lecteurs.

— À quel moment l'inondation s'est-elle produite ?

L'homme hocha la tête.

— Il paraît qu'un embâcle du côté de la tour de l'horloge s'est écroulé cette nuit. Avec toute la pluie qu'on a eue ces derniers temps, ce n'est pas surprenant ! Ça fait belle lurette que le gouvernement aurait dû agir. Je me demande bien à quoi sert l'argent de nos taxes !

L'embarcation s'éloigna. Oscar prit le temps de transcrire les commentaires de l'homme à la barque tout en griffonnant ses propres observations, puis rangea son carnet dans une poche. En levant les yeux, il vit une enseigne qui se balançait au vent et reconnut The Little Shop, où l'avait emmené Joséphine Barrette. L'eau avait monté presque jusqu'au seuil de la porte, mais heureusement le commerce n'avait pas été inondé. Il ne put résister à l'envie de s'en approcher, quitte à se mouiller les pieds dans l'eau glaciale. Il y avait de la lumière à l'intérieur. Le café semblait ouvert. Il y entra. Les mêmes jolies lampes peintes à la main diffusaient leur lumière douce sur les tables couvertes de nappes blanches. Quelques clients étaient attablés. Mrs. Boswell, l'hôtesse qui les avait servis, Joséphine et lui, l'accueillit avec le sourire.

— *What dreadful weather !* s'écria-t-elle. *It's been raining cats and dogs all week ! What can I get you, dear ? A nice cup of tea will cheer you up !*

Il prit place à la même table que Joséphine et lui avaient occupée et commanda du thé et des scones, comme la première fois. Puis il plaça sa serviette sur ses genoux, comme Jo le lui avait montré. Sa gorge se noua. Le passage du temps n'avait pas adouci sa peine. Presque chaque jour, il avait une pensée pour elle. Parfois, il la détestait, se la figurant dans les bras d'un autre homme. D'autres fois, il s'imaginait qu'elle était morte et qu'il ne la reverrait plus jamais, et il éprouvait une détresse sans nom.

Lorsque l'hôtesse revint avec un plateau, il s'adressa timidement à elle :

— *Did you hear from mademoiselle Barrette ? She was coming often at you coffee shop*, demanda-t-il dans un anglais maladroit.

— *Josephine !* s'exclama la dame. *What a darling sweetheart ! As a matter of fact, I have not seen the dear girl for quite a long time. I wonder what became of her.*

Ainsi, Joséphine n'était pas revenue au café depuis un bon moment... Comment pouvait-on disparaître ainsi, sans laisser de traces, sinon une note cruelle, expéditive, qui lui demandait de ne plus jamais chercher à la revoir ? Qu'avait-il bien pu se produire pour qu'elle prenne une décision aussi radicale ?

— *Are you all right, young man ?* lui demanda Mrs. Boswell avec sollicitude.

Le reporter sentit ses yeux s'embrouiller. Il paya et sortit sans finir son thé et ses scones. Une nouvelle résolution faisait son chemin dans sa tête. Il fallait qu'il sache ce qu'il était advenu de Joséphine Barrette. Son flair de journaliste lui disait que quelque chose de grave s'était produit. Mais par quoi commencer ? Il se rendit compte qu'il ne savait presque rien d'elle. Une idée lui vint. Comment n'y avait-il pas pensé avant ?

Ragaillardi par son projet, il franchit à cloche-pied le ruisseau qui dévalait la rue à gros bouillons et se dirigea vers le palais de justice, dont les colonnes ioniques se détachaient dans le ciel gris. Une fois à l'intérieur, il se rendit au bureau du greffe. Une jeune femme mettait de l'ordre dans les dossiers. Elle lui tournait le dos, mais Oscar eut un coup au cœur en l'apercevant. *Ces cheveux noirs, noués derrière la tête...*

— Jo ! s'écria-t-il.

La jeune femme se tourna vers lui en lui jetant un regard surpris. Ce n'était pas Joséphine. Il ravala sa déception.

— Excusez-moi, je vous ai prise pour quelqu'un d'autre.

— Que puis-je faire pour vous aider ? demanda la commis avec courtoisie.

— Connaissez-vous mademoiselle Joséphine Barrette ? Elle travaillait ici et a quitté son emploi il y a huit mois.

L'employée fit non de la tête.

— Je viens tout juste d'être engagée comme commis. C'est ma première journée, ajouta-t-elle en souriant. Je suis un peu nerveuse.

Oscar lui fit son sourire le plus avenant.

— Je suis certain que tout ira pour le mieux.

Il se racla la gorge.

— Je souhaiterais reprendre contact avec mademoiselle Barrette. Malheureusement, elle a changé d'adresse. Serait-il possible de jeter un coup d'œil au registre d'état civil ? Ses parents pourraient peut-être me renseigner.

La jeune femme hésita.

— Pour quelle raison souhaitez-vous reprendre contact avec cette personne ?

Oscar réfléchit rapidement.

— Je suis un… un cousin de mademoiselle Barrette. Je souhaite l'informer du décès de mon père, qui était aussi son parrain.

— Oh, toutes mes condoléances, monsieur. Dans ce cas, je ne vois aucun problème à vous renseigner. Quelle est la date de naissance de mademoiselle Barrette ?

Oscar n'en avait pas la moindre idée.

— Je vous avoue que je l'ignore. J'habite à Québec, et nous avions peu d'occasions de nous voir.

— Sans date de naissance, je ne peux rien faire.

D'après le souvenir qu'Oscar avait gardé de Jo, elle ne devait pas avoir plus de vingt-quatre ou vingt-cinq ans.

— Vingt-quatre ans, lança-t-il, priant intérieurement pour que l'âge fût le bon.

— Donc, cela voudrait dire qu'elle est née en 1841. Je suppose que son lieu de naissance est Montréal ?

Dans ses conversations avec Joséphine, cette dernière ne lui avait jamais mentionné où elle était née, mais elle semblait très accoutumée à la vie citadine.

— Oui.

— Très bien. Je vais jeter un coup d'œil. Par chance, Joséphine n'est pas un prénom très courant, il sera plus facile à repérer.

La commis s'éloigna en direction d'une rangée de documents empilés sur des étagères jusqu'au plafond. Une échelle de bois permettait d'avoir accès aux tablettes supérieures. Elle franchit les échelons avec agilité. *Au moins, cette jeune femme est excellente en arithmétique et elle n'a pas le vertige, c'est un bon début,* songea le reporter. Il fit nerveusement les cent pas en attendant qu'elle revienne. Heureusement, il n'y avait personne au greffe, sans doute à cause de l'inondation. Au bout d'une quinzaine de minutes, la préposée revint avec un registre.

— J'ai trouvé une Joséphine Barrette, née en 1841.

Le reporter s'empara du registre et le consulta. Il constata avec soulagement que l'employée avait pris la peine d'entourer l'inscription au crayon de plomb, de sorte qu'il la vit tout de suite.

> *Le 15 février dix-huit cent quarante et un est née au village Saint-Henri-des-Tanneries Marie Béatrice Joséphine Barrette, fille d'Onésime Barrette et d'Armande Barrette, née Lafleur. Baptisée deux semaines après la naissance devant ses parrain et marraine, Gilles et Marie Barrette, à la chapelle Saint-Henri, par le curé Bernard Paquin.*

— Savez-vous où se trouve cette chapelle ?

— À l'intersection des chemins de la côte Saint-Pierre et de la côte Saint-Paul, près du canal Lachine. Je le sais, ajouta-t-elle avec fierté, parce que j'ai de la parenté dans le quartier Saint-Henri. Mon oncle est propriétaire d'une tannerie.

Oscar s'empressa de noter les renseignements dans son carnet.

— Merci, mademoiselle ! Vous ne pouvez pas savoir à quel point je vous suis reconnaissant.

Galvanisé par sa découverte, Oscar dévala les marches du palais en sifflotant. Son plan était déjà établi : il se rendrait à la chapelle Saint-Henri et tenterait d'en savoir davantage sur les parents de Joséphine. Ceux-ci savaient sans doute où était leur fille. Il concocterait un prétexte plausible pour les convaincre de lui dire où elle se trouvait.

LIX

Chaque matin, Lucien Latourelle se rendait au bureau de poste pour y chercher le courrier, espérant qu'il y aurait une lettre pour lui. Chaque fois, il en revenait bredouille.

— Toujours rien ? lui demandait son ami Arthur.

— Toujours rien.

— Ne perds pas espoir. Il faut laisser le temps aux éditeurs de lire ton manuscrit.

Lucien tentait de faire bonne figure, mais le découragement prenait le dessus.

— Je crains que cela ne donne rien.

Lors d'une matinée particulièrement maussade, où une bruine glacée semblait avoir peint la ville en gris, Lucien alla au bureau de poste, convaincu à l'avance qu'il n'y aurait pas de courrier pour lui. Le postier lui tendit une lettre.

— Pour vous, monsieur Latourelle.

Le cœur battant, le jeune homme s'empara de l'enveloppe et y jeta un coup d'œil. Il n'y avait pas l'adresse de l'expéditeur. Ouvrant la missive de ses doigts engourdis par le froid, il la parcourut avec anxiété, redoutant la formule à la fois banale et cruelle d'un refus.

> Cher monsieur,
> C'est avec intérêt que j'ai pris connaissance de votre manuscrit intitulé « Fleurs noires ». Je serais disposé à vous rencontrer à votre convenance afin de discuter d'une possible publication.

Votre tout dévoué,
Victor Lemoyne
Éditeur-imprimeur

Lucien dut relire la lettre à plusieurs reprises pour y croire. Il regagna à pas rapides le logis d'Arthur Buies, ne sentant pas la bise qui lui fouettait le visage. Lorsque Arthur le vit entrer, les joues rouges et les yeux presque hagards, il crut que le jeune homme avait reçu de mauvaises nouvelles, mais ce dernier lui sauta dans les bras.

— Je serai publié ! s'écria-t-il. Mon recueil de poésie paraîtra enfin. C'est le plus beau jour de ma vie !

— Quelle merveilleuse nouvelle !

Arthur prit connaissance de la missive.

— Je connais Victor Lemoyne, approuva-t-il. Nous sommes tous deux membres de l'Institut canadien. C'est un excellent homme, un ancien patriote, intègre et courageux. Tu ne pouvais être entre de meilleures mains. Bravo, cher ami ! Qu'est-ce que je te disais ? Il ne faut jamais abandonner !

— Merci, Arthur. Grâce à toi, la chance me sourit enfin.

— Allez, va voir Victor Lemoyne maintenant. Il faut battre le fer pendant qu'il est chaud !

ഗ

Victor Lemoyne accueillit le jeune poète avec cordialité.

— Vos poèmes m'étaient familiers. Ne me les aviez-vous pas déjà envoyés ?

— En effet, mais je les ai beaucoup travaillés depuis. Comme l'écrivait Boileau : « Vingt fois sur le métier remettez votre ouvrage. »

Lucien sentit ses joues se colorer. Il songea à mentionner le fait que c'était son ami qui avait apporté les corrections à son manuscrit, mais il décida de ne rien dire. Après tout, Arthur lui-même n'avait-il pas affirmé que « tout était déjà là » et qu'il n'avait que « poli le diamant brut » ?

— Eh bien, cela en a valu la peine, déclara le vieil imprimeur. Vos poèmes sont bien meilleurs, beaucoup plus incisifs que ceux que j'avais lus la première fois. C'est le jour et la nuit.

Lucien éprouva un étrange dépit, qu'il masqua sous un sourire flatté. Le compliment de Victor Lemoyne le ramenait à l'humiliation du premier refus et à tout ce qu'il devait au talent d'Arthur Buies.

— En un mot comme en mille, je suis disposé à publier vos poèmes, poursuivit Victor Lemoyne. Seulement, je n'ai pas les moyens de le faire entièrement à ma charge. Si vous pouviez trouver une vingtaine de souscripteurs, cela m'aiderait grandement.

Lucien lui jeta un regard interrogatif.

— Des souscripteurs ?

L'éditeur s'expliqua :

— Il s'agit d'une liste de personnes qui s'engageraient à l'avance à acheter votre livre afin d'en acquitter les coûts d'impression.

— Mais comment les trouver ? Et quel montant leur demander ?

— Chaque cas est différent. Pour ce qui est de votre recueil, j'ai fait un calcul sommaire.

Victor Lemoyne fouilla dans de la paperasse empilée sur une table et trouva ce qu'il cherchait.

— Voilà. Votre recueil comprendrait cent vingt-cinq pages. Vous avez le choix entre un livre broché ou relié en cuir, ce qui augmente bien sûr le prix.

— Je préfère de loin une reliure de cuir, dit Lucien avec une certaine hauteur.

— Bien. Avec une reliure de cuir, il faudrait au minimum quatre-vingt-cinq souscripteurs, qui paieraient la somme de deux dollars cinquante chacun, afin de couvrir les frais de production de votre recueil.

— Quatre-vingt-cinq souscripteurs ! Mais je n'y arriverai jamais ! s'écria Lucien, qui était passé de la joie au plus profond découragement.

Le vieil imprimeur le regarda avec sympathie.

— À votre âge, je rêvais également d'être poète, mais je n'avais pas votre talent. Persévérez, jeune homme, et vous réussirez.

En rentrant chez son ami, Lucien, la mort dans l'âme, lui fit part de l'offre de l'imprimeur. Arthur, loin de baisser les bras, fut enthousiaste.

— Qu'à cela ne tienne, nous les trouverons, ces quatre-vingt-cinq souscripteurs ! Demain, je donne une causerie à l'Institut canadien. Je solliciterai les membres présents et leur demanderai de répandre la bonne nouvelle parmi les autres. Cela représente près de cent soixante-quinze personnes, sans compter nos amis du Chat noir. Nous le publierons, ton recueil, ou je ne m'appelle pas Arthur Buies !

Le lendemain, après sa causerie, Buies présenta le manuscrit de Lucien Latourelle et en vanta les mérites avec chaleur, sans rien révéler de tout le travail qu'il y avait mis.

— Nous nous devons d'encourager nos jeunes poètes, dit-il avec éloquence. Il ne vous en coûtera que deux dollars et cinquante sous chacun, un peu plus si vous vous sentez en veine de générosité. Dites-vous que vous le ferez au nom des belles-lettres, dont notre nation a tant besoin !

Il fut si convaincant qu'il réussit à obtenir l'engagement écrit de plus de soixante-dix souscripteurs en une seule journée. Le reste fut recueilli chez de généreux habitués du Chat noir. Lorsque Lucien se présenta chez Victor Lemoyne avec une liste de cent dix-huit souscripteurs, l'imprimeur, fort impressionné, accepta de publier son œuvre sur-le-champ.

— Vous irez loin, jeune homme. Et je ne dis pas cela à la légère.

LX

Oscar prit un omnibus qui longeait la rue Notre-Dame en direction sud-ouest, puis fit le reste du chemin à pied jusqu'à Saint-
Henri-des-Tanneries. Il fut surpris par l'aspect quasi champêtre
du village, dont le chemin principal, couvert de neige et bordé
d'arbres, ressemblait à un coin de campagne. De petites maisons,
munies de lucarnes et de cheminées, jouxtaient des tanneries dont
l'odeur nauséabonde, s'exhalant par d'étroites fenêtres, gâchait
le charme bucolique de l'endroit.

Au bout du chemin, Oscar aperçut un clocher qui se profilait dans le ciel gris et il s'en approcha. La commis du greffe
l'avait bien renseigné : il s'agissait bien de la chapelle Saint-
Henri. Quelques voitures étaient garées devant la petite église.
Le reporter y entra. Elle était vide, hormis un petit groupe de
personnes rassemblées à gauche de l'autel, autour de fonts bap-
tismaux. Un vieux prêtre officiait. Oscar prit place discrètement
sur un banc à l'arrière de la chapelle, pour ne pas interrompre le
déroulement de la cérémonie. Lorsqu'elle fut terminée, il attendit
que les gens sortent pour s'adresser au prêtre.

— Mon père !

Le prêtre se tourna vers le jeune homme. Il était voûté, et ses
mains veineuses étaient agitées d'un léger tremblement.

— Je souhaite retrouver mademoiselle Joséphine Barrette,
expliqua Oscar. J'ai appris qu'elle avait été baptisée dans cette église.

Le religieux le regarda, la mine incertaine.

— Joséphine Barrette…

— Elle est née en 1841, ici, au village de Saint-Henri-des-Tanneries.

Une lueur s'alluma dans les yeux d'un bleu délavé du prêtre.

— Oui, bien sûr, la petite Joséphine ! C'est moi qui l'ai baptisée.

Oscar comprit que le prêtre était Bernard Paquin, dont le nom apparaissait dans le registre d'état civil. Son cœur battit plus vite.

— Savez-vous ce qu'elle est devenue ?

Le religieux fronça les sourcils.

— Il y a un bon bout de temps que je ne l'ai pas vue dans le village. Elle est partie depuis quelques années pour travailler dans la grand'ville.

Oscar ne put s'empêcher de sourire en entendant l'expression « grand'ville », comme si Montréal était lointaine et vaguement inquiétante, alors que le village y était accolé.

— Est-ce que ses parents vivent toujours à Saint-Henri ?

Le prêtre hocha la tête.

— Le pauvre Onésime est mort, il y a une couple d'années. Il travaillait dans une tannerie, puis il était marchand de glace l'hiver, pour joindre les deux bouts. Il s'est noyé dans le canal Lachine. Sa charge était trop lourde, la glace a rompu.

— Et sa mère ? murmura Oscar, retenant son souffle.

— Armande ? Elle est retournée dans son village natal.

— Savez-vous de quel village il s'agit ?

— Deschambault.

❦

Les patins de la *sleigh* glissaient sur le chemin glacé dans un bruissement soyeux. Oscar, portant une toque et une pelisse de fourrure, conduisait. Après avoir pris la diligence de Montréal à Québec, il avait loué une voiture munie de patins à un carrossier, qui possédait une écurie juste à côté de l'auberge Giroux. Cela lui avait coûté cher, et il ne lui restait plus que quelques dollars pour le reste du voyage, mais il était bien décidé à aller jusqu'au bout de sa démarche.

Les paysages d'un blanc aveuglant défilaient à l'infini. Le fleuve, recouvert de glace aux reflets mauves, se fondait avec les champs et le ciel. D'immenses sapins ployaient sous le poids de la neige.

Oscar remonta la fourrure qui couvrait ses jambes et se frotta les mains pour les réchauffer. Ses joues étaient couvertes de frimas. Sur la recommandation du carrossier, le journaliste s'était habillé chaudement, mais le froid sibérien le glaçait jusqu'aux os. Il lui restait encore une vingtaine de milles pour arriver au village. Par chance, le chemin du Roy était bien dégagé et il n'y avait presque pas de circulation. Depuis son départ de Québec, il n'avait croisé qu'une diligence et quelques voitures.

Après un arrêt à Cap-Santé, où il put se réchauffer et manger un morceau dans une petite auberge relais, Oscar reprit la route. Les derniers milles lui parurent interminables. Il pensait constamment à Joséphine Barrette, partagé qu'il était entre l'anxiété et l'espoir. À certains moments, sa démarche lui apparaissait chimérique : quand bien même il réussirait à en savoir plus long sur Jo, rien ne laissait présager que cette dernière souhaiterait le revoir. À d'autres, il tâchait de s'encourager : Joséphine était une femme droite. Une raison impérative l'avait poussée à agir comme elle l'avait fait, et lui, Oscar Lemoyne, la découvrirait.

Les premières maisons du village apparurent à un détour du chemin. De la lumière brillait à quelques fenêtres, faisant de petites auréoles dans la nuit qui venait de tomber. Le reporter n'avait aucune idée de l'endroit exact où vivait la mère de Jo, mais il comptait sur le fait que les habitants d'un village comme Deschambault se connaissaient tous ; l'un d'eux pourrait sans doute le renseigner. Il repéra une maison de ferme, éclairée par une lanterne, mais le chemin qui y menait était si étroit qu'il y avait à peine assez d'espace pour laisser passer une voiture. Oscar décida d'y marcher. Ses pieds s'enfoncèrent dans la neige épaisse, faisant crisser ses semelles. Les bancs de neige formaient des murailles blanches de chaque côté du sentier. Une fois parvenu à la maison, Oscar cogna à la porte. Un fermier lui ouvrit, détaillant l'étranger avec une curiosité mêlée à une note de méfiance.

— Bonsoir. Excusez-moi de vous déranger, je cherche une dame Armande Barrette, expliqua Oscar, se balançant d'un pied sur l'autre pour tenter de les désengourdir.

L'homme le fit entrer et lui offrit de se réchauffer auprès d'un bon feu qui brûlait dans un âtre creusé à même un mur de pierre.

— Qu'est-ce que vous lui voulez, à Armande ? demanda-t-il, en scrutant Oscar avec des yeux d'un vert pâle encadrés par des rides profondes.

Le reporter hésita, puis décida de dire la vérité.

— Je souhaite avoir des nouvelles de sa fille, Joséphine.

L'habitant secoua la tête.

— Vous la trouverez pas icitte. Elle est venue en visite une couple de fois à Deschambault quand elle était petite, dans le temps des fêtes puis à Pâques, mais ça fait belle lurette que je l'ai pas vue dans les parages.

— Sa mère a sûrement eu de ses nouvelles. Joséphine et moi sommes… fiancés. On a eu une petite chicane d'amoureux, et je voudrais me raccommoder avec elle.

Oscar répugnait à mentir, mais il le faisait par nécessité. Et puis ce n'était pas complètement faux. Joséphine et lui s'étaient bel et bien déclarés l'un à l'autre, au café Little Shop. N'était-ce pas une forme de fiançailles ? Pour la première fois, un sourire éclaira le visage de l'habitant, que le soleil avait tanné comme du vieux cuir.

— Dans ce cas-là…

Il expliqua au reporter que la maison d'Armande Barrette se trouvait au bord du fleuve, non loin du presbytère.

— Vous pouvez pas la manquer, c'est la seule à avoir des pignons rouges.

Après avoir remercié l'homme à profusion, Oscar sortit et fut accueilli par une bourrasque glaciale. Il sentit à peine les morsures du froid tant l'excitation lui réchauffait le sang. Tout son instinct lui disait qu'il était sur la bonne piste.

LXI

Oscar repéra facilement la maison aux pignons rouges, qui avait été bâtie à proximité de la rive. Il gara sa *sleigh* à une certaine distance et couvrit son cheval, puis s'approcha de l'habitation à pied, se guidant grâce à la lumière de la lune, qui se profilait entre les arbres. Il constata avec inquiétude que le sentier menant à la maison n'avait pas été déneigé depuis un moment. Aucune trace de pas n'indiquait que quelqu'un fût entré ou sorti. Les fenêtres étaient sombres et les rideaux, tirés. La crainte qu'il n'y eût personne l'étreignit, mais il se raisonna aussitôt. Il avait neigé toute la journée, il n'y avait rien d'inhabituel au fait que le sentier fût recouvert. La mère de Joséphine était sûrement déjà au lit. Au pire, il la réveillerait.

Il frappa à la porte et attendit. Un vent aigre soufflait, faisant virevolter la poudrerie en torsades glacées. Personne ne répondit. Il cogna de nouveau. Au bout d'un moment, il entendit la porte grincer. Une femme apparut sur le seuil, tenant une lanterne à la main. Elle avait dû être belle, mais de profondes lignes d'anxiété marquaient ses joues, et ses yeux étaient cernés de mauve. Un bonnet de nuit couvrait ses cheveux poivre et sel et elle portait un châle de laine par-dessus sa robe de nuit.

— Si c'est pour une aumône, allez au presbytère, dit-elle d'un ton sec.

— Vous êtes bien Armande Barrette ? demanda Oscar, les lèvres bleuies à cause du froid.

Le visage de la femme devint méfiant.

— Qu'est-ce que vous me voulez ?

— Je m'appelle Oscar Lemoyne. Je suis à la recherche de votre fille, Joséphine.

— Elle n'est pas ici.

La mère de Joséphine fit un mouvement pour refermer la porte, mais Oscar mit une main sur le chambranle pour l'en empêcher.

— Je ne lui veux aucun mal, bien au contraire. Tout ce que je souhaite, c'est lui parler.

La femme secoua la tête.

— Joséphine ne veut voir personne.

Joséphine ne veut voir personne... Cela ne pouvait signifier qu'une chose : elle était dans cette maison.

— Je vous en prie, j'ai fait une longue route pour la voir.

— Allez-vous-en !

Cette fois, la porte se referma brusquement. Oscar fut submergé par la rage et le désespoir et tambourina sur la surface de bois de toutes ses forces, mais ses mitaines amortissaient le son. Il ne sentait plus ses mains et ses pieds, son nez et ses yeux coulaient.

— S'il te plaît, Jo, je sais que tu es là, ouvre-moi...

Sa voix se perdit dans le rugissement du vent. Il rebroussa chemin, puis se retourna une dernière fois dans l'espoir de voir la porte s'ouvrir. C'est alors qu'il aperçut un filet de clarté à l'une des fenêtres du premier étage. Malgré le froid qui lui paralysait les membres, Oscar se dirigea sous la fenêtre, s'enfonçant dans plusieurs pieds de neige. Il crut entrevoir une silhouette derrière les rideaux.

— Jo, murmura-t-il.

Convaincu qu'il s'agissait de la jeune femme, il revint sur ses pas et s'élança vers l'entrée.

— Ouvrez-moi ou je défonce la porte ! hurla-t-il, la voix éraillée.

Il attendit en claquant des dents. Sa respiration devint plus saccadée, il avait du mal à retrouver son souffle. Ne tenant plus sur ses jambes, il se laissa glisser lentement dans la neige. Il songea que, s'il restait dehors plus longtemps, il mourrait peut-être gelé sur place. La torpeur l'envahit. Tout devint blanc.

La porte s'entrebâilla. Oscar entrouvrit les yeux. Une femme se découpa dans la lumière diffuse d'une lampe. Elle portait un chapeau avec une voilette qui lui couvrait le visage. Sans un mot, elle saisit le jeune homme par les épaules, le souleva et l'entraîna dans la maison.

LXII

— Mère, aidez-moi à l'asseoir près du feu.

Oscar crut reconnaître la voix.

— Joséphine…, articula-t-il avec peine.

La jeune femme à la voilette, aidée par madame Barrette, le transporta vers un âtre où brûlait un bon feu et l'installa sur une chaise berçante.

— Faites chauffer de l'eau pour un thé. Je vais aller chercher une couverture.

Oscar entendit des pas qui s'éloignaient. Il sombra dans une sorte de léthargie. Il n'avait plus aucune force dans son corps. Tous ses membres étaient parcourus de frissons. Les pas revinrent. La femme à la voilette l'entoura d'une épaisse couverture.

— Vous êtes bien au chaud, maintenant.

Cette voix… Le journaliste tenta d'ouvrir les yeux, mais il en fut incapable, comme si une chape de plomb tenait ses paupières fermées. Il respirait avec difficulté, avec l'impression que ses poumons avaient rétréci.

— Pauvre garçon.

Il reconnut la voix de madame Barrette. Quelqu'un lui souleva la tête et l'aida à boire un liquide chaud. Une sensation de brûlure lui traversa la gorge.

— J'ai… mal, réussit-il à dire.

— Vous êtes gelé comme une banquise. Il faut vous réchauffer.

Joséphine... Peu à peu, Oscar recouvra l'usage de ses membres, mais commença à souffrir atrocement, comme si des aiguilles lui transperçaient le corps. Il fit la grimace.

— Je sais, c'est très douloureux, mais ça ne durera pas.

Il put enfin ouvrir les yeux. La femme à la voilette était assise près de lui et lui frottait doucement les mains. Il tâcha de distinguer son visage, mais la voilette le masquait complètement.

— Joséphine ? C'est bien toi ?

Il entendit un soupir.

— Tu es têtu. Je t'avais déjà demandé de m'appeler Jo.

Il ne s'était pas trompé, c'était bien elle ! Une joie profonde lui fit presque oublier la douleur.

— Jo, je suis si heureux de te retrouver !

— Tu n'aurais pas dû. C'est très mal.

— Mais...

— Lorsque tu seras remis sur pied, il te faudra repartir. En attendant, repose-toi.

Il voulut parler, mais elle s'était déjà levée. Il entendit le froissement de sa jupe et ses pas qui s'éloignaient. Jamais il ne s'était senti aussi misérable. Les aiguillons le tourmentaient de plus belle. À bout de forces, il finit par s'endormir. À son réveil, de la lumière entrait par les fentes d'un rideau. Il comprit qu'il avait dormi longtemps. Sa douleur avait disparu, mais il mourait de faim et avait une soif dévorante. La mère de Joséphine entra dans la pièce, apportant un plateau garni de nourriture. Il mangea avec appétit, puis se tourna vers madame Barrette, qui était restée debout à quelques pieds de lui, comme pour monter la garde.

— Je vous remercie, madame. J'avais l'estomac dans les talons.

Elle se contenta de faire un signe de tête.

— Pourrais-je parler à votre fille ? Je voudrais la remercier, elle aussi.

— Joséphine est partie faire des emplettes au village. Elle ne veut pas vous revoir.

Oscar jeta un coup d'œil autour de lui. Des manteaux et des pèlerines étaient suspendus à une patère, et plusieurs paires de bottes étaient alignées près de la porte. Il eut la certitude que la jeune femme n'était pas partie. Il attendit que la mère de Joséphine rapporte le plateau à la cuisine, puis se leva et explora le reste de la maison. Un escalier montait à l'étage. Il s'y engagea. Son cœur battait si fort qu'il en sentait les pulsations jusque dans ses tempes. Une fois en haut, il remarqua trois portes situées de part et d'autre d'un couloir étroit. Il frappa à la première. Pas de réponse. Il tourna la poignée, qui céda. La chambre était petite et meublée avec simplicité. Le lit était fait, et il n'y avait personne. Le journaliste referma la porte et répéta son manège. Cette fois, la poignée ne céda pas. Oscar tendit l'oreille et perçut un craquement, comme si quelqu'un se déplaçait en faisant attention de ne pas faire de bruit.

— Jo ?

Pas de réponse. Il insista.

— Sans toi, je serais mort de froid à l'heure qu'il est. Laisse-moi au moins te remercier de vive voix.

— Voilà, c'est fait. Maintenant, pars.

— Je t'ai écrit à plusieurs reprises, mais toutes mes lettres me sont revenues. Mes sentiments pour toi n'ont pas changé, Jo. Je t'aime de tout mon cœur. Je souhaite t'épouser.

Il y eut un silence, puis la voix de Joséphine se fit entendre.

— Si tu m'aimes, pars tout de suite et ne cherche plus à me revoir. Combien de fois va-t-il falloir que je le répète !

— Je ne partirai pas tant que tu ne m'auras pas dit en face pourquoi tu me rejettes. Même s'il faut que je dorme sur le plancher !

— Tu es l'homme le plus têtu que j'aie jamais rencontré !

Après un moment, la porte s'ouvrit. Oscar remarqua que Joséphine portait toujours le même chapeau garni d'une voilette. Elle se recula pour le laisser entrer dans la pièce. Il s'agissait d'une salle de couture. Des patrons et des tissus étaient rangés sur des tablettes.

— Ma mère est couturière, expliqua-t-elle.

Oscar resta debout sur le seuil, soudain intimidé. Joséphine fit quelques pas vers la fenêtre puis se tourna vers lui.

— Comme ça, tu veux vraiment m'épouser ? dit-elle avec une note de défi dans la voix.

— Bien sûr que oui ! l'assura Oscar. C'est mon souhait le plus cher.

— Tu l'auras voulu.

Elle enleva sa voilette. Oscar resta muet, comme pétrifié. Le visage et le cou de la jeune femme étaient couverts de légères marques. Malgré tout, ses yeux avaient gardé leur vivacité, qui avait tant charmé le journaliste lorsqu'il l'avait revue au palais de justice.

— Alors, tu veux toujours que je devienne ta femme ?

Oscar fut incapable de parler. Jo eut un sourire triste.

— N'avais-je pas raison de te demander de ne plus jamais chercher à me revoir ?

— Que... que s'est-il passé ?

Elle rabaissa sa voilette et prit place sur une chaise.

— J'ai toujours rêvé de faire médecine, mais comme les femmes ne sont pas admises dans les facultés, je suis devenue bénévole à l'Hôtel-Dieu, dans mes temps libres. J'aidais les religieuses à prendre soin des patients. Je les nourrissais, les lavais. Un jour, un homme a été admis. Il souffrait de fièvre, de douleurs aux reins, il avait de la difficulté à respirer. Au début, on a cru qu'il s'agissait d'une grippe, mais plus tard le médecin soignant a découvert que le patient était atteint de la petite vérole.

Oscar l'écoutait en silence. Les mots « petite vérole » lui firent comprendre la terrible vérité.

— Le patient a été placé en isolation, mais une dizaine de jours plus tard j'ai commencé à éprouver les mêmes symptômes. J'ai été admise à l'Hôtel-Dieu, placée moi aussi en isolation. J'ai failli mourir, mais les religieuses m'ont soignée avec le plus grand dévouement.

Elle eut une moue amère.

— La mort aurait été préférable.

— Ne dis pas ça ! s'exclama Oscar.

— Je ne te connais pas encore très bien, mais je sais que tu es un homme franc. La petite vérole m'a défigurée.

— Tu n'es pas défigurée.

— J'ai des yeux pour voir et des miroirs pour me dire la vérité.

Elle garda le silence, puis reprit d'une voix altérée par l'émotion :

— Oscar, je te le demande au nom des sentiments que tu dis avoir pour moi, cesse de te mentir à toi-même pour m'épargner !

Elle releva de nouveau sa voilette et leva la tête vers lui.

— Regarde-moi. Regarde-moi bien. Te vois-tu passer le reste de ta vie avec une femme portant les marques de la vérole ? Être la proie des regards méprisants ou pleins de pitié des gens lorsque nous marcherons côte à côte dans la rue ? Même nos enfants, si nous en avons, auront honte de moi.

Le journaliste alla vers elle, lui enleva son chapeau, qu'il déposa sur la table de couture. Puis il se mit à genoux, à ses pieds, et lui prit les mains, qu'il serra dans les siennes.

— Je t'aime comme au premier jour. Croyais-tu vraiment que quelques marques sur ton visage pourraient changer mes sentiments ?

Joséphine luttait contre les larmes.

— Quand bien même tu serais sincère aujourd'hui, demain tu regretteras tes paroles.

— Tu l'as dit, tu ne me connais pas bien.

Il la regarda dans les yeux.

— Jo Barrette, veux-tu devenir ma femme ?

— Oscar, sois raisonnable…

— Je n'ai jamais été aussi raisonnable de toute ma vie. Veux-tu, oui ou non, m'épouser ?

Elle eut un sourire timide.

— J'accepte de tout mon cœur.

LXIII

Montréal
Début du mois d'avril 1865

La grossesse de Fanette s'était plutôt bien déroulée après les nausées des premières semaines, mais depuis le sixième mois elle éprouvait des malaises diffus qui l'inquiétaient. Parfois, sa vue s'embrouillait. Elle avait souvent des maux de tête et, certains jours, éprouvait des douleurs à la partie supérieure de l'abdomen. Elle avait fait part de ces symptômes au docteur Moreau lors d'une de ses visites, mais le médecin avait balayé ses anxiétés du revers de la main.

— Ce sont des troubles tout à fait normaux durant une grossesse. Je vais vous prescrire un concentré d'écorce de saule, cela calmera vos maux de tête. Pour ce qui est des autres symptômes, je vous conseille de rester étendue le plus souvent possible. Surtout, évitez les mouvements brusques.

Fanette avait écouté les conseils du médecin à la lettre, sans compter que Julien avait insisté pour engager une domestique, Céleste, qui venait tous les jours pour s'occuper des tâches ménagères et faire les repas, mais ses indispositions persistaient. Elle hésitait à s'en ouvrir à son époux, qui travaillait de longues journées et revenait à la maison épuisé, mais un matin elle se réveilla avec une migraine encore plus forte que d'habitude, accompagnée de nausées. Ses mains et ses jambes étaient légèrement enflées. Julien lui trouva mauvaise mine. Elle lui confia ses appréhensions.

— Pourquoi ne pas m'en avoir parlé avant ?

— Tu as tant de soucis, je ne voulais pas t'en donner d'autres.

Il lui entoura tendrement les épaules.

— Fanette, rien ne compte davantage à mes yeux que ta santé et celle de notre enfant. Je vais chercher le docteur Moreau tout de suite.

— N'avais-tu pas un client à rencontrer ?

— Je le verrai plus tard.

Fanette attendit son retour avec une anxiété grandissante. Elle pensa à Marie-Rosalie, que sa tante Madeleine avait offert de garder chez elle durant les derniers mois de sa grossesse. Comme sa fille lui manquait ! Une peur irraisonnée la saisit. *Peut-être que je ne la reverrai plus jamais...* Elle effleura son pendentif pour se rassurer. Elle songea à sa sœur Amanda, qui lui avait écrit deux mois auparavant pour lui annoncer qu'elle avait accouché d'un beau garçon, Adrien. Cette pensée la réconforta.

Après une demi-heure, Julien revint avec le médecin et refusa de quitter la chambre pendant que ce dernier examinait sa femme.

— Il y a en effet un peu d'enflure, mais rien d'alarmant à ce stade, déclara finalement le médecin.

— Et les nausées ? demanda Fanette.

— Habituellement, elles cessent après les premières semaines, mais il arrive qu'elles continuent jusqu'à l'accouchement.

— Parfois, ma vue s'embrouille, insista la jeune femme.

— Si cela peut vous tranquilliser, je reviendrai vous voir demain. En attendant, reposez-vous.

Avant de quitter le chevet de sa patiente, le docteur Moreau prit Julien à part.

— Ne vous faites pas de mauvais sang, dit-il à mi-voix. Les femmes enceintes sont portées à l'hystérie et exagèrent leurs symptômes.

Au milieu de la nuit, Fanette fut prise d'une forte fièvre.

— Mon Dieu, tu es brûlante ! s'écria Julien. Je retourne chercher le docteur Moreau.

— Non, pas lui ! le supplia Fanette. Il ne veut pas m'écouter. Je n'ai pas confiance.

— Mais c'est ton médecin.

— Va chercher le docteur Brissette, murmura Fanette avant de retomber sur son oreiller, le visage pâle et ruisselant de sueur.

Il était plus de trois heures du matin lorsque Julien parvint en voiture au domicile du docteur Brissette. Ce dernier, échevelé, les yeux encore bouffis de sommeil, vint répondre. Il avait mis un pantalon en vitesse et finissait de boutonner sa chemise, car il arrivait régulièrement qu'on vînt le chercher au milieu de la nuit pour une urgence. À la mine affolée de Julien, il comprit que quelque chose de grave se tramait.

— Ma femme a une forte fièvre, expliqua celui-ci d'une voix saccadée. Ses membres sont enflés.

— A-t-elle parfois des douleurs abdominales ?

Julien acquiesça.

— Lui arrive-t-il d'avoir la vue embrouillée ?

— Oui.

Le docteur devint blême.

— Il ne faut pas perdre un instant !

Il courut à l'intérieur chercher sa sacoche de médecine. Julien le suivit.

— C'est grave ?

— Je crains une toxémie gravidique.

— De quoi s'agit-il ?

— Prééclampsie.

— Mon Dieu…

La mère de Julien était morte des suites d'une éclampsie, alors qu'il avait dix ans. Jamais il n'avait pu oublier ses cris, qui résonnaient dans leur logement modeste, dans le quartier Saint-Sauveur. Le médecin n'avait pas pu la sauver.

— Allons dans ma voiture, vous n'aurez pas à atteler la vôtre, proposa Julien, tâchant de contrôler la panique qui le gagnait.

Les deux hommes montèrent dans le Phaéton. Julien conduisit à bride abattue. Par chance, les rues étaient désertes. Une fois parvenus au logement, ils grimpèrent l'escalier quatre à quatre. Lorsqu'ils entrèrent dans la chambre, Fanette se tourna vers eux. Ses yeux luisaient de fièvre et ses cheveux sombres étaient répandus sur son oreiller. Elle s'adressa à Julien.

— Père McGauran, c'est vous ! Il y a si longtemps…

Julien jeta un regard effrayé au docteur Brissette.

— Elle délire, expliqua le médecin.

Il mit une main sur son front, puis saisit son poignet.

— Elle a une forte fièvre. Son pouls est très élevé. Éprouve-t-elle ces symptômes depuis longtemps ?

— Quelques semaines.

— N'avez-vous pas consulté le docteur Moreau ? lui reprocha le médecin.

— Bien sûr que oui ! Mais il n'a rien vu d'alarmant.

Le docteur Brissette serra les dents.

— Votre femme a tous les symptômes de l'éclampsie. Normalement, il aurait fallu la transporter d'urgence à l'hôpital le plus proche, mais il est trop tard pour cela.

— Que faut-il faire ?

— Il faut provoquer l'accouchement. C'est le seul moyen de la sauver.

LXIV

Constatant que le travail était commencé mais qu'il s'annonçait lent, le docteur Brissette administra du seigle ergoté à Fanette afin de provoquer l'accouchement. Il lui avait également donné du sulfate de magnésium pour atténuer le risque de convulsions. Julien l'assistait avec une détermination farouche, refusant de se laisser abattre ou de céder à la panique. Fanette continuait à délirer. Elle parlait de son Irlande natale, de ses parents, du voyage en bateau qui l'avait menée avec sa famille à Québec. Elle ne reconnaissait toujours pas son mari.

— Vous êtes si bon, père McGauran. Aidez-moi ! J'ai si mal !

Julien refoulait ses larmes, faisant ce que le docteur Brissette lui demandait. Il avait apporté des bassines remplies d'eau chaude, du savon et des linges propres, et un autre récipient contenant de l'eau glacée pour rafraîchir le front et les bras de sa femme. Lorsqu'il la vit s'arc-bouter de douleur, il ne put se contenir plus longtemps.

— Sauvez-la, docteur Brissette, je vous en supplie !

Le médecin ne répondit pas, complètement concentré sur sa tâche. L'état de la parturiente était presque désespéré. Elle souffrait d'un début de convulsions, ce qui indiquait qu'elle était passée au stade d'éclampsie franche. Il lui administra une nouvelle dose de sel d'Epsom.

— Il faut sortir le bébé tout de suite, sinon je ne réponds plus de rien.

Le médecin se lava soigneusement les mains et demanda à Julien de faire la même chose. Ce dernier obtempéra. Il obéissait comme un automate, ayant dépassé depuis un bon moment le seuil de la crainte et de la douleur. Sa seule pensée était rivée sur la survie de Fanette.

— Forceps, ordonna le médecin.

Julien lui tendit l'instrument, n'osant le regarder tellement il lui semblait redoutable. Le docteur Brissette s'adressa à la jeune femme.

— Poussez. Poussez de toutes vos forces !

Guidée par un instinct atavique, Fanette poussa, le visage grimaçant de douleur.

— Je tiens la tête ! s'écria le médecin. Continuez à pousser, Fanette, on y est presque !

Le médecin tira adroitement la tête du bébé et réussit à l'extraire du ventre de la mère. Il trancha le cordon ombilical et tint l'enfant par les jambes. Des geignements s'élevèrent, suivis de pleurs.

— C'est un garçon ! s'exclama-t-il. Il est en parfaite santé.

Il le tendit à Julien.

— Lavez-le et entourez-le de langes.

Puis il revint à Fanette, qui se tordait toujours de douleur. Il crut qu'il s'agissait encore de convulsions et craignit que ce fût une nouvelle manifestation d'éclampsie.

— Tâchez de respirer.

Il était sur le point de lui administrer du laudanum pour calmer les spasmes lorsqu'il se rendit compte que ce qu'il avait pris pour des convulsions était en réalité des contractions.

— Nom de Dieu, il y en a un autre !

Julien le regarda, affolé. Le médecin se pencha au-dessus de la parturiente et entreprit de sortir un deuxième bébé.

— Une fille ! Vous avez de beaux jumeaux...

Pendant les heures qui suivirent, les deux hommes se relayèrent au chevet de Fanette et prirent soin des poupons. À l'aube, le docteur Brissette constata avec un soulagement indicible que la fièvre commençait à tomber. Les convulsions avaient complètement cessé, et le pouls était revenu presque à la normale.

— Dieu soit loué, murmura-t-il. Elle est sauvée.

Julien n'eut même pas la force de pleurer. Il s'étendit à côté de sa femme et s'endormit en lui tenant la main. Lorsque Céleste entra dans la chambre pour y faire son ménage quotidien, elle fut ébahie devant l'étrange spectacle : les parents endormis l'un près de l'autre, un bébé dans un couffin, l'autre dans un tiroir garni d'une couverture, et le docteur Brissette affalé dans un fauteuil, cognant des clous.

❦

Madeleine fut la première à se rendre au chevet de sa nièce, accompagnée par Rosalie. Il avait été décidé que la petite Marie-Rosalie resterait avec Berthe jusqu'à ce que sa mère se relève de ses couches. Julien avait été discret quant aux circonstances éprouvantes qui avaient entouré la délivrance, mais avait laissé entendre que, sans la compétence et le dévouement hors du commun du docteur Brissette, Fanette n'aurait peut-être pas survécu. Madeleine éclata en sanglots en voyant les jumeaux, qui ressemblaient à des poupées tellement ils étaient menus et délicats. Ils avaient beau être de sexes différents, ils se ressemblaient comme deux gouttes d'eau.

— Ils sont ton portrait tout craché, ma chère nièce, décréta Madeleine.

— À mon avis, ils ressemblent plutôt à Julien, dit Fanette, encore pâle.

— D'après moi, ils sont un beau mélange des deux parents, commenta Rosalie en souriant.

Madeleine se chargea d'acheter un deuxième couffin, tandis que Julien se rendait au bureau du télégraphe pour avertir la mère de Fanette et sa sœur Amanda de l'heureux événement. Le docteur Brissette quitta le chevet de la jeune femme, mais lui promit de revenir plus tard dans l'après-midi. Il avait un compte important à régler, affirma-t-il.

☙

Le docteur Moreau auscultait une patiente lorsque la porte de son cabinet s'ouvrit. Il crut qu'il s'agissait de sa secrétaire.

— Madame Aubut, vous savez bien que je déteste être dérangé pendant que je suis en consultation.

Il leva la tête et aperçut le docteur Brissette. Madame Aubut se tenait derrière lui en faisant des signes d'impuissance.

— Cher collègue, que me vaut votre visite ? s'enquit le docteur Moreau en souriant.

— Fanette Vanier a accouché cette nuit, dit le docteur Brissette d'une voix glaciale. La mère et les jumeaux sont en parfaite santé, mais j'ai craint le pire.

— Quoi ? Je n'y comprends rien. Pourquoi ne m'a-t-on pas envoyé chercher ? Qui a procédé à l'accouchement ?

— C'est moi.

— De quel droit ? C'est ma patiente !

— *Votre* patiente souffrait d'éclampsie. Et vous n'y avez vu que du feu !

Le docteur Moreau jeta un regard anxieux à la femme qu'il examinait. Celle-ci arborait une mine inquiète. Il s'adressa de nouveau au jeune médecin.

— Je n'ai ni le temps ni la patience de poursuivre cette discussion. J'ai agi avec toute la compétence et la diligence qu'exigeait l'état de madame Vanier.

— Compétence ? Diligence ? Des problèmes de vision, des douleurs abdominales, des nausées prolongées, des maux de tête fréquents, que vous fallait-il de plus pour diagnostiquer une éclampsie ? Madame Vanier a failli mourir à cause de votre grossière négligence !

— C'est pourtant vous qui avez confié madame Vanier à mes bons soins.

— Je me suis trompé. J'ai pris votre suffisance pour de la compétence, votre pédanterie pour du savoir.

— Sortez de mon bureau immédiatement.

— Pas avant d'en avoir terminé avec vous.

Le docteur Brissette s'avança vers son collègue et lui asséna une gifle retentissante. Le médecin dut s'agripper à son pupitre pour ne pas tomber. Son nez commença à couler abondamment, tandis que sa patiente et madame Aubut, qui était restée sur le pas de la porte, écarquillaient les yeux de stupeur.

⁓

Quelques jours plus tard, Emma Portelance arriva de Québec, accompagnée par le docteur Lanthier. Même monsieur Dolbeau avait tenu à être du voyage afin de voir sa « chère petite Fanette », comme il la surnommait toujours. Quant à Amanda, elle n'avait pu faire le voyage, devant soigner la petite Marie-Awen, qui souffrait de la varicelle, mais elle avait remis à Emma une lettre destinée à sa sœur afin de lui transmettre tous ses vœux.

Madeleine et Rosalie, qui étaient au chevet de Fanette depuis le matin, s'éloignèrent pour donner un coup de main à Céleste, qui en avait plein les bras avec les langes à laver pour les jumeaux et les repas à préparer. Fanette ne put retenir ses larmes en voyant ses proches assemblés autour d'elle. Le docteur Lanthier la trouva bien pâle et soupçonna que l'accouchement avait dû être difficile. Lorsque le docteur Brissette fit sa visite quotidienne, le vieux médecin le prit à part et voulut en savoir plus long sur les circonstances qui avaient entouré la délivrance. Les deux hommes ressentirent une sympathie immédiate l'un pour l'autre. Le docteur Brissette, se sentant en confiance, lui fit le récit de l'accouchement et des craintes qu'il avait eues de perdre la mère.

— Vous avez sauvé notre chère Fanette, conclut le docteur Lanthier.

— Oh, sauver, c'est un bien grand mot.

— Vous êtes modeste, et c'est tout à votre honneur, mais sans vous je suis convaincu que Fanette ne serait plus de ce monde, et les jumeaux n'auraient peut-être pas survécu non plus. L'éclampsie est l'une des causes les plus importantes du décès des parturientes, avec la fièvre puerpérale.

Le jeune médecin rougit de fierté et de honte. Il avait omis de mentionner la gifle dont il avait gratifié le docteur Moreau. Une fois passée l'exaltation du moment, il n'était pas très fier de son geste, tellement contraire à sa nature pacifique. En même temps, la simple pensée que Fanette était encore en vie grâce à lui le remplissait de joie. Pour la première fois de son existence, il comprenait la responsabilité énorme de sa profession. Étrangement, cela le rendit encore plus modeste.

LXV

Victor Lemoyne, muni d'un tournevis, était agenouillé en dessous de sa presse à bras et tâchait de réparer le plateau de la machine, qui s'était brisé. Une grosse pile de feuilles avait été déposée sur une table. La clochette de la porte de son imprimerie résonna. Il était si absorbé dans sa tâche qu'il ne l'entendit pas. Le son d'une voix le fit sursauter.

— Mon oncle !

Victor se redressa à demi, le visage rouge à cause de l'effort. Ses mains étaient couvertes d'encre et sa chemise, tachée d'huile.

— Mon petit Oscar ! Je ne t'ai pas entendu sonner. Figure-toi que ma presse s'est brisée juste au moment où j'imprimais le recueil d'un jeune poète de talent.

Le vieil homme se redressa en faisant la grimace.

— Ah, maudits rhumatismes ! Ils ne s'améliorent pas avec l'âge.

Il embrassa affectueusement son neveu sur les deux joues.

— Alors, quel bon vent t'amène, mon petit ?

Les yeux d'Oscar brillaient comme des escarboucles.

— J'ai une très bonne nouvelle à vous annoncer. Je vais me marier !

— Te marier ! s'écria Victor. Tu es bien jeune pour te mettre la corde au cou, mon garçon.

Vexé par la réaction de son oncle, Oscar répliqua :

— J'ai vingt-huit ans. Si vous souhaitez avoir des petits-enfants, il est plus que temps que je commence.

— Vingt-huit ans, déjà ! Comme le temps passe vite…

Ému, l'éditeur prit place sur une chaise.

— Je te vois encore, haut comme trois pommes, lorsque j'étais venu te prendre chez ta grand-mère pour te ramener à Montréal. Tu te souviens ?

— Sans vous, je ne sais pas ce que je serais devenu.

— Alors, qui est l'heureuse élue ?

— Elle s'appelle Joséphine Barrette. Je l'ai rencontrée au greffe du palais de justice. Nous avons convenu de nous marier au mois de mai.

— Elle n'est pas avec toi ? J'aurais bien aimé que tu me la présentes.

Oscar baissa les yeux. Les adieux entre Joséphine et lui avaient été déchirants. Il avait tenté de convaincre sa fiancée de l'accompagner jusqu'à Montréal pour qu'elle rencontre son oncle Victor, mais elle avait refusé. « C'est trop tôt pour moi, lui avait-elle dit. Laisse-moi le temps de me faire à l'idée. Tout cela est encore si difficile ! »

Joséphine était donc restée à Deschambault.

— Elle n'a pas pu faire le voyage, expliqua-t-il.

Victor perçut le malaise de son neveu.

— Tu es bien certain que tu souhaites épouser cette jeune femme ? Le mariage est une lourde responsabilité.

Oscar redressa le menton.

— J'en suis absolument certain, mon oncle. Je l'aime. C'est une femme merveilleuse, qui a vécu une dure épreuve et a démontré beaucoup de courage.

Victor fut surpris par le ton véhément du jeune homme, comme si ce dernier prenait la défense de sa fiancée. Il eut le sentiment que son neveu ne lui avait pas tout dit.

— Tout ce qui compte, c'est que tu sois heureux, mon petit Oscar.

❦

Oscar, portant une redingote qui avait appartenu à son oncle et dont les manches, trop longues, lui couvraient les mains, faisait les cent pas devant la petite église de Saint-Henri-des-Tanneries. Jo avait insisté pour qu'ils se marient à l'église de son enfance. Le temps était radieux. Une légère brise faisait bruisser les feuilles des saules longeant la rivière et rapportait des effluves de mousse et d'herbe. Jamais Oscar ne s'était senti aussi heureux. Depuis que Joséphine avait accepté de devenir sa femme, il avait le sentiment de flotter, comme les cumulus qui s'étiolaient dans le ciel bleu. Tant d'obstacles s'étaient dressés sur son chemin avant qu'il réussisse à les vaincre et à gagner enfin le cœur de sa bien-aimée !

Et voilà qu'il l'attendait devant l'église où ils seraient enfin unis par les liens du mariage. Il jeta un coup d'œil à la vieille montre de gousset que son oncle lui avait offerte. *Déjà onze heures moins le quart !* La cérémonie était prévue pour onze heures. Une inquiétude sourde le gagna. Et si Joséphine avait changé d'idée ? Pourtant, elle avait bel et bien fait le voyage de Deschambault à Montréal en diligence, en compagnie de sa mère, deux jours auparavant. Les deux femmes avaient pris une chambre dans une auberge, non loin de l'imprimerie de Victor. Ce dernier avait loué une calèche pour l'occasion et avait offert de conduire la future mariée et sa mère à l'église, le matin de la cérémonie, ce qu'Oscar avait accepté avec reconnaissance, car son modeste salaire de journaliste ne lui permettait pas ce genre de luxe.

Un bruit de roue se fit entendre. Oscar leva la tête et aperçut avec soulagement la calèche, conduite par son oncle, qui s'approchait. Joséphine et madame Barrette étaient installées sur la banquette arrière. Les portes de l'église s'ouvrirent au même moment, laissant entrevoir la silhouette du vieux curé Paquin. Celui-ci clignait des yeux à cause de la lumière.

— Belle journée pour des épousailles ! dit-il.

Oscar sourit de toutes ses dents. Il étouffait de bonheur.

La voiture s'immobilisa non loin de la bâtisse de pierres grises, dont le clocher dessinait un trait blanc dans le bleu du ciel. Armande Barrette descendit la première, avec l'aide de Victor, qui lui tendait le bras. Puis ce fut au tour de Joséphine de franchir le marchepied d'un pas agile et gracieux. Elle portait un voile blanc ceint par une couronne de roses jaunes. Un bouquet de corsage, composé de la même variété de roses, égayait sa robe blanche, dont la corolle, garnie de dentelle, se soulevait dans la brise, ressemblant au vol d'un cygne. Le cœur battant, Oscar la regarda s'avancer vers lui. Une lumière douce nimbait le beau visage de la jeune femme, dont les yeux taillés en amande brillaient de mille feux. Il ne voyait pas les marques de vérole tellement il la trouvait belle. Jo lui sourit, radieuse. Oscar crut que sa poitrine allait éclater. Le curé accueillit la future mariée en secouant la tête.

— Ma petite Joséphine, lança-t-il, ému. Dire que je t'ai baptisée ! Et maintenant, tu vas te marier. Comme le temps passe vite !

Il se tourna vers la mère de Joséphine.

— Ma chère Armande ! Bienvenue dans la paroisse qui vous a vue naître.

Victor Lemoyne, après avoir attaché le cheval à la clôture de bois qui entourait l'église, se dirigea vers le groupe. Oscar remarqua avec un pincement au cœur que la démarche de son oncle était plus lente et que ses cheveux étaient devenus entièrement blancs. La pensée que son parent se faisait vieux et qu'un jour il disparaîtrait l'étreignit pour la première fois. Sa joie fut teintée de mélancolie. Il alla à la rencontre de Victor, qui le prit dans ses bras et le serra contre lui.

— Mon garçon, dit-il, la voix enrouée par l'émotion. Mon garçon, c'est aujourd'hui le grand jour !

Le prêtre leur fit signe d'entrer dans l'église. Oscar fut le premier à pénétrer dans l'enceinte, traversée par des rayons de clarté diffuse provenant des fenêtres en ogive. Il s'arrêta en face de l'autel et inspira pour tenter de calmer les battements de son cœur, tandis qu'Armande Barrette s'installait dans la première rangée.

La cérémonie se déroula comme dans un rêve. Joséphine, au bras de Victor Lemoyne, s'avança dans l'allée. Le prêtre, assisté par un enfant de chœur, commença la célébration. Le bedeau, un vieil homme dont le dos était courbé par l'âge, avait accepté de servir de témoin. Oscar était tellement ému qu'il bafouilla en prononçant ses vœux et ne put retenir ses larmes lorsque Joséphine fit les siens. Elle prit un mouchoir et sécha les joues du jeune homme avec une infinie tendresse.

— J'espère que ce sont des larmes de bonheur, murmura-t-elle avec un sourire en coin.

Lorsqu'ils eurent échangé leurs anneaux, les jeunes mariés s'embrassèrent, puis sortirent de l'église au bras l'un de l'autre. La vive lumière les éblouit. Joséphine leva les yeux vers le ciel, puis se tourna vers Oscar.

— Tu ne regrettes rien ?

Oscar la serra contre son cœur pour toute réponse.

Cinquième partie

Retrouvailles

LXVI

Un an plus tard, avril 1866
Village de la Jeune Lorette

Penchée au-dessus du berceau, Amanda regardait son fils dormir. Contrairement à sa sœur, Marie-Awen, Adrien avait les cheveux roux et les yeux gris, tout comme elle et son propre père, Ian, que l'enfant ne connaîtrait jamais. Celui-ci se réveilla et agita ses petites mains vers sa mère. Elle le prit dans ses bras et lui donna le sein. Le bébé téta goulûment. Il avait un an et demi. Il fallait le surveiller constamment, car il n'aimait rien autant qu'explorer un peu partout dans la maison. Noël avait installé une barrière en haut de l'escalier pour éviter tout accident. *Ian était pareil lorsqu'il était petit*, songea Amanda. La pensée de son fils l'attrista. Ce dernier lui avait écrit quelques lettres brèves, depuis qu'il avait quitté le *Mistral* pour s'engager au sein des Fenians, et elle lui avait répondu, tâchant d'éviter les reproches, ce qui était une tâche tellement ardue que ses réponses devenaient fades et presque dénuées de sentiments, alors que son cœur en était rempli. *Si j'avais été une meilleure mère, Ian n'aurait sans doute jamais ressenti le besoin de s'enrôler dans un groupe révolutionnaire*, se reprochait-elle. Noël avait beau lui répéter qu'elle n'avait aucune responsabilité dans les actes de son fils, elle sentait confusément qu'elle ne lui avait pas prodigué assez d'affection ni inculqué des principes qui l'auraient mieux guidé dans la vie et évité qu'il fasse un geste aussi insensé.

La porte s'ouvrit. Noël entra dans la pièce, un télégramme à la main. Amanda remit le bébé dans son berceau et se tourna vers son mari, qui arborait une mine sombre.

— C'est Ian ? demanda-t-elle, craignant le pire.

Il fit non de la tête et lui tendit le télégramme, qu'elle parcourut. Le gouvernement canadien ordonnait à Noël de se rendre à Halifax dans les meilleurs délais et de se rapporter au commandant Charles Hastings Doyle.

— Pour l'amour du ciel, n'y va pas !

— Je n'ai pas le choix, Amanda. En tant qu'ancien officier de la marine britannique, je suis tenu d'obéir aux ordres. Sinon je pourrais être traduit en cour martiale.

— Explique-leur que tu es père de jeunes enfants et obtiens une dispense.

— Ne t'inquiète pas. Pour l'instant, il ne s'agit que d'aller me rapporter à Halifax. Rien ne dit qu'il y aura combat.

— C'est toi-même qui parlais de rumeurs concernant une invasion des Fenians au Nouveau-Brunswick !

— Justement, ce ne sont que des rumeurs.

Amanda eut beau supplier son mari de ne pas partir, il prépara ses bagages et revêtit son uniforme d'officier, qu'il n'avait pas porté depuis qu'il avait donné sa démission comme capitaine de la frégate *Neptune*, quelques années auparavant. Il regarda son image dans le miroir. Les boutons dorés luisaient dans la clarté du jour, faisant ressortir le noir de l'uniforme. Qu'il le veuille ou non, il était de nouveau au service de la reine.

༄

Portant son ancien uniforme de lieutenant de l'armée de l'Union, Andrew Beggs termina de remplir son havresac. Quelques mois auparavant, John O'Mahony avait convoqué un congrès militaire au siège social des Fenians, à Manhattan. Il y avait été décidé à l'unanimité que les révolutionnaires irlandais s'empareraient de l'île Campobello, au Nouveau-Brunswick, vers avril. Le leader irlandais souhaitait ainsi damer le pion à son grand rival, William Randall Roberts, qui avait organisé de son côté une assemblée de Fenians à Pittsburgh dans le but de mettre sur pied des raids afin de saisir des terres appartenant à la couronne britannique.

Bien qu'il restât toujours fidèle à O'Mahony, Andrew Beggs doutait du succès de l'entreprise. Certes, le recrutement avait bien fonctionné et les Fenians pouvaient compter sur un peu plus de neuf cents hommes, pour la majorité des vétérans de la guerre civile américaine, mais Beggs demeurait sceptique quant à la stratégie de son leader de prendre possession de l'île Campobello. Il craignait que l'état-major anglais ne fût déjà au courant de leurs plans. Celui-ci n'hésiterait pas à envoyer l'armée pour tuer la révolution dans l'œuf. Andrew s'était cependant rangé derrière son chef, priant pour que l'invasion de Campobello fût couronnée de succès. Sur les ordres d'O'Mahony, il avait commandé une cargaison de cinq cents fusils qui devait faire le voyage à bord de l'*Ocean Spray* – un navire ayant appartenu à l'armée confédérative – et se rendre jusqu'à Eastport, dans l'État du Maine.

Après avoir bouclé son sac, Andrew rejoignit Sean dans sa chambre. Ce dernier avait également revêtu son uniforme de soldat de l'Union, dont la couleur bleu azur s'était fanée avec le temps.

— Alors, prêt à en découdre avec l'ennemi ? lui demanda Beggs en souriant.

Sean lui rendit son sourire. L'inaction pesait au jeune homme, qui ne rêvait que de se battre pour servir la cause des siens. Son mentor ne lui fit pas part de ses doutes. La dernière chose qu'il souhaitait était de faire naître l'incertitude chez son compagnon d'armes.

Les deux hommes se rendirent en fiacre à la gare, où les attendait le train qui devait les mener à Eastport, après un arrêt à Boston. Andrew sentit la nervosité le gagner lorsque la locomotive siffla et que le convoi s'ébranla. *Go dtuga Dia slán sinn agus ár muintirse !* Que Dieu nous protège et protège les nôtres.

LXVII

Halifax, le 17 avril 1866

Noël Picard mit deux jours à faire le voyage jusqu'à Halifax, par bateau et par train. Il se présenta comme prévu à l'état-major du commandant Doyle et fut assigné comme lieutenant d'un des six vaisseaux de la marine britannique qui avaient été demandés par le lieutenant-gouverneur de la Nouvelle-Écosse afin de défendre sa province contre une attaque appréhendée des Fenians. Noël retrouva avec un certain plaisir le parfum acidulé de la mer et le sentiment de liberté apporté par la vie au grand air, mais il savait que ce plaisir serait de courte durée. Les nouvelles étaient mauvaises. Plusieurs rapports militaires indiquaient qu'au moins sept cents Fenians s'étaient rassemblés sur la rive américaine, en face de Campobello, au Nouveau-Brunswick, et s'apprêtaient à s'emparer de l'île. Ordre avait été donné par le commandant Doyle aux six navires de la Royal Navy de se rendre dans la région et de prévenir une attaque par tous les moyens. Des centaines de miliciens et des volontaires du Nouveau-Brunswick avaient également été conscrits et s'étaient postés le long de la rivière Sainte-Croix, prêts à intervenir.

Avant le départ de son bateau, Noël envoya un télégramme à Amanda pour la rassurer sur son sort, sans lui révéler toutefois les détails de sa mission, mais il savait que cela n'empêcherait pas sa femme de se faire un sang d'encre. Il refusa de penser à la possibilité qu'Ian fût parmi les révolutionnaires qui s'apprêtaient à attaquer l'île.

John O'Mahony avait établi son état-major à l'entrée de la baie de Passamaquoddy, sur les rives du Maine. De son poste, il pouvait voir les contours de Deer Island, derrière laquelle se profilait l'île de Campobello, entourée d'une légère brume. Des hommes allaient et venaient, chargés de tentes et de sacs remplis de nourriture. Des centaines de Fenians avaient installé leurs campements un peu partout sur la plage. Quelques feux avaient été allumés. Andrew Beggs, debout à côté de son chef, surveillait la mer à l'aide d'une longue-vue. Sean l'accompagnait.

— *So ? Do you see anything ?* demanda O'Mahony avec anxiété.

— *Nothing.*

L'*Ocean Spray*, qui transportait le chargement de cinq cents fusils, était attendu depuis plusieurs jours mais n'avait pas encore donné signe de vie. O'Mahony s'empara de la longue-vue d'un geste impatient et y jeta un coup d'œil à son tour. Il rendit l'instrument à son lieutenant en poussant un soupir excédé.

— *For God's sake, what are they waiting for !*

— *What will we do if the shipment doesn't arrive in time ?* demanda Andrew calmement.

— *We will go ahead with the arms we already have !*

— *But...*

— *Who's in charge, you or me ?*

O'Mahony tourna brusquement les talons et alla vers sa tente, qui avait été installée à l'abri d'un rocher. Andrew secoua la tête. Sean lui mit une main sur l'épaule.

— Ce n'est pas contre vous qu'il en a. Cela fait des jours que nous attendons le chargement d'armes. C'est frustrant, à la longue.

Andrew comprenait l'impatience de son chef, mais n'approuvait pas son idée d'envahir l'île sans attendre l'arrivée de l'*Ocean Spray*. Une partie des hommes avaient apporté de vieux fusils qui avaient servi durant la guerre de Sécession et seraient peu efficaces.

Un homme à cheval s'approcha d'eux et s'arrêta à leur hauteur. Il descendit de sa monture et dut reprendre son souffle avant de parler.

— *I'm coming from Eastport. Where could I find John O'Mahony?*

— *I'm his lieutenant*, dit Andrew. *Is it about the* Ocean Spray? *Has it arrived yet?*

L'homme secoua la tête.

— *I'm afraid I have bad news. Some of our men… were arrested.*

Il expliqua avec une voix hachée qu'il se trouvait à Eastport pour attendre l'*Ocean Spray* lorsqu'il eut vent de l'arrestation de Michael Murphy, un Fenian de Toronto qui avait pour mission de se rendre dans le Maine avec des hommes, des armes et de l'argent.

— *How could such a thing happen?* s'écria Andrew, en colère.

L'homme poursuivit : un télégramme, qui donnait des instructions à Murphy, avait été intercepté par les autorités canadiennes. Murphy et sa troupe avaient été capturés par des soldats britanniques alors que leur train faisait escale à Cornwall, en Ontario, et avaient été jetés en prison.

— *Damn!* pesta Andrew entre ses dents.

Cela signifiait que les autorités canadiennes et américaines étaient sur le qui-vive. Qui sait si Murphy n'avait pas tout révélé des plans d'invasion de Campobello ? Andrew résolut de parler à son chef et de tenter de le convaincre de surseoir à l'attaque. Il se dirigea d'un pas décidé vers sa tente. O'Mahony le reçut froidement et l'écouta sans dire un mot, le visage sombre. Lorsque Andrew eut terminé, il le regarda en face.

— *We shall fight! It shall not be said that I am a coward.*

Un lâche ou un imbécile, pensa Andrew, rageant de voir un homme pour lequel il avait le plus grand respect prendre de mauvaises décisions pour une question d'orgueil.

Le lendemain, à l'aube, au moment où O'Mahony rassemblait ses troupes pour donner l'assaut, un bruit de cavalerie leur parvint à distance. Andrew Beggs leva les yeux et aperçut quelques centaines de soldats, certains à pied et d'autres à cheval, qui s'avançaient vers eux, pointant des baïonnettes dans leur direction. Andrew reconnut l'uniforme des soldats américains. Pendant ce temps, un navire entrait dans la baie de Passaquamoddy et se dirigeait à bonne vitesse vers la rive. *La Royal Navy*, comprit Andrew, qui courut vers John O'Mahony pour l'avertir. Ce dernier, sa longue-vue à la main, observait l'avancée des troupes américaines. Andrew le supplia de donner l'ordre à leurs hommes de se disperser.

— *There are too many soldiers. And a boat from the Royal Navy is approaching. We don't stand a chance.*

Le chef tortilla sa moustache entre ses doigts, puis acquiesça, le visage défait.

— *You're right.*

Les Fenians se replièrent dans un désordre indescriptible. Quelques coups de feu retentirent sans atteindre leur cible. Des Fenians mirent le feu à un hangar avant de partir, comme pour se donner l'illusion du combat.

Quelques jours plus tard, l'*Ocean Spray* arriva à Eastport. La cargaison d'armes fut aussitôt saisie par les autorités portuaires, et l'équipage, arrêté. Le premier raid des Fenians s'était soldé par un fiasco.

LXVIII

Montréal, mai 1866

Des pleurs s'élevèrent. Fanette se réveilla et jeta un coup d'œil à l'horloge. Il était trois heures du matin. Constatant que Julien était profondément endormi, elle n'eut pas le cœur de le réveiller. Elle se leva, mit une robe de chambre et se rendit dans la pièce qu'occupaient les jumeaux. Après leur naissance, les Vanier avaient dû chercher un logement plus grand et avaient emménagé au rez-de-chaussée d'un immeuble à trois étages qui venait d'être construit, à quelques pâtés de maisons de là où ils habitaient auparavant. Julien y avait installé son cabinet, qui était de plus en plus prospère. Sa réputation n'avait cessé de croître depuis sa victoire improbable dans la cause d'Aimée Durand, de sorte que le couple vivait dans une relative aisance. Julien avait insisté pour engager une nounou, en plus de Céleste, afin de prendre soin des bébés, ce que Fanette avait accepté avec soulagement. Ses relevailles avaient été longues et l'arrivée de deux enfants, en plus de Marie-Rosalie, avait considérablement alourdi le fardeau de ses tâches quotidiennes. La nounou, Anne, une fille solide aux joues roses dont les parents possédaient une ferme à Saint-Hyacinthe, avait le rire facile et communicatif. Les petits et Marie-Rosalie l'adoraient.

Quoique Fanette se réjouît du succès de son mari, elle regrettait le peu de temps qu'il pouvait leur consacrer, à elle et aux enfants. Il plaidait presque tous les jours et participait régulièrement à des réunions de l'Institut canadien. Elle lui en avait fait part à plusieurs reprises et, chaque fois, il lui avait promis de diminuer son rythme de travail, mais il était incapable de refuser une cause, surtout lorsqu'elle était difficile. Cette propension à venir en aide aux déshérités faisait partie de sa nature généreuse, mais c'était cette même générosité, cette passion pour la justice que Fanette aimait tant chez lui, qui l'éloignait de son foyer.

Fanette se pencha au-dessus des deux lits qui avaient été placés côte à côte et contempla les jumeaux. L'un des bébés remuait en gémissant. Fanette le souleva dans ses bras et embrassa sa peau satinée, toute rose dans la lumière tamisée d'une lampe dont la mèche avait été baissée.

— Hugo, murmura-t-elle avec tendresse.

L'enfant s'apaisa aussitôt. Elle le redéposa doucement dans son lit, puis caressa la tête de l'autre bébé, qui dormait, ses petites mains repliées sous son menton. Ses cheveux noirs bouclaient sur son front légèrement bombé. *Isabelle…* Celle-là ressemblait beaucoup à Julien : les mêmes traits énergiques, les yeux sombres, bordés de longs cils. Comme les jumeaux avaient grandi ! Ils avaient beau se ressembler physiquement, tous deux avaient une personnalité déjà bien différente. Hugo était calme, contemplatif. Il pouvait passer des heures installé dans sa poussette sans pleurer ni crier, observant le monde avec ses grands yeux noisette, comme s'il voulait faire l'inventaire de toutes les merveilles qu'il y découvrait. Isabelle était tout le contraire : ne tenant pas en place, elle cherchait toujours à se dégager lorsqu'elle était dans sa chaise haute et gigotait sans cesse lorsque la pauvre nounou tentait de l'habiller.

Après avoir bordé Hugo, Fanette, qui n'avait plus sommeil, alla dans le salon et s'installa devant son secrétaire. Elle ouvrit un cahier et commença à écrire. Depuis que Point final l'avait renvoyée de *L'Époque*, elle avait décidé de commencer la rédaction d'un journal personnel, dans lequel elle notait les petits événements de la journée, ses observations de la vie du quartier qu'elle voyait de sa fenêtre ou durant ses promenades ; tous ces faits et gestes qui colorent la vie quotidienne. Elle s'astreignait à écrire une page par jour, bien qu'elle fût continuellement interrompue par les responsabilités de la vie familiale, et avait déjà rempli trois cahiers. Il lui arrivait de plus en plus souvent de se lever la nuit pour écrire. C'était les seuls moments où elle pouvait jouir du silence de la maisonnée endormie. Elle n'aimait rien autant que ces instants de paix, sortes de parenthèses qui n'appartenaient qu'à elle. Après avoir écrit une bonne heure, elle regagna son lit, tâchant de ne pas réveiller son mari. Celui-ci ouvrit un œil.

— Tu ne dors pas ?
— J'en ai profité pour écrire.
— Tu vas finir par tomber malade, s'inquiéta-t-il.
— Mais non.

Elle posa sa tête sur son oreiller. *Je tomberais malade si je n'écrivais pas*, aurait-elle voulu répondre.

LXIX

Lucien ajusta sa lavallière devant un joli miroir qu'il avait déniché chez un antiquaire. Depuis quelques mois, il habitait un logement confortable rue Saint-Hubert. Contre toute attente, son recueil de poèmes avait connu un véritable succès. Aux premières souscriptions qui en avaient permis la publication s'étaient ajoutés d'autres lecteurs. Le bouche à oreille faisant son œuvre, Victor Lemoyne avait dû procéder à un deuxième tirage, puis à un troisième et à un quatrième. *Fleurs noires* était *le* sujet de prédilection dans tous les salons littéraires, où Lucien était d'ailleurs redevenu la coqueluche de ces dames. Mais la consécration avait été complète lorsque Louis-Antoine Dessaulles, le neveu du célèbre Louis-Joseph Papineau, avait fait un éloge à tout casser du recueil lors d'une allocution à l'Institut canadien, qui avait ensuite été publiée dans son intégralité dans le journal *Le Pays*. L'article avait fait tant de bruit que même Prosper Laflèche, le rédacteur en chef de *L'Époque*, en avait eu écho et avait convoqué le jeune poète à son bureau pour une entrevue.

Après s'être jeté un dernier coup d'œil dans la glace, Lucien, satisfait de ce qu'il y voyait, endossa sa redingote et se rendit à *L'Époque* en Tilbury, une voiture à la dernière mode qu'il avait achetée à crédit, ce que son ami Arthur Buies lui avait fortement déconseillé.

— Tu commences à peine à t'en sortir, pourquoi t'endetter pour une voiture qui ne sert qu'à te mener d'une destination à une autre ? s'était-il exclamé.

— Toutes les têtes se tournent lorsque je la conduis. Surtout celles des jolies femmes, avait répliqué Lucien en souriant.

Arthur lui avait jeté un coup d'œil pensif. Lucien avait cru déceler de la déception dans son regard et avait réagi avec vivacité :

— Est-ce que je te critique lorsque tu paies la tournée à tous tes camarades du Chat noir ?

— Être généreux avec ses amis, ce n'est pas faire preuve de vanité.

Les deux hommes s'étaient quittés un peu abruptement. Lucien fréquentait de moins en moins le Chat noir, qu'il commençait à trouver vulgaire, de sorte qu'Arthur et lui se voyaient plus rarement.

Après avoir demandé à son nouveau valet de pied d'atteler la voiture, Lucien fit route jusqu'à la rédaction de *L'Époque*, prenant plaisir à sentir les regards admiratifs sur son attelage et, surtout, sur sa personne. Il fit une entrée remarquée dans la salle de rédaction. *Qui est ce jeune fat ?* se demanda Arsène Gagnon en le suivant des yeux. Lucien s'adressa à lui.

— J'ai rendez-vous avec Prosper Laflèche. Pouvez-vous m'indiquer où se trouve son bureau ?

— La première porte, au fond, marmotta le reporter.

⁂

Ce n'était pas par amour de la poésie que Prosper Laflèche avait convoqué Lucien Latourelle à son bureau, mais parce que la notoriété du jeune écrivain pourrait lui être utile pour vendre de la copie. Il s'attendait à recevoir un artiste maigre et souffreteux et fut agréablement surpris par l'élégance et la beauté du poète. Non qu'il accordât de l'importance à l'apparence physique, mais les yeux bleus de l'artiste, ses traits harmonieux et l'aisance de ses manières faisaient un agréable contraste avec l'allure plutôt fade et négligée de ses autres employés.

— Assoyez-vous, monsieur Latourelle.

Lucien épousseta sa chaise avec un mouchoir et prit place.

— Ainsi, vous êtes un poète.

— Du moins, on le dit.

— Quelle expérience avez-vous du journalisme ?

— Aucune.

L'aplomb du poète lui plut.

— Dans ce cas, pourquoi je vous engagerais ?

— Parce que j'ai une excellente plume et que j'ai déjà un nom, qui vous attirerait de nouveaux lecteurs.

Prosper Laflèche sortit de son bureau, accompagné par Lucien Latourelle, et s'adressa à ses journalistes :

— Messieurs, je vous présente un nouveau collègue. Un jeune homme de talent, qui apportera, j'en suis convaincu, une contribution importante à notre journal. Monsieur Lucien Latourelle !

Tous les reporters présents regardèrent le jeune homme avec un mélange d'admiration et d'envie. Arsène Gagnon, qui avait été trop heureux lorsque Fanette avait été mise à la porte du journal, se trouvait maintenant devant un rival qui lui semblait encore plus menaçant…

LXX

Quelques jours plus tard

Le logement résonnait des cris joyeux des jumeaux, qui venaient de se réveiller. Anne dut courir après la petite Isabelle, qui avait réussi à sortir de son lit et se trouvait déjà dans la cuisine en train d'ouvrir les portes d'armoire, à la recherche de quelque trésor. Après avoir aidé la nounou à habiller les enfants, Fanette, comme elle le faisait chaque matin, jeta un coup d'œil aux nombreux journaux auxquels son mari était abonné. *L'Époque* en faisait partie. Bien qu'elle eût toujours un pincement de regret et de nostalgie en le lisant, surtout lorsqu'elle y voyait le nom d'Arsène Gagnon, la curiosité était trop forte. En dépliant la gazette, elle eut un choc en lisant un article en manchette : « Le poète Lucien Latourelle, dont le recueil *Fleurs noires* a connu un grand succès, devient journaliste pour *L'Époque*. Dans sa chronique "Du côté des dames", monsieur Latourelle se penchera sur les jardins secrets du sexe faible et tentera d'en percer les mystères. »

Fanette ne pouvait en croire ses yeux. Lucien Latourelle, engagé à *L'Époque*, rédigeant *sa* chronique ! Sa déconvenue fut si grande qu'elle fut incapable d'avaler une bouchée. Même le sourire d'Isabelle, auquel elle ne pouvait résister d'habitude, ne la dérida pas.

❧

Rosalie parcourut sa salle de classe, qui avait ouvert ses portes l'automne précédent. Elle ne se lassait pas de contempler avec ravissement la vingtaine de pupitres qui étaient sagement alignés, le grand tableau en ardoise tapissant le mur avant et le piano d'occasion qu'elle avait déniché dans un couvent. Deux colonnes de soutènement divisaient la pièce. Le soleil entrait par les grandes fenêtres et traçait des lignes lumineuses sur le plancher de bois verni de frais. Les travaux de transformation de sa maison en école avaient coûté plus cher que prévu, mais la mère de Rosalie avait fourni tous les fonds nécessaires sans rechigner. Rosalie avait été fin prête pour recevoir ses nouvelles élèves dès l'ouverture de l'école, qui avait rapidement acquis une excellente réputation. Là encore, Marguerite avait joué un rôle important, usant de ses relations dans les milieux huppés de Montréal pour vanter les mérites de sa fille et de son institution, laquelle offrirait la meilleure des éducations pour les jeunes filles de bonne famille, avec la possibilité de s'initier à la musique et au chant, à l'arithmétique, la grammaire et la géographie.

Après avoir jeté un dernier coup d'œil à la salle de classe, Rosalie se rendit dans la salle à manger, qui avait été transformée en réfectoire, avec une grande table munie de tiroirs et de couverts pour chacune des élèves. Une joie profonde inonda son cœur. Ce qui, au départ, n'avait été qu'un rêve indistinct était enfin devenu réalité. La sonnette d'entrée carillonna. Croyant qu'il s'agissait du marchand de glace, qui faisait sa tournée chaque semaine, Rosalie alla répondre.

— Fanette ! Quelle belle surprise !

Son amie avait les yeux battus, comme si elle avait pleuré.

— Rien de grave, j'espère ?

Rosalie craignait qu'il ne s'agît de l'un des jumeaux ou de Marie-Rosalie. Elle était très attachée aux enfants de Fanette, qu'elle considérait un peu comme les siens.

— Non, non, ne t'inquiète pas. Les enfants se portent à merveille.

Rosalie entraîna son amie dans la cuisine et fit du thé. Avant qu'elle puisse lui demander ce qui la tracassait, Fanette lui montra la première page de *L'Époque*. Rosalie hocha la tête.

— Lucien a toujours su comment se placer les pieds, commenta-t-elle avec ironie. C'est sans doute son plus grand talent.

Fanette déposa sa tasse de thé un peu trop brusquement.

— C'est injuste ! Pourquoi une femme n'aurait-elle pas le droit d'élever une famille et de travailler ? Je comprends mieux ma tante lorsqu'elle disait qu'elle aurait voulu naître homme.

Rosalie l'observa d'un air pensif.

— Tu n'es pas heureuse ?

— Je le suis ! répondit Fanette avec une véhémence qui ne lui était pas habituelle.

Elle s'interrompit, tentant de trouver les mots justes pour exprimer ce qu'elle ressentait.

— Je ne voudrais surtout pas que tu t'imagines que je suis à plaindre, poursuivit-elle. J'adore mes enfants, j'ai un mari attentionné et loyal, que j'aime de tout mon cœur, mais mon travail au journal me manque. Mes journées sont entièrement consacrées à ma famille, aux tâches ménagères. Julien est souvent absent. J'ai parfois l'impression de ne plus avoir d'autre horizon que les quatre murs de notre logement.

— En as-tu parlé à Julien ?

— Il est si occupé ! J'ai peur que cela lui paraisse comme un caprice.

— C'est loin d'être un caprice. Si tu gardes tout cela pour toi, tu risques un jour d'avoir des regrets, peut-être même de l'amertume.

⁕

Lorsqu'elle revint à la maison, Fanette fut accueillie par un nuage de fumée provenant de la cuisine. La pauvre Céleste avait laissé un chaudron brûler sur le poêle. La nounou avait dû s'absenter pour aller au chevet de sa mère malade et la bonne, restée seule avec les jumeaux et Marie-Rosalie, ne savait plus où donner de la tête. En courant pour aller embrasser sa mère,

Marie-Rosalie glissa sur un tapis et tomba par terre, se râpant les genoux. Elle se mit à pleurer. Après l'avoir consolée et soignée, Fanette dut arbitrer une chamaillerie entre les jumeaux pour un jouet. Débordée par les tâches à accomplir, Fanette ne repensa plus à sa conversation avec son amie, mais quand les enfants furent enfin couchés et que la maison redevint calme, elle prit place dans un fauteuil et réfléchit. Rosalie avait raison. Il fallait qu'elle s'ouvre le cœur à Julien. Il était près de dix heures lorsque ce dernier rentra. Il embrassa tendrement sa femme, s'excusant d'arriver si tard. La journée à la cour avait été harassante, sans compter qu'un avocat de renom l'avait invité à souper au St. James Club et lui avait proposé de se joindre à son cabinet.

— Son offre t'intéresse-t-elle ?

— Je t'avoue que c'est tentant. Il ferait de moi son associé. J'aurais mon propre bureau, des clients triés sur le volet… D'un autre côté, je ne veux pas laisser tomber les gens dans le besoin. Je dois y réfléchir.

Fanette, constatant que son mari avait l'air épuisé, songea à remettre à plus tard l'entretien qu'elle souhaitait avoir avec lui, mais les paroles de Rosalie lui revinrent : « Si tu gardes tout cela pour toi, tu risques un jour d'avoir des regrets, peut-être même de l'amertume. »

— Il y a une chose importante dont je voudrais te parler.

La mine sérieuse de sa femme alarma Julien.

— Tu m'inquiètes. De quoi s'agit-il ?

— Je voudrais trouver du travail.

— N'as-tu donc pas tout ce dont tu as besoin ?

— Ce n'est pas seulement une question d'argent.

Il la regarda sans comprendre. Il ne s'était jamais opposé à ce qu'elle travaille, bien au contraire, mais depuis que les jumeaux étaient nés, il avait cru que la vie de famille lui donnait pleinement satisfaction.

— Tu n'es donc pas heureuse ?

— Je le suis, Julien, mais le métier de journaliste me manque. Tu as la chance d'exercer une profession qui te passionne, de rencontrer beaucoup de gens, d'être utile à la société… Le bonheur, c'est aussi de faire ce que l'on aime.

— Tu sais bien que la chose qui compte le plus à mes yeux, c'est ton bonheur. Si tu souhaites travailler, libre à toi.

Fanette lui saisit les mains.

— Julien, comme je t'aime !

Il sourit.

— Ce n'est pas par ouverture d'esprit que je t'appuie dans ton désir de travailler, mais plutôt pour t'entendre dire que tu m'aimes.

Ils s'enlacèrent tendrement. Des pleurs s'élevèrent, provenant de la pièce où dormaient les jumeaux.

— J'y vais. Je te rejoins tout de suite, dit Fanette.

Assis dans son petit lit à montants, Hugo pleurait à chaudes larmes. Fanette le prit dans ses bras et lui murmura des mots doux à l'oreille.

— Là, là, Hugo, mon chéri, tout va bien…

Tout en consolant l'enfant, elle se rendit compte que ce ne serait pas une mince affaire de concilier un nouveau travail avec les responsabilités familiales, mais elle trouverait le moyen de se débrouiller. Après tout, n'était-elle pas la fille d'Emma Portelance ?

LXXI

Buffalo, le 1er juin 1866

Andrew Beggs se tourna vers Sean, qui dormait, la tête appuyée sur la banquette. Les deux hommes avaient pris un train de nuit en direction de Buffalo, où une nouvelle attaque se préparait, menée cette fois par John O'Neill, un immigrant irlandais qui avait été sergent dans la cavalerie américaine durant la guerre de Sécession et était devenu chef d'un nouveau groupe de Fenians, l'Armée républicaine irlandaise.

Après la défaite humiliante de Campobello, John O'Mahony avait sombré dans une sorte d'abattement. Il s'attribuait l'entière responsabilité de ce désastre. Andrew Beggs n'avait pas cherché à donner de fausses assurances à son chef. Le raid au Nouveau-Brunswick avait été une catastrophe du début à la fin. Bien sûr, la malchance y avait été pour quelque chose, mais il fallait reconnaître que l'entreprise avait été mal planifiée dès le départ et avait sérieusement terni la réputation de la confrérie. Andrew avait même lu dans le journal une déclaration du consul britannique, H.W. Hemans, qui affirmait que le mouvement fenian était définitivement « mort et enterré ». Un bon nombre d'Irlandais, à leur retour du Maine, avaient exigé un remboursement de leurs dépenses ainsi qu'une solde, ce qui avait coûté au bas mot quarante mille dollars au trésor des Fenians. Aussi Andrew avait-il été soulagé lorsque O'Mahony lui avait confié son intention de renoncer à la lutte révolutionnaire pour se consacrer à la lecture et à l'écriture de l'histoire des siens. C'était probablement la porte de sortie la plus honorable pour son chef et, cette fois, il n'avait pas tenté de l'en dissuader.

Andrew regarda par la fenêtre. Une lueur orangée apparut à l'horizon. Le jour se levait. La locomotive siffla et le train arriva en gare dans un panache de fumée blanche. Sean se réveilla, les yeux encore ensommeillés.

— On est déjà arrivés ?

Andrew lui sourit avec affection.

— Tu as dormi comme un loir.

Ils débarquèrent du train et se rendirent à pied vers une caserne dont on leur avait donné l'adresse et qui servait de lieu de rassemblement pour le groupe armé. Une opération avait été prévue pour le lendemain. Le plan était audacieux : il s'agissait de traverser la rivière Niagara à partir de Buffalo et de s'emparer de Fort Erie, une bourgade canadienne située en Ontario, de l'autre côté de la rivière.

Déjà, près de six cents Irlandais s'étaient réunis près de la rive et bivouaquaient ici et là. Ils portaient des tenues disparates : plusieurs avaient endossé leur ancien uniforme des soldats de l'Union, d'autres, un pantalon militaire sans redingote. Il y en avait même qui avaient adopté l'uniforme des soldats confédérés. On attendait encore une centaine de combattants provenant de Boston. Des embarcations avaient été réquisitionnées et avaient jeté l'encre à proximité de la rive, en attendant que l'ordre de départ fût donné. L'atmosphère était joyeuse. Des hommes entonnaient des airs patriotiques ; certains nettoyaient leur arme ou mangeaient un morceau avant la traversée. Andrew aperçut un homme portant un uniforme d'officier américain qui haranguait des soldats.

— Tu vois cet homme là-bas ? dit-il à Sean. C'est John O'Neill.

Sean regarda dans cette direction. Celui qu'on appelait « le général » levait les bras vers le ciel. Ses paroles lui parvinrent à distance.

— *God is on our side. Justice will prevail ! Arm Phoblacht na hÉireann abú !* Vive l'Armée républicaine irlandaise !

◦∽

Ian regardait le paysage défiler à toute vitesse à travers la vitre. C'était la première fois qu'il voyageait en train. Grisé par la rapidité de la locomotive, ses sens en alerte, il n'avait pas fermé l'œil de la nuit. Ses compagnons de voyage étaient tout aussi excités que lui. C'était, pour la plupart, de jeunes recrues qui en étaient à leur première bataille et rêvaient de tuer leur premier Anglais.

Incapable de rester en place, Ian se leva et arpenta le couloir pour se dégourdir les jambes. Il pensa à sa mère, à laquelle il avait écrit à plusieurs reprises depuis son départ pour Boston. Il avait reçu des réponses qu'il jugeait froides, sans tendresse. *Tant pis*, se dit-il avec de la rancune teintée de remords. Après tout, c'était sa vie, il avait le droit d'en faire ce que bon lui semblait. Amanda ne pouvait comprendre son goût pour l'aventure, pour la nouveauté. Garçon solitaire au passé trouble, il avait trouvé chez les Fenians un sentiment d'appartenance, comme il n'en avait jamais éprouvé auparavant. Les idées révolutionnaires l'exaltaient et répondaient à sa révolte devant l'injustice du monde. Les blessures du passé s'estompaient peu à peu grâce à sa nouvelle vie et aux amitiés viriles qu'il entretenait avec ses camarades d'armes.

Sans avoir rencontré l'amour, Ian avait déjà brisé quelques cœurs. Sa grande stature, ses beaux yeux sombres, sa chevelure abondante et bouclée ne passaient pas inaperçus. Lorsqu'il marchait dans la rue, il sentait les regards admiratifs des femmes croiser le sien et cela le flattait. Sa vie dans le village de la Jeune Lorette lui paraissait maintenant fade et ennuyeuse. Pour rien au monde il n'y retournerait, sinon pour visiter sa mère de temps en temps et serrer Marie-Awen et le petit Adrien dans ses bras.

Lorsque Ian vit le toit de la gare de Buffalo se rapprocher, il sentit les battements de son cœur s'accélérer. Un sentiment de force, d'invincibilité s'empara de lui. Il était jeune, beau, le monde lui appartenait. Bientôt, il connaîtrait son baptême du feu et deviendrait un homme. Il ignorait que son oncle, Sean O'Brennan, se trouvait à quelques milles de là, au bord de la rivière Niagara, et que son beau-père avait été conscrit et était à bord d'un navire britannique.

Debout sur le pont, Noël Picard observait la côte à l'aide d'une longue-vue. Lors d'une escale à Newport, un télégramme provenant de l'état-major les avait avertis qu'un autre raid des Fenians se préparait et que plus de sept cents hommes s'apprêtaient à envahir Fort Erie. Le capitaine du bateau avait reçu l'ordre de faire route vers l'Ontario le plus rapidement possible en direction du canal Welland, qui faisait la liaison entre le lac Érié et le lac Ontario, afin d'établir un blocus de la navigation. Noël était inquiet. Il avait le pressentiment que, cette fois, une vraie bataille s'engagerait et qu'il y aurait mort d'hommes.

LXXII

Dès que les combattants provenant de Boston arrivèrent, le général O'Neill donna le signal du départ. Aussitôt, les centaines de Fenians rassemblés sur la rive coururent en hurlant avec une joie guerrière vers les bateaux, faisant jaillir des éclaboussures d'eau. Des échelles de corde furent déployées. La rivière Niagara, située à l'est du lac Érié, avait quarante-cinq pieds de profondeur et douze milles de longueur à cet endroit. Il y avait du vent et beaucoup de vagues; les embarcations roulaient et tanguaient fortement, ce qui rendait les manœuvres plus ardues, mais les hommes n'en avaient cure. Ils étaient fatigués d'attendre et heureux de pouvoir se jeter enfin dans l'action.

Andrew Beggs et Sean avaient été parmi les premiers à embarquer. Le soleil transperçait les nuages, créant un faisceau lumineux qui se reflétait sur les vaguelettes, les faisant scintiller comme un diadème. Les deux hommes échangèrent un regard complice. Il y avait une étrange intensité dans les yeux verts de Beggs, à l'approche de la bataille.

— Tu es ma seule famille, dit-il soudain à Sean. Je te considère comme mon fils.

Jamais son mentor ne lui avait parlé ainsi. Sean lui sourit avec émotion.

— Et pour moi, vous êtes comme mon père.

Ils se turent durant le reste de la traversée. L'essentiel avait été dit.

L'excitation des hommes grimpa au fur et à mesure que les bateaux s'approchaient des rives de l'Ontario. Ils avaient le sentiment de vivre une page d'histoire. Lorsqu'ils débarquèrent, ils ne croisèrent que quelques pêcheurs qui revenaient avec des cargaisons de poissons. Puis des maisons apparurent à l'horizon. Les Fenians continuèrent à avancer en rangs serrés, pointant leurs fusils. Jusqu'à présent, ils n'avaient rencontré aucune résistance. Ils progressèrent dans les rues désertes. On aurait dit que la population de Fort Erie s'était donné le mot et barricadée dans les maisons. Pas un soldat ni même un milicien en vue. Lorsqu'ils parvinrent à la mairie, le général O'Neill fit signe à ses hommes d'y entrer.

— *The town of Fort Erie is ours !* cria-t-il en se ruant vers l'entrée du petit édifice.

Les Fenians s'élancèrent à sa suite en hurlant. Tandis que des hommes défonçaient la porte, d'autres déployèrent le drapeau des révolutionnaires irlandais au-dessus du porche. Comme il était encore tôt, il n'y avait personne à l'intérieur, hormis un vieux concierge, qui regardait d'un air effaré les Fenians aux habits disparates, leurs fusils en bandoulière, faire irruption dans le hall.

Le général O'Neill chercha Andrew Beggs des yeux. Ce dernier, bien qu'il eût été un partisan de John O'Mahony, avait une excellente réputation dans la confrérie. On le disait intelligent, courageux et d'une loyauté à toute épreuve. Lorsqu'il l'aperçut, il se fraya un chemin jusqu'à lui.

— *Cut the telegraph wires immediately. After, take ten men with you and destroy the railway bridge.*

Andrew acquiesça et fit signe à Sean de le suivre. Ils sortirent et repérèrent facilement les poteaux télégraphiques. Sean, qui était agile comme un singe, proposa d'y grimper. Une fois au faîte du poteau, il trancha les fils à l'aide du canif qui ne le quittait jamais. Les lignes tombèrent dans un sifflement. Beggs constitua ensuite une troupe d'une dizaine d'hommes, parmi lesquels se trouvait Ian. Armés de haches qu'ils avaient dégotées dans un hangar attenant à la mairie, les combattants se dirigèrent vers un petit pont ferroviaire en bois qui traversait la ville et s'affairèrent à saccager les voies ferrées. Le plus acharné était Ian, qui suscita l'admiration de ses compagnons par sa force et sa férocité. Le jeune homme réussit à faire tomber une partie de la charpente. Quelqu'un y mit le feu. Les flammes se répandirent rapidement, car le bois était sec. Pendant ce temps, d'autres Fenians s'emparèrent d'une douzaine de chevaux qui broutaient dans un champ clôturé jouxtant une ferme. Encore là, personne ne se manifesta, hormis un fermier muni d'une fourche, qui détala comme un lapin aussitôt qu'un Fenian braqua son fusil, soulevant l'hilarité générale. Jusque-là, la prise de la ville s'était effectuée avec une telle facilité que les combattants en étaient presque déçus.

Après avoir réquisitionné de la nourriture dans des fermes locales, voyant que le jour commençait à décliner, le général O'Neill décida d'établir un campement à quelques milles de Fort Erie afin d'y passer la nuit. Les hommes étaient à ce point confiants qu'ils ne prirent même pas la peine de poster des vigiles pour surveiller les environs.

Ian mangea comme un ogre puis, épuisé par la longue journée, s'endormit aussitôt sa tête posée sur son havresac, à proximité d'un feu de camp. Il fut réveillé à l'aube par des cris.

— *The enemy is here ! Wake up !*

Un frisson d'adrénaline le parcourut. Le temps enfin était venu de se battre.

LXXIII

Le navire de la Royal Navy à bord duquel se trouvait Noël parvint au canal Welland avant la fin de la nuit et jeta l'ancre à proximité de Port Dalhousie, où se trouvaient déjà quatre cents miliciens canadiens. Ces derniers avaient quitté leur caserne, la Queen's Own Rifles, basée à Toronto, durant la nuit et avaient fait le voyage à bord d'un traversier. Au nord du canal, plus de mille sept cents soldats britanniques, sous les ordres du colonel George Peacocke, avaient été déployés pour en assurer la surveillance. Les Canadiens, avec à leur tête le lieutenant-colonel Alfred Booker, étaient postés au sud. Le plan des forces britanniques et canadiennes était d'envoyer les troupes du général Peacocke à pied jusqu'à Stevensville, située à quelques milles à l'ouest de Fort Erie, tandis que les hommes de Booker prendraient le train jusqu'à la gare de Ridgeway. De là, les miliciens canadiens marcheraient jusqu'à Stevensville où ils se joindraient aux troupes britanniques. Les deux forces s'attaqueraient alors simultanément aux Fenians. Quant au bateau de la Royal Navy, il avait ordre de continuer la surveillance du canal Welland au cas où des combattants irlandais tenteraient d'en prendre le contrôle. De son côté, Noël Picard s'était porté volontaire pour accompagner les troupes canadiennes. Bien qu'il mît ainsi sa vie en danger, c'était sa seule chance de retrouver Ian, si ce dernier comptait parmi les combattants de l'armée révolutionnaire, comme il le craignait.

Le matin du 2 juin, le train transportant les miliciens canadiens, avec Noël à son bord, arriva dans la gare de Ridgeway
comme prévu. Les hommes débarquèrent et se mirent en marche
en direction du point de ralliement. Noël jeta un regard anxieux
à sa montre de poche. Il était six heures du matin.

Le lendemain du saccage du pont ferroviaire, dès l'aube,
le général O'Neill avait envoyé une vingtaine d'hommes, dont
Andrew Beggs et Sean, comme éclaireurs afin de surveiller les
environs et de détecter les mouvements de l'ennemi. Un groupe
s'était rendu à cheval jusqu'aux abords de Stevensville, à quelques
milles au nord du campement des Fenians. Andrew et Sean
avaient pris la direction de Lime Ridge Road, du côté sud-ouest, à
pied, jusqu'aux abords de la gare de Ridgeway, et s'étaient arrêtés
à un promontoire rocheux qui offrait une excellente vue sur les
environs. Sean, qui avait des yeux de lynx, tendit une main.
— Regardez, là-bas !
Andrew scruta la direction indiquée par son compagnon.
— Je ne vois rien.
— En contrebas, à deux heures.
Andrew braqua sa longue-vue et distingua des points
sombres qui se mouvaient à l'horizon.
— Des miliciens. Ils semblent être nombreux. Ils avancent
vers le nord. D'après leur uniforme, ils sont canadiens.
Sans ajouter un mot, les deux hommes rebroussèrent chemin
et coururent sans s'arrêter jusqu'au campement des Fenians. Hors
d'haleine, Andrew se précipita vers la tente du général. Une sen-
tinelle y montait la garde.
— *I must speak to the general. The enemy is on the march !*
Le général O'Neill sortit de la tente, les yeux creusés de
fatigue, l'uniforme froissé. Andrew lui fit un bref rapport de la

situation, désignant la position des soldats ennemis sur une carte de la région qu'il avait dépliée. Le leader s'adressa à la sentinelle et lui ordonna de donner l'alarme.

— *The enemy is coming !*

En un rien de temps, les Fenians se regroupèrent. Ian mit son fusil en bandoulière, son cœur battant la chamade. Au même moment, d'autres éclaireurs revinrent de leur expédition et rejoignirent leur chef. Ils avaient aperçu un régiment de soldats britanniques qui marchaient à l'ouest de Black Creek, en direction de Stevensville.

— *How many are they ?* demanda O'Neill.

— *About a thousand, perhaps more.*

O'Neill établit sa stratégie avec l'aide d'Andrew. Les Fenians n'étaient pas assez nombreux pour combattre sur deux fronts en même temps. Beggs conseilla à son chef de s'attaquer d'abord aux miliciens canadiens, qui étaient moins nombreux et moins expérimentés que les soldats britanniques, sans compter qu'en cas d'imprévu les Fenians pourraient toujours se replier sur Fort Erie.

— *Good. Very good*, approuva le général.

Les Fenians se mirent en marche en prenant la Lime Ridge Road qui menait à la gare de Ridgeway, avec à leur tête leur général, suivi de près par Sean et Andrew ainsi que quelques hommes à cheval. Les cheveux roux d'Andrew flamboyaient au soleil et sa grande silhouette se détachait sur le ciel clair.

Ian, la joie au cœur, marchait d'un pas allègre. La bataille à venir lui semblait encore abstraite, mais il imaginait sans peine le bruit des détonations, l'odeur de poudre et de fumée, et cela l'exaltait.

À mi-chemin, O'Neill décida d'établir une embuscade derrière une colline surmontant la route. De là, les Fenians attendraient l'arrivée des milices canadiennes et les prendraient par surprise. Beggs trouva l'idée ingénieuse. Les hommes se cachèrent donc à l'endroit indiqué et armèrent leur fusil. Les Canadiens n'avaient qu'à bien se tenir !

LXXIV

Les miliciens canadiens marchaient depuis une bonne heure sur la route qu'une averse tombée durant la nuit avait rendue boueuse. Il était à peine huit heures du matin, mais la chaleur commençait déjà à être accablante. Des mouches tournaient autour des soldats, qui les chassaient d'un mouvement impatient. Noël Picard observait les hommes, qui étaient pour la plupart de jeunes recrues n'ayant probablement pas reçu un entraînement adéquat. *Savent-ils seulement se servir d'un fusil ?* Sans compter qu'avec leurs uniformes rouge vif ils constituaient une cible idéale…

La troupe avait parcouru près du tiers du chemin lorsqu'une détonation éclata, se réverbérant dans l'air cristallin. Les hommes se figèrent. Noël resta aux aguets. Il remarqua une mésange qui s'envolait à tire-d'aile d'un bosquet à proximité de la route. Il comprit aussitôt. *Une embuscade !* Il cria aux combattants de se mettre à l'abri, mais déjà une pétarade retentissait. Un jeune homme à côté de Noël reçut une balle en plein abdomen et s'écroula face contre terre. Noël saisit le soldat par les épaules et le traîna derrière un gros chêne. Il le retourna doucement, mais le garçon avait les yeux ouverts et ne bougeait plus. Les salves s'enchaînaient de plus belle. D'autres soldats s'abritèrent derrière des rochers. Plusieurs corps gisaient çà et là en travers de la route. De sa cachette, Noël pouvait voir la colline où l'ennemi s'était tapi. Il arma son fusil et attendit, retenant son souffle. Soudain, des hommes surgirent de la butte, tels des diables sortant d'une boîte, courant vers eux en poussant des cris sauvages.

Une tête rousse dépassait toutes les autres, une sorte de géant qui menait la charge avec une voix de stentor. Noël tâcha désespérément de distinguer Ian parmi les combattants, mais la mêlée était telle qu'il lui était impossible de le repérer. Des Canadiens continuaient à tomber sous les balles. En levant les yeux, Noël vit des tireurs d'élite irlandais qui étaient restés derrière le promontoire, d'où ils atteignaient facilement leurs cibles. Il visa l'un d'eux et tira. L'homme vacilla et tomba comme une marionnette dont on aurait arraché les fils.

Soudain, Noël aperçut un jeune combattant qui courait à la suite du géant roux. Il le reconnut avec horreur. *Ian.*

Celui-ci s'élançait sous les balles, tenant son fusil devant lui, les yeux agrandis par l'exaltation et la peur, les joues noircies par la fumée. Des nuages de poudre montaient en volutes blanches autour de lui. Noël tourna la tête et vit un jeune soldat canadien qui visait Ian. Il se précipita sur lui et tenta de s'emparer du fusil.

— *What the hell are you doing !* hurla le Canadien.

Le coup partit.

Andrew entrevit un éclair orange et sentit une douleur fulgurante à son épaule gauche. Il tomba sur les genoux, les oreilles assourdies par le sifflement des projectiles et les cris des guerriers. Sean accourut vers lui.

— Andrew ! Mon Dieu, Andrew…

Une tache de sang s'élargissait sur sa poitrine. Indifférent aux projectiles qui crépitaient autour de lui, Sean traîna son compagnon vers une futaie. Le corps était lourd, mais le jeune homme, soulevé par l'adrénaline, réussit à mettre Andrew à l'abri des balles qui continuaient à fuser de toutes parts. Sean se pencha au-dessus du blessé. Son mentor respirait encore mais avait perdu connaissance.

LXXV

Sean entrouvrit la chemise d'Andrew. Son compagnon gémissait doucement. Le projectile l'avait atteint près du cœur et la plaie saignait abondamment. Ne sachant quoi faire, il arracha sa chemise et tenta d'étancher le sang.

— Andrew...

Le claquement des balles et les cris des combattants lui parvenaient à distance. Le visage de son ami était devenu cendreux.

— Andrew, je suis là. Tout ira bien. Je vous ferai transporter à Stevensville ou à Fort Erie. Vous y serez soigné.

Andrew ouvrit les yeux. Son regard était devenu vague, comme celui d'un aveugle.

— Sean, tu dois savoir...

— Ne parlez pas, vous vous épuiserez pour rien. Attendez-moi ici, je vais aller chercher de l'aide.

Son compagnon lui agrippa le bras avec une force surprenante.

— Reste. Je t'en prie, écoute-moi.

Saisi par le ton pressant d'Andrew, le jeune homme s'agenouilla près de lui.

— Je t'ai menti... au sujet de ta sœur...

La voix de son mentor était devenue faible et légèrement rocailleuse. Sean dut se pencher davantage pour l'entendre.

— Fanette... Je l'ai connue. Elle est... vivante.

Les yeux de Sean furent voilés par les larmes.

— Où est-elle ? Pourquoi m'avoir caché la vérité ? *Pourquoi ?*

— Sa mère… une dame patronnesse… à Québec… Le Bon… Samaritain…

Andrew s'interrompit. Un filet de sang sortit de sa bouche, que Sean essuya en pleurant. La respiration du blessé était devenue irrégulière.

— Emma… Emma Portelance.

La dame au grand chapeau, se souvint Sean.

— Si tu revois Fanette, dis-lui…

Les mots se formèrent sans qu'il eût la force de les prononcer. *Je l'aime.*

— Je te demande… Le cimetière… des Irlandais… à Québec. Dépose… un bouquet… sur la tombe de ma sœur… Cecilia.

Andrew cessa de parler, ses yeux verts tournés vers le ciel. Sean lui ferma les paupières et resta près de lui, déchiré par les sanglots.

༄

Le combat avait duré près de deux heures. Des corps gisaient un peu partout. Le lieutenant-colonel Booker dut se résigner à sonner la retraite. Les troupes canadiennes se replièrent dans le plus grand désordre. Quelques braves soldats s'attardèrent pour ramener les blessés. On reviendrait plus tard chercher les morts. Des hurlements de joie fusèrent du côté des Fenians victorieux. Le général O'Neill décida de ramener ses troupes à Fort Erie, où les hommes pourraient se ravitailler, soigner les blessés et maintenir la pression sur l'ennemi.

Tandis que les miliciens canadiens se dirigeaient vers Port Colborne, au sud du canal Welland, pour y reprendre des forces et attendre de nouveaux ordres, Noël Picard resta sur place, cherchant désespérément Ian. Depuis qu'il avait réussi à dévier le tir qui le visait, il ne l'avait plus revu. Des gémissements s'élevaient du champ de bataille. L'odeur de poudre et de sang était omniprésente. Noël soulevait chaque corps, craignant chaque fois de reconnaître le visage de son beau-fils. Il refusait de penser à la possibilité qu'il fût mort. Amanda ne s'en remettrait jamais. Il continua à chercher, les mains rougies par le sang. Près d'une futaie, il vit un jeune homme allongé sur le côté. *Les cheveux noirs et bouclés, les épaules larges. Mon Dieu, faites que ce ne soit pas lui.* Il s'avança vers la forme inerte, la retourna lentement. C'était Ian. Son visage était exsangue et ses yeux étaient clos. Noël saisit son poignet et sentit son pouls qui battait. Il l'examina et constata avec soulagement qu'Ian ne semblait pas avoir de blessures importantes. Une balle avait traversé son bras gauche. Ses jambes étaient intactes.

— Ian... Ian, c'est moi, Noël.

Les paupières du jeune homme frémirent. Il finit par ouvrir les yeux. Au début, il ne parut pas reconnaître son beau-père.

— Tout va bien, Ian. Je vais te sortir de là.

Une lueur traversa le regard d'Ian.

— Noël...

— Chut... Ménage tes forces.

Noël se redressa, réfléchissant à la meilleure façon de ramener le fils d'Amanda à la Jeune Lorette sans qu'il fût arrêté par les Canadiens ou les Britanniques. S'il se faisait prendre à tenter de sauver un Fenian, il risquait la cour martiale et le peloton d'exécution pour haute trahison. Il regarda à la ronde et aperçut un soldat en uniforme rouge qui gisait sur le dos. Il s'approcha de lui. Le soldat était mort, avec une large blessure à l'abdomen. Il était jeune, pas plus de vingt ans. Le cœur serré, Noël fit un signe de croix et le fouilla. Il trouva une pièce d'identité dans une poche. « Ensign Malcolm McEachern, Queen's Own Rifles of Toronto. » Après avoir enfoui le papier dans sa ceinture, Noël souleva le jeune homme, puis entreprit de lui retirer sa veste et son pantalon. Il revint ensuite vers Ian. Ce dernier s'était assis et se frottait les yeux.

— Tu vas revêtir cet uniforme.

Ian reconnut l'habit des miliciens canadiens.

— Tu es fou ! Jamais je ne porterai ça !

— Écoute-moi bien. Il y a des troupes partout. Je veux te ramener dans un bateau de la Royal Navy. Je te ferai passer pour un enseigne canadien du nom de Malcolm McEachern. Voici ses papiers d'identité.

— Un traître d'Irlandais ? s'écria Ian, la mine dégoûtée.

— Veux-tu avoir la vie sauve, oui ou non ? s'écria Noël, à bout de patience. Te rends-tu compte que j'ai risqué ma vie pour venir te chercher ?

Ian baissa les yeux, puis se déshabilla en silence avec l'aide de son beau-père, endossa la veste rouge et enfila le pantalon. Noël prit les vêtements d'Ian et revint vers le mort, qu'il rhabilla avec ceux de son beau-fils. Il pensa aux parents du jeune soldat et sentit la honte lui brûler les joues.

— En route, dit-il à Ian sèchement, en le soutenant pour l'aider à marcher.

⁂

Sean resta longtemps auprès du corps de son compagnon d'armes, assommé par la douleur d'avoir perdu son ami et par la joie de savoir que sa sœur Fanette était toujours de ce monde. Les dernières paroles d'Andrew Beggs lui revenaient sans cesse à l'esprit. *Fanette… Je l'ai connue… Elle est vivante…* Le nom de la mère adoptive de sa sœur, qu'Andrew lui avait révélé avant de mourir, s'était gravé dans son esprit. *Emma Portelance. La dame au grand chapeau.* Le croassement d'une corneille le fit tressaillir. Il se leva d'un bond et cria après l'oiseau.

— Va-t'en, sale bête !

La corneille quitta la branche où elle était perchée d'un mouvement lourd de ses ailes noires en poussant des « krrra, krrra » gutturaux. Sean regarda autour de lui. Un silence pesant avait succédé aux bruits du combat. Sa situation lui apparut soudain désespérée. La région était infestée de soldats et de miliciens. Comment parvenir à quitter les lieux avec la dépouille d'Andrew sans attirer leur attention ? Il tenait à tout prix à lui donner une sépulture décente. Il fit quelques pas incertains vers le champ de bataille et fut horrifié en voyant les cadavres qui y gisaient pêle-mêle. Il se demanda où avaient bien pu aller les Fenians. À Stevensville ? À Fort Erie ? La seconde hypothèse lui parut la plus plausible, d'autant plus que les révolutionnaires avaient réussi à s'emparer de la bourgade, la veille. Il revint vers Andrew, couvrit son visage avec sa veste et alla prospecter dans les environs, espérant y trouver une bonne âme qui accepterait de le transporter à Fort Erie avec son compagnon. Après un demi-mille de marche, il entendit un hennissement. Un cheval solitaire broutait non loin de lui, portant encore une selle. Les guides traînaient par terre. Le cavalier qui le montait avait peut-être été tué au combat. Sean s'approcha doucement de la bête, pour ne pas l'effrayer, puis la saisit par l'encolure.

— Tout doux, tout doux, murmura-t-il pour l'apaiser.

Il ramena le cheval vers la futaie où il avait laissé Andrew. Usant des forces qui lui restaient, il réussit à hisser le cadavre de son ami sur le cheval, puis y grimpa à son tour et se dirigea vers l'est, en direction de Fort Erie. Il lui fallut une bonne heure pour y parvenir. Deux Fenians armés l'interpellèrent, mais le laissèrent passer lorsqu'ils le reconnurent.

Sean désigna le cadavre.

— *Andrew Beggs. I want to give him a decent burial.*

Les hommes enlevèrent leur casquette et firent une prière.

— *He was a brave man,* dit l'un d'eux.

Ils indiquèrent à Sean où se trouvait la maison du menuisier du village, qui fabriquait également des cercueils. Le jeune homme s'y rendit. Le menuisier, un Irlandais protestant, refusa d'abord de construire une bière en reconnaissant l'uniforme des Fenians, mais Sean insista.

— *We are all human.*

L'artisan finit par accepter, moyennant une somme de vingt dollars. Entre-temps, le général O'Neill, ayant appris la mort d'Andrew Beggs, offrit de payer pour le transport et l'inhumation du courageux combattant à Buffalo, où se trouvait un cimetière catholique. Il fallut six hommes, dont Sean et le général O'Neill, pour transporter le cercueil jusqu'au bateau que le chef des Fenians avait donné ordre d'appareiller. Un brouillard bleuté couvrait l'horizon tel un linceul. Une fois la rivière Niagara traversée, le général loua une charrette à ridelles attelée à un percheron. Le cercueil fut hissé dans la voiture, qui fit route ensuite vers le cimetière Mount Olivet. Le convoi funéraire passa devant une église. Sean fit arrêter la voiture et y entra. Un vieux bedeau époussetait les bancs. Sean demanda l'assistance d'un prêtre afin de bénir la dépouille d'un Irlandais mort au combat. Le bedeau alla chercher le curé au presbytère. L'homme d'Église, en apprenant qu'il s'agissait d'un membre de la confrérie des Fenians, lui refusa sa bénédiction. Sean fit le tour de la paroisse et trouva un diacre irlandais qui accepta de faire une prière sur la tombe du héros. Le convoi funéraire se mit de nouveau en branle. Le général O'Neill paya grassement deux employés du cimetière pour creuser une fosse dans la section réservée aux Irlandais. Sean sculpta une croix rudimentaire faite de deux branches de pin et y grava les initiales « A.B. ». Lorsque le cercueil fut descendu dans la fosse, il jeta la première poignée de terre, suivi par le général et les autres Fenians présents. Après les prières, un des hommes entonna un chant patriotique tandis que Sean plantait la croix sur la tombe.

> *Some died on the glenside, some died near a stranger*
> *And wise men have told us that their cause was a failure*
> *They fought for old Ireland and they never feared danger*
> *Glory O, Glory O, to the bold Fenian men.*

Les hommes, comprenant que Sean souhaitait être seul, se retirèrent. Sean pria en silence en mémoire de celui qui, malgré ses manquements, avait été un véritable père pour lui et lui avait sauvé la vie. Le doux chant d'un merle s'éleva comme pour accompagner l'âme du mort.

— Adieu, Andrew. Adieu, mon ami, mon père. *Ar dheis Dé go raibh d'anam !* Que Dieu ait ton âme.

Après l'enterrement, Sean revint au port et embarqua à bord d'un bateau appareillé par les Fenians qui se préparaient à retourner à Fort Erie. De mauvaises nouvelles les attendaient. Des éclaireurs avaient observé un bateau-remorqueur américain, le *W.T. Robb*, qui s'approchait de Fort Erie. Le général O'Neill donna aussitôt l'alerte. Les Fenians se préparèrent à un autre combat, rechargeant leurs fusils. Sean, qui avait espéré quitter Fort Erie pour se rendre à Québec afin de tâcher de retrouver la mystérieuse « dame au grand chapeau », dut se résigner à rester avec les siens. Il n'était pas question de les abandonner avant une bataille.

Le *W.T. Robb* accosta. Environ soixante-dix hommes en débarquèrent. Parmi eux se trouvait une majorité de miliciens canadiens, reconnaissables à leur uniforme rouge, et des marins américains. Les Fenians, qui s'attendaient à devoir se battre contre une armée importante, se rendirent compte qu'ils étaient dix fois plus nombreux et se jetèrent sur l'ennemi comme la misère sur le pauvre monde. La bataille fut courte, mais féroce. Sean, soulevé par la mémoire de son compagnon, se battit comme un lion. Les hommes tombaient comme des mouches. Des Canadiens, affolés devant la pugnacité et le nombre de combattants irlandais, s'enfuirent et retournèrent à bord du remorqueur. Bientôt, ce fut la débandade. Le lieutenant-colonel Dennis, qui était à la tête des miliciens canadiens, dut battre en retraite et se réfugier piteusement avec le restant de ses hommes dans une ferme avoisinante.

La joie de la victoire fut cependant de courte durée. Quatre Irlandais avaient perdu la vie durant le combat et dix autres avaient été blessés. Il fallut enterrer les morts à la sauvette dans un champ, de crainte que l'ennemi ne revienne à la charge, sans compter que des sentinelles avaient aperçu l'armée du colonel Peacocke marchant sur Fort Erie et qu'une canonnière, la *USS Michigan*, surveillait la rivière Niagara afin d'empêcher toute tentative de fuite de la part des révolutionnaires irlandais. Le général O'Neill prit alors la décision de quitter Fort Erie à la faveur de la nuit et de traverser la frontière vers les États-Unis afin de trouver refuge à Buffalo avec ses hommes. Sean entrevit enfin sa chance de quitter ses compatriotes et de tenter de retrouver Emma Portelance. Il revêtit des habits civils pour éviter de se faire prendre, apporta ses maigres économies et prit la fuite.

LXXVI

Québec

Il fallut quatre jours à Sean pour faire le voyage de Fort Erie jusqu'à Montréal. Presque sans ressources et ne voulant surtout pas se faire prendre, il était d'abord monté clandestinement dans un train local qui se rendait à Hamilton. De là, il avait grimpé dans un train de marchandises qui faisait le trajet jusqu'à Toronto, pour ensuite aller en direction de Montréal, dans un compartiment à bestiaux en compagnie d'un troupeau de vaches, dormant tant bien que mal sur de la paille, dans l'odeur puissante des animaux. Il profitait des arrêts pour acheter un peu de nourriture et se soulager dans les toilettes des gares de passage. N'ayant pu se changer ni se laver, il était d'une saleté repoussante et était la proie des regards hostiles ou compatissants des voyageurs. Des employés le surveillaient d'un œil méfiant.

Lors d'un arrêt à Windsor, Sean trouva un journal sur un banc. On y annonçait la capture de plusieurs centaines de Fenians, qui avaient été interceptés par le navire *USS Michigan* alors qu'ils tentaient de traverser la rivière Niagara. Ces « voyous de grand chemin », comme les traitait le journaliste, avaient été jetés en prison, et les autres étaient activement recherchés par la police. Dix miliciens canadiens avaient été tués et trente-huit, blessés. On ne faisait pas mention des pertes chez les révolutionnaires irlandais. Bouleversé par ces nouvelles, Sean aperçut alors des gendarmes qui patrouillaient dans la gare, un gourdin à la ceinture. Il s'empressa de regagner le train, son cœur battant à tout rompre. Il n'avait aucun papier d'identité sur lui et voulait à tout prix éviter d'attirer l'attention de la police.

Lorsque le convoi arriva enfin à Montréal, à la gare Bonaventure, Sean traversa la salle des pas perdus et sortit. Le soleil l'aveugla. Des omnibus allaient et venaient sur leurs rails dans un bruit de ferraille. Une âpre odeur de charbon et de crottin prenait à la gorge. Sean se lava les mains et le visage avec l'eau d'une fontaine, puis lissa ses cheveux avec le bout de ses doigts et remit sa casquette. Il compta ce qu'il lui restait de monnaie. Il en avait tout juste assez pour prendre une diligence jusqu'à Québec, mais pour cela il devrait sacrifier la nourriture. Il repéra l'arrêt des diligences à proximité de la gare. Lorsqu'il eut réglé son billet et pris place dans la voiture, il garda sa casquette enfoncée sur ses yeux pour ne pas avoir à supporter le regard désapprobateur des autres voyageurs, car il ne payait vraiment pas de mine. Seule une fermière, portant un panier en osier sur ses genoux, lui adressa gentiment la parole.

— Vous allez où, comme ça ?

— À Québec.

La fermière expliqua qu'elle retournait à Beauport après une visite chez une sœur qui habitait à Montréal depuis une quinzaine d'années.

— La grand'ville, c'est bruyant sans bon sens, j'ai les oreilles en chou-fleur !

Elle ouvrit son panier et en sortit des victuailles. Sean sentit son estomac se crisper. Il n'avait rien mangé depuis la veille et mourait de faim. La fermière lui offrit de partager ses provisions. Il accepta avec reconnaissance.

∽

Attelée à quatre chevaux, la diligence allait bon train. Après des arrêts à Deschambault et à Berthier, ainsi qu'une nuit aux Trois-Rivières où Sean dut dormir dans la voiture, n'ayant pas les moyens de se payer une chambre à l'auberge du relais, la diligence arriva enfin à Québec. Sean en descendit et fit quelques pas sur le trottoir de bois, tâchant de s'orienter. Comment trouver la « dame au grand chapeau » ? Andrew ne lui avait dit que son nom, Emma Portelance. À moins de frapper aux portes de toutes les maisons de Québec, il lui serait impossible de savoir où elle vivait. Il marcha sans but, trop affamé et épuisé pour remarquer les jolies maisons aux toits en pente, les fenêtres garnies de pots de fleurs, le fleuve qui rutilait dans une lumière opalescente. Ne sachant où aller, il s'assit sur une caisse, près d'un marché public. Les cris des marchands se mêlaient au caquètement des poules. Un passant, le prenant pour un mendiant, lui jeta une pièce de monnaie. Sean voulut la lui rendre, mais l'homme était déjà loin. Il regarda la pièce. *Dix sous.* De quoi acheter un pain et quelques fruits.

Après avoir mangé un guignon et des pommes, il se sentit un peu mieux et tâcha de rassembler ses pensées. Avant de mourir, Andrew lui avait avoué avoir menti au sujet de Fanette et lui avait appris le nom d'Emma Portelance. Qu'avait-il dit d'autre ? Sean n'arrivait pas à se rappeler les mots exacts. Il croisa un mendiant, assis par terre avec un chapeau posé devant lui. Puis des mots surgirent dans sa tête : *bon Samaritain.* C'était cela. Pourquoi Andrew avait-il fait cette allusion à un bon Samaritain ? Que cherchait-il à lui faire comprendre ? Sean avait la certitude qu'Andrew voulait le mettre sur une piste. À l'école, il avait appris la parabole du bon Samaritain, dans laquelle un voyageur, qui se rendait de Jérusalem à Jéricho, est attaqué par des bandits et laissé pour mort. Un prêtre passe à côté de lui et ne lui vient pas en aide. Un deuxième passant ne s'arrête pas pour l'assister. Alors survient un Samaritain qui soigne le blessé et l'emmène sur sa monture pour l'installer dans une auberge, donnant à l'hôtelier deux deniers pour que celui-ci prenne soin du voyageur. Sean secoua la tête, n'arrivant pas à faire le lien entre cette parabole et Emma Portelance. Lorsque Andrew avait fait allusion à la femme au grand chapeau, il avait parlé d'une dame patronnesse, autrement dit une femme qui vient en aide

515

aux pauvres. Le cœur de Sean se mit à battre un peu plus vite. *Bon Samaritain*... Il s'agissait peut-être d'un endroit.

Sentant qu'il approchait du but, Sean fit le tour des étals du marché, demandant à chaque marchand s'il connaissait un lieu nommé « le Bon Samaritain ». Personne ne put le renseigner. Sans se laisser décourager, il explora les rues avoisinantes, scrutant attentivement les façades. Il croisa une religieuse et s'adressa à elle :

— Pardon, ma sœur, connaissez-vous un endroit qui s'appelle « le Bon Samaritain » ?

La religieuse répondit que ce nom lui disait quelque chose et lui conseilla d'aller poser la question au refuge du St. Brigid's Home, situé chemin Saint-Louis, où l'on pourrait peut-être lui répondre. Sean s'y rendit et fut accueilli par une femme bien prise, au visage rubicond.

— *Welcome to our Home. I'm Mrs. McPherson. If you need food and shelter, please come in.*

Comprenant que la femme le prenait pour un nécessiteux, Sean lui expliqua ce qu'il cherchait.

— *Oh, the Bon Samaritaine !* dit-elle avec un accent anglais prononcé. *It's only a few blocks from here.*

Après l'avoir remerciée, Sean continua à marcher sur le trottoir de bois et distingua une enseigne : Le Bon Samaritain. Les mains moites, il poussa la porte et entra dans une grande pièce. Un réfectoire avait été aménagé d'un côté. De l'autre, des lits se profilaient derrière un rideau entrouvert. Une femme bien en chair, aux joues rondes et aux yeux vifs, était debout derrière un comptoir et servait de la soupe à des gens pauvrement vêtus. Sean se plaça derrière eux.

Emma sourit à un vieil homme qui venait souvent au refuge. C'était un ancien fonctionnaire qui avait perdu son emploi à cause de son alcoolisme et était tombé dans la déchéance depuis.

— Comment allez-vous aujourd'hui, monsieur Gingras ?

— Mon lumbago fait des siennes, mais grâce à vous je vais déjà mieux.

Emma remplit un bol à ras bord et le lui tendit.

— Tenez, ça va vous redonner du cœur au ventre !

L'ancien fonctionnaire saisit l'écuelle et s'éloigna vers une table. Emma se tourna vers un jeune homme qui portait une barbe de plusieurs jours et des habits sales. Il avait des traits réguliers et des yeux d'un bleu foncé, presque violet. Elle remarqua une étrange marque sous sa joue droite.

— Bonjour ! lui dit-elle gentiment. Il me semble que c'est la première fois que je vous vois au Bon Samaritain. Soyez le bienvenu !

Emma prit une louche et commença à remplir une écuelle. L'inconnu leva les yeux vers elle.

— Je cherche une dame Emma Portelance.

— Elle est devant vous ! s'exclama Emma de sa voix de stentor.

Le jeune homme fut trop ému pour poursuivre. Emma le regarda de plus près.

— Votre visage m'est familier, mais je ne crois pas vous avoir déjà rencontré.

— On m'a dit que vous étiez la mère adoptive de Fanette O'Brennan. Savez-vous où elle habite ?

Emma fut saisie par le fait que le jeune homme avait utilisé le nom de naissance de Fanette. L'inconnu avait piètre allure, et elle ne voulait surtout pas que sa fille ait des ennuis, mais elle était curieuse de savoir qui il était et surtout pourquoi il recherchait Fanette.

— Puis-je vous demander votre nom ?

— Je suis Sean O'Brennan, le frère de Fanette et d'Amanda O'Brennan.

Emma laissa tomber la louche dans la marmite.

— Mon doux Jésus…

❧

Emma demanda à une bénévole de la remplacer au comptoir et entraîna Sean dans la cuisine, où elle l'installa à une table, avec son bol de soupe et une corbeille remplie de pain. Tout en faisant du thé, elle l'invita à lui raconter son histoire. Sean parla longtemps, déroulant un à un tous les fils de sa vie : l'exil, la traversée de l'Atlantique, la mort de ses parents et de son frère Arthur, sa vie au Nouveau-Brunswick, sa quête pour retrouver ses sœurs... Il passa sous silence le fait qu'il avait été enfermé dans une léproserie et avait réussi à s'en échapper. Emma Portelance lui semblait être une femme compatissante et dévouée, mais le mot « lèpre » suscitait trop d'effroi pour qu'il prît le risque d'y faire allusion.

Emma l'avait écouté avec la plus grande attention. Lorsqu'il eut terminé, elle le regarda avec bonté.

— Vous avez beaucoup souffert.

— Chacun a sa destinée.

— Ma fille habite à Montréal. Elle est mariée et mère de trois beaux enfants. Je vais l'avertir par un télégramme que vous êtes ici. Elle m'a souvent parlé de vous et du reste de votre famille. Je n'ai pas le moindre doute qu'elle souhaitera vivement vous revoir.

— Et Amanda ?

— Elle vit au village de la Jeune Lorette, à une trentaine de milles d'ici, avec son mari et ses deux enfants.

— *My God !* Mes sœurs me semblaient si loin, inatteignables, et voilà qu'elles sont tout près ! C'est presque trop beau pour être vrai...

Il s'interrompit, les yeux pleins d'eau. Emma lui mit une main sur le bras.

— C'est bien vrai. Vous êtes arrivé à bon port. Mais avant les retrouvailles, vous avez besoin d'un bon bain et de vêtements propres, ajouta-t-elle en souriant.

Emma fit préparer un bain chaud et procura un habit à Sean. Lorsqu'il se fut lavé et changé, elle fut frappée par sa ressemblance avec Fanette. Nul doute qu'il était bien son frère. Elle se rendit sans attendre au bureau du télégraphe.

Ma chère Fanette, une grande nouvelle : ton frère Sean est à Québec et souhaite te voir. Je l'ai hébergé chez moi. Il te ressemble beaucoup. Ta mère qui t'aime.

Deux jours plus tard, Emma entendit le roulement d'une voiture. Elle jeta un coup d'œil à sa fenêtre et reconnut le Phaéton de Fanette, qui venait de s'engager dans l'allée menant à l'écurie. Elle alla rejoindre Sean, qui terminait son déjeuner dans la cuisine.

— Vous avez de la visite.

Sean se leva précipitamment, emportant une partie de la nappe dans son mouvement tellement il était nerveux. Emma lui sourit avec bonhomie.

— Tout ira bien.

La porte de la cuisine s'ouvrit. Fanette, portant une redingote de voyage et un joli chapeau à plume, entra. Dès qu'elle avait reçu le télégramme de sa mère, elle avait fait part à Julien de la bonne nouvelle, et il l'avait encouragée à entreprendre le voyage jusqu'à Québec.

— Ne t'inquiète pas pour les enfants. Céleste et Anne seront là pour prendre soin d'eux, et je veillerai au grain…

Après avoir écrit à Amanda, Fanette s'était empressée de poster la lettre en espérant qu'elle ne mettrait pas trop de temps à parvenir à sa sœur, puis elle avait préparé ses bagages à la hâte et pris la route vers Québec.

Frère et sœur se regardèrent un long moment, trop émus pour parler. Emma les laissa seuls.

— Sean, c'est bien toi ? finit par dire Fanette.

— Fionnualá… Ma petite sœur…

Ils se jetèrent dans les bras l'un de l'autre, pleurant et riant en même temps.

LXXVII

Village de la Jeune Lorette

Les retrouvailles entre Amanda et son fils n'avaient pas été de tout repos. Amanda travaillait alors dans le potager avec Lucie, sa belle-sœur; le petit Adrien dormait paisiblement dans un lit à ridelles qu'elle avait placé sur la galerie afin de pouvoir le surveiller et Marie-Awen jouait avec d'autres enfants du village lorsqu'elle avait aperçu Noël sur le chemin qui menait à leur maison. Ian était avec lui. Elle avait laissé tomber son sécateur et s'était précipitée vers eux. Sa première réaction avait été de gifler Ian à toute volée, puis d'éclater en sanglots en le serrant dans ses bras.

Après les embrassades s'était ensuivie une longue discussion dans la cuisine pendant que Lucie s'occupait des enfants. Amanda avait voulu connaître par le menu détail comment son mari avait réussi à retrouver Ian et avait reproché amèrement à ce dernier d'avoir abandonné sa famille. Ian s'était défendu en parlant de l'importance de la cause des Fenians et l'héroïsme dont ils avaient fait preuve dans leur combat contre les Anglais.

— Tu t'es battu? s'était écriée Amanda, le visage blême.

Ian avait dû admettre qu'il avait participé à un combat contre des forces britanniques et canadiennes.

— Tu aurais pu te faire tuer! Te rends-tu compte de l'angoisse que j'ai vécue depuis ton départ? Je ne suis donc rien pour toi?

Ian n'avait pas répondu, dépassé par la douleur de sa mère. Noël avait tenté d'adoucir les choses, mais Amanda, incapable de se calmer, avait quitté la pièce et s'était réfugiée dans sa chambre.

Il avait fallu plusieurs jours et les talents de diplomate de Noël pour que mère et fils se réconcilient enfin, mais Amanda avait mis ses conditions et exigé qu'Ian s'engage à retourner faire son apprentissage d'officier à bord du *Mistral* et quitte définitivement les Fenians. Le jeune homme avait fini par céder. Il avait vu la mort de près, celle de ses compagnons d'armes, mais aussi celle des soldats ennemis. Leur sang avait la même couleur.

꘠

Fanette conduisait son Phaéton. Sean était assis à côté d'elle. Il faisait un temps radieux. Une brise agréable apportait des effluves de thym et d'herbe. Ils n'avaient presque pas parlé durant le trajet, sachant que les immenses plages de temps qui les séparaient ne pouvaient être franchies qu'avec précaution, comme un territoire inconnu que l'on visite pour la première fois. Les premières maisons du village se dessinèrent au loin, puis le clocher de l'église apparut dans le ciel clair. Des hommes travaillaient aux champs, tandis que des enfants jouaient près d'un étang. Sean aima tout de suite le charme bucolique de l'endroit. Un sentiment de paix, comme il n'en avait pas ressenti depuis une éternité, l'habitait tout entier.

— Nous y sommes, dit Fanette.

La voiture s'arrêta devant une maison en bois. Une volute blanche sortait de la cheminée. Deux femmes travaillaient dans un potager. L'une d'elles portait un fichu. Des mèches rousses s'en échappaient.

En entendant le roulement d'une voiture, Amanda avait levé les yeux et reconnu le Phaéton de sa sœur. Elle poussa un cri de joie.

— Fanette !

C'est alors qu'elle aperçut un homme mince, de taille moyenne, qui accompagnait sa sœur. Elle crut d'abord qu'il s'agissait de son beau-frère, Julien, mais en l'observant plus attentivement elle se rendit compte que ce n'était pas lui, car l'homme avait des cheveux noirs de jais.

— As-tu reçu ma lettre ? demanda sa sœur.

Amanda secoua la tête. Fanette prit le jeune homme par le bras.

— Voici notre frère Sean.

Amanda regarda l'homme dont Fanette disait qu'il était son frère. Il avait les mêmes yeux améthyste que leur mère, Maureen, dont Fanette avait également hérité. Elle s'approcha de lui, posa une main sur son visage, comme pour s'assurer qu'il était bien vivant, en chair et en os.

— *A Sheáin ! A Dhia agamsa, d'éist tú le mo phaidreacha !* Sean ! Mon Dieu, tu as écouté mes prières.

LXXVIII

Sean et ses sœurs parlèrent sans discontinuer pendant des heures. Ils pleurèrent au récit de la mort du petit Arthur, sourirent aux souvenirs de leur enfance en Irlande, pleurèrent de nouveau en évoquant la mort de leurs parents. Lucie leur apporta du thé et de la nourriture, puis s'éclipsa discrètement. Lorsque Sean apprit à ses sœurs la mort d'Andrew Beggs, les deux femmes restèrent silencieuses, sous le choc. Cachant le fait que son mentor lui avait menti à leur sujet dans un désir de préserver sa mémoire, Sean raconta à quel point cet homme avait été comme un père pour lui et l'avait sorti de la misère.

— Sa dernière volonté était que je fleurisse la tombe de sa sœur, Cecilia, au cimetière des Irlandais, à Québec.

Fanette n'avait pas oublié Andrew Beggs, alias Alistair Gilmour : son regard pénétrant, son visage anguleux tourmenté par la passion et le désir, son amour étrange pour sa sœur Cecilia, ses sombres secrets... Les paroles de la chanson qu'il lui avait chantée lorsqu'elle s'était présentée à son manoir pour accepter de l'épouser lui revinrent en tête. *When Irish eyes are smiling...* Ces beaux yeux étaient fermés à jamais.

⁀

Après plusieurs jours passés à la Jeune Lorette, Fanette dut se résigner à partir. Elle offrit à Sean de le conduire jusqu'à Québec afin qu'il accomplisse les dernières volontés d'Andrew

Beggs. Elle en profiterait ensuite pour lui présenter son mari et ses enfants. Sean accepta avec reconnaissance, tout en promettant à Amanda de revenir à la Jeune Lorette dès que possible.

Durant le trajet, Sean confia à sa sœur cadette, non sans un certain embarras, les mots qu'Andrew avait prononcés avant de mourir.

— Il m'a demandé de te dire... qu'il t'aimait.

Voyant le regard de Fanette se voiler, il n'osa lui demander si elle avait partagé ses sentiments. Après tout, elle était mariée et mère de famille, et il ne la connaissait pas encore assez pour se permettre une telle indiscrétion.

— Sais-tu quelles étaient ses fleurs préférées ? dit-il à la place.

Fanette l'ignorait, mais son intuition lui dicta la réponse.

— Des myosotis.

Forget-me-not.

⁓

Le cimetière des Irlandais était calme, presque figé dans la grisaille ferreuse du ciel. Fanette guida son frère dans l'allée bordée de tilleuls qui menait à la tombe de Cecilia. Sean tenait un bouquet de myosotis dans les mains.

— C'est ici, dit Fanette.

Sean s'arrêta devant une tombe dont l'épitaphe était à moitié effacée par les intempéries.

À la mémoire éternelle de
Cecilia Beggs
Ma sœur bien-aimée
1810-1834

Sean déposa les fleurs bleues au pied de la pierre tombale et se recueillit en silence.

Fanette attendit discrètement, en retrait. Après quelques minutes, Sean se tourna vers elle. Ses yeux étaient brouillés de larmes.

— Andrew m'a parlé de Cecilia, une fois. Il m'a dit quelque chose comme : « Elle était tout pour moi. Elle est morte. Jamais plus je ne la reverrai. Il me faut vivre tous les jours avec cette perte, tandis que toi, tu peux encore espérer. Tu ne connais pas ta chance. »

Sa voix s'éraille. Il essuya ses yeux avec une manche. Fanette, émue aux larmes à son tour, lui proposa de le ramener chez elle, à Montréal.

— Je te remercie, mais je préfère rester seul pendant quelque temps.

Sentant que Fanette était blessée, il la prit gentiment par les épaules.

— J'étais sans famille et tout à coup, après des années de recherches, je retrouve mes deux sœurs adorées et je perds l'homme qui m'était le plus cher. Rien ne pouvait me rendre plus heureux que nos retrouvailles. Nous nous reverrons très bientôt, je te le promets.

— Où vas-tu rester ?

— Ne t'inquiète pas pour moi. Je trouverai bien une chambre.

Dans sa bonté, Emma Portelance, avant le départ de Sean pour le village huron, lui avait remis une somme d'argent « pour lui permettre de voir venir », avait-elle dit. Il avait refusé, mais elle s'était presque fâchée : « Vous faites partie de la famille. Quand vous aurez trouvé un travail, vous me rembourserez ! »

Fanette lui laissa son adresse.

— Sache que tu seras toujours le bienvenu chez moi.

Les deux jeunes gens se firent des adieux remplis d'émotion.

ᏽ

Fanette revint à Montréal, le cœur chargé de joie et d'une étrange nostalgie. Lorsque le Phaéton arriva près de chez elle,

elle aperçut à distance Julien qui parlait avec une femme vêtue de noir. En s'approchant, des éclats de voix lui parvinrent, dans une langue qu'elle ne connaissait pas. « Marietta… » « Malata… » « Parla da solo… » La femme en noir, en entendant les roues de la voiture, tourna la tête dans sa direction. Une voilette cachait son visage. Elle regarda Fanette pendant un moment, puis s'éloigna à pas rapides. Fanette crut reconnaître la silhouette de la femme en noir qu'elle avait entrevue à l'église, lors de son mariage avec Julien. Elle descendit de voiture et vint à la rencontre de son mari. Ce dernier semblait en proie à une vive émotion.

— Qui était cette femme ? demanda Fanette.

— Une cliente. Elle est bouleversée parce que son mari lui a demandé le divorce.

Fanette eut la certitude que son mari ne lui disait pas la vérité.

Épilogue

Montréal, mi-juin 1866

Un jeune homme d'une vingtaine d'années, habillé décemment bien que de façon modeste, descendit d'un omnibus. Pour la centième fois, il regarda l'adresse inscrite sur un bout de papier qu'il tenait serré dans une main. *C'est bien ici,* se dit-il en déchiffrant le numéro de la porte. Il resta debout pendant un long moment, observant avec émotion la maison de briques rouges, surmontée d'un balcon ombragé par les branches d'un tilleul en fleurs. Il rêvait de ce moment depuis si longtemps ! Il s'avança vers la porte, tendit la main vers la sonnette, puis suspendit son geste. Et si elle n'habitait plus ici ? Pire encore, elle refuserait peut-être de le recevoir... Après une hésitation, il se décida et appuya sur le bouton. Un timbre clair résonna. Une vieille femme, portant un bonnet et un tablier blancs à l'ancienne mode, lui ouvrit.

— Bonjour, madame, balbutia-t-il. On m'a dit que je pourrais trouver Madeleine Portelance à cette adresse.

La servante scruta le jeune homme. Il était grand, assez maigre, avec des yeux vifs et intelligents. Il lui fit plutôt bonne impression, quoique sa maigreur indiquât qu'il ne mangeait peut-être pas toujours à sa faim.

— C'est à quel sujet ?

— Il s'agit de... Eh bien, c'est personnel.

Berthe le considéra avec méfiance. Il n'y avait rien qui l'agaçait davantage que d'être écartée de ce qui concernait sa maîtresse.

— Ma'me Portelance est occupée. Revenez un autre jour.

Elle fit un mouvement pour fermer la porte. Le jeune homme réussit à dominer sa timidité et fit un pas sur le seuil.

— Si vous permettez, je souhaiterais vraiment lui parler.

Constatant que l'étranger ne se laisserait pas éconduire, la servante se résigna à le laisser entrer. Il s'avança dans le hall, visiblement intimidé par le décor bourgeois, la rampe de l'escalier qui luisait dans la lumière d'un grand lustre, l'amorce de la salle à manger où l'on pouvait entrevoir une grande table de chêne.

— Attendez ici, dit Berthe sèchement.

La bonne alla trouver Madeleine, qui était installée à son pupitre et écrivait fiévreusement. Quelques feuilles remplies de son écriture serrée s'empilaient près d'elle. Ses doigts étaient tachés d'encre.

— Berthe, je t'ai dit cent fois de ne pas me déranger quand j'écris !

— Il y a quelqu'un qui veut vous voir.

— De qui s'agit-il ?

La servante haussa les épaules, mortifiée de ne pas avoir songé à demander son nom à l'inconnu. Madeleine s'impatienta.

— Dis-lui de revenir un autre jour.

— C'est justement ce que j'lui avions dit, mais il est têtu comme une mule.

Madeleine déposa sa plume dans son socle et se rendit d'un pas ferme vers le hall. Un jeune homme faisait nerveusement les cent pas.

— J'étais en pleine écriture. Qui êtes-vous ? Que voulez-vous ? demanda-t-elle d'un ton coupant.

L'inconnu rougit.

— Je… je m'appelle Guillaume Soulières.

Ce nom ne disait rien à Madeleine.

— Je ne crois pas vous avoir déjà rencontré.

— Non, en effet.

Il garda un silence embarrassé.

— Mais enfin, parlez !

Il se mordit les lèvres et croisa les mains dans le dos pour se donner une contenance.

— Je suis… je suis votre fils.

Madeleine resta figée, comme si la foudre lui était tombée dessus.

Mot de l'auteure et remerciements

Comme toujours, je me suis permis d'adapter la réalité historique aux besoins de mes intrigues. Ainsi, la prison de la Force a été détruite en 1845 et remplacée par la prison Mazas (bien qu'elle eût gardé le nom de la Force pendant plusieurs années). J'ai choisi de conserver la Force, beaucoup plus évocateur. Le complot contre le roi Louis-Philippe est bien sûr le fruit de mon imagination, qui est plutôt débordante, comme le savent mes lecteurs…

La grève des charretiers à laquelle je fais allusion a eu lieu en septembre 1864. Je l'ai située en avril pour les fins du récit. Le *Great Eastern*, paquebot transatlantique, a bel et bien existé, mais j'ai imaginé un trajet fictif entre Québec et Liverpool.

Le carré Saint-Louis a été aménagé seulement en 1876. Quant à la lettre de George Sand à Madeleine Portelance, elle est, bien entendu, apocryphe. J'ai aussi inventé la visite de Madeleine à la grande écrivaine dans son domaine de Nohant, tout comme le fait que Madeleine ait lu une partie de sa correspondance, qui n'a été publiée qu'à titre posthume.

Le théâtre Royal auquel je fais allusion a été démoli au milieu du XIXe siècle pour faire place au marché Bonsecours. L'ouvrage *Notre-Dame-de-Bon-Secours – Une chapelle et son quartier*, de Patricia Simpson et Louise Pothier, aux Éditions Fides, m'a été très utile pour les scènes qui se déroulent dans l'église Bonsecours et le quartier environnant. On ne célébrait pas de mariages dans la chapelle, qui servait de lieu de pèlerinage, mais j'ai fait un accroc pour y mettre en scène celui de Fanette…

L'écrivain et journaliste Arthur Buies (1840-1901) est devenu un personnage important dans mon roman. Mes sincères remerciements à Francis Parmentier, dont les éditions critiques des chroniques d'Arthur Buies (Presses de l'Univérsité de Montréal) et de sa correspondance (1855-1901, aux Éditions Guérin) ont été des sources précieuses de renseignements sur ce personnage méconnu de notre histoire, qui, je l'espère, ne se retournera pas dans sa tombe devant mes inventions romanesques.

Encore une fois, l'impressionnante collection iconographique du Musée McCord m'a servi tout au long de l'écriture.

Je remercie tout particulièrement le musée d'avoir accordé la permission d'utiliser l'image d'une jeune femme portant un corset, en p. 296. (*Source*: http://www.mccord-museum.qc.ca/fr/collection/artefacts/M991X.5.168)

Enfin, je rends un vibrant hommage à ma directrice littéraire, Monique H. Messier, pour sa clairvoyance et sa bienveillance, ainsi qu'à mon éditrice, Johanne Guay, pour son indéfectible soutien et sa défense des écrivains. Toute ma reconnaissance va à Jean Baril, qui déploie savoir-faire et imagination pour la promotion des romans de Libre Expression, et à Martina Branagan, ma fidèle traductrice des passages en gaélique. Merci de tout cœur à mon agent littéraire, Evelyne Saint-Pierre, pour son dévouement et sa loyauté irremplaçables, et à Anne Béland, mon attachée de presse, une femme aussi sympathique que compétente.

La suite de la saga historique Fanette

Fanette, tome 7

Fanette mène une vie heureuse avec son mari, Julien, leurs jumeaux ainsi que sa fille, Marie-Rosalie, née de son premier mariage, mais la profession de journaliste lui manque. L'occasion de remettre le pied à l'étrier se présente sous la forme d'une annonce dans un journal, dans laquelle on cherche un adjoint à la rédaction.

Maintenant marié et père d'un garçon, le reporter Oscar Lemoyne enquête sur une mystérieuse disparition de cadavres. Une tragédie l'obligera à affronter nul autre que monseigneur Bourget, le célèbre évêque de Montréal, qui exerce ses fonctions épiscopales avec une main de fer dans un gant de velours.

Sean habite désormais le village huron de la Jeune Lorette avec sa sœur Amanda et sa famille. Il trouve enfin l'amour entre les bras d'une jeune veuve, Marie Siouï. Mais son passé d'ancien révolutionnaire le rattrape. Il devra faire un choix déchirant entre son devoir de patriote et sa vie amoureuse.

Retrouvez Fanette sur le blogue :
www.fanette.ca

Suivez les Éditions Libre Expression sur le Web :
www.edlibreexpression.com

Cet ouvrage a été composé en Cochin 12,25/14,7
et achevé d'imprimé en novembre 2013 sur les presses de
Marquis imprimeur, Québec, Canada

certifié   procédé   100 % post-   archives   énergie
             sans   consommation   permanentes biogaz
             chlore

Imprimé sur du papier 100 % postconsommation,
traité sans chlore, accrédité Éco-Logo et fait à partir de biogaz.